COLLECTION BEST-SELLERS

DU MÊME AUTEUR

Les Dames de Hollywood, Presses de la Cité, 1985.
Le Grand Boss, Presses de la Cité, 1986.
Lucky, Presses de la Cité, 1987.
Rock Star, Presses de la Cité, 1989.
Les Amants de Beverly Hills, Presses de la Cité, 1990.
Lady Boss, Fixot, 1991.

JACKIE COLLINS

NE DIS JAMAIS JAMAIS

roman

Traduit de l'américain
par Jean Rosenthal

ROBERT LAFFONT

En souvenir de mon mari Oscar,
qui fut la lumière de ma vie.

Prologue

DÉCEMBRE 1992

Deux millions de fans à travers le monde célèbrent le trente-cinquième anniversaire de la superstar, Nick Angel, en même temps que la première de son nouveau film, *Killer Blue*.

Un communiqué des Studios Panther a annoncé que Nick n'assistera pas, comme c'était prévu, à la première de *Killer Blue*.

Un porte-parole d'Angel a précisé que la vedette fêtera son anniversaire à New York.

U.S.A.
Décembre 1992

NEW YORK, 15 DÉCEMBRE 1992

Pour Nick Angel, le matin était toujours un mauvais moment. Il restait au lit, les yeux fermés, refusant de s'abandonner à l'obscurité rassurante, luttant contre l'idée qu'il fallait se lever et affronter une nouvelle journée. Surtout celle-ci. Son anniversaire.

Le trente-cinquième. Nick Angel avait trente-cinq ans.

Les journaux allaient en faire une overdose. Il n'était plus le jeune prodige. Sournoisement, l'âge arrivait.

Nick ne bougeait pas. Il devait être midi passé, mais plus Nick traînait, mieux cela valait, car il savait que, dès l'instant où il aurait fait un geste, ils allaient tous lui tomber dessus. Honey, sa fiancée, comme on disait dans les magazines. Harlan, son prétendu valet de chambre. Et Teresa, sa fidèle assistante, championne de karaté.

Il entendit soudain un mouvement dans la chambre. Un léger froissement de soie accompagné du subtil arôme de Diamant Blanc — Honey était une grande fan de Liz Taylor. En fait, Honey n'était pas autre chose qu'une fan. Alors... pourquoi restait-il avec elle ?

Bonne question. Le problème était qu'il y avait trop de questions dans sa vie et pas assez de réponses.

Honey était déjà en chasse. La ravissante et blonde Honey avec son corps à damner un saint et son esprit parfaitement

11

vide. Il la sentait plantée auprès de lui, le regardant, en lui donnant mentalement l'ordre de se réveiller.

Dommage, mon chou. Va jouer ailleurs. Je ne suis pas d'humeur.

Dès qu'il fut certain qu'elle était sortie, il roula prestement hors du lit et gagna l'abri de sa salle de bains ultramoderne, toute de verre et d'acier, fermant à clé la porte derrière lui.

Ah... Nick Angel le matin ! Ce n'était plus l'homme qu'il avait été jadis, même s'il était encore beau malgré ses cinq kilos de trop, ses yeux injectés de sang et son air légèrement délabré. Il avait horreur de se voir comme ça. Les kilos supplémentaires qu'il avait pris le dégoûtaient. Il devrait arrêter de boire. Il devrait reprendre sa vie en main.

Nick Angel. Des cheveux noirs un peu longs. Des yeux verts d'Indien. Une peau pâle, un menton mal rasé. Avec son mètre soixante-quinze, il était grand sans être trop imposant. Sa beauté n'était pas sans défaut. Il avait un air un peu boudeur... fascinant. Et tout en étant congestionnés, ses yeux verts avaient un regard vigilant avec quelque chose d'hypnotique. Son nez, cassé voilà bien longtemps, lui donnait ce petit côté dangereux dont il avait besoin.

Et voilà maintenant qu'il avait trente-cinq ans. C'était vieux. Jamais il n'aurait cru atteindre cet âge-là.

Mais on l'aimait toujours. Ses fans continuaient à l'adorer parce qu'il était Nick Angel et qu'il était leur propriété. Ils l'avaient porté à des altitudes insensées, où il ne fallait pas compter voir qui que ce soit garder la tête froide.

C'est trop, songea-t-il amèrement en s'aspergeant le visage d'eau froide. *L'adulation, les attentions incessantes. Ça m'écrase... Ça m'étouffe... Ça me suffoque... C'est trop.* Il eut un sourire narquois. *Bienvenue à l'asile de fous. Bienvenue à ma vie.*

Décrochant le téléphone, il appela le garage en sous-sol, pour parler à un de ses chauffeurs-gardes du corps.

— Je descends, annonça-t-il. Sortez-moi la Ferrari. Pas de chauffeur. Et appelez l'aéroport, dites-leur de préparer mon appareil. Je vais le prendre.

— Entendu, Nick. Oh, et bon anniversaire, mon vieux !

Tous ces souhaits d'anniversaire lui cassaient les pieds. Il savait que toute la journée, ça allait être le même refrain. En ayant fini dans la salle de bains, il passa rapidement la tenue noire qui était sa marque de fabrique. Pantalon, chemise, blouson de cuir et chaussures de tennis noirs. Il n'avait plus maintenant qu'à quitter l'appartement avant d'être obligé de subir d'autres félicitations.

12

À peine fut-il arrivé dans le vestibule qu'ils étaient sur lui. Honey, dents de nacre au vent et petits seins ronds moulés dans un chandail d'angora rose, sa minijupe lui battant les cuisses dans un excitant frou-frou. Harlan, un Noir dingue avec des petites tresses et un maquillage discret. Et Teresa, un mètre quatre-vingts, avec un visage d'homme. Quel drôle de trio ! Mais ils étaient à lui. Il en était propriétaire. C'était lui qui payait chacun de leurs gestes.

— Il faut que j'y aille, dit-il avec agacement.

— Où ça ? demanda Honey, en braquant ses seins sur lui.

— Où ? fit Teresa en écho, en fixant sur lui un regard accusateur. Il faudrait que je vienne avec toi.

— C'est vrai, mon vieux, où vas-tu ? demanda Harlan, se joignant au chœur.

— Je reviendrai bientôt.

Peut-être pas. Il avait habilement calculé ses paroles pour les faire coïncider avec l'arrivée de l'ascenseur et, sans leur laisser le temps de le harceler davantage, il était au sous-sol, dans sa Ferrari, quittant Manhattan en roulant aussi vite qu'il le pouvait.

Il mit quarante-cinq minutes à atteindre le terrain d'aviation privé où il gardait son bimoteur Cessna. Quelques mécaniciens l'accueillirent avec des souhaits de bon anniversaire. Il monta à bord de son avion, s'installa dans le cockpit et pilota le petit appareil sur la piste jusqu'au moment où il reçut l'autorisation de décoller dans le ciel d'un bleu qui n'était pas de saison.

Il poussa un long et profond soupir. Quand tout cela avait-il commencé à le dépasser ?

Nick Angel.

Mais il avait une solution. Un plan qu'il allait mettre en œuvre.

LIVRE UN

1

LOUISVILLE, KENTUCKY, 1969

— Vas-y! criait-elle, haletant frénétiquement. Vas-y, vas-y donc!

— J'essaie! répliqua Nick Angelo, agacé.

Et c'est vrai qu'il essayait mais, à sa consternation, il n'arrivait pas à grand-chose.

Elle avait une voix stridente et autoritaire.

— Vas-y! insistait-elle en se tortillant. Allons, Nicky, allons, allons, *allooons!*

Commençant à s'affoler, il atteignit une nouvelle fois son objectif et, Dieu merci, réussit à rester dans la place. « *Hmmm...* » Sa voix se fit moins aiguë et elle commença à sembler satisfaite. « *Oh...* » Elle continuait à soupirer avec ravissement.

Nick était en nage. Mais il insistait quand même car, pour l'instant, il n'y avait rien de plus important au monde que d'arriver à ses fins. Il se souvint vaguement qu'un de ses amis lui avait dit que faire l'amour, c'était comme l'équitation : on se mettait en selle et hue cocotte!

Personne ne lui avait dit que ce serait un parcours aussi difficile. Et puis ça arriva. La sensation la plus excitante, la plus vibrante, la plus incontrôlable qu'il eût jamais éprouvée. Quelle merveille!

La fille clama sa satisfaction. L'envie le prit d'en faire autant. Mais, quand on était un homme, il fallait rester cool — même si c'était bel et bien la première fois.

Nick Angelo couchait pour la première fois de sa vie avec une fille — et il n'imaginait pas une façon plus formidable de fêter son anniversaire.

2

EVANSTON, ILLINOIS, 1973

— Je t'en prie, Nick, *s'il te plaaaît*... je n'en peux plus.

Peut-être que oui. Peut-être que non. Mais cela faisait vingt minutes qu'il lui faisait sa fête et c'était seulement maintenant qu'elle commençait à se plaindre — et encore était-ce à peine une plainte, plutôt un long cri d'extase.

— Oooh, Nicky, tu es le meilleur !

Ah oui ? On le lui avait déjà dit. Si seulement il pouvait leur apprendre à ne pas l'appeler Nicky... Tomber les filles, c'était sa spécialité. À coup sûr, c'était plus drôle que faire ses devoirs. Et c'était certainement mieux que de passer son temps chez lui à regarder son père se soûler pendant que sa mère se tuait à travailler pour fournir en bière son bon à rien de mari.

Un de ces jours, il comptait quitter ce trou et emmener sa mère avec lui. Mais il lui fallait d'abord un travail. Pour l'instant, il était coincé à l'école parce que sa mère estimait que l'éducation, c'était important. Mary Angelo avait cette idée folle qu'un jour il décrocherait une bourse pour aller au collège.

Mary n'avait pas les pieds sur terre : elle était perdue dans ses rêves. À trente-sept ans, elle en paraissait dix de plus. Menue comme un oiseau, frêle et nerveuse, avec un charme fané et des cheveux en bataille. Elle avait rencontré Primo, le père de Nick, quand elle avait seize ans et qu'il en avait trente. Ils s'étaient mariés juste une semaine avant la naissance de Nick, et Primo n'avait pratiquement plus rien fait depuis. Charpentier de son état, il n'avait pas tardé à comprendre que c'était beaucoup mieux de toucher ses allocations de chômage en envoyant sa femme travailler plutôt que de se fatiguer lui-même.

La famille Angelo déménageait souvent, se traînant d'un État à l'autre, vivant dans des maisons louées, toujours prête à reprendre la route chaque fois que Primo en ressentait le besoin. Et ça lui arrivait souvent. Nick ne se rappelait pas être resté dans la même ville plus de quelques mois d'affilée. Sitôt qu'ils commençaient à s'installer, voilà qu'ils reprenaient la route. Il finit par renoncer à toute relation permanente. Une ville nouvelle. Des filles nouvelles. Et on passait à la suivante.

— Est-ce qu'on peut aller voir un film demain? demandait Suzie, ou Jenny, ou Dieu sait comment elle s'appelait. C'est moi qui invite.

— Non.

Il secouait la tête et se levait, tout en remontant son pantalon. Ils étaient dans le petit bureau derrière la salle d'exposition des voitures — un endroit qu'il utilisait souvent parce qu'il faisait parfois des courses pour un des vendeurs du garage et qu'en échange il lui empruntait les clés.

— Pourquoi pas? insista la fille.

Elle avait dix-huit ans — deux ans de plus que lui —, des cheveux courts, des taches de rousseur et une poitrine bien développée. Il l'avait levée la veille derrière le comptoir d'une rôtisserie. Il essaya de trouver tout de suite une excuse. Pour faire l'amour, il était très bon. Mais il avait horreur de s'incruster. Son expérience passée lui soufflait que la fille n'apprécierait pas la vérité.

— J'ai du travail, dit-il, passant une main dans ses cheveux noirs en désordre.

— Qu'est-ce que tu fais? demanda-t-elle avec curiosité.

— Je suis assistant d'un croque-mort.

Ça lui coupa le sifflet. Il attendit qu'elle eût rajusté ses vêtements, puis l'aida à se relever. Il l'accompagna ensuite jusqu'à l'arrêt du bus, la planta là et fit à pied le kilomètre et demi qui le séparait de chez lui.

Pour le moment, ils habitaient une maison délabrée avec la sœur de Mary — sa tante Franny —, une grande femme aux cheveux teints et à la moustache décolorée. Ce n'était qu'une petite maison, mais dès l'instant que Primo avait un téléviseur à regarder et qu'il ne manquait pas de bière, il était content.

Nick espérait que Mary était rentrée de son travail. Si c'était le cas, il avait une chance de trouver quelque chose à manger. Franny ne se donnait jamais la peine de faire la cuisine. Elle suivait un régime à base de beurre de cacahuètes et de soda diététique. Elle engraissait et tous les autres mouraient de faim.

L'amour lui aiguisait toujours l'appétit. En cet instant, il aurait tué pour un hamburger, mais il était fauché comme d'habitude, et sa seule chance était de jouer de son charme auprès de Mary. D'ailleurs, ça ne lui donnait pas tant de mal : sa mère l'adorait. Elle le faisait passer avant tout le monde, Primo compris, quand elle le pouvait — ce qui n'arrivait pas souvent, car Primo exigeait le plus clair de son attention quand elle ne travaillait pas.

Nick avait un but dans la vie : avoir le moins de rapports possible avec son père. Il ne supportait pas la façon dont Primo traitait Mary. Il avait horreur de l'entendre la harceler et se plaindre de tout. Et surtout il avait horreur de la façon dont Primo restait assis sur sa chaise à ne rien faire.

En vérité, son père lui faisait peur. C'était un grand gaillard imposant et, chaque fois qu'il était de mauvais poil, Nick redoutait sa main qui le giflait ou sa grosse ceinture de cuir qui lui cinglait le bas du dos. Mary essayait toujours d'arrêter les rossées, même si cela l'amenait à se faire battre elle-même. Primo ne se souciait pas de savoir qui était sur son chemin, il cognait dur. Il y avait des moments où Nick aurait voulu le tuer. D'autres fois, il acceptait les volées comme une chose normale. La rage qu'il ressentait était silencieuse, enfouie en lui. Il ne pouvait rien faire — pas avant d'être plus âgé. À ce moment-là, il s'enfuirait avec sa mère.

À mi-chemin de chez lui, la pluie se mit à tomber. Relevant le col de sa vieille veste de toile, il baissa la tête et se mit à courir le long du trottoir, en songeant combien ce serait formidable d'avoir une voiture, s'imaginant qu'un de ces jours il aurait une Cadillac rouge étincelante avec des roues chromées et une radio super. Oui... Un de ces jours.

Nick aperçut Primo assis sur les marches de la maison de Franny. Il se crispa ; il était arrivé quelque chose. Sinon, pourquoi son vieux aurait-il abandonné sa chère télévision et serait-il assis dehors sous la pluie ?

Il approcha avec prudence.

— Qu'est-ce qu'il y a ? demanda-t-il, s'arrêtant et trottinant sur place.

Primo s'essuya le nez du revers de la main et le foudroya du regard, ses yeux injectés de sang semblant prêts à sortir de leurs orbites.

— Où étais-tu ? répondit-il, d'une voix pâteuse.

Nick sentit la pluie froide lui ruisseler dans le dos et il frissonna : il sentait venir de mauvaises nouvelles.

— Avec des copains, marmonna-t-il.

Primo poussa un soupir chargé de bière et se mit debout. Sa chemise lui collait à la peau. Ses épais cheveux grisonnants pendaient en mèches graisseuses sur son front. Des gouttes de pluie continuaient à couler du bout de son nez.

— Elle est plus là, dit-il d'un air maussade. Ta foutue mère nous a claqué entre les doigts.

3

BOSEWELL, KANSAS, 1973

Lauren Roberts avait seize ans quand un homme l'arrêta dans la rue pour lui demander si elle avait jamais envisagé une carrière de mannequin. Lauren lui avait ri au nez. Qui était cet inconnu ? Et pourquoi s'adressait-il à elle ? Il s'avéra qu'une équipe de cinéma passait en ville, un tas de gens bizarres. On avait averti Lauren — comme toutes les autres élèves de l'école — de ne rien avoir à faire avec ces gens-là.

Rentrant à la maison, elle raconta l'incident à son père. Phil Roberts hocha la tête d'un air entendu et dit :

— Une jolie fille se fera toujours embêter, mais une fille sage apprend bientôt à ne pas y faire attention.

Lauren acquiesça. Être jolie, c'était une chose, mais être sage, c'était mieux. Son père était intelligent. Il avait toujours enseigné à sa fille que compter sur son exceptionnelle beauté pour arriver était une erreur. Mieux valait réussir un examen avec mention. Obtenir de bonnes notes. Être forte en sport. Donner un coup de main aux œuvres municipales. Et même si Bosewell n'était qu'une petite ville — pas plus de six mille habitants — il y avait toujours beaucoup à faire pour les œuvres municipales.

Lauren était assurément jolie. Avec son mètre soixante-huit, elle était plus grande que la plupart des filles de sa classe. Elle avait de longues jambes, un corps élancé, une épaisse chevelure châtain tombant plus bas que ses épaules et encadrant un visage ovale avec des yeux noisette pétillant derrière leurs longs cils, un nez droit et une bouche généreuse qui dissimulait un éblouissant sourire.

Lauren Roberts était une des filles les plus appréciées de l'école. Tout le monde l'aimait bien, même les professeurs. Elle était dans la cour de l'école avec sa meilleure amie, Meg, quand celle-ci lui donna un coup de coude en murmurant d'un air de conspirateur :

— Tiens, il arrive. Tu devrais faire attention !

« Il », c'était Stock Browning, le footballeur vedette de l'équipe de Bosewell High. Ces derniers temps, il avait visiblement remarqué Lauren. Celle-ci fronça les sourcils.

— Tais-toi, murmura-t-elle. Il va t'entendre.

— Et alors ? répliqua Meg en agitant ses boucles blondes. Je te parie qu'il va t'inviter à sortir.

— Mais non, absolument pas.

— Je te parie que si.

Stock avançait d'une démarche chaloupée de cow-boy, les jambes écartées. Il avait des cheveux d'un blond presque blanc taillés en brosse et des yeux d'un bleu de guerrier teuton. Grand et hâlé, il savait pertinemment qu'il pouvait avoir tout ce ou tous ceux qu'il voulait. Comme son père était le propriétaire de Brownings, le seul grand magasin de la ville, cela lui facilitait les choses.

— Salut, Lauren, fit-il d'une voix traînante, en réprimant une violente envie d'agrémenter cette entrée en matière d'un clin d'œil paillard.

C'était la première fois qu'il l'appelait par son prénom, même s'ils fréquentaient la même école depuis des années.

— Bonjour, Stock, répondit-elle, en se demandant, comme elle l'avait déjà fait bien souvent, où ses parents étaient allés chercher ce prénom-là.

— Si on se faisait une soirée ciné tous les deux ? proposa-t-il, allant droit au but.

D'un côté, Lauren était flattée ; après tout, Stock Browning était considéré comme le parti de l'année. Mais d'un autre côté, et contrairement à la plupart des autres filles de l'école, elle n'éprouvait pas de « sentiments » pour lui. Il n'était pas son type.

— Hmmm..., fit-elle, prise au dépourvu et cherchant à gagner du temps.

Il n'arrivait pas à croire qu'elle pût hésiter.

— C'est oui ? demanda-t-il.

— C'est quand ? répondit-elle prudemment.

Il plissa les yeux.

— Quand quoi?

— Quand pensais-tu y aller? demanda-t-elle, en s'efforçant de garder un ton léger.

Bon sang! Est-ce qu'elle jouait les difficiles? N'importe quelle autre fille serait aux anges à l'idée de sortir avec lui.

— Ce soir. Demain soir. Quand tu voudras.

J'aimerais que tu me fiches la paix, se dit-elle. Même si elle n'avait pas de petit ami, cela ne l'intéressait pas de sortir avec lui. Absolument pas. Il était bien trop imbu de sa personne.

— Alors? fit-il.

Il avait planté sa grande carcasse devant elle et elle ne pouvait s'empêcher de penser à ce grand corps transpirant et écrasant le sien, si jamais ils *le* faisaient. Non pas qu'elle en eût la moindre intention. Pas avant d'avoir épousé l'homme qu'elle aimait.

Elle continua à gagner du temps, car elle avait horreur de blesser les sentiments de quelqu'un — même lui.

— Je ne sais pas, j'ai une semaine chargée.

Ce fut son tour à lui de froncer les sourcils. Une semaine chargée! Est-ce que cette petite Lauren Roberts était en train de refuser de sortir avec lui? Ça n'était pas possible!

— Appelle-moi quand tu seras décidée, fit-il avec brusquerie. Et il s'éloigna à grands pas.

Meg, qui rôdait dans les parages, partit d'un rire nerveux.

— Tu ne lui as quand même pas dit non?

Lauren acquiesça avec vigueur.

— J'ai dit non.

— Pas possible! fit Meg en portant une main à sa bouche.

— Mais si.

Elles éclatèrent de rire toutes les deux.

— Bon sang! s'exclama Meg. Je parie que c'est le premier non que *lui* a jamais connu.

— Ça lui apprendra à nous avoir ignorées pendant toutes ces années, déclara Lauren.

— Tu as raison, reconnut Meg.

Pourtant, si Stock Browning l'avait invitée, elle, elle danserait le boogie-woogie dans la Grand-Rue en distribuant des prospectus pour annoncer la nouvelle.

— Qu'est-ce que tu vas faire s'il t'invite encore? interrogea-t-elle avec curiosité.

Lauren haussa les épaules.

— Je m'en préoccuperai quand ça arrivera, et, très franchement, je ne pense pas que l'occasion se présente.

— Elle se présentera, fit Meg d'un ton sagace.

— Alors, je verrai à ce moment-là.

Lauren estima que Stock Browning avait occupé assez de leur temps.

— Allons prendre un milk-shake.

Ce soir- là, elle raconta l'histoire à ses parents, s'attendant à les entendre convenir que Stock était un enfant gâté, un gosse de riches et que, même s'il était le fils de l'homme le plus prospère de la ville, elle avait bien fait de l'éconduire.

Jane et Philip Roberts étaient mariés depuis vingt-cinq ans — les neuf premières années, sans enfant. Et puis, juste au moment où ils allaient perdre espoir, était arrivée Lauren. Elle n'avait connu d'eux qu'amour et dévouement : on aurait eu du mal à trouver famille plus unie. Ce fut donc un choc pour elle de constater que ses parents n'étaient pas du tout d'accord avec elle. Ils considéraient Stock comme un garçon charmant promis à un brillant avenir et certainement quelqu'un avec qui leur fille unique pourrait fort bien sortir. Lauren fut consternée de constater qu'ils réagissaient ainsi.

— Je ne veux pas sortir avec lui, déclara-t-elle d'un ton buté avant de se précipiter dans sa chambre.

Vingt minutes plus tard, son père vint frapper à sa porte. Phil Roberts était un homme avenant aux cheveux roux coiffés avec une raie au milieu, avec une petite moustache et un menton sans vigueur.

— Lauren, ma chérie, dit-il d'un ton conciliant. Ce que nous voulons pour toi, c'est le meilleur, tu t'en rends bien compte ?

Le meilleur ? Tu ne veux pas dire plutôt le plus riche ?

— Oui, papa, je sais.

Phil arpenta la pièce, gêné et mal à l'aise.

— Passe une soirée avec ce garçon, donne-lui une chance.

Une chance de faire quoi ?

— D'accord, papa. Peut-être, marmonna-t-elle, en remarquant que ce soir son père avait l'air fatigué.

— Tu es une gentille fille, dit Phil, l'air soulagé.

Meg ne s'était pas trompée : il ne fallut pas longtemps à Stock pour renouveler sa demande. Quelques jours plus tard, il invita Lauren à une soirée pour le vingt et unième anniversaire de son cousin.

— Smoking ou tenue de soirée, annonça-t-il d'un ton grandiose.

— Je n'ai pas de smoking, répondit-elle, imperturbable.

Il ne rit pas. C'était mauvais signe.

— Je passerai te prendre à six heures et demie, dit-il avec une œillade qui se voulait assassine — manifestement un de ses tics.

Les parents de Lauren étaient ravis.

— Nous irons chez Brownings t'acheter une robe neuve, lui annonça sa mère.

Lauren acquiesça. *Est-ce qu'on nous fait une remise si je le laisse m'embrasser dans un coin ?*

Le soir fixé, Stock apparut, lavé et astiqué — sa brosse blonde bien taillée, le hâle un peu rougeâtre, en veste de smoking blanche bien coupée. Les parents de Lauren furent impressionnés. En fait, elle n'avait jamais vu sa mère jouer à ce point les petites filles ricanantes en leur faisant prendre la pose pour une série de rapides photos.

La robe neuve de Lauren était verte couleur de fange. Elle la détestait.

— Ça vient de New York, avait annoncé la vendeuse dans un murmure respectueux.

Après cela, sa mère avait refusé de regarder quoi que ce soit d'autre. Pour les photos, Stock la prit par la taille. À travers le léger tissu de sa robe elle sentit la chaleur de sa main et elle retint son souffle. On racontait qu'Ellen Sue Mathison avait dû quitter la ville parce qu'il l'avait mise enceinte. Et Melissa Thomlinson jurait qu'il avait essayé de la violer. Elle frissonna.

— Froid ? demanda Stock avec une sollicitude qui n'excluait pas la brièveté.

— Oh non, ça va très bien, merci, Stock, répondit la mère de Lauren en papillonnant des yeux.

— Essayez donc ça. Phil Roberts tenait dans sa grosse main une coupe de champagne noyé dans du jus d'orange. Le coup de l'étrier. Ça ne fait pas de mal, hein ?

Lauren voyait ses parents sous un nouveau jour, et elle n'était pas sûre d'en être ravie. Stock conduisait une Ford Thunderbird dernier modèle. Il lui ouvrit la portière et l'aida à monter, jetant un coup d'œil égrillard au moment où sa jupe se soulevait.

— Charmants, tes parents, dit-il en s'installant au volant.

— Charmante, ta voiture, répondit-elle d'un ton morne.

— Elle me transporte.

Tout le monde ne peut pas en dire autant... Maintenant qu'elle était là, il ne savait pas quoi dire et elle n'allait pas lui faciliter la tâche. Elle était ici à son corps défendant et, à la moindre fausse note, il allait le regretter beaucoup, beaucoup.

4

EVANSTON, ILLINOIS, 1973

Le vendredi matin se leva, sinistre et glacé. La pluie tombait sans relâche, formant sur le sol une fange boueuse. Entassé à l'arrière d'un taxi entre tante Franny et son père, Nick sentait la bile monter dans sa gorge. Tous deux empestaient la naphtaline — cela s'expliquant par le fait qu'ils avaient emprunté des tenues de deuil à des gens du voisinage et qu'une voisine, Mrs. Rifkin, avait dans sa magnanimité décidé de les accompagner à l'enterrement.

Mrs. Rifkin était assise à l'avant, mâchonnant du chewing-gum et tentant d'engager la conversation avec le chauffeur noir qui s'intéressait surtout à ne pas respecter la limitation de vitesse et à les déposer là-bas vite fait. Il flairait un pourboire maigrelet et rien ne l'exaspérait davantage.

Franny tira de son sac usé un caramel au beurre de cacahuètes à demi fondu, l'enfourna dans sa bouche et dit à Primo :

— Alors, maintenant... quand penses-tu déménager ?

Charmant, se dit Nick, le corps de sa mère était à peine froid et voilà que cette vieille peau cherchait déjà à se débarrasser d'eux. Autant pour les liens familiaux. Primo ouvrit la bouche pour répondre et des relents de dents gâtées et de bière aigre flottèrent dans l'air, rivalisant avec l'odeur de la naphtaline.

— Qu'est-ce qui te presse, Fran ? demanda Primo, lâchant un rot qui manquait un peu de discrétion.

— Sans la paye de Mary, je ne peux pas vous laisser rester. Je n'en ai pas les moyens, déclara Franny en mâchonnant.

— Alors, tu nous flanques dehors ? C'est ça ? lança Primo d'un ton hargneux.

Franny lissa les plis de sa jupe, en frottant une tache qu'elle venait d'y découvrir. Du diable si elle allait laisser son bon à rien de beau-frère vivre à ses crochets. Elle ne pouvait plus le supporter.

— Je compte louer vos chambre, annonça-t-elle. Le plus tôt sera le mieux. Je...

— Pas à des nègres, j'espère, l'interrompit Mrs. Rifkin, affolée, oubliant à côté de qui elle était assise.

Le taxi prit un virage sur les chapeaux de roues, précipitant Nick sur la poitrine plantureuse de sa tante. Il aurait voulu pouvoir rendre son petit déjeuner sur elle : la vieille vache le méritait.

— Et Nick? demanda Primo, comme s'il n'était pas assis là à côté d'eux.

— Tu vas l'emmener avec toi, répliqua Franny, sans même envisager l'idée de l'inviter à rester.

— Il serait mieux avec toi, insista Primo.

Franny fouilla dans son sac pour trouver un autre bonbon.

— Qu'est-ce que tu veux que je fasse d'un garçon de cet âge? fit-elle d'un ton exaspéré.

Primo n'était pas homme à se décourager.

— En tout cas, ça lui ferait un foyer.

Est-ce que son père pensait vraiment à lui, ou bien était-ce l'idée d'être libre qui le poussait?

— Oui. Et un supplément de nourriture à acheter. Et des vêtements, et tout ce qu'il faut à des jeunes gens, déclara Franny avec indignation. Non, merci. C'est *ton* fils. Il va avec *toi*.

Affaire réglée. Nick se pencha en avant, s'efforçant de maîtriser le désespoir qui montait en lui, un désespoir si immense que c'était à peine s'il pouvait respirer. Un jour sa mère était là. Le lendemain disparue... comme ça. Crise cardiaque, avait-on dit.

Une crise cardiaque à trente-sept ans? C'était plutôt de la désertion. Elle l'avait laissé tout seul avec Primo simplement parce qu'elle ne pouvait plus le supporter.

Au cimetière, quand ils descendirent du taxi, Primo resta là à se dandiner d'un pied sur l'autre jusqu'au moment où Franny comprit qu'il s'attendait à la voir régler la course. Elle lui lança un regard mauvais.

— J'ai dû laisser mon portefeuille à la maison, marmonna Primo d'un ton penaud.

— Pignouf, dit-elle d'une voix sifflante, en comptant dans sa main le montant exact de la course. Tu l'as toujours été et tu le seras toujours.

Le chauffeur de taxi saisit les billets et démarra en trombe, les roues de sa voiture les éclaboussant de boue. Mrs. Rifkin n'était pas contente. Elle déploya un parapluie fané, tout en murmurant sous cape :

— On ne devrait pas permettre à ces gens-là de conduire, voilà ce que je pense.

Nick frissonna. Comment sa mère pouvait-elle le laisser seul avec Primo ? Le désespoir céda la place à la colère. Il avait envie de crier, de hurler. S'il avait pu mettre la main sur elle, il l'aurait tuée. Seulement c'était trop tard, n'est-ce pas ? Elle était déjà morte.

Un homme émacié vêtu d'un ciré gris avec un capuchon sinistre leur annonça qu'il les escorterait jusqu'à la tombe.

— Vous êtes tous là ? lança-t-il, l'air déçu.

— Ouais, fit Primo d'un ton agressif. Ça vous gêne ?

L'homme ne releva pas.

— Ça ne fait pas longtemps que nous sommes ici, se crut obligé d'expliquer Nick tandis qu'ils pataugeaient devant des rangées sans fin de tombes bien alignées. Ma mère n'a pas eu le temps de se faire des amis.

— La pauvre, dit l'homme, avec autant de passion qu'un poisson.

Il n'avait qu'une envie, c'était de se débarrasser le plus vite possible de ce groupe disparate.

— C'était quand même une femme merveilleuse, vraiment merveilleuse, ajouta Nick, avec un débit un peu trop précipité, les mots se bousculant sur ses lèvres.

— Je n'en doute pas, dit l'homme au ciré.

Ils arrivèrent enfin devant une tombe fraîchement creusée où un mauvais cercueil de sapin attendait d'être descendu dans la terre. *Ma mère est dans cette boîte*, songea Nick, perdant soudain son calme. *Oh, mon Dieu ! Ma mère est dans cette boîte.*

La brève cérémonie commença. La pluie tombait toujours. Et Nick ne savait pas s'il pleurait ou non car il avait le visage mouillé, tout mouillé...

Ils partirent trois jours plus tard. Franny fut soulagée de les voir s'en aller. Pour en être bien sûre, elle leur prépara des sandwiches au fromage un peu rance et une flasque de café tiède. Plantée devant sa maison, elle leur fit des gestes d'adieu alors qu'il pleuvait toujours et qu'il faisait un froid mordant.

— Vieille garce! marmonna Primo, comme ils s'éloignaient dans la vieille fourgonnette délabrée qu'il avait depuis dix ans.

— Où est-ce qu'on va, papa? se hasarda à demander Nick.

— Ne pose pas de questions et tu n'entendras pas de mensonge, fit Primo d'un ton sinistre.

— Je pensais simplement...

— Ne pense pas, lui lança Primo d'un ton brutal. Reste assis là et ferme ta grande gueule. Comme si ça n'était pas suffisant que je sois responsable de toi?

Nick avait la gorge serrée. Oh, bien sûr, il avait l'habitude de quitter une ville, d'abandonner ses amis et de repartir de zéro tous les quelques mois. Mais il n'était pas habitué à être sans la protection de sa mère. Elle avait toujours joué un rôle de tampon entre Primo et lui, et maintenant il n'y avait plus personne pour s'intéresser à lui.

— Sitôt que nous serons arrivés là où nous allons, je chercherai du travail, déclara-t-il, en regardant les essuie-glaces s'escrimer sous la pluie qui ne cessait pas, grattant le pare-brise avec un crissement étouffé.

— Pas question. Tu vas aller à l'école, ordonna Primo.

— Non, protesta-t-il.

— C'est là où tu te trompes. J'ai fait une promesse à ta mère.

— *Quelle* promesse?

— Occupe-toi de tes affaires.

Merde alors! C'était de *sa* vie qu'il était question, il avait quand même le droit de savoir? Et depuis quand Primo se souciait-il de tenir ses promesses? Primo se réfugia dans le silence, ses yeux injectés de sang fixés sur la route devant lui, ses grosses pattes crispées sur le volant.

Les pensées de Nick revenaient sans cesse au corps de sa mère qu'on mettait en terre, avec la pluie qui se déversait sur le pauvre cercueil de bois. Il était accablé d'une insupportable impression d'étouffement et de solitude. Est-ce qu'elle avait froid? Est-ce que son corps commençait lentement à se décomposer?

Une sorte d'horrible gémissement commençait à lui marteler l'intérieur du crâne. *Pourquoi ça ne pouvait pas être Primo? Pourquoi ça ne pouvait pas être son propre-à-rien de père?*

Deux heures plus tard, ils s'arrêtèrent pour prendre de l'essence. Nick descendit afin de se dégourdir les jambes tandis que Primo disparaissait dans les toilettes, dont il ne ressortit que vingt minutes après. Quand il finit par en émerger, il ignora son fils et se dirigea droit vers le magasin, où il acheta un paquet de Camel et six boîtes de bière. Puis il se posta auprès du téléphone public et se mit à passer des coups de fil.

Nick savait que mieux valait ne pas lui demander à qui il téléphonait. D'ailleurs, il s'en fichait. Malgré ce que disait son père, dès que possible il allait trouver du travail, mettre de l'argent de côté et filer. Il remonta dans la fourgonnette. Elle empestait l'essence. Il abaissa la vitre et regarda machinalement une blonde en minijupe et en bottes sortir en courant de sa voiture pour se précipiter aux toilettes, tenant un peu inutilement un magazine détrempé au-dessus des racines noires de ses cheveux.

Les filles. Toutes les mêmes. Il en avait connu suffisamment pour savoir exactement comment elles étaient. Dans toutes ses pérégrinations, il n'en avait jamais rencontré une seule dont il ait eu envie et qu'il n'ait pas pu avoir. C'était difficile de comprendre comment de pauvres imbéciles se donnaient tant de mal pour s'en trouver une, parce que c'était si facile : c'était un peu comme la pêche à la ligne. On lançait l'hameçon. On ramenait doucement le fil. On attrapait le poisson. Et puis on filait. Sans traîner.

Nick Angelo pouvait séduire n'importe qui. Et il le faisait — aussi souvent que possible. Ça lui donnait son seul vrai sentiment d'identité. Primo regagna d'un pas lourd la fourgonnette, jeta sur la banquette le pack de six canettes — déjà diminué d'une boîte — et mit le moteur en route.

— Euh... c'est illégal de circuler avec de l'alcool dans le véhicule, murmura Nick.

Primo s'essuya le nez du revers de la main.

— T'es quoi, un flic ?

— Je te le rappelais simplement.

— Eh bien, garde tes conseils.

C'est ça. Boucle-la. Ne bronche pas. La ferme. C'était l'histoire de sa vie. Se renversant en arrière, il ferma les yeux, plongeant dans une sorte de demi-sommeil — jusqu'au moment où une brusque secousse le réveilla : ils avaient failli emboutir l'arrière d'un énorme camion garé sur le bas-côté.

— Connards de chauffeurs ! s'écria Primo. Ils se foutent pas mal de l'endroit où ils s'arrêtent.

— Et si je conduisais ? proposa Nick.

La nuit commençait à tomber et Primo engloutissait déjà sa troisième bière.

— Depuis quand est-ce que, toi, tu conduis ? ricana Primo.

— J'ai pris des leçons à l'école. J'ai mon permis.

— Je me souviens pas de ça.

Non, bien sûr. Et même s'il s'en souvenait, il ne lui aurait jamais permis d'utiliser la camionnette, mais Nick l'avait prise plus d'une fois quand Primo était affalé dans les brumes de l'alcool et qu'il n'avait pas à craindre de se faire prendre.

La fourgonnette dérapa une nouvelle fois. Primo poussa un grognement, décidant en fin de compte qu'il en avait assez. S'arrêtant, il glissa du côté du passager, poussant Nick sous la pluie glacée. Nick fit en courant le tour par-derrière et s'empressa de sauter à la place du conducteur.

— Où est-ce qu'on va ? demanda-t-il, en empoignant le volant.

Il avait hâte de connaître leur destination. Primo termina sa bière, écrasant la boîte dans sa grosse main avant de la jeter par la fenêtre.

— Dans le Kansas, dit-il en rotant bruyamment. Un trou-du-cul de ville du nom de Bosewell.

— Pourquoi là-bas ?

— Parce que j'ai une femme là-bas, voilà pourquoi.

Pour Nick, c'était une grande nouvelle.

5

BOSEWELL, KANSAS, 1973

Ce qui avait débuté comme une simple sortie semblait tourner à une relation régulière et tout le monde était enchanté, à l'exception de Lauren. Avec Stock, elle était tombée dans une sorte de routine assommante. Dîner et cinéma le vendredi soir. Soirée dansante tous les samedis. Et deux brunches avec la famille. Ça durait depuis six semaines.

— Qu'est-ce qui se passe ? déplora-t-elle auprès de Meg. J'étais un être libre, comment est-ce que je me suis fichuc là-dedans ?

— Il n'a encore rien essayé ? demanda Meg, allumant une cigarette interdite.

Lauren secoua la tête.

— Non. Et cesse de me cuisiner tout le temps, on dirait un procureur !

— Pas du tout. Je meurs d'envie de connaître les détails croustillants.

— Pourquoi?

— Allons, Laurie, insista Meg. Tu sais bien que nous partageons tout. Il a dû au moins t'embrasser.

— Peut-être, dit-elle d'un ton mystérieux.

— Il l'a fait? insista Meg.

— Peut-être, répéta-t-elle.

Elles étaient dans la chambre de Lauren, et Meg se mit à sauter sur le lit, toute rouge de frustration à l'idée de ne pas réussir à obtenir de sa meilleure amie la moindre information sensationnelle.

— Dis-moi, espèce de petite vache!

Lauren n'avait pas particulièrement envie de se confier à Meg — après tout, cela n'avait rien de très excitant — mais il semblait maintenant qu'elle n'avait pas le choix.

— Bon, d'accord, il m'a embrassée. Tu es contente. Fin de l'interrogatoire.

Les yeux de Meg brillaient.

— Il embrasse bien?

— Il a de grandes dents.

— Qu'est-ce que ça veut dire?

— Elles sont toujours dans le chemin. Et d'ailleurs, soupira-t-elle, je te l'ai dit, je n'éprouve rien pour lui.

Meg sauta sur le plancher.

— Peut-être que c'est moi qui devrais le prendre en main. Qu'est-ce que tu en dis?

— Mais oui!

— Tu ne parles pas sérieusement.

— Mais si! Mais si!

Meg était exaspérée.

— Tu as le plus chaud lapin de la ville qui te fait les yeux doux et, à t'entendre, ça n'est rien du tout.

— En effet.

— Alors, pourquoi ne cesses-tu pas de le voir?

Elle soupira de nouveau.

— Parce que je ne peux pas. Mes parents l'aiment bien. Ils aiment ses parents à lui. En fait, si tu veux savoir la vérité, mon père est en train de vendre au sien je ne sais quel gros contrat d'assurance.

Meg tirait sur sa cigarette comme un vieux loup de mer.

— Oh, ça, ça n'est pas bon.

— Je pense bien, dit Lauren d'un ton sinistre, en essayant de se remémorer exactement comment tout cela était arrivé.

Leur premier rendez-vous avait été sans histoire, Stock s'était parfaitement conduit — il ne s'était même pas soûlé, alors qu'autour de lui ses copains de l'équipe de football étaient des zombies trébuchants.

Elle n'avait donc eu aucune raison de refuser sa seconde invitation, d'autant plus que ses parents à elle la pressaient d'accepter. Et puis voilà que tout d'un coup son père vendait au père de Stock un contrat d'assurance, et il n'était pas question qu'elle fasse louper l'affaire. Avant qu'elle ait pu s'en rendre compte, tout le monde estimait que Stock et elle formaient un couple. Maintenant elle était coincée. Et elle n'en était pas heureuse.

Mr. Lucas, le professeur d'histoire de Bosewell High, débitait son cours d'une voix monotone. Lauren essayait de se concentrer, mais c'était difficile — il était assommant — et c'était pratiquement impossible de rien tirer de ses leçons, il ne savait absolument pas comment enflammer l'imagination de ses étudiants. Ils étaient assis devant lui — vingt-quatre adolescents morts d'ennui se livrant à toutes sortes d'activités. Joey Pearson, le clown de la classe, s'occupait à inventer des contrepèteries et à les faire circuler. Dawn Kovak, la traînée de l'école, négociait avec un des garçons ce qu'elle pourrait lui faire pendant l'heure du déjeuner. Meg crayonnait des croquis de mode derrière la couverture de l'*Histoire du Monde*. Et Lauren rêvassait.

Son principal sujet de rêverie, c'était toujours New York. Quand elle était petite, ses parents l'avaient emmenée voir Audrey Hepburn dans *Breakfast at Tiffany's*, et elle n'avait jamais oublié la merveilleuse vision de la grande ville sur l'écran de cinéma.

New York... Elle avait décidé qu'un de ces jours elle irait là-bas, tout comme Audrey Hepburn. Elle aurait son appartement à elle, un travail qui la satisferait et un chat. Oh oui ! elle aurait *absolument* un chat. Et, bien sûr, un petit ami. Un *vrai*. Pas Stock Browning avec sa brosse et sa démarche de macho. Plutôt un type dans le genre Robert Redford ou Paul Newman : elle avait un faible pour les blonds châtains.

— Lauren ! lança la voix aigre de Mr. Lucas, interrompant sa rêverie. Voudriez-vous répondre à la question.

La question ? Quelle question ? Elle jeta un rapide coup d'œil au tableau noir et devina de quoi il venait de parler, donnant juste à temps la réponse exacte.

— Tu me souffles ! chuchota Meg en étouffant un rire. Même moi, je voyais bien que tu étais quelque part en Chine !

— New York, répondit Lauren sur le même ton. Mais ça ne m'ennuierait pas de visiter la Chine un jour.

— Compte là-dessus !

Meg et elle envisageaient leur avenir de façon différente. Meg se voyait mariée, avec des enfants et menant une existence heureuse à Bosewell. Lauren savait qu'il y avait un vaste monde et elle comptait bien l'explorer avant de se ranger. La cloche sonna, annonçant la fin de la classe. Stock l'attendait, accoudé au comptoir de la cafétéria.

— Je passerai te prendre ce soir à six heures et demie, annonça-t-il.

— Ah bon ?

— Ne me dis pas que tu as oublié.

— Oublié quoi ?

— Le dîner avec mes parents.

— Oh, c'est vrai, fit-elle d'un ton morne.

— Ne te laisse pas emporter par l'excitation.

Qu'est-ce qu'il voulait d'elle ? Elle viendrait, non ? Ça devrait suffire. Il se pencha pour lui poser un baiser sur la joue. Il sentait la transpiration et le liniment au camphre. La sueur, elle pouvait la supporter, mais le camphre lui donnait presque la nausée. Il était vraiment temps pour elle d'avoir une conversation avec son père à propos de l'assurance qu'il était en train de vendre à Mr. Browning. L'affaire était-elle faite ? Et, si elle cessait de voir Stock, est-ce que ça gâcherait tout ? Elle était certaine que d'un moment à l'autre il allait tenter sa chance et elle n'avait aucune envie de jouer le rôle de la victime en train de se débattre, coincée sous sa grande carcasse, dans l'habitacle exigu de sa Ford Thunderbird.

En rentrant, elle s'arrêta au bureau de son père, dans la Grand-Rue, au-dessus de la quincaillerie des frères Blakely. La porte était fermée à clé, le store tiré sur la porte vitrée. On pouvait lire PHILIP M. ROBERTS, ASSURANCES. Il avait laissé entendre qu'un jour ce serait : Philip M. Roberts et Fille. Lauren n'avait pas encore rassemblé son courage pour lui annoncer qu'elle n'avait aucune intention de travailler dans les assurances. Déçue de ne pas l'avoir trouvé, elle poursuivit son chemin. Sa mère était dans la cuisine à préparer un gâteau.

— Où est papa? demanda-t-elle, plongeant le doigt dans la jatte pour goûter le mélange crémeux.

— Ne fais pas ça! lança Jane Roberts.

C'était une femme brune aux traits fins et aux pommettes saillantes. On devinait sans peine de qui Lauren tenait sa beauté.

— Hmmm, délicieux, fit Lauren en replongeant son doigt.

— Je t'ai dit de ne pas faire ça, répéta Jane d'un ton sévère. Il ne va rien rester. C'est le gâteau que tu vas emporter ce soir chez les Browning.

— Pas question! dit-elle, horrifiée. Je ne vais pas leur apporter un cake, maman.

— Alors, il faudra que je demande à Stock.

— Non, maman, absolument pas! Tu ne peux pas m'embarrasser comme ça.

Jane s'interrompit et s'essuya les mains sur son tablier.

— Qu'est-ce que tu trouves d'embarrassant à apporter un gâteau aux Browning?

Lauren hésita.

— Oh, tu sais, c'est un peu... euh... faire de la lèche.

Jane plissa les yeux.

— Faire de la lèche?

— Tu sais très bien ce que je veux dire.

— Non, je ne pense pas.

Jane foudroya sa fille unique d'un regard du style *Comment oses-tu me parler comme ça... Attends un peu que ton père rentre.*

Oh, oh! Maman était furieuse. Peut-être était-elle allée trop loin.

— Bon, d'accord, je vais le prendre, ton gâteau, marmonna-t-elle en montant précipitamment dans sa chambre.

C'était manifestement de la lèche mais, pour le moment, elle ne pouvait rien y faire.

Daphné Browning était une forte femme avec des mentons en cascade et des lèvres rouge vif. Elle accueillit chaleureusement Lauren.

— Votre mère est si pleine d'attention. Quelle idée charmante, lança-t-elle avec effusion. Évidemment, mon docteur m'interdit le chocolat, mais Benjamin l'adore, n'est-ce pas, mon chéri?

Ce fut à peine si Benjamin Browning leva le nez de son journal. Il était grand, un peu épaissi à la taille — avec un visage sévère, des cheveux gris fer et des sourcils en broussailles assortis.

— J'essaie de suivre un régime, grommela-t-il.

Stock arpentait la pièce, tandis que Lauren s'installait un peu raide sur un fauteuil recouvert de soie damassée dans le salon très cérémonieux. Une domestique s'empara du gâteau, qu'on ne devait jamais revoir.

— Quand dîne-t-on ? interrogea Stock.

Daphné ne répondit pas.

— Dites-moi, ma chère enfant, fit-elle en tournant vers Lauren ses lèvres cramoisies. Stock est votre premier petit ami ?

Lauren n'arrivait pas à croire qu'on lui posait une question aussi personnelle. Si elle n'avait pas été aussi polie, elle aurait répliqué : « Ça ne vous regarde pas. » Au lieu de cela, elle se mit à caresser fébrilement le pékinois de Mrs. Browning — une féroce petite bête qui découvrait les dents en poussant des grognements hostiles.

— Quel joli petit chien ! s'exclama-t-elle en essayant d'avoir l'air sincère. Quel âge a-t-il ?

— C'est une demoiselle, reprit Mrs. Browning.

— Comment s'appelle-t-elle ?

— Princesse du Ponton Rose.

— Quel joli nom !

Elle se remit à caresser le chien et la sale petite bête la menaça de ses redoutables crocs.

— S'il le peut, ce chien va te croquer la main, dit Stock en riant.

— Stock ! lui lança Daphné. Princesse ne ferait jamais cela.

— Madame est servie, annonça une domestique noire en apparaissant sur le seuil.

Mr. Browning reposa son journal.

— Pas trop tôt, dit-il d'un ton irrité.

Le dîner fut assommant. Voilà une expérience que Lauren n'avait aucune envie de renouveler. Mrs. Browning était une snob. Mr. Browning était simplement grossier. Et Stock... eh bien, il était Stock.

La raccompagnant chez elle, il alla droit au but.

— Ils t'aiment bien, annonça-t-il.

— C'est gentil.

— Même si tu es jeune.

Et lui, qu'est-ce qu'il était... avec ses dix-huit ans...

— Je suis impressionnée, dit-elle sèchement.

Il ne remarqua pas son ton sarcastique.

— Ils nous ont donné la permission.

36

— De quoi? demanda-t-elle en étouffant un bâillement
— De nous fiancer.

6

Aretha Mae Angelo ouvrit la porte de sa caravane et foudroya du regard Primo, comme si elle en avait assez de le voir. Cela faisait en fait dix-sept ans qu'il l'avait plaquée, mais elle n'allait certainement pas laisser dix-sept ans d'absence l'empêcher de dire vigoureusement son fait à ce vaurien. Blotti dans la camionnette, Nick ne perdait pas un mot de la scène.

— Qu'est-ce que tu veux, vieille limace? Qu'est-ce qui te prend de venir renifler encore par ici? Tu n'es qu'un minable, alors fiche-moi le camp d'ici. Tu m'entends? *Dehors.*

Primo marmonna en geignant quelques faibles excuses et, avant que Nick ait eu le temps de comprendre exactement ce qui se passait, la femme lança un nouveau torrent d'insultes, tira Primo à l'intérieur de la caravane et claqua la porte. Assis dans la fourgonnette, Nick songeait à la semaine qui venait de s'écouler. Il avait seize ans — presque dix-sept — et qu'est-ce qu'il pouvait attendre de la vie. Toute son existence n'avait été qu'un mensonge.

Mary et Primo. Ses chers parents. Voilà que Primo lui avait annoncé qu'ils n'étaient même pas légalement mariés, car il était toujours l'époux de cette femme quand Mary et lui avaient échangé leurs vœux. Primo Angelo était un bigame.

Et dans ce cas-là, qu'est-ce qu'il était, lui? Il préférait ne pas y penser.

La pluie n'était plus qu'une bruine, mais glacée. Nick restait pelotonné dans la voiture, il avait faim, il était fatigué et vidé de toute émotion. Un peu plus tard, Primo sortit de la caravane suivi de la femme. Ouvrant toute grande la porte de la camionnette, il lança à Nick une couverture sale en disant d'un ton rogue :

— Tu vas dormir ici. Il n'y a pas de place à l'intérieur.

La femme s'approcha, essayant de le voir. Nick remarqua qu'elle avait la peau sombre, très sombre. Avec un brusque sursaut, il s'aperçut qu'elle était noire.

Au matin, la pluie avait cessé. Nick, qui avait dormi couché en travers des sièges avant, fut éveillé par un petit crissement. Pendant un moment, il ne comprit pas où il était. Il se redressa, se cognant contre le tableau de bord. Il avait des crampes d'estomac et une violente envie d'uriner. Deux petits garçons noirs le dévisageaient par la vitre. L'un d'eux grattait à la fenêtre. Sitôt qu'ils s'aperçurent qu'il était réveillé, ils détalèrent.

À la lumière, il inspecta les lieux. La fourgonnette était garée au milieu d'un terrain de camping assez peu encombré. Quelques chiens décharnés couraient autour d'un groupe de caravanes délabrées, alentour ce n'était que boue et mauvaises herbes et, sur un côté, un énorme tas d'ordures. En comparaison, la minable maison de tante Franny à Evenston avait l'air d'un palais. Il sortit de la camionnette. À quelques pas, les deux petits Noirs, accroupis sur le sol, le dévisageaient toujours.

— Hé! fit-il. Qu'est-ce qu'il y a?

Ils ne réagirent pas.

— Il faut que j'aille aux toilettes.

Un des garçons désigna une cabane auprès du tas d'ordures. Il s'y rendit et le regretta aussitôt : la puanteur était insupportable. Soulagé malgré tout, il regagna en hâte la fourgonnette, incapable de maîtriser ses gargouillements d'estomac. Dans sa poche il avait exactement trente-cinq cents. Pas de quoi faire grand-chose.

S'adossant à la voiture, il songea à son avenir et conclut que les choses ne pourraient certainement pas aller plus mal. Il était bloqué dans un bled inconnu, à attendre dans un minable terrain de camping que son père eût renoué connaissance avec la femme à laquelle il était marié depuis dix-sept ans, sans en avoir rien dit à personne. Un des garçons s'approcha, un beau gamin aux yeux vifs et à la peau couleur chocolat.

— Comment tu t'appelles, monsieur? demanda-t-il avec curiosité.

— Nick. Et toi?

— Harlan. J'ai dix ans. Toi, quel âge t'as?

— Seize ans.

— Qu'est-ce que tu fais ici?

Il haussa les épaules.

— Je me demande.

Au bout d'un moment, Primo émergea de la caravane, n'ayant sur le dos que ses sous-vêtements crasseux, grattant sa grosse bedaine, un sourire inhabituel éclairant son visage pas rasé. Nick connaissait cet air-là. C'était l'air de l'homme qui vient de renouer avec une vieille conquête.

— Bien dormi ? demanda Primo, comme s'ils avaient passé la nuit dans un palace.

— Je n'ai pas fermé l'œil. J'avais trop faim, marmonna-t-il, furieux contre son père et ne sachant pas très bien comment se faire comprendre.

Ce qu'il aurait vraiment voulu, c'était lui casser la figure.

— T'en fais pas pour ça, répliqua Primo d'un ton jovial, comme si tout allait bien, Aretha Mae est un vrai cordon-bleu. Il donna une claque sur l'épaule de son fils. Viens, je veux que vous fassiez connaissance.

Il suivit sans entrain Primo dans la caravane, tandis que les deux garçons rôdaient alentour. À l'intérieur, c'était un incroyable fatras : des vêtements, des magazines, des vieux journaux, on ne sait quoi s'entassant sur toutes les surfaces disponibles. Dans un coin se trouvait un lit défait et, sur le plancher, deux sacs de couchage qui sentaient le moisi.

Aretha Mae s'affairait devant un réchaud à essence, à faire frire du jambon et des patates dans de la graisse de bacon. C'était une Noire vigoureuse avec des cheveux crépus teints en rouge et un regard méfiant.

— Assieds-toi, mon garçon, lança-t-elle à Nick par-dessus son épaule. Tu dois avoir faim.

Il se glissa sur un banc recouvert de plastique déchiré devant une table bancale où s'entassait de la vaisselle sale. Aretha Mae déposa devant lui une assiette de nourriture, écartant d'un geste les plats utilisés.

— Mange, ordonna-t-elle.

Primo gloussa. Il voyait dans son avenir un vrai foyer.

— Je savais que vous vous entendriez bien tous les deux.

— Ferme-la, fit Aretha Mae. On verra ça plus tard. Ne va pas t'imaginer que tu t'installes.

Nick fut impressionné par son énergie, même s'il s'attendait un peu à voir son père la gifler. Mais Primo n'en fit rien. Il eut un gros rire qui secoua son ventre.

— Toujours bon caractère, la salope, dit-il. J'aime ça chez une femme. Tu n'as pas changé.

Aretha Mae lui jeta un coup d'œil sévère.

— Ne parle pas mal devant mes enfants, dit-elle en désignant les deux garçons silencieux auprès de la porte.

— Écoutez-moi ça, dit Primo en se grattant le ventre. Je me souviens encore que tu ne parlais pas autrement.

— Les choses étaient différentes en ce temps-là, dit Aretha Mae d'un air pincé.

— Ça, on peut le dire, fit Primo en riant toujours et en lui pelotant les fesses.

D'une claque, elle repoussa sa main et se tourna vers Nick, occupé à engloutir le jambon dégoulinant de graisse mais délicieux.

— Qu'est-ce que ton paternel t'a raconté sur moi ? demanda-t-elle. Il t'a dit qu'il était marié ? Il t'a dit qu'il m'avait plaquée quand je suis tombée enceinte ? Il t'a parlé de ta demi-sœur qu'il n'a jamais vue — encore moins nourrie ?

Nick s'arrêta de manger. Une sœur ? Quels nouveaux embêtements arrivaient donc ?

— Je ne savais pas..., fit Primo, d'un ton geignard. C'est toi qui m'as jeté dehors. Je ne savais pas que tu étais enceinte.

— Menteur ! répliqua-t-elle. Si tu es parti, c'est à cause du bébé que j'avais dans le ventre. Elle lui lança un regard mauvais. Alors, qu'est-ce que t'as fait ? Tu as engrossé une autre femme, si bien que tu t'es trouvé coincé quand même. Pauvre cloche !

Primo l'enveloppa dans ses bras, caressant son corps osseux.

— Allons, mon chou, me voilà revenu, roucoula-t-il. T'as toujours su que je reviendrais, pas vrai ?

Aretha Mae eut un grognement irrité. Pas si irrité que ça. En fait, il était bien évident qu'elle ne voyait aucun mal aux privautés de Primo. Nick pensa à sa mère qui, après avoir tant trimé, gisait maintenant dans sa tombe, et il crut qu'il allait être malade. Il détestait son père. Il détestait toute cette situation. Il se leva brusquement.

— Quelle sœur ?

— Elle n'est pas là pour l'instant, répondit aussitôt Aretha Mae. Elle est en visite chez des parents à Kansas City.

— J'ai une fille, fit Primo, extasié. Moi qui en avais toujours voulu une.

— Oh, tu en as une, dit Aretha Mae. Ça, crois-moi, tu en as vraiment une.

Quelques jours plus tard, ils emménagèrent après avoir passé quelques nuits dans le seul motel de Bosewell. Comme il n'y avait pas de place pour eux tous dans la caravane d'Aretha Mae, Primo s'arrangea avec le couple voisin pour prendre possession du débarras infesté de rats où ils rangeaient leurs affaires : une remorque sans roues et avec du carton à la place des vitres.

— Ce sera très bien pour faire dormir les gosses, annonça-t-il à Aretha Mae. Faut juste nettoyer un peu.

— Nick passa trois jours à décharger tout un bric-à-brac, en évitant les rats, les cafards et les araignées. Harlan et son jeune frère Luke lui donnèrent un coup de main. C'étaient de petits gamins nerveux, pétrifiés devant leur mère, qui les menait à la baguette.

Les deux garçons allaient à l'école tous les jours, quittant le terrain de camping à six heures du matin. Aretha Mae partait peu après : elle travaillait comme bonne dans une riche famille de Bosewell. Cela laissait pas mal de temps à Primo et, malgré la promesse qu'il avait faite à Aretha Mae de se mettre à chercher du travail, il n'en avait absolument pas l'intention. Dès l'instant où elle partait, il s'installait devant sa petite télé portable noir et blanc, avec un pack de six boîtes de bière auprès de lui. Pour Primo, rien n'avait changé. Il savait ce qui comptait d'abord pour lui et il n'en démordait pas.

Nick traînait dans les parages, il n'avait nulle part où aller. Au bout de deux jours, Primo déclara :

— Il faut que tu retournes à l'école.

— Je préférerais trouver du travail, dit-il, se sentant pris au piège. Peut-être que...

— J'ai promis à ta mère, l'interrompit Primo, les yeux fixés sur la télévision. Je crois que je te l'ai déjà dit.

— Et alors ?

Vlan ! La gifle le prit au dépourvu et lui coupa la lèvre. Il avait un goût de sang dans la bouche et il était furieux. Il n'y avait plus sa mère maintenant pour le protéger. Il devait aller à l'école et il n'y pouvait rien, du moins pour l'instant. Sitôt qu'il pourrait, il trouverait un emploi, mettrait son argent de côté et filerait. Nick Angelo avait bien l'intention de s'en aller et personne ne l'en empêcherait.

7

— C'est merveilleux ! s'exclama Meg.

— Ma chérie, je suis si heureuse pour toi, dit la mère de Lauren.

— Voilà une grande nouvelle, déclara son père, aussi fier que s'il venait de signer un contrat d'assurance compliqué.

Idiote ! Elle aurait dû se taire. Elle s'était contentée de leur dire que Stock avait déclaré qu'ils devraient se fiancer, et voilà maintenant que toute la ville était au courant. Elle était plus prisonnière que jamais dans une relation qui la déconcertait totalement.

Elle avait seize ans. Elle était trop jeune. Oh, bien sûr, sa mère s'était mariée à dix-sept — mais c'était un mariage d'amour entre deux êtres fous l'un de l'autre ; ils lui avaient raconté l'histoire assez souvent. Sa situation à elle était différente : c'était à peine si elle *connaissait* Stock, et ce qu'elle savait de lui ne lui plaisait pas tant.

— Je ne suis pas encore fiancée, annonça-t-elle, affolée, à ses parents.

Jane Roberts sourit en tapotant la tête de sa fille comme si c'était un chiot excitable qu'il fallait calmer.

— Ce sont les nerfs, ma chérie, dit-elle. Le mariage, c'est un grand pas dans la vie. Tu auras de longues fiançailles, qui vous permettront de vous connaître. Stock est un charmant garçon d'une bonne famille. Ton père et moi sommes très heureux.

Allons, tant mieux, *eux* étaient heureux. Et elle ? N'était-ce pas *elle* qui était censée sourire aux anges et flotter sur un petit nuage ? L'amour. D'après tout ce qu'elle avait vu et lu, c'était un sentiment magique et elle, elle se sentait au bord de la nausée.

En neuvième, elle avait eu un béguin pour Sammy Pilsner. Elle avait huit ans et elle était en extase. Chaque fois qu'elle le voyait, elle était prise de frissons et de tremblements. À douze ans, elle était tombée amoureuse de son cousin Brad, un garçon osseux de trois ans son aîné. Sa famille et lui ne venaient en visite qu'à Noël, elle s'était donc vite lassée. À treize ans, elle avait eu son premier rendez-vous. Un désastre. À quatorze, son premier baiser. Encore pire. Et à quinze ans, elle était, pendant six mois, sortie régulièrement avec Sammy Pilsner en toute honnêteté.

Sammy ne lui donnait ni tremblements ni frissons comme quand elle avait huit ans, mais il embrassait bien et ils avaient eu de longues et folles soirées de flirt poussé, bien qu'elle ne l'eût jamais laissé aller jusqu'au bout — elle avait trop peur de tomber enceinte. Pourtant, il avait fait un soir quatre-vingts kilomètres en voiture jusqu'à une ville voisine pour acheter des préservatifs et il avait tenté de la convaincre de coucher avec lui.

Lorsque le père de Sam avait eu de l'avancement, ils étaient partis s'installer à Chicago et elle s'était sentie le cœur brisé. Sammy et elle avaient correspondu quelques mois, puis ses lettres à lui s'étaient espacées et elle s'était rendu compte qu'elle était libre de voir qui bon lui semblait. Elle était sortie avec plusieurs garçons. Ils ne voulaient tous qu'une chose. Si elle ne l'avait pas accordée à Sammy, pourquoi céderait-elle à un flirt occasionnel ? On pouvait dire une chose à l'actif de Stock : il ne lui avait pas sauté dessus. Pas encore.

— Je ne veux pas me fiancer, confia-t-elle à Meg.
— Toutes les filles sont si jalouses ! fit Meg en poussant des petits cris. Est-ce qu'il t'a donné une bague ? Quand allez-vous coucher ensemble ? Il faudra le faire, maintenant que tu es fiancée.
— Mais il n'en est pas question, protesta Lauren.
Meg la regarda bizarrement.
— Pas question de quoi ? De te fiancer ? Ou de le faire ?
— De me fiancer, idiote.

Quelques jours plus tard, Stock était venu la trouver durant la pause du déjeuner pour lui annoncer que ses parents avaient décidé de donner une grande soirée de fiançailles pour eux. Elle avait envie de dire : « Mais je n'ai jamais dit que nous allions nous fiancer. » Au lieu de cela, elle se surprit à acquiescer de la tête et à accepter d'un air absent.

Peut-être était-ce cela que Stock aimait chez elle : son total manque d'enthousiasme. En tant que héros de l'équipe de football et fils de l'homme le plus riche de la ville, il avait des filles qui se pâmaient devant lui depuis la sixième. Peut-être trouvait-il dans son calme un agréable changement.

— Samedi soir, dit-il en la prenant par les épaules. Ma mère va en discuter avec la tienne.

Oh, formidable ! Il fallait mettre maintenant un terme à tout ça. Mais, sans savoir pourquoi, cela lui parut plus facile de laisser filer les choses. Comme cette fille dans *Le Lauréat*, elle pourrait aller jusqu'à l'église et puis un beau jeune homme allait se précipiter pour la sauver et elle s'enfuirait avec lui, laissant Stock bouche bée.

Une question. Qui serait le valeureux sauveteur ?

— J'ai une surprise pour toi, dit Stock, tâtant subrepticement l'épaulette de son soutien-gorge à travers son chandail.

— Quoi donc ? demanda-t-elle avec impatience.

— Peu importe, tu verras.

Pauvre cloche.

En rentrant de l'école, elle s'arrêta au bureau de son père. Une fois de plus, il avait fermé de bonne heure. Elle secoua la poignée pour bien s'en assurer. Il n'y avait personne. Au rez-de-chaussée, elle passa par la quincaillerie des frères Blakely. Les frères Blakely étaient des jumeaux identiques, tous deux grassouillets et tous deux ayant la cinquantaine, avec un sourire jovial et des sourcils broussailleux en accent circonflexe. Elle ne savait absolument pas les distinguer l'un de l'autre.

— Bonjour, Mr. Blakely, dit-elle avec entrain. Comment va votre femme ?

— Si j'en avais une, fit-il, rayonnant, elle irait bien.

Encore loupé ! Il y en avait un de marié, un de célibataire. Le bruit courait en ville que le célibataire était homosexuel.

— C'était juste pour vous faire marcher, dit-elle en souriant. Je savais que c'était vous !

— Mais non. Il lui fit un clin d'œil. On m'a dit que tu étais fiancée. C'est très bien, Lauren.

Encore un coup de son père, incapable de tenir sa langue. De toute évidence, ce n'était pas un secret.

— Vous avez vu mon père ? On dirait qu'il est encore parti de bonne heure.

— Je ne l'ai pas vu s'en aller.

Elle avait des tonnes de devoirs à faire. C'était peut-être aussi bien que son père ne fût pas là : il se serait mis à parler, elle serait rentrée tard à la maison et elle aurait dû travailler jusqu'au dîner.

— Ta maman a commandé des ampoules électriques, reprit Mr. Blakely. Puisque ton papa est parti...

— Je vais les prendre, proposa-t-elle.

Il lui tendit un grand sac en papier bourré. Quand sa mère commandait, elle le faisait en quantité, imaginant ainsi faire des économies. Le paquet n'était pas lourd — simplement encombrant. Elle passa sa sacoche de collégienne sur son épaule et prit le sac à deux mains.

— Au revoir, Mr. Blakely.

— Au revoir, Lauren. Tu te maries dans une bonne famille. Une des meilleures.

Je ne me marie dans rien du tout, Mr. Blakely. Je vais simplement me fiancer. Provisoirement. Parce que je ne peux pas supporter les complications que ça ferait pour me dépatouiller de là. Parce que j'essaie toujours de faire plaisir. Parce que j'ai horreur de faire de la peine aux gens.

Parce que je suis une idiote !

Crac ! Un abruti la bouscula dans la porte battante et son paquet tomba dans un bruit de verre cassé.

— Merde ! dit l'abruti.

Pas de « pardon ». Ni de « excusez-moi ». Rien qu'un bref et sec « merde ! ».

Elle attendit.

— Vous pourriez regarder où vous allez, dit-il grossièrement.

— *Moi*, je devrais regarder ? fit-elle, scandalisée.

— Oui. C'est *vous* qui m'avez bousculé.

— Absolument pas.

— Mais si.

— Mais non.

Ils se dévisagèrent, comme deux inconnus furieux. Il était décharné et pas très grand, avec des cheveux bouclés d'un noir de jais, le teint pâle, une petite fossette au milieu du menton et des yeux verts au regard intense. Il portait un T-shirt d'un blanc douteux sous un blouson de toile élimé, un jean déchiré et incroyablement crasseux et des baskets usées jusqu'à la corde.

Elle se sentit frissonner.

— Vous n'allez pas m'aider à tout ramasser ? supplia-t-elle, en se demandant qui il était.

Nick soutint son regard. Pas mal. L'air un peu tarte. Pas vraiment son type. Mais il était tout excité. Mon Dieu, qu'il était excité !

— D'accord, marmonna-t-il en se penchant pour l'aider.

— Et les ampoules cassées ? réclama-t-elle en en découvrant deux en miettes.

— Demandez au magasin de les remplacer, vous êtes dans leurs locaux, déclara-t-il, en essayant de deviner combien de temps il lui faudrait pour l'ajouter à la liste de ses conquêtes.

Une fille d'une petite ville comme ça. Certainement plus d'un rendez-vous. Il se pencha plus près, humant une bouffée de son parfum. Elle sentait le savon à la citronnelle, et non pas l'eau de toilette de Prisunic. Et ses cheveux — longs et brillants — étaient d'un châtain un peu roux. Il inspecta rapidement sa silhouette : maigrelette, mais tout à fait acceptable.

— Ça n'est pas possible, dit-elle d'un ton pincé. Il va falloir que vous payiez les ampoules cassées.

Il éclata de rire. Pas un rire très agréable. Plutôt le genre : *À qui croyez-vous parler.*

— Ma jolie, j'ai juste de quoi m'acheter un paquet de clopes, et c'est tout.

— Est-ce que je suis censée les payer ? répliqua-t-elle.

— Non. Il désigna du menton le comptoir où Mr. Blakely était occupé avec un client. Je vous l'ai dit... adressez-vous à la vieille pédale. Il vous remboursera votre argent.

— N'appelez pas Mr. Blakely comme ça, chuchota-t-elle, furieuse.

— Il ne m'entend pas.

— Peut-être que si.

— Qu'est-ce qu'il a... des oreilles à rayons X ?

Juste au moment où elle allait répondre, son père apparut, descendant précipitamment l'escalier venant de son bureau.

— Papa ! s'écria-t-elle, oubliant un instant l'inconnu aux yeux verts.

À peine Nick eut-il entendu le mot « papa » qu'il s'éclipsa. Il avait appris de bonne heure à s'éloigner autant que possible des pères.

— Où étais-tu ? interrogea-t-elle en saisissant son père par le bras.

— Là-haut, à travailler.

— Mais je suis montée. Le rideau était tiré, la porte fermée à clé.

— Allons donc ! Qu'est-ce que c'est que ça ? fit-il en désignant les débris de verre sur le sol.

Déconcertée, elle regarda autour d'elle. Le jeune homme qui l'avait si grossièrement bousculée avait disparu.

— Oh, j'ai fait tomber les ampoules de maman.

Phil se mit à rire.

— Qu'est-ce qui lui prend, elle fait des provisions pour les trois années à venir ?

Lauren fit écho à son rire, ils étaient deux complices devant les excès de sa mère.

46

— Tu connais maman, dit-elle.

— Oh que oui ! répondit-il. Au fait, Lauren, je n'ai pas eu un instant pour te dire combien je suis heureux de tes fiançailles. Stock est un brave garçon qui respecte les valeurs traditionnelles et il est d'excellente famille. Un silence. Ta mère et moi sommes très fiers de toi.

Merde ! Si un étranger pouvait le dire, elle pouvait certainement le penser. On dirait que je suis fiancée, songea-t-elle avec consternation. Pas moyen de s'en sortir. Pour l'instant.

8

Aretha Mae s'arrangea pour l'inscrire au lycée de Bosewell au milieu du trimestre.

— C'est là que va Cyndra, lui annonça-t-elle.

— Qui est Cyndra ?

— C'est ta sœur, mon garçon, et ne va pas l'oublier. Une belle fille, c'est ça son problème. Et je n'ai pas envie que ça devienne ton problème à toi, étant donné que vous allez tous dormir ensemble.

Comme si ça n'était pas suffisant qu'il doive s'entasser avec Harlan et Luke ! Il avait arraché deux dollars à son père et s'en était allé en ville. En leur temps, ils avaient déjà vécu dans des bourgades où il n'y avait qu'un seul garage, mais Bosewell, c'était le pompon. Il explora la Grand-Rue, alla flâner dans la quincaillerie où il tomba — littéralement — sur une fille dont il se demanda un moment si ça vaudrait la peine de l'aborder, mais là-dessus son père était venu la rejoindre et il avait filé vite fait. D'ailleurs, elle n'était pas son type — trop bon chic bon genre. La serveuse du drugstore lui plaisait davantage. Dans les vingt-cinq ans, une poitrine généreuse et elle louchait un peu. Il s'installa au comptoir et commanda un café.

— Noir ? demanda-t-elle, en le remarquant à peine.

Il lui lança un clin d'œil pour attirer son attention.

— Avec de la crème, ma jolie. Des tas.

— Vous êtes nouveau en ville ?

— Vous avez deviné ça comment ?

— Parce que, si ça n'était pas le cas, vous n'essaieriez pas de me faire du gringue. Vous sauriez que mon mari, c'est Dave.

Elle désigna du pouce le cuisinier, un grand gaillard d'une dizaine d'années plus âgé qu'elle, avec des muscles à revendre. Nick ne renonça pas pour autant.

— Il vous rend heureuse ?

Elle haussa les sourcils d'un air railleur.

— Votre maman sait que vous êtes sorti ?

Tous deux éclatèrent de rire en même temps.

— Moi, dit-elle, c'est Louise. Bienvenue à Bosewell.

— Dave a de la chance.

— Et vous, du culot. Qu'est-ce que vous fichez ici, d'ailleurs ? Vous passez par là en allant à la maison de correction ?

— Mon paternel est venu s'installer ici.

Elle lui versa une tasse de café et y ajouta une généreuse dose de crème.

— Et lui, qu'est-ce qu'il fait ?

— Il glande pas mal.

Louise soupira.

— Comme nous tous, mon cher. Comme nous tous.

— Il faut que j'aille au lycée, fit-il en buvant son café. Mais je veux travailler le soir et les week-ends pour me faire un peu de fric. Vous avez une idée ?

— Vous me prenez pour qui ? Pour un bureau de placement ? dit-elle en lissant son tablier à carreaux.

— Je demandais ça comme ça.

Elle s'adoucit.

— Peut-être que Dave connaîtra quelque chose.

Son attention fut détournée par un groupe de lycéens qui arrivaient en faisant beaucoup de bruit. Elle s'approcha pour prendre leurs commandes. Nick les examina.

Il avait l'habitude de débarquer dans de nouveaux lycées au beau milieu du semestre, et c'était toujours la même chose. Les autres élèves le regardaient avec méfiance et il y avait toujours un abruti qui essayait d'engager la bagarre, tandis que la plupart des filles faisaient semblant de ne pas le remarquer — même si ça n'était pas le cas.

Chaque fois, il devait faire ses preuves. Ça voulait dire flanquer une rossée au costaud de la classe et s'envoyer la plus jolie fille. En général, il réussissait à faire les deux. Il avait une règle d'or : ne pas être réglo. Ça marchait très bien.

Un de ces jours, il en aurait fini avec le lycée une fois pour toutes. Il commençait à en avoir marre. Combien de fois avait-il dû faire ainsi ses preuves ? Le petit groupe interrogeait Louise sur son compte et le dévisageait. Des filles se donnaient des coups de coude. Un grand mec aux cheveux blonds coupés en brosse fit une plaisanterie et tout le monde éclata de rire. Nick comprit d'instinct que c'était le type à qui il aurait affaire.

Merde alors, il est costaud. Bah, je lui donnerai un coup de pied dans le derrière qui l'enverra jusqu'à Miami, avec retour en petite voiture.

Louise revint et lui remplit sa tasse. Il désigna de la tête le garçon à la brosse.

— Pas d'histoire avec lui, mon petit, l'avertit Louise. Son père possède presque toute la ville.

— Ah oui ?

— Tu ferais mieux de me croire.

Elle écarta une mèche de cheveux bruns qui lui pendait sur le front.

— Je vais parler à Dave, son frère George est gérant de la station-service. Tu t'y connais en voitures ?

— Si elles s'arrêtent, je peux les réparer. Ça suffit ?

— On verra, mon chou. On verra.

De retour à la caravane, il retrouva la scène habituelle. Primo était vissé devant la télé, buvant une rasade de bière entre deux rots et picorant dans un sac de bretzels. Aretha Mae était penchée sur son réchaud à essence. Les épaules voûtées, elle faisait réchauffer un pâté de viande hachée de la veille — un cadeau de sa patronne qui lui laissait le choix entre jeter les restes ou les rapporter chez elle.

Harlan et Luke jouaient dehors, donnant des coups de pied dans des boîtes de conserve autour de la carcasse de ce qui avait jadis été une voiture. Nick s'approcha pour les rejoindre.

— Un de ces jours, annonça-t-il, je vais m'offrir une Cadillac. Une Cadillac rouge avec des sièges de cuir et des chromes partout.

— On pourra monter dedans ? demanda Harlan, qui s'y voyait déjà.

Le lendemain matin, il prit le car jusqu'à l'école avec Aretha Mae. Elle lui dit où descendre et lui donna un dollar.

— C'est pour quoi faire ? lança-t-il, ne voulant pas de sa charité.

— Au cas où tu en aurais besoin, répondit-elle d'un ton stoïque, en regardant droit devant elle.

Il se demanda quels étaient les gages d'une bonne à Bosewell. Ou bien peut-être que sa patronne lui refilait plein de restes et de vieux vêtements en considérant que c'était suffisant comme paiement.

Le lycée de Bosewell était une construction de ciment gris pâle avec des pelouses sur un côté et un énorme parking de l'autre. Des groupes d'élèves se dirigeaient vers l'imposante entrée, la plupart arrivant du parking.

Nick sentit le creux habituel dans son estomac. Il essaya de ne pas y penser. Du calme. Pas d'affolement. Ne te laisse pas avoir par tous ces idiots. Sans avoir à demander, il trouva le bureau et alla s'inscrire. La secrétaire promena un regard désapprobateur sur son jean et son blouson douteux.

— Nous n'avons peut-être pas d'uniforme au lycée de Bose-well, mais nous nous attendons quand même à voir nos étudiants propres et soignés, déclara-t-elle. Ça veut dire des vêtements nettoyés et repassés. Et pas de jeans déchirés.

— Bien, madame.

Avec un peu de chance, il n'aurait jamais à la revoir.

— Salle numéro trois, Mr. Angelo. Votre professeur vous dira quels livres il vous faut.

— Merci, madame.

Vieille vache. S'il s'y mettait, il pourrait la charmer.

Mais qui en avait envie ?

9

— Oh... regarde-moi ça ! fit Meg, tout excitée, en donnant un coup de coude à Lauren. Voilà ce que j'appelle un beau gosse !

Lauren leva les yeux de son bureau, l'esprit ailleurs.

— Qui ça ? demanda-t-elle d'un ton vague.

— *Lui*. Debout près de la porte. Ça doit être le nouveau. Dawn l'a repéré hier au drugstore, et elle en est folle.

— Dawn tombe amoureuse tous les jours.

— Je sais. Mais celui-là est... Oh, je ne sais pas... Il a un air si romantique, fit Meg en se levant d'un bond. Je vais lui souhaiter la bienvenue.

Lauren regarda en direction de la porte. Puis elle regarda

encore. Meg était en train de parler au garçon sur qui elle était tombée à la quincaillerie Blakely. Le garçon aux yeux verts et qui n'avait pas sa langue dans sa poche.

— Qui est-ce ? demanda-t-elle.

Trop tard. Meg avait déjà traversé la moitié de la classe, tandis que Dawn approchait rapidement de la direction opposée. Lauren ne bougea pas. Qu'elles se ridiculisent si elles en avaient envie. Il n'était pas si formidable que ça. Juste différent...

Meg lui parlait maintenant, les yeux brillants, le rouge aux joues. Lauren la regarda passer à l'attaque. Depuis l'élémentaire, elles étaient les meilleures amies du monde, mais parfois Meg était trop impulsive. Elle aurait dû attendre, le laisser venir. Tout le monde savait ça : les garçons aimaient poursuivre les filles, pas le contraire.

Meg était jolie, avec des cheveux blonds et flous, et des yeux gris. Mais elle avait cinq kilos de trop et suivait constamment un régime. Dawn Kovak, elle, était une traînée. Elle avait les cheveux teints en noir, des seins agressifs, et elle se maquillait trop. Elle ne paraissait pas seize ans, on lui en aurait plutôt donné trente.

Lauren les observa toutes les deux en action, sa meilleure copine et « la décharge du lycée » — comme on surnommait Dawn. Ce serait sans doute Dawn qui allait l'intéresser, avec ses cheveux noirs et ses gros seins : les garçons marchaient toujours. Meg portait sur elle l'étiquette « vierge » bien en vue.

Chose étonnante, ce fut sur Meg qu'il porta son choix, se laissant conduire par elle jusqu'au seul pupitre disponible, écoutant son bavardage et lui consacrant toute son attention.

Lauren éprouva un fugitif frisson de jalousie. Ce qui était ridicule, vraiment, car elle n'avait certes aucune envie d'avoir rien à faire avec lui. Elle était fiancée à Stock Browning. Elle était *très, très* occupée, merci.

Hmmm... Elle devrait peut-être aller lui dire bonjour ? Pas la peine. Meg semblait merveilleusement réussir à lui donner l'impression qu'il était plus que le bienvenu.

Elle cessa de les regarder et ouvrit son manuel de littérature anglaise. Ça n'était pas facile de se concentrer. Elle ne pouvait s'empêcher de lever le nez pour voir ce que faisait Meg. Celle-ci revenait à sa place, avec un air triomphant.

Juste au moment où elle arrivait, le professeur entra dans la classe.

— *Il est formidable !* murmura Meg en s'asseyant, un sourire béat illuminant son visage. Et figure-toi qu'il m'a demandé de sortir avec lui.

— Vraiment ?

— Mais oui. Ce soir.

— Pour aller où ?

— Qui sait ? J'ai rendez-vous avec lui devant le drugstore à huit heures.

— Tes parents ne te laisseront jamais sortir un soir de semaine.

— Je dirai que je suis chez toi à travailler.

— Meg, tu ne sais rien de lui, comment peux-tu sortir avec lui ?

— Bonté divine, Lauren, j'ai l'impression d'entendre ma mère.

— Pas du tout !

— Mais si.

— Mesdemoiselles !

La voix haut perchée de Miss Potter, leur professeur de littérature anglaise, vint les interrompre.

— Voudrez-vous vous joindre à nous aujourd'hui, poursuivit-elle d'un ton sarcastique, ou bien va-t-il falloir vous dresser une table à part dehors pour que vous puissiez poursuivre votre conversation sans être interrompues ?

— Pardon, Miss Poter, firent-elles en chœur, avec des airs de collégiennes coupables.

Lauren ne put s'empêcher de lancer un autre bref coup d'œil au nouveau. Il la surprit et la regarda à son tour. Meg s'enfouit le visage dans son livre de classe, essayant d'étouffer un gloussement.

— Je suis si excitée ! chuchota-t-elle. Il est vraiment superbe !

— Tu es folle, murmura Lauren et, un bref instant, elle regretta que ce ne fût pas *elle* la folle.

La petite blonde rondouillarde lui était tombée dessus comme une mouche sur un pot de miel. Il la préféra quand même à la brune. L'affaire fut rondement menée. Comme d'habitude. C'étaient ses yeux verts. Il n'avait qu'à les fixer sur une fille — rien qu'un instant — et ils avaient ce drôle d'effet hypnotique.

Bon sang, il pouvait quand même bien avoir quelque chose, non ? Et Dieu lui avait donné ces yeux-là. Il surprit la fille qu'il avait bousculée la veille en train de l'observer de l'autre bout de la classe. Il voyait que c'était plus fort qu'elle. Peut-être que, quand il en aurait fini avec la blonde, il tenterait sa chance avec celle-là. Pourquoi pas...

Le lycée de Bosewell allait être du gâteau comparé à certaines boîtes de grandes villes qu'il avait été obligé de fréquenter. Ici, c'était un bled, il n'avait qu'à choisir. Pour l'instant, il n'avait pas repéré le costaud aux cheveux taillés en brosse. Cet imbécile était sans doute dans une autre classe, et c'était aussi bien. S'il faisait attention, peut-être parviendrait-il à l'éviter complètement.

Au fond de lui-même, il savait que ça n'était pas possible. Au fond de lui-même, il savait qu'il y avait toujours un abruti qui voudrait lui casser la figure. À la fin de la journée, quand les cours seraient terminés, il comptait retourner au drugstore, pour voir si Louise lui avait trouvé un boulot et puis, s'il avait de la chance, se faire offrir un sandwich et traîner là jusqu'à l'heure de retrouver Blondie.

Le professeur le remarqua et le fit se lever et se présenter à la classe. *Bon sang ! Quelle corvée !* Il avait horreur de la façon dont ils le toisaient tous. Pourquoi ne pas lui demander son rang et son matricule pendant qu'ils y étaient ?

À la pause du déjeuner, il suivit la foule et descendit jusqu'à la cafétéria du lycée. Il s'acheta un sandwich au fromage et un Coca, trouva une table dans un coin et s'y installa. La Brosse ne tarda pas à faire son entrée, traînant derrière lui un groupe admiratif qui buvait chacune de ses paroles.

Nick dévora son sandwich en observant la scène. Blondie lui fit un signe de la main à travers la salle. Elle mourait sans doute d'envie de lui parler de nouveau, mais il avait décidé de la jouer calmos. Ah ! Il était même capable de lire dans leurs pensées.

Et puis la fille de la quincaillerie arriva, et s'arrêta sur le seuil. Il savait qu'elle l'avait remarqué et il espérait vaguement qu'elle allait s'approcher, mais elle n'en fit rien.

Tiens, mais qu'est-ce que c'était que ça ? La Brosse s'était levé, traversait la salle en courant, prenait la fille par la taille et l'entraînait jusqu'à une table. Merde ! C'était sa petite amie !

— Tout est organisé pour la soirée, annonça Stock.

— Je sais, répondit Lauren. Ma mère et ta mère sont comme ça.

Elle serra deux doigts l'un contre l'autre pour montrer exactement comment elles étaient.

— Ma mère adore régenter la tienne, ricana Stock.

— Comment ça ? fit Lauren, vexée.

— Ma mère aime régenter tout le monde, moi compris, lança-t-il en haussant les épaules.

Pendant une seconde, Lauren le plaignit. Ça devait être épouvantable une mère comme Daphné, une grande femme autoritaire aux lèvres cramoisies qui donnait des ordres à tout le monde.

— Meg a un rendez-vous ce soir, se surprit-elle à dire, histoire d'entretenir la conversation.

— Ah oui ?

Il s'en fichait manifestement.

— Avec le nouveau, précisa-t-elle.

— Quel nouveau ?

— Tu sais, celui qui a commencé aujourd'hui.

— Ah oui ?

Son manque d'intérêt n'était que trop apparent. Elle renonça.

Meg arriva chez Lauren une heure avant son rendez-vous, à peine capable de dissimuler son excitation. Elle se précipita dans la chambre de son amie et fonça sur le miroir.

— Comment tu me trouves ? interrogea-t-elle en faisant bouffer ses cheveux fraîchement lavés.

— Horrible, fit Lauren.

— *Quoooi ?*

— Je plaisantais.

— Ne fais pas ça, gémit Meg. C'est le premier rendez-vous convenable que j'ai depuis des mois.

Lauren s'assit en tailleur sur son lit.

— Comment sais-tu qu'il est convenable ?

Meg était exaspérée.

— Mais qu'est-ce que tu as ?

— Ce que j'ai, *moi* ? répliqua-t-elle sèchement. Regarde-toi dans la glace. Tu es tout excitée à propos d'un type que tu ne connais même pas. C'est peut-être un détraqué sexuel, un violeur, est-ce que je sais...

— Tu es vraiment bizarre, dit Meg en secouant la tête. Vraiment.

— Merci. J'accepte avec reconnaissance tous les compliments.

— On croirait que c'est *toi* qui le trouves bien.

Elle rougit et sauta à bas du lit.

— Ne sois pas ridicule.

— Laisse tomber. C'est moi qui l'ai vu la première et il est à moi. D'ailleurs, tu es fiancée, ou est-ce que tu aurais trouvé commode de l'oublier ?

Lauren fit la grimace.

— Je voudrais bien.

— Charmante conversation, dit Meg en ajustant la ceinture de sa nouvelle jupe noire pour la raccourcir un peu. Comment sont mes jambes?

— Comme des jambes. Qu'est-ce que je vais raconter à ta mère si elle appelle?

— Dis-lui que je suis aux toilettes. D'ailleurs, ça m'étonnerait qu'elle téléphone.

— On ne sait jamais.

— On peut dire que tu me réconfortes.

— Appelle-moi dès que tu seras rentrée. Je veux un rapport détaillé.

Meg eut un clin d'œil égrillard.

— Tu parles!

— Salut.

Meg soudain se sentit intimidée en s'approchant de Nick. Il était adossé au mur du drugstore, à fumer une cigarette.

En la voyant venir, il expédia son mégot vers le trottoir d'une chiquenaude bien calculée.

— Salut, répondit-il en lui prenant le bras comme s'ils sortaient ensemble depuis des mois. Tu es en beauté.

Elle rit nerveusement.

— Merci.

— C'est vrai. Très en beauté.

Il s'était fait offrir un hamburger par Louise Dave. Elle lui avait promis qu'il pourrait travailler à la station d'essence de son beau-frère le samedi soir. Les choses s'amélioraient. Il ne lui restait plus qu'à séduire la petite blonde et peut-être qu'il pourrait passer une bonne nuit, même si ça n'était pas facile avec Harlan et Luke qui toussaient et éternuaient à côté de lui.

— Où va-t-on? demanda Meg, tandis qu'il l'entraînait dans la Grand-Rue.

— Je pensais qu'on pourrait se faire une toile.

Elle avait déjà vu *The Poseidon Adventure* qu'on jouait au Bosewell Palace, mais pourquoi pas?

— Super, dit-elle, cherchant à plaire.

Super. Hmmm... Il aurait peut-être dû jouer la sécurité avec la brune, celle-ci était encore au berceau.

Quand ils arrivèrent au cinéma, il l'emmena à l'écart de la caisse.

— Prends ton billet, entre, et puis fais-moi passer par la sortie de secours. Je suis un peu fauché, tu comprends ? Il lui pressa le bras d'un air complice. O.K. ?

Prendre son propre billet ? Généralement, quand on sortait avec un garçon, c'étaït lui qui payait. Lauren allait adorer ça. Bah... ça rendait la vie excitante.

— O.K., fit-elle.

Il la poussa vers la caisse.

— Tu verras, c'est très facile.

Elle prit son billet et entra dans la salle presque vide. Puis, quand elle fut sûre qu'on ne l'observait pas, elle dévala la travée de côté jusqu'à la sortie de secours, ouvrit la lourde porte et fit entrer Nick.

— Et voilà le travail ! dit-il en la guidant vers le dernier rang qui, fort opportunément, était désert.

Le film avait déjà commencé. Passant un bras autour des épaules de Meg, il s'installa pour regarder l'écran. Au bout de quelques minutes, il se rapprocha un peu.

— Dès que je t'ai vue, dit-il à voix basse, j'ai su que toi et moi on allait bien s'entendre. J'ai eu l'impression... tu sais... qu'il y avait quelque chose entre nous de... spécial.

— Je sais, murmura-t-elle, fascinée de constater que leurs pensées suivaient le même chemin.

— Ces choses-là arrivent quelquefois, dit-il en lui massant le dos à travers son chandail.

— C'est vrai, reconnut-elle, en commençant à se sentir fondre.

— Comme si c'était écrit, ajouta-t-il, sa main se hasardant vers l'avant, dangereusement proche, de son sein gauche.

Elle ouvrait la bouche pour acquiescer encore une fois et, sans crier gare, voilà qu'il avait les lèvres sur les siennes et qu'il l'embrassait avec insistance. Elle en eut le souffle coupé. Tout ça allait si vite. Le dernier garçon avec qui elle était sortie avait attendu trois bonnes semaines avant de rien essayer. Et voilà maintenant que la main de Nick était résolument sur son sein, elle savait qu'elle devrait le repousser, mais peut-être pas tout de suite, non ?

Nick lui caressa le bout de sein à travers son cardigan, son pouce et son index traçant des cercles. Elle ne put retenir un gémissement tandis qu'il entreprenait de remonter lentement son chandail, cherchant à tâtons l'agrafe de son soutien-gorge.

— Non, réussit-elle à dire, se rendant compte qu'elle ferait mieux d'arrêter les choses à ce stade.

Mais il n'écoutait pas. Il était trop occupé à dégrafer son

soutien-gorge. Prenant à pleine main son sein gauche, il pencha la tête et lécha le téton avec l'aisance que donne une longue pratique. Elle essaya de l'arrêter.

— Non! chuchota-t-elle d'un ton pressant.

— Mais si! répondit-il sur le même ton.

— On va nous voir.

— Il n'y a personne sur cette rangée.

— Je ne veux pas que tu fasses ça.

— Mais si, tu le veux.

Et c'était vrai. A un moment, elle se détendit, s'abandonnant à cette merveilleuse sensation qui l'envahissait. Était-ce si mal de se sentir si bien? Il se mit à lui sucer le bout du sein, lui prenant en même temps la main pour la poser sur sa cuisse.

Oh, mon Dieu, c'était un rapide! Dans un brusque élan de détermination, elle essaya de retirer sa main.

— Laisse, ordonna-t-il. Ça ne griffe pas!

Meg continuait à se débattre. Nick insistait. Folle de rage, elle se leva d'un bond. Un craquement sec : horreur, sa jupe s'était déchirée. Se drapant dans sa dignité et ce qui restait de sa jupe, elle sortit en essayant de ne pas se faire trop remarquer.

10

Nick fit à pied le long trajet pour rentrer en pensant à Blondie. Trop timide. Pas pour lui. Folle à l'idée d'avoir déchiré sa jupe. Qu'est-ce qu'elles avaient donc, les filles, à se mettre dans tous leurs états quand il s'agissait de leurs vêtements? Les filles, toutes les mêmes. Faciles. Et il se fichait pas mal après ça de ne jamais les revoir. Quand c'était fini, il éprouvait une sensation de vide.

Lorsqu'il regagna la caravane, les deux garçons étaient assis sur leur pile de couvertures à feuilleter un vieil album de bandes dessinées.

— Quoi de neuf? demanda-t-il avec entrain en ôtant son blouson.

— Et toi, quoi de neuf? répliqua Harlan.

— Pas grand-chose. Du menton il désigna Luke. Comment ça se fait qu'il ne parle jamais?

— C'est comme ça, répondit Harlan, soudain maussade.

— Il lui est arrivé quelque chose ? demanda Nick, en achevant de se déshabiller.

— C'est pas tes oignons.

— Je demande ça parce que je pensais que je pourrais l'aider.

— C'est pas tes oignons, répéta Harlan, buté.

Nick haussa les épaules et s'installa sur son matelas défoncé, en essayant de trouver un endroit confortable. Il ferma les yeux et, Dieu sait pourquoi, se mit à penser à l'autre fille, la petite amie de la Brosse. Non, se dit-il fermement, il ne faut pas chercher les ennuis. En vérité, dans le noir elles sont toutes pareilles.

Le lendemain matin, il suivit les deux garçons dans la grande caravane en espérant avoir un petit déjeuner. Aretha Mae distribuait des tartines de pain rassis recouvertes de graisse de bacon figée. Il en saisit une.

Primo ronflait bruyamment, affalé à travers le lit défait. Aretha Mae avait l'air fatigué, les yeux creux, la bouche pincée. Elle frappa dans ses mains.

— Dehors, dit-elle aux deux jeunes garçons. Remuez-vous, ou vous allez être en retard. Elle se tourna vers Nick. Et je ne te payerai le car que jusqu'à la fin de la semaine. Après ça, ce sera à toi de te débrouiller.

— Ne t'inquiète pas. J'ai trouvé un boulot. Je travaille à la station d'essence le samedi soir.

Elle fut impressionnée de voir qu'il ne se laissait pas entretenir comme son flemmard de père.

— C'est bien, dit-elle en s'essuyant les mains sur un vieux torchon. C'est vraiment bien.

Il hocha la tête.

— Ouais.

Meg arriva en retard en classe. Elle se glissa à sa place et déplaça quelques livres pour avoir l'air de travailler.

— Tu n'as pas appelé, siffla Lauren. Je n'aime pas beaucoup ce genre d'attitude quand je suis censée te servir d'alibi.

— J'avais des préoccupations plus immédiates, riposta Meg sur le même ton.

— Comme ?

— Comme une jupe déchirée.

Mr. Lucas eut une toux significative et les foudroya du regard. Lauren se replongea dans ses manuels. Elle avait passé une sinistre matinée à écouter ses parents discuter de sa soirée de fiançailles. Ils étaient en train de devenir sous ses yeux un couple d'arrivistes déchaînés : discutant ce qu'il faudrait porter, qui serait là, comment ils devraient se comporter.

« Aujourd'hui, je vais m'offrir une nouvelle toilette, avait déclaré Jane avec enthousiasme. Et, Lauren, ma chérie, nous t'achèterons une jolie robe neuve. »

Le mot « joli » faisait horreur à Lauren : il évoquait pour elle des jabots rose pâle.

« Je n'ai pas besoin d'une robe neuve.

— Ne sois pas ridicule ! Nous irons faire des courses aujourd'hui après l'école. Amène Meg. »

Elle n'avait pas réussi à y échapper. Cette histoire de fiançailles commençait à prendre d'inquiétantes proportions.

À peine Mr. Lucas leur eut-il fait comprendre qu'elles étaient libres qu'elle sauta sur Meg.

— Alors ? demanda-t-elle d'un ton pressant.

Meg secoua ses boucles.

— Tu avais raison, c'est un obsédé sexuel.

— Ah oui ?

— Tout à fait.

— Vraiment ?

— Je ne te mens pas.

— Mais qu'est-ce qui s'est passé ?

— Il est fou de moi.

— Je n'en doute pas. Mais qu'est-ce que vous avez fait ?

Poussant un grand soupir, Meg s'apprêtait à raconter son histoire. Mais, avant qu'elle ait pu commencer, Nick fit sa première apparition de la journée. Dawn Kovak était cramponnée à son bras, comme si elle en était propriétaire. Il adressa un clin d'œil à Meg, la saluant d'un désinvolte :

— Hé, ça va ?

— Très bien, réussit-elle à dire, ses joues brûlant de rage et d'humiliation.

— On dresse une tente dans le jardin, annonça Stock en gonflant ses muscles.

— Il ne fait pas trop froid ? demanda Lauren.

Il eut un sourire suffisant.

— On a posé ces radiateurs mobiles, tu sais ?

— Pourquoi le jardin ? Ta maison est si grande, tout le monde aurait pu tenir à l'intérieur.

Il entama une série de flexions des genoux.

— Pas la moindre idée.

— Stock..., commença-t-elle d'un ton hésitant.

— Oui?

— On n'a peut-être pas besoin d'une grande réception.

Il continua ses flexions.

— Bien sûr que si. Une fois qu'on se sera débarrassé des vieux schnocks, on fera la fête.

— Mais tout le monde a l'air d'en faire un tel plat. Je ne sais pas si c'est vraiment ce que je veux. Je...

— Écoute, mon chou, dit-il en l'interrompant tout en se redressant. Ça va être formidable. Détends-toi, tu verras, ça va être formidable.

— Tu crois?

— Bien sûr.

— Bon, fit-elle, sans conviction, en regardant sa mère entrer dans l'allée au volant du break familial. Il faut que j'y aille. On va faire des courses.

— Trouve-toi une toilette sexy, susurra-t-il d'un air paillard, en lui pinçant la fesse sans crier gare.

Elle lui donna une tape sur la main.

— Ne fais pas ça!

— Pourquoi pas? gloussa-t-il. On est fiancés. Bientôt, j'en ferai bien plus que de te pincer le derrière!

Oh, non, absolument pas, se dit-elle, furieuse. *Je vais mettre un terme à tout ça dès que j'aurai rassemblé le courage de parler à mes parents.*

— Bon, bébé, à plus tard. De toute façon, j'ai un entraînement de foot.

Il lui plaqua un baiser sur la joue et fila.

— Un coup de bol! soupira Susy Harden en surgissant derrière elle.

Un coup de bol, c'était vite dit. Lauren se sentait comme une souris prise au piège. Faire l'amour avec Stock lui semblait impensable. Sentir sur elle ses grosses mains moites. Se retrouver écrasée sous cette énorme masse. Pas question!

— Où est Meg? demanda Susy. Vous êtes toujours ensemble.

— Elle ne se sentait pas bien... Elle est rentrée chez elle de bonne heure.

C'était bien naturel. Elle avait été anéantie en voyant Nick arriver avec Dawn Kovak à son bras. Il avait l'air fou d'elle et voilà que cinq minutes après il s'acoquinait avec la « Kovak à tout va ». Ah, les garçons ! Qui pourrait les comprendre ? Et qui en avait envie ?

Sa mère gara la voiture le long du trottoir et elle monta à côté d'elle.

— Où est Meg ? interrogea Jane en ajustant le rétroviseur. Je croyais qu'elle venait avec nous ?

Elle devrait peut-être faire imprimer une petite carte :

Meg ne vient pas. Meg est humiliée, elle a le cœur brisé. Tous les humains de l'espèce masculine sont des bêtes sexuelles.

Lauren haussa les épaules.

— Elle ne se sentait pas d'humeur.

Jane parut soucieuse.

— Elle est malade ? J'espère que non. Il ne s'agit pas que tu attrapes quelque chose.

— Elle en a assez des garçons.

— Ah, vous, les filles !

Ha ! ha ! se dit Lauren avec amertume en apercevant Nick Angelo — elle savait son nom maintenant — qui sortait du lycée avec Dawn Kovak pendue à son bras. De toute évidence, Dawn faisait maintenant partie des meubles. C'était vraiment un lunatique, un sale type. Elle avait prévenu Meg, elle lui avait dit de faire attention à ce garçon. Meg aurait dû l'écouter. Nick Angelo. Hmmm... Meg avait dit qu'il embrassait comme personne... Et après ?

Il avait appris une chose dans la vie : si on doit laisser tomber une fille, il faut le faire vite. Pas d'excuses. Pas de traînasseries. Une coupure nette et c'est réglé. Blondie, ç'avait été une erreur. Dawn était résolument plus son style.

— Comment ça se fait que tu aies mis si longtemps à arriver ici ? avait-elle demandé en l'abordant sur le chemin du lycée.

— Ça veut dire quoi ? avait-il répliqué, pour tâter le terrain.

Elle lui avait caressé la joue d'un ongle long et rouge.

— Toute ma vie j'ai attendu un type comme toi.

Des âmes sœurs. Elle utilisait même ses répliques !

— Eh bien, avait-il dit, me voilà !

— Eh bien, avait-elle repris avec un clin d'œil provocant, je suis prête.

Dawn Kovak vivait avec sa mère alcoolique dans les bas quartiers de la ville. Ça n'était pas aussi moche que le terrain de camping, mais pas loin. Elle n'avait pas grand-chose pour elle à part ses formes généreuses et sa moue boudeuse, alors elle les utilisait à fond. Elle était peut-être la grande séductrice du lycée, mais du moins ses avantages la rendaient-ils populaire. Elle passa la journée à tout lui raconter sur Bosewell. Petite ville. Petits esprits. Pas rigolo. Sinistre même. L'endroit le plus proche où il se passait quelque chose était à quatre-vingts kilomètres — une ville du nom de Ripley — où il y avait des bars, des endroits où danser et un bistrot où se réunissaient les motards.

— Tu as une bagnole ? fut une des premières questions qu'elle lui posa.

— Je peux m'en procurer une, avait-il répondu, pensant qu'il prendrait la camionnette un soir où Primo serait dans les vapes.

— Toi et moi... on ne va pas s'embêter, avait-elle promis d'un ton enjôleur.

Pour l'instant, avait songé Nick. Tant que ça m'arrange. *Mais ne viens pas trop près. Je ne fais que passer.*

11

Les Browning ne faisaient pas les choses à moitié. Le jardin était couvert d'une tente. Un trio jouait ce qui était censé être de la musique de danse. Le buffet avait été préparé par un traiteur, et les tables dressées avec des nappes de toile rose et de la belle argenterie. Après tout, les Browning étaient la famille la plus riche de la ville et, une fois de temps en temps, ils aimaient bien le montrer.

Stock vint prendre Lauren de bonne heure et l'emmena directement chez ses parents, pour lui montrer les préparatifs de la réception.

— Quand les vieux seront allés au dodo, on a toute une discothèque de prête, annonça-t-il. Et plein de bière. Vraiment plein.

Il lui précisait ça comme si elle était une grosse buveuse de bière.

— Formidable, réussit-elle à dire, en tirant sur le corsage de la robe jaune pâle que sa mère l'avait persuadée d'acheter.

Elle détestait cette robe, qui lui donnait l'air d'une demoiselle d'honneur au mariage de quelqu'un d'autre.

— Pour l'instant, j'ai quelque chose rien que pour toi, dit-il en la prenant par la main et en l'entraînant dans un coin du jardin.

Oh, non ! C'était le grand moment ? L'assaut final ?

— Quoi donc ? murmura-t-elle, en priant le ciel qu'il n'aille pas lui sauter dessus — même si c'était peu probable dans le jardin de ses parents avec soixante invités qui allaient arriver d'une minute à l'autre.

— Ça, dit-il, en lui fourrant fièrement un petit écrin de cuir dans le creux de la main.

Elle le tenait avec précaution.

— Vas-y, ouvre-le, dit-il.

Pour *lui*, c'était facile à dire. Mais quand elle l'aurait ouvert, le filet se resserrerait, car il ne fallait pas sortir de Harvard pour savoir que c'était une bague de fiançailles.

— J'ai toujours rêvé d'aller à New York, balbutia-t-elle, pour reculer l'inévitable.

— On ira, lui assura-t-il. Pour notre voyage de noces, si tu veux.

Quand *cela* pouvait-il se passer ? La semaine prochaine ? Tout allait si vite qu'elle en avait le souffle coupé.

— J'imagine que nous allons nous marier dès que j'aurai fini le collège, dit-il, comme s'il lisait dans ses pensées. Je sais que ça semble long, mais quand nous serons officiellement fiancés, ce sera presque comme être mariés, n'est-ce pas ?

Un sursis ! Un sursis !

— Bien sûr, si tu es enceinte, on pourra le faire plus tôt, ajouta-t-il.

Enceinte ! Il plaisantait ? Il fallait *coucher* pour être enceinte et il n'était pas question qu'elle fasse quoi que ce soit avec lui. *Pas question*.

Soulagée, elle se rendit compte que c'était la réponse à tous ses problèmes. Pas de coucherie. Pas de fiançailles. Quand elle refuserait ses avances, il romprait les fiançailles. Ce serait *lui* qui les romprait. Et *elle* serait la victime et ses parents ne pourraient pas lui en vouloir. Ouf ! Quelle belle échappatoire !

Avec une vigueur retrouvée, elle ouvrit l'écrin et contempla un saphir en forme de cœur entouré de plus d'une douzaine de brillants.

— Elle est magnifique ! s'exclama-t-elle.

— Je savais qu'elle te plairait, dit-il avec un sourire satisfait. C'est ma mère qui l'a choisie.

— Que c'est romantique, fit-elle sèchement.

Mais, comme d'habitude, il ne perçut pas son sarcasme.

— Mets-la, insista-t-il. Vois si elle te va.

Elle s'exécuta, en imaginant le jour où elle la rendrait. Il prit sa main, la pressant contre sa chemise de smoking.

— Tâte-moi ça, dit-il avec un sourire. Tu sens comme tu peux faire battre même un cœur d'athlète.

Elle retira vivement sa main. Leurs fiançailles allaient être les plus brèves que personne ne pourrait imaginer.

Dawn Kovak était la fille de ses rêves d'adolescent, facile, serviable et toujours disponible. Il connaissait sa réputation, non pas que cela le surprît le moins du monde, car Joey Pearson l'avait déjà renseigné. Joey était un brave type : drôle, malin, un peu marginal. Ils étaient tout de suite devenus copains en découvrant qu'ils faisaient tous les deux le service de nuit le samedi à la station d'essence.

— Écoute, avait-il expliqué à Joey, je ne vais pas m'éterniser ici. Qu'est-ce que ça peut me faire si tous les types de la ville lui sont passés dessus ? Elle est tout simplement comme je les aime : expérimentée.

Joey s'était mis à rire.

— Oui, il n'y a rien de tel qu'une fille qui sait ce qu'elle fait.

Tous deux avaient été recrutés pour garer les voitures à la soirée des Browning — ils auraient accepté presque n'importe quoi pour se faire quelques dollars supplémentaires. Une Cadillac marron s'engageait dans l'allée circulaire. Nick se précipita du côté du conducteur et ouvrit la portière. Un homme descendit. Sa femme était à la place du passager. Meg sortit par-derrière et se précipita dans la maison.

— Qu'est-ce qui s'est passé entre toi et elle ? interrogea Joey. Tu ne l'avais pas emmenée au cinéma ou quelque chose comme ça ?

— Il ne s'est rien passé, répondit Nick sans vergogne. Il n'allait pas raconter sa vie. Je me suis trompé. J'ai choisi la fille qu'il ne fallait pas. C'était ma première semaine en ville, tu sais ce que c'est.

Oh oui, Joey savait ce que c'était. Sa mère et lui étaient arrivés voilà un an à Bosewell, venant de Chicago. Son père, un flic, avait été tué lors d'un hold-up dans une banque, et sa mère avait aussitôt décidé qu'ils devaient aller se réfugier dans la sécurité d'une petite ville.

— Quand nous sommes arrivés ici, ma mère a dit que c'était pour ma protection, raconta Joey avec une grimace. Mais dès l'instant où j'ai dix-huit ans, je me taille. Moi, je retourne à Chicago. Je veux devenir un comique.

Nick prit un air vague.

— Un comique?

— Tu sais, raconter des blagues et des trucs comme ça. Faire rire les gens.

— Ça m'a l'air d'être une bonne idée.

Joey fouilla dans ses poches pour en extraire une cigarette toute fripée. Il la cassa en deux et en tendit la moitié à Nick. Ils partagèrent une allumette.

— Alors..., fit Joey en tirant une profonde bouffée. Je sais ce que *moi* je fais ici. Mais toi, qu'est-ce qui t'a amené dans ce trou?

Nick tira sur sa moitié de cigarette.

— Mon paternel, dit-il.

— Qu'est-ce qu'il fait?

Nick eut un rire amer.

— C'est un raté.

— Charmant.

— Tu peux le dire. Tiens, il était marié à cette femme... cette Noire... Il s'arrêta. Joey n'avait pas besoin de savoir ça. Personne n'avait besoin. Et puis, merde. C'est un glandeur, ça n'a pas d'importance.

— Raconte-moi, insista Joey.

Nick n'était pas d'humeur à faire des confidences.

— Une autre fois, dit-il en abandonnant le sujet.

Joey haussa les épaules.

— Comme tu voudras.

D'autres voitures arrivèrent et cela les occupa.

— Tu sais, dit Joey, en revenant après avoir garé une Buick, Stock Browning est le roi des abrutis. Cet imbécile a essayé de me casser la figure une fois : je lui ai envoyé un coup de pied dans un genou qui l'a expédié au tapis et je me suis acheté un couteau.

Nick se mit à rire.

— Je savais qu'on s'entendrait.

— Ce qu'il y a de drôle, poursuivit Joey, c'est que quand j'étais à l'école à Chicago, je ne me suis pas fait embêter une seule fois.

— Peut-être parce que ton père était flic.

— Penses-tu. Non, mais là-bas il n'y avait pas d'abrutis comme Stock Browning.

— Tu le portes vraiment dans ton cœur, ce type, hein?

— Il est nul. J'aimerais bien savoir pourquoi Lauren se fiance avec lui. C'est idiot.

— Tu es déjà sorti avec elle?

— Pas question, mon vieux. Elle et Meg... ce sont deux vestales.

— Peut-être qu'elle a changé.

— Oui, fit Joey d'un air dégoûté. Ça peut arriver. Les filles! Montre-leur une liasse de billets et c'est tout de suite les jambes en l'air, et allons-y!

Une autre voiture s'engagea dans l'allée et vint s'arrêter devant la maison.

— Je te la joue à pile ou face, proposa Nick.

— Qu'est-ce que ça change? répondit Joey. De toute façon, on partage les pourboires.

Nick acquiesça.

— Tu as raison.

Meg était furieuse.

— Il est dehors! geignait-elle auprès de Lauren.

— Qui ça?

— Ne me demande pas qui! riposta Meg. Tu sais très bien. C'est lui. Nick. Comme si ça ne suffisait pas que je doive le voir au lycée! Maintenant il est ici, à garer les voitures. Je suis si humiliée. J'arrivais avec mes parents! Comment as-tu pu me faire ça?

— Calme-toi, Meg. Je ne savais absolument pas qu'il serait ici.

— Oh non, bien sûr. Tu es trop occupée à te fiancer pour remarquer rien ni personne. Qu'est-ce que tu crois que j'éprouve?

— Meg, fit Lauren avec patience, ça fait trois semaines que tu es sortie avec lui. N'y pense plus.

— C'est facile à dire pour toi. Essaie de te mettre à ma place. Elle éleva le ton, au bord de la crise de nerfs. Il m'a pratiquement violée!

Lauren prit un air soucieux.

— Tu ne m'avais pas dit ça. Tu m'as raconté qu'il t'avait ôté ton soutien-gorge et déchiré ta jupe. Tu ne m'as absolument pas dit qu'il avait essayé de te violer. Si c'est le cas, tu devrais le signaler à la police.

— C'est trop tard.

— Si c'est comme ça que ça s'est passé, il n'est jamais trop tard.

66

Le visage de Meg se décomposa.

— Je le déteste! s'écria-t-elle.

— Moi aussi, renchérit Lauren, volant au secours de sa copine.

Mais, sincèrement, elle ne pouvait pas dire qu'elle le détestait, car elle ne le connaissait même pas. Bien sûr, elle savait qu'il avait des yeux verts. Et des cheveux noirs et bouclés. Un superbe menton. Et une démarche à la James Dean. Elle savait aussi qu'il travaillait à mi-temps à la station-service, que Joey Pearson et lui étaient amis, et que presque tous les soirs il voyait Dawn Kovak. Certes, il l'intriguait, mais elle ne pouvait pas le dire à Meg, elle devait garder bouche cousue là-dessus.

— Est-ce que tu t'amuses? demanda-t-elle, pour relancer la conversation.

Meg plissa les yeux et saisit un verre de punch généreusement coupé d'eau.

— Est-ce qu'il faudra que tu appelles ton premier-né Stock Junior? demanda-t-elle d'une voix aigre.

— Pas si c'est une fille.

Lauren lui fit un charmant sourire et s'en alla rejoindre ses parents qui semblaient ravis de faire du lèche-bottes à tout le clan Browning.

Dawn était l'invitée surprise; du moins son nom ne figurait-il pas sur la liste officielle.

— Coucou! fit-elle à Nick, en arrivant juste avant minuit, dans une voiture bourrée de copains vêtus de cuir qui avaient l'air de sortir de *West Side Story*. Stock m'a dit de ne pas venir trop tôt.

Il n'y avait pas de gosses de riches dans ce groupe-là. C'étaient des garçons plus coriaces, plus âgés, qui fumaient de l'herbe, buvaient de l'alcool et écoutaient jour et nuit du Joplin et du Hendrix à plein tube. Nick n'en avait pas fait à proprement parler des amis, mais grâce à Dawn il connaissait la plupart d'entre eux et ils l'avaient accepté comme un type à la coule.

La voiture était suivie de six ou sept motos. Dawn avait recruté d'autres camarades de Ripley, la ville voisine.

— Salut, Nicky.

Elle lui lécha l'oreille en enfonçant sa langue d'un air suggestif.

— Maintenant, la soirée peut vraiment commencer. Laisse tomber ces bagnoles et entrons.

— Mais oui, mon vieux, vas-y, l'encouragea Joey. Il n'y a plus que quelques voitures à garer. Je vais m'en occuper.

— Je ne veux pas te lâcher comme ça..., protesta Nick.

— Vas-y. On partagera les pourliches demain.

Pourquoi pas ? Si Dawn était invitée, il avait bien le droit de la suivre. Ils firent une entrée bruyante, prêts à prendre du bon temps. Stock les accueillit, entouré de plusieurs de ses camarades de football, tous raisonnablement beurrés.

— Salut, Don Juan, fit Dawn, très provocante dans un chandail qui lui dénudait les épaules et une minijupe moulante.

Elle se blottit contre lui pour l'embrasser sur la bouche.

— C'est un crime de te retirer de la circulation comme ça !

Stock eut un gros rire, suivi d'un clin d'œil et d'un rot.

— Mettons la disco en train. Tu t'en occupes, Dawn ?

— Bien sûr, mon tout beau... tout ce que tu veux. Et je dis bien tout.

Il pointa la langue en l'agitant de façon obscène.

— Tu as déjà donné.

Ses copains éclatèrent de rire. Dawn en fit autant. Nick se dirigea vers le bar. Tiens, elle avait été la petite amie de Stock. Pas étonnant. Il se servit une bière bien fraîche et, tout en buvant à la bouteille, il regarda autour de lui. C'était une sacrée installation, ça avait dû coûter du fric, avec la tente, un bar où rien ne manquait, des douzaines de tables et de chaises, des fleurs et tout le tremblement. Il y avait même une piste de danse où Dawn entraînait Stock tandis que le disc-jockey prenait la place du trio un peu rassis, faisant sursauter tous les invités sur leurs chaises avec une interprétation débridée de *Satisfaction* par les Stones.

Les derniers adultes se hâtèrent vers la sortie. Daphné et Benjamin Browning avaient depuis longtemps disparu. Nick se servit une autre bière.

— Oh non ! gémit Meg. Il est ici. Qu'est-ce qu'il fabrique maintenant ?

Lauren en avait vraiment assez de son amie, qui de toute la soirée n'avait pas arrêté de se plaindre.

— Il faut que je m'en aille, dit Meg, frénétique.

Lauren n'était pas d'humeur à la retenir.

— Je te verrai demain, dit-elle calmement.

— Tu restes ? demanda Meg, surprise.

— C'est ma soirée de fiançailles. Ou bien est-ce que ça t'était sorti de l'idée ?

— Je pense que toi, tu dois rester jusqu'à la fin. Ça ne t'ennuie pas si je m'en vais, n'est-ce pas ?

En fait, ça l'ennuyait, mais elle n'allait sûrement pas supplier Meg de rester.

— Mais non, je t'en prie.

— Merci.

Et Meg s'en fut sans demander son reste.

Lauren soupira. C'était ça, les meilleures amies. Elle aurait voulu pouvoir dire à Meg : « Reste. J'ai besoin de toi. » Et elle aurait voulu pouvoir dire à Stock : « Au revoir. Je n'ai pas besoin de toi. »

Les parents de Lauren étaient ravis de leur soirée. Phil Roberts avait déployé tout son charme et discuté assurances avec une foule de clients éventuels. Jane Roberts s'était proclamée la belle de Bosewell, dansant avec tous les vieillards de la ville.

Lauren avait dansé avec Stock et tous ses copains. Elle avait même dû subir un slow avec Benjamin Browning, qui l'avait serrée de trop près en lui soufflant au visage une haleine imprégnée de whisky. Maintenant, elle serait bien rentrée, mais Stock avait d'autres projets. Il était fermement décidé à ce que la fête commence. À peine sorti des bras de Dawn, il empoigna Lauren.

— Viens, mon chou, un petit coup de rock'n roll, dit-il en lui lançant des œillades d'alcoolique.

— Je suis vraiment crevée, dit-elle. Ça a été une longue soirée.

— Tu plaisantes ? fit-il en levant les yeux au ciel. Ça commence à peine.

— Est-ce que tes parents savent que tu as invité tous ces gens ? demanda-t-elle en désignant la foule.

— Qu'est-ce que tu crois ? Je leur ai dit que j'avais quelques autres amis qui passeraient. Ça ne les gêne pas. C'est ma soirée. Je peux faire tout ce que je veux.

— C'est *notre* soirée, corrigea-t-elle. Et moi, je voudrais rentrer.

Il secoua la tête, déconcerté.

— Il y a des jours où tu es vraiment casse-pieds. Prends un verre de punch. Détends-toi. Mets-toi dans l'ambiance.

— J'ai déjà pris un verre de punch, merci.

— Alors prends-en un autre. Un des copains l'a corsé un peu. Maintenant la soirée va vraiment battre son plein.

Il essaya de l'embrasser. Elle se dégagea.

Il eut un rire amer.

— Tu fais une drôle de fiancée.

Les Stones avaient cédé la place à un Rod Stewart à la voix éraillée. Lauren poussa Stock vers la piste de danse où tous ses camarades semblaient s'amuser comme des fous.

— Retourne danser avec Dawn. Elle adore ça, moi pas.

— Si tu es avec moi, tu ferais mieux d'apprendre à aimer danser, dit-il d'une voix un peu pâteuse.

Puis, d'un pas mal assuré, il alla rejoindre Dawn. Qu'est-ce qu'elle croyait que c'était ? Le lycée ? Il faudrait qu'elle apprenne à faire exactement ce qui lui plaisait, à lui.

Debout près de la porte, Nick observait la scène. Ça lui était égal de voir Dawn planer. C'était Lauren qui l'intéressait. Et le moment n'était pas plus mal choisi qu'un autre pour agir. Juste au moment où il allait se diriger vers elle, une voix familière dit :

— Qu'est-ce que tu fabriques ici, mon garçon ?

C'était Aretha Mae, une Aretha Mae toute différente, avec ses cheveux roux crépus ramenés en arrière et un uniforme blanc empesé de femme de chambre masquant son corps maigrelet.

— Je pourrais te poser la même question, répliqua-t-il.

Elle le foudroya du regard.

— Moi, dit-elle, je travaille ici. Et tu ferais mieux de décamper.

Tenant en équilibre un plateau de verres sales, elle rentra dans la maison.

Qu'elle aille se faire voir. Elle n'était pas sa mère. Il n'avait pas à l'écouter. Lauren était toujours seule. Saisissant l'occasion, il s'approcha nonchalamment et vint s'asseoir auprès d'elle.

— Comment ça va ? demanda-t-il d'un air désinvolte.

Elle se tourna pour le regarder. Ils n'avaient jamais été officiellement présentés, mais quelle importance ! Oh, mon Dieu ! Meg serait furieuse si elle lui adressait la parole.

— Tiens, salut, répondit-elle, en essayant de prendre un ton tout aussi dégagé.

De la tête il désigna Dawn et Stock sur la piste de danse.

— Ils font un beau couple, hein ?

— Hmmm, dit-elle sans s'engager.

— Ça n'est pas toi qui devrais être là-bas avec lui ? demanda-t-il en prenant une cigarette d'une boîte posée sur la table.

Il avait quand même du culot. Il savait parfaitement que ce devrait être elle.

— Comment ça se fait que ce ne soit pas toi qui danses avec lui ? insista-t-il. Tu n'aimes pas danser ?

70

— Et toi? riposta-t-elle.

Il la fit profiter du regard de ses yeux verts.

— Seulement si c'est avec quelqu'un de particulier.

Elle soutint un moment son regard, le trouva trop dangereux et rompit aussitôt la joute.

— Je... il faut que j'y aille, dit-elle en se levant.

— Monsieur le champion de football n'est pas en état de te raccompagner, dit-il en se levant à son tour.

Elle se demanda pourquoi son cœur battait si vite.

— Ça ne te concerne pas, non?

Il continuait à la fixer.

— Peut-être bien que si.

— Je te demande pardon?

Cette fille ne réagissait pas comme les autres.

— Comment se fait-il que tu sois si coincée? interrogea-t-il, en essayant de la désarçonner.

— Je ne suis pas coincée, répondit-elle, sur la défensive. C'est toi qui es grossier.

— Ah bon? Qu'est-ce que j'ai fait?

— Rien... Rien à moi.

— Ça veut dire quoi?

— Tu sais très bien.

— Non, pas du tout. Quoi donc?

Elle regrettait d'avoir abordé ce sujet, mais elle ne pouvait plus s'arrêter maintenant. Les mots sortirent précipitamment.

— La façon dont tu as traité Meg. Tu l'as emmenée au cinéma, tu lui as sauté dessus et puis tu l'as laissée tomber. Qu'est-ce que tu crois qu'elle ressent?

Merde! C'était ça le problème avec les nanas, elles se faisaient toujours des confidences.

— Elle t'en a parlé, hein?

— Meg est ma meilleure amie.

La vérité, décida-t-il, c'était la façon la plus astucieuse de s'y prendre avec celle-ci.

— Elle est gentille, expliqua-t-il. Mais elle n'est pas pour moi, alors je... euh... je ne l'ai pas revue. Je crois que je lui ai rendu service.

Lauren se tourna vers lui, prenant le parti de Meg.

— Service? répéta-t-elle, incrédule. On ne mène pas quelqu'un en bateau pour le laisser tomber après.

Il était temps de changer de sujet.

— Au fait, pourquoi est-ce que tu te fiances à cet abruti?

Deux taches rouge vif apparurent sur ses joues.

— C'est toi, l'abruti. Tu ne le connais même pas.

— Allons donc, tu sais bien que c'est un abruti... Il marqua un temps. Je pense que tu vas me dire que tu es la fille la plus heureuse du monde.

— Pour qui est-ce que tu te prends, au juste ? demanda-t-elle, furieuse.

— Moi ? Je ne fais que passer, mon chou !

— Et ne m'appelle pas « mon chou ».

— Pourquoi ? Ça t'excite ?

Leurs regards se croisèrent un moment. Il ne baissa pas la garde. Une fois de plus, ce fut elle qui rompit le contact en s'éloignant. Sans savoir pourquoi elle avait le cœur qui battait encore quand elle sortit en courant. Nick Angelo était un garçon dangereux, et elle le savait.

12

Cyndra Angelo était dans le car depuis des heures. Elle se sentait sale et épuisée. Ses vêtements étaient tout chiffonnés. Elle avait mal aux pieds et elle avait faim. Elle regarda par la fenêtre. Il pleuvait. Il pleuvait toujours. Elle avait dû changer trois fois de place. Chaque fois que le car s'arrêtait et que de nouveaux voyageurs montaient, il y avait toujours un type qui choisissait de s'asseoir auprès d'elle. Au bout de quelques minutes, il s'approchait trop près, engageait la conversation et elle était forcée de se déplacer encore une fois. Non pas qu'elle fît rien pour les encourager : ils lui tombaient dessus, qu'elle en eût envie ou non. Les porcs !

Kansas City avait été un cauchemar. Descendue chez de lointains parents de sa mère, elle avait trouvé les hommes de la famille trop disposés à la peloter dans les coins. Il semblait que chaque mâle qu'elle rencontrait voulût l'entraîner dans son lit. Qu'est-ce qu'elle avait donc ? Qu'est-ce qu'elle faisait pour les encourager ? Rien, à sa connaissance.

Elle ouvrit son vieux sac de voyage, en tira un poudrier au miroir cassé et inspecta son visage. Elle n'était pas blanche. Et elle n'était pas noire. Elle n'était rien. L'idée ne lui était jamais venue qu'elle avait pris ce qu'il y avait de mieux de chaque côté. Son teint était superbe. Ses cheveux d'un noir de jais étaient longs et drus. Ses yeux étaient d'un brun superbe. Elle avait la mâchoire forte et les pommettes bien dessinées. Elle ne ressemblait à personne. À vrai dire, c'était une très, très belle jeune fille.

Le car s'arrêta et deux hommes montèrent. Il ne fallut pas longtemps à l'un d'eux pour remonter la travée et venir s'asseoir auprès d'elle.

— Salut, ma jolie, fit-il d'un ton traînant. Où est-ce que vous allez comme ça ?

— Ça ne vous regarde pas, répondit-elle en se tournant vers la vitre.

— Pas besoin d'être désagréable, lui reprocha-t-il.

Elle l'ignora jusqu'au moment où il finit par comprendre et par s'installer ailleurs. Peut-être qu'elle était folle de rentrer à la maison quand elle aurait pu rester à Kansas City et trouver un travail.

Oh, bien sûr... un boulot sensationnel. Putain, call-girl, strip-teaseuse, danseuse de cabaret... il y avait mille et une occasions pour une fille comme elle. Mais Cyndra avait de plus grands projets. D'une façon ou d'une autre, elle allait faire quelque chose de sa vie, et personne ne l'en empêcherait. Elle était allée à Kansas City pour se faire avorter. Aux frais, soupçonnait-elle, de l'homme qui l'avait violée. Bien sûr, personne ne voulait reconnaître que ç'avait été un viol. Sa mère lui avait dit que c'était sa faute à elle, qu'elle l'avait encouragé.

Elle n'avait jamais rien fait de pareil. Elle le détestait, ce type, elle l'avait toujours détesté. Mr. Benjamin Browning. Grand homme d'affaires. Père de famille heureusement marié, un sale hypocrite. Les Browning. Les employeurs de sa mère. Les vertueux et honnêtes Browning.

Oh, ça oui ! elle aurait pu en raconter sur la vertueuse et honnête famille Browning. Elle avait eu le triste privilège de les connaître toute sa vie. Quand elle était petite, sa mère l'emmenait tout le temps à la maison et la laissait dans une pièce du fond pendant qu'elle travaillait. Parfois Benjamin Browning venait dans cette chambre pour la tripoter. Elle était trop jeune pour comprendre ce qu'il faisait mais, en grandissant, elle commença à redouter d'aller là-bas. À cinq ans, elle avait essayé de le dire à sa mère. Aretha Mae l'avait giflée en déclarant :

73

— Comment oses-tu parler comme ça de Mr. Browning. Je travaille pour ces gens-là. Ne va jamais inventer encore de vilaines choses sur eux.

Cyndra avait donc appris à se taire. Tout de même, sa mère avait cessé de l'emmener là-bas : elle l'avait mise au jardin d'enfants, où elle la déposait en allant à son travail. L'école avait été une autre pénible expérience. On se moquait d'elle à cause de sa peau foncée et personne ne lui parlait parce que sa mère travaillait comme bonne. À plusieurs reprises, elle avait été rossée par des gosses plus âgées. Elle avait fini par apprendre à se débrouiller toute seule. Mais pas tout à fait assez bien, semblait-il.

Maudit Benjamin Browning ! Monsieur l'honnête et vertueux pilier de la communauté ! Qu'il aille au diable avec son fric et tout ce qui le concernait ! Elle avait été absente un mois. L'avortement s'était révélé être une expérience terrifiante. La chose s'était passée dans la maison délabrée d'une femme au visage en lame de couteau et d'un homme grisonnant, aux mains blanches et décharnées, qui l'avait appelée sa « petite fille », et l'avait traitée comme une prostituée. Pendant des heures, elle avait saigné sans s'arrêter, jusqu'au moment où ils l'avaient emmenée d'urgence à l'hôpital le plus proche et l'avaient déposée sur le perron, l'abandonnant là comme une livraison de viande de premier choix.

— Qu'est-ce qui vous est arrivé ? avait demandé le médecin à l'hôpital. Il nous faut des noms. Il faut nous dire qui vous a fait cela.

Mais elle n'avait rien dit, tout comme elle s'était tue toute sa vie. Maintenant elle était dans un car qui la ramenait chez elle ; elle ne savait pas si elle était contente ou consternée.

— Quel âge avez-vous ? avait demandé le médecin de Kansas City.

— Vingt et un ans.

— Je ne crois pas.

Et il avait raison. Elle avait seize ans. Oh, la douceur des seize ans ! Poussant un profond soupir, elle se mit à rêvasser. Un de ces jours, elle quitterait Bosewell. Un de ces jours, le nom de Cyndra Angelo voudrait dire quelque chose.

Quand le car la déposa, la pluie avait presque cessé. Le chauffeur lui fit un geste d'adieu, elle empoigna son sac et aborda la longue marche jusqu'au terrain de camping. Au fond, elle était contente de rentrer à la maison. Elle avait du moins la perspective de retrouver Harlan et Luke ; c'étaient de braves gosses et elle les aimait sincèrement. Elle n'aimait pas Aretha Mae, même si elle la respectait de réussir à survivre toute seule avec trois enfants à élever. Quand Cyndra avait six ans, elle avait demandé qui était son père.

— Ne t'occupe pas de ça, avait répondu Aretha Mae. Ce sont mes affaires, pas les tiennes.

Elle savait qu'il était blanc, et c'était tout. Harlan et Luke étaient les rejetons d'un Noir du nom de Jed, qui avait vécu deux ans dans la caravane et puis était parti un beau soir quand Aretha Mae était à son travail. Depuis lors, on n'avait jamais revu Jed, on n'avait jamais entendu parler de lui, ce qui était aussi bien, car l'intérêt qu'il portait à la petite Cyndra dépassait celui d'un beau-père.

Tout en marchant sur la route déserte, elle se mit à penser à Benjamin Browning et à ce qu'elle aimerait lui faire. Le tuer, pour commencer. Le mutiler si ça ne marchait pas. En vérité, elle savait au fond de son cœur qu'elle ne *pouvait* absolument rien faire. C'était son affreux secret et elle était coincée avec.

Elle repensa à la façon dont c'était arrivé, en se demandant si elle n'aurait rien pu faire pour empêcher ça. Mais non. Impossible. L'homme était comme une bête. D'ailleurs, il mesurait plus d'un mètre quatre-vingts et pesait près de cent kilos. Alors qu'elle ne mesurait qu'un mètre soixante-deux pour cinquante-deux kilos. Elle n'était pas de taille.

C'était arrivé un mardi. Aretha Mae étant au lit avec la grippe, Cyndra, à sa demande, n'était pas allée à l'école pour donner un coup de main aux Browning. Ils avaient une autre domestique, mais elle était malade aussi.

Cyndra s'était retrouvée seule dans la maison. Mrs. Browning était sortie faire des courses, Stock était au lycée et Mr. Browning à son bureau. Il était rentré de bonne heure en toussant et en crachotant.

— Je me sens patraque. C'est cette saleté de grippe qui traîne partout, se plaignit-il en desserrant sa cravate. Sois gentille et prépare-moi un thé bien chaud avec du citron. Je serai là-haut.

Elle ne l'aimait pas, mais elle n'avait aucune raison d'avoir peur de lui. Elle était une grande fille maintenant et il ne l'avait pas touchée depuis qu'elle avait cinq ans. Elle prépara le thé dans la vaste cuisine, posant la tasse de porcelaine sur un plateau avec quelques rondelles de citron sur une soucoupe, à côté. Puis elle monta le plateau dans la chambre du maître. Il était dans sa salle de bains.

— Pose-le sur la table de nuit et fais le lit, lança-t-il.

Elle obéit, caressant les draps de fine toile, se demandant l'impression que ça faisait de dormir dans un tel luxe. Mr. Browning sortit de la salle de bains vêtu d'un peignoir en tissu-éponge. La journée était chaude et la fenêtre était ouverte. Dehors, le jardinier travaillait sur la pelouse.

— Ferme la fenêtre, dit Mr. Browning en s'éclaircissant la voix.

Elle s'approcha de la fenêtre et la ferma. Elle n'eut pas le temps de se retourner. Il l'empoigna par-derrière et la bascula sur le lit en lui arrachant sa culotte de coton. Abasourdie, elle n'eut pas le réflexe de lutter.

— Arrêtez ! réussit-elle à dire en essayant de se dégager.

— Laisse-toi faire, ma mignonne, murmura-t-il d'un ton excité.

Elle était trop choquée pour crier. Tout semblait se passer si vite. Il lui fit mal. Elle crut qu'elle poussait des hurlements, mais elle n'en était pas sûre. Quoi qu'elle fît, il n'avait aucune intention de s'arrêter, il ne se contrôlait plus... jusqu'au moment où, avec un long cri, il en eut enfin terminé.

Il resta quelques instants affalé sur elle, l'étouffant presque. Puis il se dégagea et elle l'entendit passer dans la salle de bains. Repliant ses jambes jusqu'à son menton, elle se mit à sangloter. Au bout de quelques minutes, il sortit de la salle de bains, tout habillé, comme si rien ne s'était passé.

— Je ne vais pas prendre de douche, annonça-t-il sur le ton de la conversation. Je veux garder toute la journée ton odeur sur moi. Il se dirigeait vers la porte, mais il se ravisa. Oh, au fait, Mrs. Browning ne va pas tarder à rentrer, alors tu ferais mieux de cesser de pleurnicher et de me changer ces draps : ils sont couverts de sang.

Six semaines plus tard, elle constata qu'elle était enceinte. Elle n'avait personne à qui se confier, sauf à sa mère, alors elle lui raconta tout. Aretha Mae avait écouté en silence, le visage assombri de colère. Quand Cyndra eut fini, sa mère dit brutalement :

— Tu n'auras donc jamais fini d'inventer des histoires sur ces gens, n'est-ce pas ?

76

— C'est la vérité...

Aretha Mae la gifla à toute volée.

— Tais-toi! Tu m'entends, ma petite? Je vais m'en occuper, mais il ne faudra plus *jamais* reparler de ça. *Jamais.*

Sa mère réussit à trouver l'argent pour l'envoyer à Kansas City se faire avorter. Maintenant, elle était de retour et elle espérait qu'Aretha Mae n'allait pas l'obliger à retourner à l'école. Ce serait beaucoup mieux si elle arrêtait et si elle trouvait du travail. Le supplément d'argent serait sûrement le bienvenu.

La pluie avait cessé, mais la terre était encore boueuse. Cyndra n'avait pas peur de marcher dans l'obscurité. Il n'y avait pas de réverbère, mais elle connaissait chaque pouce du camping ; c'était le seul domicile qu'elle eût jamais connu. Lorsqu'elle arriva devant leur caravane, elle fut surprise de voir de la lumière et d'entendre la télévision qui marchait à tue-tête. Ce n'était pas le genre de sa mère de veiller si tard.

Elle ouvrit la porte et entra. Un homme, affalé sur le lit, regardait la télévision. Il tenait une boîte de bière dans une main et son visage arborait un sourire stupide. Il riait de quelque chose que venait de dire Johnny Carson. Cyndra s'arrêta net.

— Qui êtes-vous?

Il se redressa, encore abruti.

— Qui je suis? Et toi, qui es-tu?

— Où est ma mère? interrogea-t-elle. Où est Aretha Mae?

Le regard de Primo se fixa sur ce beau brin de fille.

— Merde alors! s'exclama-t-il. Tu dois être ma fille. Viens ici dire un grand bonjour à ton papa.

13

Depuis leur soirée de fiançailles, Stock était moins faraud. Il s'était fait vivement réprimander par ses parents pour avoir invité trop de gens et pour avoir laissé la soirée dégénérer en orgie. Après le départ de Lauren, il était resté à tituber avec ses prétendus amis, qui avaient entrepris de saccager les lieux, cassant des verres et des bouteilles, faisant à moitié tomber la tente et mettant une épouvantable pagaille. Mr. Browning n'avait pas trouvé ça drôle.

— Ça n'était pas ma faute, gémit Stock en racontant la chose à Lauren. Tu étais là, pourquoi ne m'as-tu pas empêché de les laisser tous entrer ?

— Parce que je ne suis pas ta nounou, répondit-elle sèchement. C'est ta faute à toi.

Et c'était vrai. Pour qui la prenait-il... pour sa mère ? Ils n'avaient pas arrêté de se chamailler. Lauren était malheureuse et, pourtant, elle ne savait pas quoi faire. Lui rendre sa bague ? Elle savait qu'elle *devrait* en arriver là, mais elle ne voulait pas le faire pendant qu'il avait des problèmes avec ses parents. Mr. Browning lui avait supprimé son argent de poche. C'était à peine si sa mère lui adressait la parole. Comment pourrait-elle se tourner elle aussi contre lui ?

Stock n'arrêtait pas de se plaindre. Elle décida que, dès qu'il aurait fini de geindre, elle agirait. En attendant, elle se lança dans les répétitions de *La Chatte sur un toit brûlant* qui devait se jouer au lycée. Elle avait obtenu le rôle en or de Maggie, ce qui était excitant, et c'était Dennis Rivers, un des garçons plus âgés, qui jouait Brick. Outre le fait qu'il était très beau, Dennis était un acteur fantastique. On racontait qu'il préférait les garçons aux filles. Lauren s'en moquait éperdument, elle estimait que c'était un privilège de travailler avec lui. Betty Harris s'occupait du groupe théâtral. Elles se rencontraient une fois par semaine, après l'école, dans la vieille salle paroissiale.

Betty n'était pas comme les autres professeurs. C'était une grande femme agitée d'une cinquantaine d'années, aux joues rouges et aux cheveux couleur de paille qui n'avaient jamais l'air peignés. Elle aimait les robes de gitane amples et parlait d'une voix haletante d'excitation pour encourager ses élèves. Pour Lauren, retrouver le groupe théâtral était le grand moment de la semaine.

— Il paraît que tu t'es fiancée, ma petite Lauren, dit Betty Harris en l'accueillant.

Elle acquiesça.

— Trop jeune, dit Betty en secouant la tête d'un air entendu. Beaucoup trop jeune.

Lauren acquiesça de nouveau. Voilà au moins quelqu'un qui comprenait.

Quand tous ses étudiants furent réunis, Betty fit une annonce.

— J'ai une grande surprise pour tout le monde, dit-elle en

agitant les mains. Vous m'avez souvent entendue parler de mon frère, Harrington Harris, le célèbre comédien new-yorkais. Eh bien, la semaine prochaine, il vient nous voir ici, à Bosewell.

Un frémissement parcourut l'assistance.

— Vous verrez ainsi que je ne l'ai pas inventé, poursuivit Betty, les joues en feu.

Elle s'interrompit, ses yeux un peu exorbités parcourant la salle, jusqu'au moment où son regard s'arrêta sur quelqu'un au fond.

— Et, dans un autre domaine, avant que nous commencions à répéter aujourd'hui, j'aimerais saluer l'arrivée d'un nouvel élève dans notre groupe. Voulez-vous tous, je vous prie, dire bonjour à Nick Angelo.

Lauren se retourna, stupéfaite. Nick était là, au fond de la salle, dans sa tenue habituelle, jean et blouson. Meg donna un coup de coude à son amie.

— J'ai cru mourir! chuchota-t-elle. Si seulement je peux l'éloigner de Dawn, peut-être que j'ai une nouvelle chance.

— Tu en as toujours envie? Je croyais que tu le détestais.

— Je sais bien, reconnut Meg. Mais dis-moi qui d'autre il y a ici? Enfin, tu dois bien reconnaître qu'il est absolument magnifique.

— Oui, dut admettre Lauren à contrecœur, il l'est. Assurément.

Cyndra fut scandalisée et furieuse de découvrir qu'en son absence sa mère avait laissé s'installer un mari disparu depuis bien longtemps et son chenapan de fils. Un mari dont Cyndra ne connaissait même pas l'existence. Et qui, en plus, affirmait être son père. Son père! Un sale petit Blanc qui la rendait malade rien qu'à le regarder.

— Je m'en vais d'ici, menaça-t-elle.

— Et où vas-tu aller, ma fille? demanda Aretha Mae d'un ton narquois.

Cyndra était au bord des larmes.

— Je vais travailler, trouver quelque chose. Mais je ne vais certainement pas rester ici.

Elles discutèrent longuement jusqu'au moment où Cyndra finit par se rendre compte que c'était inutile. Elle n'avait pas d'argent et nulle part où aller. Une fois de plus, elle était prise au piège.

— Tu partageras l'autre caravane avec tes frères, déclara

Aretha Mae, contente de voir sa fille, mais regrettant déjà les ennuis qu'elle n'allait pas manquer de lui causer.

Cyndra alla s'installer dans la vieille remorque délabrée. Elle tendit un drap pour diviser en deux la caravane déjà encombrée et refusa d'adresser la parole à Nick.

— Reste de ton côté, le prévint-elle, et nous n'aurons pas d'histoire. Compris?

Il s'était contenté de la regarder, essayant encore de se faire à l'idée qu'il avait bel et bien une demi-sœur et que, par-dessus le marché, elle était noire.

— Qu'est-ce que je t'ai fait? demanda-t-il un jour. Ça n'est pas ma faute si nous sommes coincés ici.

— Toi et ton fichu père, répondit-elle, ses yeux bruns lançant des éclairs. Il n'est rien pour moi.

— Oh, en effet... rien du tout, sauf que c'est ton père.

— Mon père, pauvre crétin, répliqua-t-elle. Je vous déteste tous les deux.

Elle était jolie mais vraiment casse-pieds. Il ne fit plus aucun effort pour lui parler. Maintenant, Nick se débrouillait bien à la station d'essence. Outre le samedi soir, il venait le samedi matin. Il mettait de côté presque tout l'argent qu'il gagnait, après avoir remis chaque semaine quelques dollars à Aretha Mae. Quand Primo découvrit qu'il avait un travail à temps partiel, il ne tarda pas à formuler des exigences.

— Il ne me reste rien, dit Nick.

— Mais qu'est-ce que je suis censé faire? gémit Primo.

— Pourquoi tu n'essaies pas de trouver du boulot? répliqua Nick, tenant pour une fois tête à son père.

Vlan! Primo lui envoya une gifle. Nick était assez grand et assez malin pour deviner quand les coups arrivaient, et il esquiva celui-là.

Cyndra refusait de partir avec lui le matin ou même de s'asseoir auprès de lui dans le car. À l'école, il remarqua qu'elle était encore plus esseulée que lui, même si le samedi soir elle traînait avec la bande des motards de Ripley. Primo avait l'air de s'imaginer qu'ils vivaient le grand rêve américain. Maintenant que Cyndra était revenue, il essayait de jouer les pères inquiets.

— Je ne veux pas que cette petite s'en aille courir à toutes les heures de la nuit, annonça-t-il à Aretha Mae.

— Tu as attendu trop longtemps pour lui donner des ordres, dit-elle. Elle ne t'écoutera pas.

— C'est ma fille, rugit Primo. Et c'est moi qui commande ici.

Aretha secoua la tête d'un air las. Elle avait retrouvé Primo après dix-sept ans d'absence, mais tenait-elle vraiment à lui ?

Les répétitions de *La Chatte sur un toit brûlant* se passaient très bien. Lauren rayonnait, elle adorait jouer le rôle de Maggie, surtout avec Dennis dans le rôle de Brick. Après la classe, Betty Harris la félicita.

— Excellent, ma petite Lauren. Tu as vraiment du talent.

Elle était aux anges.

— Vraiment ? Vous savez, un jour, j'aimerais aller à New York. Est-ce que j'aurai une chance ?

— Le théâtre est un rude métier, répondit Betty.

Elle portait un ample cafetan avec une série de colliers en or et, chaque fois qu'elle parlait, les chaînes tintaient l'une contre l'autre.

— Il y a trop d'acteurs et trop peu de rôles.

— Mais j'aimerais quand même essayer, insista Lauren.

— Ce serait bien d'essayer, ma chérie, mais ne compte pas sur le théâtre pour te faire vivre, c'est une profession trop incertaine.

Stock la retrouva après le premier cours, la prit par le bras d'un air de propriétaire, remarqua la présence de Nick et dit :

— Qu'est-ce que cet abruti fait ici ?

Lauren bondit à sa défense.

— Ce n'est pas un abruti.

— Ah non ? Regarde-le un peu : toujours dans cette tenue ridicule. Pour qui est-ce qu'il se prend... James Dean ?

— Tout le monde n'a pas besoin de te ressembler, dit Lauren d'un ton glacé.

— Tout le monde ne *peut* pas me ressembler, proclama-t-il.

Ils allèrent prendre un soda au drugstore. On jouait *The Way We Were* au cinéma local. Lauren avait envie de le voir, mais ça n'intéressait pas Stock.

— Je déteste ces âneries sentimentales, ricana-t-il. Je préfère Clint Eastwood.

— Tu m'avais promis, soupira-t-elle, que nous pourrions y aller ce soir.

— J'ai une autre idée.

— Ah bon, laquelle ?

— Aller faire un tour en voiture, parler de notre avenir. Il serait temps.

— Sans doute, fit-elle d'un ton hésitant.

Bonne idée, au fond, ça serait l'occasion de lui dire qu'elle ne pensait pas qu'ils avaient un avenir ensemble. Stock conduisait comme un gosse de riche qui veut faire de l'épate. Son père avait cédé et lui avait promis une voiture neuve pour Noël, alors il poussait la Thunderbird à fond, fonçant dans Maine Street comme s'il disputait les Vingt-Quatre Heures du Mans.

— Pas si vite, dit-elle en se cramponnant au tableau de bord.

— Du calme.

Elle détestait qu'on lui dise « du calme », comme si elle était hystérique ou Dieu sait qui.

— Où va-t-on ? interrogea-t-elle.

— À l'ancien stade, répondit-il, ne tenant plus le volant que d'une main et lui passant un bras autour des épaules.

Le terrain abandonné juste à la sortie de la ville était connu pour être le rendez-vous des couples qui voulaient flirter.

— Non, dit-elle aussitôt.

— Pourquoi non ?

— Tu sais très bien.

— Nous sommes fiancés. Nous pouvons aller n'importe où.

— C'est justement de ça que je veux te parler.

— Je croyais que c'était moi qui voulais te parler.

— Il faut qu'on parle tous les deux, dit-elle gravement.

Malgré sa réticence, elle le laissa rouler jusqu'au vieux stade où il gara la voiture, éteignit les phares et se jeta aussitôt sur elle.

— Qu'est-ce que tu fais ? dit-elle en le repoussant.

— Ce que j'aurais dû faire depuis deux mois, répondit-il, ses grandes pattes courant sur tout le corps de Lauren.

Elle lui tapa sur les mains.

— Allons, Stock, ne commence pas.

— Qu'est-ce que tu es donc, Lauren ? La reine des glaces ? fit-il en réussissant à plaquer ses lèvres sur celles de la jeune fille.

Elle se dégagea.

— Veux-tu arrêter !

Il s'écarta, les poings crispés.

— Bon Dieu ! quand est-ce que j'arriverai à quelque chose avec toi ?

— Jamais, répondit-elle avec feu. Ces fiançailles sont une lourde erreur. Nous n'étions pas faits pour être ensemble.

Il se redressa.

— Qu'est-ce que tu racontes ?

— Je n'aurais jamais dû dire oui. Je ne sais pas pourquoi je l'ai fait. Ce sont mes parents qui m'ont encouragée. Ils t'aiment bien, ils aiment bien ta famille. Ils sont persuadés que nous faisons un couple parfait.

Elle savait qu'elle parlait trop vite, mais maintenant elle était lancée et elle ne pouvait pas s'arrêter.

— Je ne suis pas prête à m'engager.

— Tu l'avais bien fait avec Sammy Pilsner, dit-il d'un ton sournois.

— Qu'est-ce que tu sais de moi et de Sammy ? lança-t-elle, ses joues s'empourprant.

— Pas grand-chose. Juste qu'il racontait à tous les garçons que tu lui faisais des choses.

Elle n'arrivait pas à croire que Sammy l'aurait trahie.

— Tu dis n'importe quoi, lança-t-elle avec fureur.

— C'est vrai, n'est-ce pas ? Et si tu l'as fait pour lui, je veux la même chose.

Là dessus, il se jeta de nouveau sur elle. Elle n'était pas Meg, prête à laisser le premier balourd venu obtenir d'elle ce qu'il voulait.

— Si tu ne cesses pas, je sors de la voiture, menaça-t-elle, repoussant une fois de plus ses mains.

— Vas-y, riposta-t-il avec assurance. Ça fait une trotte pour rentrer.

— Tu t'imagines que ça va m'arrêter?

— Oh, merde ! Tu te conduis comme une vraie petite gourde, gémit-il. N'importe qui d'autre serait ravi d'être ici avec moi.

Il n'était vraiment qu'un vantard et qu'une brute. Elle le regarda d'un air mauvais.

— Je ne suis *pas* n'importe qui, il serait temps que tu t'en aperçoives.

Sentant qu'elle était en colère, il s'empressa de changer de tactique.

— Allons, Lauren, dit-il d'un ton enjôleur, j'ai seulement envie de t'aimer un peu.

Et ses mains étaient de nouveau partout. Chaque fois qu'il lançait un assaut, elle se sentait incroyablement vulnérable. Il était si grand et si fort, ce serait facile pour lui d'avoir le dessus. Elle savait qu'elle devait faire quelque chose et vite. Elle saisit la poignée, ouvrit toute grande la portière et partit en courant.

— Je m'en vais, hurla-t-elle. Tu n'es qu'un obsédé sexuel !

— Et toi, répliqua-t-il sur le même ton, tu n'es qu'une allumeuse !

— Va te faire voir, Stock Browning !

Bouillant de colère, elle s'éloigna sur la route. Stock comprit soudain que c'était sérieux. Il remit le moteur en marche, fit un demi-tour et se lança à sa poursuite. Abaissant sa vitre, il se pencha pour lui dire :

— Remonte. Ne sois pas stupide.

— Je n'ai pas besoin de toi, répondit-elle, avançant d'un pas décidé sur la petite route de campagne.

Il était tout contrit.

— Je ne te toucherai plus, je te jure.

Elle s'arrêta et pivota vers lui.

— Sur quoi jures-tu ? demanda-t-elle, envisageant sans entrain la perspective de faire huit kilomètres à pied pour rentrer chez elle.

— Sur la tête de mon père.

— Tu parles !

— Bon, d'accord. Je te le jure sur ma tête. Est-ce que ça te va ? Maintenant, remonte dans la voiture.

Il ouvrit la portière côté passager et elle s'installa auprès de lui.

— Je vais être sage, dit-il en reculant de son côté. J'attendrai qu'on soit mariés. C'est promis.

Il va falloir que tu attendes longtemps, se dit-elle. *Vraiment longtemps.*

14

La représentation au lycée devait avoir lieu quelques jours avant les vacances de Noël. Lauren était si plongée dans son rôle qu'elle décida de ne plus penser pour l'instant à l'incident avec Stock et de régler cette histoire avec lui après Noël. Sa résolution pour le nouvel an était de se débarrasser de lui une fois pour toutes. Ses parents la rendaient folle : ils ne voulaient parler que de date de mariage.

— J'avais à peine dix-huit ans quand j'ai épousé ton père, lui dit sa mère.

— Je n'en ai que seize, lui fit-elle observer. Et je ne vais pas me marier.

— Comment ça ? firent Jane et Phil en chœur.

Mais qu'est-ce qu'ils avaient donc ? Cherchaient-ils à se débarrasser d'elle ? Ou bien étaient-ils impatients de profiter de tous les avantages que ça leur donnerait d'être apparentés aux Browning?

Les répétitions devinrent la chose la plus importante de son existence. La seule interruption fut l'arrivée du frère de Betty. Harrington Harris avait le physique d'un acteur célèbre. Grand, la quarantaine, il avait un début de calvitie, qu'il compensait par de longs favoris, un regard lubrique et des manières désarmantes. Toutes les filles de la classe tombèrent aussitôt amoureuses de lui, y compris Meg.

— Harrington est l'homme le plus excitant que j'aie jamais rencontré, confia-t-elle à Lauren.

— Il est trop vieux pour moi.

Meg lui fit un clin d'œil.

— Il n'est certainement pas trop vieux pour moi. Et d'ailleurs il m'a invitée à sortir.

Nous voilà reparties, se dit Lauren.

— Peut-être qu'il est marié, dit-elle.

Meg resta coite.

— Ah, il l'est?

— Comment veux-tu que je le sache?

— Est-ce que tu vas sortir avec lui?

— Bien sûr que oui. C'est une aventure.

— Et je suppose que c'est moi qui vais te servir d'alibi?

— Évidemment.

En tout cas, Meg semblait avoir fini par oublier Nick, ce qui voulait dire que Lauren pourrait peut-être lui parler, maintenant. Ce n'était pas facile de faire semblant de ne pas le remarquer, même s'ils continuaient à échanger de longs regards et si elle ne perdait pas un de ses gestes.

Meg partit pour son rendez-vous avec Harrington Harris pleine de son enthousiasme habituel. Le lendemain, son enthousiasme avait tourné au dépit.

— Il m'a sauté dessus, se plaignit-elle.

Lauren secoua la tête d'un air étonné.

— Tu t'attendais à quoi? À une tasse de café et à une discussion intellectuelle? Évidemment il t'a sauté dessus. Le sexe, c'est tout ce qui intéresse les hommes. Ta mère ne t'a pas appris ça?

— En fait, si, fit Meg en riant.

— Alors qu'est-ce que tu as fait cette fois-ci?

— Je lui ai dit que j'étais vierge. Ça lui a fichu la frousse.

— Allons, tu commences à apprendre.

Quelques jours plus tard, Meg avait les oreillons. Vingt-quatre heures plus tard, c'était le tour de Harrington Harris, puis de Dennis, au vif désappointement de Lauren.

— Qu'allons-nous faire pour la pièce ? demanda-t-elle à Betty Harris.

Betty était aussi désemparée qu'elle. Elle examina sa classe, cherchant parmi ces jeunes visages pleins d'ardeur quelqu'un pour remplacer Dennis. Son regard tomba sur Nick. C'était un si beau garçon, avec quelque chose d'intense dans son expression, et il avait assurément l'air capable de tenir le rôle. Elle ignorait totalement s'il savait ou non jouer la comédie, mais elle lui tendit la brochure, lui demanda de monter sur la scène et de faire une lecture avec Lauren.

Il se leva d'un bond.

— Je... je ne peux pas faire ça, murmura-t-il.

— Allons, mon petit, fit Betty d'un ton sec. Tu t'es inscrit à ce groupe, je suis sûre que tu es parfaitement capable d'essayer.

À contrecœur, il se leva et se dirigea vers l'estrade où Lauren, assise à une coiffeuse improvisée, était en train de se brosser les cheveux.

— C'est la scène au début de la pièce, le premier affrontement entre Maggie et Brick, expliqua Betty. Tu as vu la scène, Nick. Tu peux le faire.

Il serrait la brochure dans ses mains. Seigneur ! Il s'était inscrit à ce groupe pour se rapprocher de Lauren, mais il ne s'attendait pas à ce que ce fût à ce point-là. Et s'il se ridiculisait ? Il ouvrit le texte et fixa les mots d'un regard vide. Bien sûr, il avait vu assez souvent Dennis jouer la scène et, après tout, si Dennis en était capable, pourquoi pas lui. Furieux de s'être laissé coincer, il se mit à lire. Lauren se retourna et lui donna la réplique, ses yeux lançant des éclairs.

Il ne tarda pas à se détendre et à entrer dans la peau de son personnage. Hé, ça n'était pas aussi terrible qu'il l'imaginait. Brusquement, il n'était plus Nick, mais un acteur jouant un rôle et c'était vraiment marrant ! La scène terminée, il laissa la brochure tomber sur les planches et retrouva la réalité. Lauren le dévisageait. Elle avait les plus beaux yeux qu'il eût jamais vus. Il se tourna vers Betty Harris, attendant avec angoisse sa réaction.

— C'était très bon, mon petit, fit Betty avec un sourire radieux. Je suis impressionnée. Maintenant, tu n'as plus qu'à apprendre ton texte.

Apprendre le texte. Elle plaisantait ?

— Ah... oui, oui, bien sûr, dit-il avec une assurance qu'il était loin d'éprouver.

— Alors, pas de panique, dit Betty, soulagée. Mes enfants, détendez-vous... nous avons notre Brick.

Dehors, il faisait froid et sombre. De petits flocons de neige commençaient à tomber. Nick était appuyé au vieux vélo que le frère de Dave lui avait prêté. C'était certainement mieux que de prendre le bus. Il attendit patiemment Lauren. D'après Aretha Mae, Stock et ses parents étaient à Kansas City pour un enterrement, il n'y aurait donc pas de petit ami à rôder dans les parages. Elle sortit quelques minutes plus tard. Il s'avança.

— Eh... euh... je voulais simplement te dire merci, dit-il en donnant un coup de pied dans un caillou.

Elle s'arrêta.

— De quoi ?

— Tu sais..., de m'avoir empêché de me ridiculiser.

Elle tendit la main pour saisir un flocon.

— Tu t'en es vraiment bien tiré. Tu as déjà dû jouer avant

Il éclata de rire.

— Qui ça, moi ? Pas du tout.

— Alors, tu es doué.

Maintenant il était embarrassé.

— Oh, j'ai vu des tas de films, des trucs comme ça.

— Ça n'est pas facile la première fois qu'il faut faire ça devant des gens. Mais franchement... tu savais ce que tu faisais.

Il battait la semelle pour se réchauffer.

— Merci. C'est un joli cadeau.

— Un cadeau ?

— Oui. Aujourd'hui, c'est mon anniversaire.

— C'est vrai ?

— Mais oui.

— Comment se fait-il que tu ne l'aies dit à personne ?

— Bah... dix-sept ans... ça n'est pas un événement.

— Mes parents s'arrangent toujours pour que mon anniversaire à moi soit un événement. J'ai un grand gâteau, des amis qui viennent à la maison et un tas de cadeaux. Qu'est-ce que tu as eu ?

— Dans ma famille, on ne fait pas de cadeaux.

Elle s'interrogea sur la famille de Nick. Dieu sait qu'on en parlait au lycée.

— Tu ne vas pas fêter ça ? demanda-t-elle, s'attendant un peu à voir Dawn apparaître et l'entraîner.

Il releva le col de son blouson et se remit à battre la semelle.

— Non, je ne pense pas.

— Il faut faire quelque chose, dit-elle, pour prolonger cet instant. Laisse-moi au moins t'offrir un café et un gâteau.

Il n'allait sûrement pas refuser cette invitation-là.

— Formidable, répondit-il aussitôt. Allons-y.

— J'ai une voiture, dit-elle. Laisse ton vélo ici et on le reprendra plus tard.

— Je conduis ?

— C'est le break de la famille, dit-elle d'un ton d'excuse. Il n'y a que moi qui ai le droit de le conduire.

Il sourit.

— Qu'est-ce qu'ils vont faire, te fusiller ?

— Je pense qu'ils me laisseront la vie sauve, dit-elle en lui rendant son sourire.

Pourquoi donc faisait-elle une chose pareille ? Elle essaya bien de se dire qu'elle le plaignait, que personne ne devrait fêter seul son anniversaire. Mais il n'y avait pas que ça, et elle le savait. Nick Angelo était excitant, et elle voulait un peu de cette excitation. Ils se dirigèrent vers la voiture.

— Un de ces jours, je vais me payer une Cadillac rouge vif, annonça-t-il. Oui, une Cadillac... C'est la voiture qu'il me faut.

— Pourquoi une Cadillac ?

— Je sais pas. C'est... c'est de la bonne camelote. C'est américain.

Elle sourit de nouveau.

— Tu es très patriote.

— Il faut bien être quelque chose, exact ?

Leurs regards se croisèrent.

— Exact, fit-elle.

Avec la neige, les gens restaient chez eux et, quand ils arrivèrent au drugstore, l'établissement était presque vide. Nick l'entraîna jusqu'à une niche et s'installa en face d'elle.

— Qu'est-ce que tu prends ?

— C'est *moi* qui t'invite, lui rappela-t-elle.

— Je conduis, alors c'est *moi* qui invite, répliqua-t-il.

Elle se mit à rire.

— Pas question. C'est ton anniversaire.

Louise arriva, tapotant son carnet de commandes, et lança à Nick un regard désapprobateur.

— Qu'est-ce que ce sera ? demanda-t-elle, le stylo levé.

— Je meurs de faim, lança Lauren. Qu'est-ce que tu dirais de deux cheeseburgers ?

— Oui, et deux chocolats, ajouta Nick, avec un clin d'œil à Louise.

— Et des frites, dit Lauren.

— Avec du ketchup..., précisa Nick.

— Et des oignons frits.

— Oui ! Parfait !

Tous deux éclatèrent de rire tandis que Louise disparaissait dans la cuisine.

— J'aime bien une fille qui a bon appétit, dit-il en souriant.

— D'après ce que j'entends raconter, tu aimes toutes les filles, répondit-elle, se disant aussitôt : *Oh, non ! Pourquoi est-ce que j'ai dit ça ? J'ai l'air d'une idiote jalouse !*

— C'est parce que *moi*, je ne suis pas fiancé, fit-il en regardant fixement sa bague.

Elle s'empressa de fourrer ses mains sous la table.

— Stock est un très gentil garçon, dit-elle, sur la défensive.

— Très gentil, mon œil.

— Je ne sais pas... Peut-être que ça ne va pas tourner comme tout le monde le pense.

Pourquoi lui faisait-elle des confidences ? Il se pencha sur la table.

— Tu es en train de me dire que tu n'es *pas* fiancée ?

Elle hésita un moment, puis se lança.

— Je dis simplement que certaines personnes ont des espérances. Mes parents pensent que nous faisons un couple formidable. Mais ce que j'ai vraiment envie de faire, c'est d'aller à New York et essayer d'être comédienne. Quand je serai plus âgée, bien sûr.

— Ça me paraît sensas. Tu lui as dit ?

— Non, et je n'ai pas à lui dire. Mon avenir n'est pas nécessairement avec Stock Browning.

Il la fixa d'un regard intense.

— Alors, enlève cette bague.

— Je n'ai pas prétendu que je rompais mes fiançailles. J'ai juste dit que mon avenir n'était pas forcément avec lui.

Louise arriva à grands pas, posa sans douceur leur commande sur la table et lança à Nick un autre regard mauvais qui pouvait signifier : *qu'est-ce que tu fabriques avec elle ?*

Lauren prit une bouchée de cheeseburger.

— Où est Dawn ce soir ?

Bon sang ! Elle avait recommencé. Pourquoi fallait-il qu'elle parle de Dawn ? Il haussa les épaules.

— Qui sait ? Je ne la vois que quand j'en ai envie.

Elle aurait voulu en savoir davantage sur lui, mais elle n'osait pas poser de questions. Il avait envie d'en savoir plus sur elle, mais il se disait que c'était mieux de ne pas insister. Ils dévoraient leurs cheeseburgers en silence.

— Ça a été un anniversaire rudement chouette, dit-il enfin.

Elle se demanda pourquoi elle se sentait si étourdie.

— Vraiment ?

— Oh oui ! Et puis, tu sais, être avec toi, avoir le rôle dans la pièce, ça fait qu'aujourd'hui est un jour un peu spécial.

— En admettant que Dennis ne guérisse pas à temps pour revenir, lui rappela-t-elle.

— Exact, dit-il d'un ton nonchalant, comme si ça n'avait pas d'importance, alors que maintenant il était bien accroché et que ça comptait beaucoup pour lui. Tu sais, c'est mon premier anniversaire depuis la mort de ma mère. Elle ne me faisait jamais de gâteau ni rien ce jour-là, elle était trop occupée à travailler. Mais quelquefois, tu sais, elle me donnait dix dollars.

— Quand est-elle morte ? demanda doucement Lauren.

— Il y a quelques mois. C'est pour ça qu'on est venus ici. Il paraît que mon père a épousé Aretha Mae voilà dix-sept ans, et puis qu'il a filé. Il n'a jamais divorcé — ma mère et lui n'étaient donc pas légalement mariés. Elle ne le savait pas... personne ne le savait. Quand elle est morte, ma tante nous a jetés dehors. Alors on est venus ici. On habite sur le terrain de camping.

— C'est comment ?

— Difficile. J'ai une demi-sœur qui refuse de me parler et deux demi-frères, Harlan et Luke. Ils sont O.K. Je partage une caravane avec eux. Mon paternel reste toute la journée vissé devant la télé pendant qu'Aretha Mae va travailler. Je suis coincé ici jusqu'au jour où j'aurai assez d'argent pour m'en aller.

— Où iras-tu ? interrogea-t-elle, ouvrant de grands yeux.

— Je ne sais pas. New York, peut-être... Il marqua un temps et sourit. Tu veux venir ?

— Mes parents seraient ravis.

Tout d'un coup, il était sérieux.

— Ils n'auraient pas besoin de savoir. On filerait à l'anglaise... Tu n'as jamais pensé à faire un truc comme ça ?

Pourquoi se sentait-elle comme prise de vertige ?

— Tu es fou, Nick. Je ne te connais même pas.

Il la regarda d'un air très grave.

— Un de ces jours, tu me connaîtras. Je te le promets.

15

— Euh... la représentation de Noël approche, murmura Nick, ne sachant pas très bien s'il devait ou non en parler.

Primo traînait sur le lit défait, en grattant sa panse gorgée de bière.

— Quoi ? fit-il en détournant un bref instant son regard du feuilleton télévisé.

— Je disais que la représentation de l'école approche, répéta Nick. Et... eh bien... un des acteurs a les oreillons, alors c'est moi qui joue le rôle principal...

Il hésita.

— Je ne sais pas... j'ai pensé que vous pourriez peut-être venir.

— Moi, dit la petite voix de Harlan, je veux venir. Moi et Luke.

— Non, absolument pas, dit Aretha Mae, affairée devant son réchaud.

— Mais si, fit Nick. Je leur aurai des places.

— Je veux y aller. Je veux emmener Luke, répéta Harlan.

— Non, dit sèchement Aretha Mae.

— Pourquoi pas ? demanda Nick.

— Parce qu'on n'est pas du même monde que ces gens-là. On ne va pas aller s'asseoir dans un théâtre à te regarder te ridiculiser.

— Je ne me ridiculise pas, protesta-t-il. Je suis bon.

— Bon ? fit Aretha Mae, haussant les sourcils et pinçant les lèvres. Tu n'es bon à rien, mon garçon.

Mais qu'est-ce qu'elle avait ? Il lui donnait de l'argent chaque semaine, ce qui était plus que n'importe qui d'autre dans la famille. Pourquoi ne s'en prenait-elle pas à Primo ? Ce flemmard n'avait même pas essayé de trouver du travail.

— Je vais en ville, annonça-t-il dans l'indifférence générale.

Il quitta la caravane, enfourcha son vélo et attaqua le long trajet. Dieu ! qu'il faisait froid. Il ne savait pas pourquoi il allait en ville, d'ailleurs, puisqu'on était dimanche et qu'il n'avait rien à y faire. Le matin, tout le monde allait à l'église avant de se calfeutrer chez soi toute la journée. Le drugstore était fermé. La station d'essence aussi. Comme le cinéma. Qu'est-ce qu'il comptait faire ? Monter rapidement puis redescendre la Grand-Rue ? Très excitant.

Il se dit qu'il allait peut-être rendre une visite à Dawn, puisqu'ils ne s'étaient pas vus ces temps derniers, et il se sentait résolument d'humeur à batifoler. Depuis qu'il répétait la pièce, il n'avait pas vu grand monde à part Lauren. Et pas question de faire un geste dans la direction de celle-ci.

Ah, Lauren... Il n'arrivait pas à la comprendre. Un moment, elle était sa meilleure amie, l'instant d'après, froide et détachée — comme si tout ce qui comptait, c'était la pièce. Ils se retrouvaient aux répétitions et jouaient leurs scènes. Dès l'instant où ils en avaient terminé, elle se précipitait pour retrouver Stock, qui était toujours dehors à l'attendre pour la raccompagner.

Il avait cru que les choses allaient changer après l'unique soirée qu'ils avaient passée ensemble à partager des cheeseburgers et échanger quelques réflexions. Mais non. Tout était redevenu comme avant. Il était furieux de lui avoir fait des confidences, d'avoir parlé d'Aretha Mae et de son père. Ça ne la regardait pas. Elle n'était qu'une gosse de riches prétentieuse, comme les autres. Quand il arriva chez Dawn, sa mère lui annonça qu'elle était partie pour le week-end. Parfait. Maintenant il n'avait même plus Dawn pour se distraire.

— Quand est-ce qu'elle revient ? demanda-t-il.

— Demain, répondit Mrs. Novak en serrant un cardigan violet sur sa poitrine décharnée.

C'était une de ces femmes sèches comme un coup de trique avec des yeux exorbités et une langue qui ne cessait de darder nerveusement pour venir humecter ses lèvres minces et sèches. Elle empestait le whisky et la fumée de cigarettes.

— Tu ne veux pas entrer quand même et prendre une citronnade ? proposa-t-elle.

Seigneur, se dit Nick, si jamais Primo et elle se rencontraient, ils formeraient le couple idéal. Le gros et la maigre, tous les deux complètement déjantés. Il déclina l'invitation de Mrs. Novak et détala rapidement.

— Comment te sens-tu, Dennis ? demanda Lauren au téléphone.

Dennis lui répondit qu'il était navré de ne pas pouvoir jouer dans la pièce avec elle.

— Ne t'inquiète pas, dit-elle pour le réconforter. On se débrouillera sans toi, mais ce ne sera pas la même chose.

Menteuse, songea-t-elle dès qu'elle eut raccroché. *Ce sera même mieux parce que Nick Angelo joue ton rôle.* Elle se sentait déloyale et déconcertée, et pourtant elle avait assez d'expérience pour savoir que Nick, ça voulait dire des histoires. Elle savait aussi qu'elle ne pouvait s'empêcher à la moindre occasion de l'observer et qu'elle adorait jouer la comédie avec lui. Mais il y avait quelque chose qui s'appelait l'instinct de conservation, et elle se rendait compte qu'il fallait absolument se tenir éloignée de lui, ce qui n'était pas facile car, chaque fois qu'ils répétaient la scène d'ouverture entre Maggie et Brick, elle sentait entre eux monter un fluide étrange.

C'était presque le moment maintenant de jouer la pièce sur scène, sous les yeux de la moitié de la ville. Un frisson la parcourut. Est-ce que tout le monde allait remarquer la connivence qu'il y avait entre eux ?

Stock était plus que jamais autoritaire et sûr de lui, car il venait de prendre possession de sa nouvelle voiture : une Corvette super-rapide. Elle restait auprès de lui chaque fois qu'elle le pouvait : c'était plus sûr que de laisser Nick approcher.

— Tu n'as pas besoin de venir voir la pièce si tu n'en as pas envie, déclara-t-elle à Stock.

— Je serai là. Tu es ma fiancée... je ne voudrais pas manquer ça. Je serai avec mes parents au premier rang.

Oh, super. Il ne me manquait plus que ça.

— Je dis simplement que tu ne devrais pas te sentir obligé. Je comprends très bien que tu... que tu pourrais trouver ça assommant.

Elle bégayait presque. Il ne comprit pas tout de suite.

— Est-ce que Dennis est revenu ?

— Euh... non. C'est le nouveau qui joue le rôle.

— Tu veux dire cet abruti, fit-il d'un ton aigre.

Stock et Nick semblaient programmés pour s'insulter mutuellement chaque fois qu'ils en avaient l'occasion. Lauren avait parfois l'impression qu'elle allait exploser. Elle ne pouvait se confier à personne. Pas à ses parents, et certainement pas à Meg, qui la tuerait si elle savait qu'elle éprouvait ce genre de sentiments pour Nick.

Enterre-les, se dit-elle. *Et Nick Angelo disparaîtra. C'est le genre de garçon qui arrive en ville, provoque des tas d'histoires et puis s'en va.*

Pour Noël, il y avait une grand activité à Bosewell. D'abord, la pièce, suivie par le bal du lycée pour le réveillon du nouvel an. Naturellement, Stock avait des projets.

— Après le bal, lui annonça-t-il, quelques copains ont retenu des chambres au motel. On organisera une soirée.

— Quel genre de soirée ?

— Oh, tu sais, on aura des disques, quelques bouteilles, on rigolera... Détends-toi, Lauren. Il y a des moments où tu es si coincée.

Elle avait horreur qu'on lui dise de se détendre : ça avait quelque chose de protecteur.

— Rappelle-toi ce qui s'est passé la dernière fois, fit-elle, horrifiée de s'entendre parler comme sa mère. Tes parents t'ont supprimé ton mois et tu m'as dit qu'ils t'avaient interdit d'inviter tant de gens en plus.

— Ça ne sera pas pareil, promit-il. Oh, et demande à ta copine Meg si elle veut venir avec Mack Ryan.

Mack était le meilleur ami de Stock. Il était plus grand que Stock. Plus blond. Mais pas aussi riche.

— Pourquoi ne le lui demande-t-il pas directement ?

— Il n'en a peut-être pas envie. Ça n'est pas drôle quand on vous refuse.

Mais Meg, ravie, accepta aussitôt. Au moins, on sera quatre, songea Lauren. Tout valait mieux que d'être seule avec Stock. Comme la date de la représentation approchait, Betty insista pour multiplier les répétitions. Cela ne gênait pas Lauren ; en fait, elle était enchantée. Un jour, à la sortie, Nick lui prit le bras.

— Dis donc, fit-il. Est-ce qu'il faut que j'attende mon prochain anniversaire pour que tu me parles comme à un être humain ?

— Je te parle en ce moment, dit-elle en s'efforçant de rester calme.

— Ah ! s'esclaffa-t-il avec un rire amer. Tu es retombée dans la même routine. Tu as ton riche petit ami, ta vie gentiment organisée, et pas de temps pour moi.

— On travaille ensemble, c'est tout. Qu'est-ce qui t'a donné l'impression qu'il y avait plus que cela ?

Il la dévisagea de façon si intense qu'elle crut qu'elle allait fondre sur place.

— Tu sais très bien qu'il y a plus que ça, insista-t-il.

— Je... je ne sais absolument pas ce que tu veux dire.

— Mais si, tu sais très bien, déclara-t-il. Seulement tu ne veux pas l'admettre.

Elle se dégagea et se précipita dehors. À son grand soulagement, Stock l'attendait. Stock l'attendait toujours.

Le soir de la représentation, il y avait une tempête de neige. Betty Harris était de mauvaise humeur car Harrington, qu'elle avait prévu d'exhiber, devait encore garder la chambre avec les oreillons. Lauren tremblait. Pourquoi avait-elle accepté de jouer le rôle principal? Est-ce qu'elle tenait vraiment à se montrer à toute la ville en petite combinaison pour jouer Maggie, une femme sexy et plus âgée? Mon Dieu, tout le monde allait rire en la voyant sur scène.

Nick aussi était nerveux. Il n'arrivait pas à comprendre comment il s'était laissé embarquer dans cette histoire. Avant d'entrer en scène, ils se souhaitèrent mutuellement bonne chance.

— Je te dis merde, lança Lauren.

Il la regarda d'un air incrédule.

— C'est ce que les acteurs se disent au théâtre pour se souhaiter bonne chance.

— J'ai toujours pensé que les acteurs étaient dingues, fit-il en secouant la tête.

Elle sourit.

— Je pense que oui.

Il avait la gorge sèche et une violente envie de s'enfuir.

— Enfin... on va leur en mettre plein la vue. Pas vrai?

— Tout à fait!

Lauren fit son entrée la première. Nick attendait en coulisse, le cœur battant à tout rompre. Mais, dès qu'il eut mis le pied sur la scène, il perdit toute crainte et devint le personnage. *Merde !* se dit-il. *J'arrive à le faire... j'arrive vraiment à faire ça.*

La pièce fut un triomphe. *La Chatte sur un toit brûlant* était un spectacle choquant et osé pour une petite ville comme Bosewell ; Betty avait pris un risque en la montant. Et le public était aux anges.

Tandis qu'ils saluaient, Lauren aperçut un Stock renfrogné, assis au premier rang avec ses parents. Elle s'en fichait éperdument, elle était trop occupée à savourer les applaudissements. Après cinq rappels, la troupe ravie se retrouva dans les coulisses. Elle chercha du regard Nick et se précipita.

— Tu as été formidable, dit-elle avec chaleur.

— Toi aussi, lui rétorqua-t-il dans un grand sourire. Tu sais, on l'a été tous les deux.

Betty Harris s'approcha d'eux, dans un tintement de perles et de chaînes d'or.

— C'est un succès ! s'exclama-t-elle. Vous avez *tous* été merveilleux. Si seulement mon frère était ici pour savourer notre triomphe.

— Je regrette qu'il soit toujours malade, dit Lauren.

— Il ne pourrait probablement pas boutonner son pantalon, lui chuchota Nick à l'oreille.

— Quoi ?

Elle ne comprenait pas ce qu'il venait de dire.

— C'est ça, les oreillons, répliqua-t-il, impassible. C'est toujours là que ça se porte !

Elle étouffa un fou rire en s'imaginant Harrington Harris en barboteuse. Par bonheur ses parents apparurent avant qu'elle n'éclatât de rire. Elle se tourna pour leur présenter Nick, mais il avait disparu. Stock, de fort mauvaise humeur, arrivait derrière eux.

— Tu ne m'avais jamais dit que tu allais être en scène à moitié nue pour que tout le monde se rince l'œil, déclara-t-il.

Est-ce qu'il n'était pas censé la féliciter ?

— Tu ne m'as jamais rien demandé, répondit-elle.

— Nous te verrons plus tard, ma chérie, dit sa mère en s'éloignant avec Phil dans son sillage.

— De quoi est-ce que j'ai l'air ? interrogea Stock. Tu es là sur les planches avec cet idiot qui te donne la réplique. Tu m'as rendu ridicule ce soir, Lauren.

— Pas du tout, répliqua-t-elle avec feu.

— Mais si.

Elle soupira.

— Ne gâche pas tout, Stock. C'est une soirée extraordinaire pour moi.

— Pas pour moi.

— Alors peut-être que tu devrais rentrer chez toi.

— Et toi, qu'est-ce que tu feras ?

— Je resterai ici à fêter notre succès avec le reste de la troupe.

— Sans moi ?

— Oui, sans toi.

— Eh bien, dit-il en partant à grands pas, ne te gêne surtout pas pour moi !

Tant pis pour lui. Lauren ne se sentait pas à proprement parler accablée.

Betty Harris avait organisé pour la troupe un dîner dans un des salons voisins. Ils étaient grisés d'excitation, tournant en rond, se félicitant les uns les autres. Quand ils s'assirent, Lauren se trouva à côté de Nick.

— Eh bien..., dit-il en picorant un petit pain. Je pense que je ne vais pas te revoir avant que les cours reprennent l'année prochaine.

Elle but une gorgée de jus de fruits.

— L'année prochaine, ça n'est pas si loin, et puis on se reverra au bal du nouvel an. Tu y vas, n'est-ce pas ?

— Non... je ne pense pas.

— Pourquoi pas ?

— Je n'arrive pas à aller dans toutes ces festivités organisées où tout le monde est censé s'amuser.

Elle se mordit les lèvres pour essayer de ne pas le dire, mais ça sortit quand même.

— Dawn voudra sûrement que tu l'emmènes ?

Il lui lança un regard interrogateur.

— Je croyais t'avoir dit que Dawn et moi, on n'était pas un couple.

— Ça n'est pas ce qu'elle raconte.

Oh, bon sang, Lauren. Boucle-la !

— D'ailleurs, comment se fait-il que ça t'intéresse tant ? C'est à peine si tu m'as adressé la parole ces temps-ci.

— Je le fais maintenant.

Il la dévisagea.

— Peut-être que j'aimerais faire plus que parler.

Elle détourna la tête. Elle aurait dû savoir qu'il avait des idées en tête, tout comme avec Meg. Pourquoi les garçons s'intéres-saient-ils tant au sexe ? Est-ce qu'il n'y avait jamais là-dedans de sentiment ni de désir de connaître un peu mieux quelqu'un ?

— Excuse-moi, dit-elle, en repoussant sa chaise et en se levant.

— Où vas-tu ?

— J'ai un cadeau pour Betty dans ma voiture.

Fiche-moi la paix, Nick Angelo. Tu ne m'intéresses pas.

Oh, mais si, il t'intéresse, Lauren. Bien sûr que si.

Elle courut jusqu'au break et chercha le paquet dans son emballage de couleur vive.

— Hé...

Il était juste derrière elle. Elle se retourna, avec l'impression d'être faible et vulnérable. Sans dire un mot, Nick s'approcha et l'embrassa. Ça ne ressemblait à aucun baiser qu'elle avait reçu jusque-là. Il avait des lèvres insistantes et pourtant douces. Sa langue explorait sa bouche, mais pas de façon conquérante. Sans réfléchir, elle lui rendit son baiser.

— Depuis le premier jour où je t'ai vue, murmura-t-il en la serrant contre lui, j'ai envie de faire ça.

Elle prit une profonde inspiration.

— A la quincaillerie Blakely. Toutes mes affaires étaient tombées par terre...

— Oui, et tu étais rudement jolie ce jour-là.

Elle allait dire « toi aussi », mais avant qu'elle en ait eu le temps, il l'embrassait encore, et la seconde fois fut si incroyable qu'elle se laissa complètement aller. Elle avait déjà embrassé des garçons — Sammy Pilsner, Stock, plusieurs autres avec qui elle était sortie —, mais ça n'avait jamais été comme ça. Jamais. Les mains de Nick repoussèrent ses longs cheveux.

— Tu es si belle.

Personne ne lui avait encore jamais dit qu'elle était belle. Jolie... oui. Attirante... naturellement. Mais belle, c'était autre chose. Malgré tout... elle ne devait pas se laisser emporter.

— On ne peut pas faire ça, protesta-t-elle doucement.

— Je ne te force pas, répliqua-t-il en la serrant plus fort.

Elle prit une autre profonde inspiration en se disant qu'il fallait bouger.

— Il faut que j'y aille.

Sans attendre de réponse, elle tourna les talons et rentra précipitamment dans le bâtiment. Jusqu'à la fin de la soirée, elle essaya de ne pas regarder dans sa direction ni même de penser à lui.

Betty Harris fit un petit discours pour féliciter tous ses élèves, et quand ce fut l'heure de partir, Nick était juste derrière Lauren.

— Je peux te raccompagner ? demanda-t-il.

— Non. C'est moi qui ai la voiture, tu te rappelles ? répondit Lauren.

Il sourit.

— Tu as raison.

— Bonne nuit, Nick, dit-elle poliment.

— Bonne nuit, ma belle.

Durant tout le chemin de retour jusqu'au terrain de camping, il pensa à elle. Puis son esprit se mit à courir dans différentes directions. La pièce avait été un tel triomphe. Ça lui avait vraiment paru formidable de sentir un public qui le regardait, qui suivait chacun de ses mouvements. Sur les planches, il n'était plus n'importe qui, il était Brick, il était quelqu'un qui inspirait aux spectateurs des réactions positives.

Et puis ses pensées revinrent à Lauren. Quand il l'avait embrassée, il n'avait jamais rien éprouvé de pareil. Oh, bien sûr, des filles il en avait connu, mais aucune comme elle. Jamais il n'avait éprouvé ce sentiment de vouloir veiller sur une fille, la protéger, être avec elle tout le temps. Ça n'avait rien à voir avec l'idée d'en ajouter une à son tableau de chasse. Cette fois-ci, c'était différent. Est-ce qu'il était amoureux ?

N'y pense même pas.

Peut-être qu'il pourrait devenir un acteur. L'idée tout d'un coup s'insinua dans sa tête. Mais non. Il n'avait pas une chance. Était-ce bien sûr ?

16

Dès l'instant où Nick décidait de ce qu'il voulait faire, il allait jusqu'au bout. Son premier geste fut d'aller voir Betty Harris pour demander si elle envisagerait de lui donner des cours particuliers.

— Je ne peux pas vous payer, expliqua-t-il. Mais un de ces jours, j'arriverai et, à ce moment-là, je vous le rendrai au centuple.

Betty éclata de rire.

— Si seulement j'avais dix cents pour chaque garçon qui a cru qu'il pourrait être le nouveau Marlon Brando ou le nouveau Montgomery Clift. Tu n'es pas différent, Nick. Tu es bon, mais tu n'es pas différent.

— Vous ne comprenez pas, dit-il. Je ne vais pas devenir un savant nucléaire. Je n'ai aucune chance de me présenter aux élections présidentielles. Il faut que je me trouve un *but*, et j'ai décidé que c'était ça.

— Ah, mais je comprends très bien, répliqua Betty en arpentant son petit salon. Quand j'étais jeune, j'avais la même ambition. En fait, je suis même allée à New York.

Il fut surpris.

— Ah oui ?

— Mais oui. J'ai fait la tournée des auditions juste pour m'entendre dire que j'étais trop grande, trop petite, trop grosse, trop maigre, trop laide, trop jolie. Crois-moi, Nick. Ils ne savent pas ce qu'ils veulent. Ils savent seulement qu'il leur faut une copie conforme de quelqu'un qui a réussi.

— Alors qu'est-ce que vous avez fait ?

— Je me suis mariée, dit-elle. J'ai épousé un homme qui aimait se déguiser en mettant mes robes. Il m'a quittée pour une autre femme. Elle eut un petit rire. Dieu merci, ça n'était pas pour un autre homme !

— Continuez, l'encouragea-t-il.

— J'ai dû devenir plus vieille et certainement plus sage. De temps en temps je trouvais un petit rôle ici ou là et j'ai fini par revenir à Bosewell. Elle soupira. Et me voilà, à donner des cours dramatiques au lycée. À vous enseigner à tous un art que vous n'aurez jamais l'occasion de pratiquer.

— Tout le monde a sa chance, Betty.

Elle eut un sourire amer.

— Tu es plein d'optimisme. Quel âge as-tu ? Seize ans ?

— Dix-sept.

— Eh bien, Nick, je suis allée à New York quand j'avais vingt ans, j'en suis revenue quand j'en avais trente et j'en ai aujourd'hui cinquante. Les vingt dernières années...

Elle ne termina pas sa phrase, secouant la tête en se demandant comment le temps avait passé.

— Mais votre frère a réussi, fit-il remarquer.

— Ça dépend ce qu'on appelle réussir, dit-elle d'un ton détaché. Dans une ville comme Bosewell, il est une vedette. Mais la vérité, c'est qu'il a joué trois rôles de maître d'hôtel à Broadway au cours des six dernières années, et voilà jusqu'où va son vedettariat. La dernière fois, il jouait dans un spot publicitaire pour un produit contre les hémorroïdes.

— Harrington Harris ?

— Eh oui, le grand Harrington Harris. Mais ça fait plaisir à tout le monde quand il revient ici. Les gens s'imaginent qu'il est une vedette, et c'est tout ce qui compte.

— Betty, dit-il en la fixant de ses yeux verts. Il faut m'aider. J'ai besoin d'étudier, et il faut que je le fasse avec quelqu'un qui m'apprendra des choses.

Il y avait chez lui une sincérité si intense. Betty savait qu'elle ne devrait pas encourager ce garçon, mais qu'est-ce qu'elle avait à perdre? L'hiver était froid et elle était toute seule, qu'allait-elle faire de son temps?

— Très bien. Tu viendras ici trois fois par semaine à midi et nous travaillerons de midi à quatre heures. Sois prêt à trimer dur et ne m'appelle *jamais* pour me dire que tu as quelque chose d'autre à faire.

— Je le jure, promit-il avec excitation. Je serai là.

Elle sourit.

— Bon. C'est déjà un début.

Pendant l'hiver, la vie sur le terrain de camping était dure. Les toits des deux caravanes prenaient l'eau, ce qui provoquait une odeur rance et un peu âcre, et de nombreuses petites mares. C'était presque comme vivre dehors.

Primo refusait de faire quoi que ce soit pour réparer les fuites.

— J'ai mal au bras, geignait-il. Je ne peux rien porter.

— Tu as dû te faire mal en soulevant une boîte de bière, marmonna Nick d'un ton écœuré.

— Tu fais vraiment le mariole, dit Primo d'une voix pâteuse. Je pourrais te jeter dehors.

— Je croyais que tu avais promis à ma mère que je terminerais le lycée?

— N'en sois pas si sûr, grommela Primo.

Quand ils n'allaient pas à l'école, Luke et Harlan s'ennuyaient. Ils filaient chaque jour en ville et Aretha Mae n'arrivait pas à les en empêcher. Un jour, Harlan revint couvert de bleus.

— Qu'est-ce qui t'est arrivé? demanda Nick.

— Rien du tout, fit Harlan d'un ton maussade.

Nick se tourna vers Luke.

— Qu'est-ce qui lui est arrivé?

Luke le regarda sans rien dire.

— Bon sang! s'exclama Nick. Parlez, bon Dieu!

Luke se précipita dehors en pleurant.

Aretha Mae était plantée devant l'évier, à laver stoïquement la vaisselle. Primo ronflait dans sa position habituelle.

— Alors, demanda Nick, tu t'en fiches?

— Autant qu'il apprenne à se défendre. Ce ne sera pas la dernière fois, déclara Aretha Mae.

Cyndra s'était trouvé du travail à la conserverie. Elle partait tôt le matin et rentrait tard le soir, faisant presque comme si Nick n'existait pas.

Il finit par exploser.

— Tu es vraiment pénible ! cria-t-il. Quand est-ce que tu vas être plus aimable ?

— Quand tu partiras, répliqua-t-elle brutalement.

— Pas la peine de retenir ton souffle. Je partirai d'ici quand moi je l'aurai décidé... pas toi.

— Bon, fit-elle. Arrange-toi simplement pour que ce soit bientôt.

Il était très occupé. Entre le travail au garage, les leçons chez Betty Harris trois fois par semaine et quelques réparations qu'il essayait de faire aux caravanes, il n'avait jamais un moment pour lui. Travailler avec Betty, c'était formidable. Elle choisissait des pièces dont elle savait qu'elles l'intéresseraient. Il aimait particulièrement *Un tramway nommé désir*. Lire le rôle de Stanley tandis qu'elle faisait Blanche, c'était vraiment super. Ce qu'il y avait de bien, c'était qu'il avait fini par trouver quelque chose qui pouvait le passionner et c'était rudement excitant.

Entre Aretha Mae et Primo, la lune de miel était terminée. Ils avaient maintenant de longues et bruyantes querelles. Primo la battait comme plâtre. C'était tout ce que ce bon à rien semblait savoir faire. Nick aurait voulu pouvoir s'excuser d'avoir un père pareil. Il aurait voulu dire : *Écoute, ça n'est pas ma faute. Jette-nous dehors. On ira quelque part. N'importe où. Tu n'as pas besoin de flanquer ta vie en l'air aussi.* Mais maintenant qu'elle l'avait récupéré, Aretha Mae n'avait aucune intention de laisser Primo s'en aller.

Noël arriva et passa. Ce furent de sinistres vacances. Aretha Mae rapporta à la maison les restes de la dinde des Browning et fit un épais potage : leurs festivités s'arrêtèrent là. Pas d'arbre de Noël. Pas de cadeau. Rien de rien.

Nick s'en fichait, il en avait plus ou moins l'habitude. Mais il était navré pour les gosses, surtout Harlan : inutile d'essayer de communiquer avec Luke. De temps en temps, il s'attardait avec Joey, qui lui demanda un jour s'il viendrait au bal du nouvel an.

— Je n'y ai pas réfléchi, dit-il.

— Il n'y a rien d'autre à faire, fit Joey. Il faut qu'on organise ça.

— Comment est-ce qu'on entre ? demanda Nick. Il ne faut pas acheter des billets ?

— Non, c'est un truc du lycée. Pourquoi n'emmènes-tu pas Dawn ?

Ces temps-ci, il n'avait pas vraiment pensé à Dawn. Il était si occupé que l'envie de sortir avec une fille ne lui venait même pas.

— Tiens, oui, je vais lui passer un coup de fil. Toi, tu amènes qui ?

Joey tira une bouffée de sa cigarette en essayant de prendre un ton détaché.

— Je vais peut-être inviter ta sœur.

Nick parut surpris.

— Ma sœur ?

— Cyndra, dit Joey. Oh, je ne pense pas qu'elle va dire oui en battant des mains ni rien de pareil, mais elle a toujours l'air si... tu comprends, si seule.

Nick fit la grimace.

— Eh bien, si tu as envie de sortir avec une casse-pieds... vas-y.

Il n'avait aucun sentiment pour Cyndra. Peut-être qu'en tant que frère il était censé éprouver pour elle des sentiments protecteurs, mais après tout... c'était une garce. Peu lui importait avec qui elle sortait.

— Qu'est-ce qu'on porte à ce truc-là ? interrogea-t-il.

— Un smok, répondit Joey. On ira à Ripley en louer une paire.

Ils partirent pour Ripley l'après-midi suivant. Joey avait une motocyclette d'occasion et le trajet leur prit deux heures. Le magasin de location était bourré de gens en folie qui se battaient afin de trouver une tenue pour le réveillon. Joey se fraya un chemin, empoigna un vendeur et choisit deux smokings.

— J'ai l'air idiot, dit Nick en essayant le sien.

— Je ne te le fais pas dire, pouffa Joey. Mais qu'est-ce que ça peut faire, tout le monde est comme ça pour le nouvel an.

Il paradait devant la glace. Le pantalon était trop long, le veston trop large.

— Il faut vraiment que je porte ça ?

Joey lui donna une claque dans le dos.

— Ça n'est que pour un soir. Tu ne vas pas en mourir.

Ils réglèrent la caution et repartirent.

— Je connais un bar où ils ont des filles nues, dit Joey avec un clin d'œil. Les seins et les fesses à l'air.

Ils se procurèrent tous les deux de faux papiers d'identité et entrèrent dans le bar d'un pas conquérant. Personne ne les arrêta. Tout le monde s'en fichait. L'établissement était bourré d'ouvriers du bâtiment, qui lorgnaient le défilé de serveuses à moitié nues : des filles qui n'avaient pour tout vêtement que des bas, des porte-jarretelles, des tabliers à frous-frous et des sourires figés.

Nick n'en croyait pas ses yeux. Il donna un coup de coude à Joey.

— Il n'y a pas des lois qui défendent ça?

Joey ricana.

— Ne me dis pas que tu n'as pas encore mis les pieds dans un bar à seins nus. C'est le dernier truc.

— Est-ce qu'on peut les inviter?

— Si tu as le blé pour ça?

Nick tapota la poche de son blouson.

— Absolument, annonça-t-il. Hier, c'était jour de paye.

Il avait déjà repéré une fille — une jolie petite brune avec un doux visage qui lui rappelait Lauren. Il n'avait pas vu celle-ci depuis la représentation et il pensait parfois à elle. Mais il essayait de ne pas le faire : elle n'était pas à proprement parler disponible. Quand la fille vint prendre leur commande, il alla droit au but.

— Qu'est-ce que tu fais plus tard? demanda-t-il.

Elle consulta sa montre.

— Je finis à trois heures.

— Je suis prêt à m'éclater, lança-t-il. Combien?

Elle essaya de prendre un air offensé.

— Tu me prends pour une pute?

— Bien sûr que non, dit-il. Combien?

— Vingt dollars.

— Vingt! répéta-t-il. Tu me prends pour Rockefeller?

— Dix pour toi parce que tu es mignon.

— Tu as une chambre?

— Si tu veux venir chez moi, ce sera cinq dollars de plus.

Il soupesa les possibilités. Il n'avait encore jamais eu à payer pour ça, mais au fond ça ne lui semblait pas mal : un cadeau de nouvel an qu'il se faisait, une fille qu'il n'avait pas besoin de baratiner.

— D'accord.

Elle s'appelait Candy et elle vivait dans une seule pièce avec deux chats malodorants qui traînaient là et un hamster dans sa cage.

— En général, je n'amène personne ici, annonça Candy en ôtant son manteau. Mais tu m'as l'air d'un type bien. Quel âge as-tu, au fait?

— Vingt et un ans, répondit-il sans vergogne. Et toi?

— Vingt.

Plutôt trente, se dit-il.

— Tu fais ça depuis longtemps ?

— Je fais quoi ? dit-elle en cherchant un joint dans son sac.

— Des petits à-côtés.

— Oh, je ne le fais pas vraiment, dit-elle d'un ton vague en allumant sa cigarette de marijuana. J'avais besoin d'un peu plus de fric cette semaine... et, comme je te l'ai dit, t'es plutôt mignon.

Bien sûr, se dit-il.

Elle lui offrit une bouffée puis commença à déboutonner son corsage.

Il tira à fond sur le joint — ça n'était pas la première fois qu'il en fumait — et il la regarda prendre son temps pour ôter son corsage. Il avait déjà vu la marchandise en étalage au bar, mais c'était plus excitant de la voir dévoilée lentement rien que pour lui. Sous son chemisier, un soutien-gorge en dentelle noire couvrait ses petits seins. D'un geste théâtral, elle lança le corsage par terre et défit la fermeture à glissière de sa jupe qu'elle enjamba d'un geste coquet. Il commençait à se sentir tout excité.

— Qu'est-ce que tu veux que je garde ? demanda-t-elle.

Il remarqua qu'elle mâchonnait du chewing-gum.

— Tes boucles d'oreilles, répondit-il.

Elle se mit à rire en se caressant distraitement les bouts de sein.

— Celle-là, je ne l'avais encore jamais entendue.

Il ôta ses vêtements. Cette fille, c'était une professionnelle et il voulait voir s'il pouvait la satisfaire aussi bien que toutes ses autres conquêtes.

Candy se jeta sur le lit et lui fit signe d'approcher. Il traversa la chambre en un temps record et se lança à l'assaut. Elle tira encore sur son joint et le déposa dans un cendrier de verre ébréché auprès du lit.

— Ça n'est pas vrai que tu as vingt et un ans, dit-elle d'un ton narquois. Dis-moi la vérité.

Pas question d'avouer ses dix-sept ans.

— Non. Vingt-deux.

Candy de toute évidence avait épuisé toute son énergie au bar. Elle gisait là comme un cadavre, mâchonnant son chewing-gum et le regard vide tandis qu'il la gratifiait d'un échantillon de sa magie Angelo. Il avait à peine terminé qu'il avait hâte de s'en aller. Il s'en fichait pas mal de lui faire plaisir : c'était la première et dernière fois qu'il paierait jamais pour ça. Il laissa l'argent sur la table et battit en retraite précipitamment.

Joey le retrouva plus tard au bar ; ils reprirent la moto et rentrèrent à Bosewell.

— Alors, mon vieux, s'enquit Joey, comment est-ce que ça s'est passé ? Donne-moi tous les détails croustillants.

— Si tu veux des détails, tu n'as qu'à payer toi-même.

— Qu'est-ce qui te prend ? Tu es amoureux ? fit Joey pour le taquiner.

Il poussa un grognement.

— Ne prononce jamais ce mot-là.

L'amour. Est-ce que c'était *ça* ce qu'il éprouvait pour Lauren ? Elle lui manquait et pourtant il était nerveux à l'idée de la revoir quand les cours reprendraient parce qu'il ne savait pas ce qui se passerait. Il avait tellement l'habitude de contrôler la situation avec les filles. Il en bavait assez à la maison, ça, c'était au moins une partie de sa vie où il avait le dessus.

Maintenant il éprouvait ce sentiment vague qui ne voulait pas s'en aller. Lauren Roberts. Elle était la seule fille un peu spéciale qu'il ait jamais rencontrée, et elle était pour un autre. En vérité, il était temps de remédier à cette situation.

17

Lauren passa un Noël sinistre. À l'occasion des vacances, Will, le frère de sa mère, et son épouse, Maro, arrivèrent de Philadelphie pour leur rendre visite. Cette fois, ils n'avaient pas amené Brad, leur fils de dix-neuf ans. Le béguin qu'elle avait eu pour lui remontait à bien longtemps et elle ne regrettait pas son absence.

Ils passèrent le lendemain de Noël chez les Browning. Stock lui offrit un chandail en cachemire et deux livres de cuisine, manifestement choisis par sa mère. Elle lui donna une simple pince à billets en étain et un cadre pour une photo. Et, toute la journée, elle se demanda ce que faisait Nick Angelo.

Le soir, allongée dans son lit, elle pensait à son avenir. Encore deux ans seulement et elle serait sortie du lycée. Elle faisait déjà campagne pour s'inscrire à un collège de l'Est. Ses parents disaient qu'ils ne la laisseraient pas aller plus loin que Kansas City, mais elle avait déjà fixé son choix sur New York.

Meg passa pour lui parler du bal du nouvel an.

— Qu'est-ce que tu vas mettre ?

Comme d'habitude, elle était obsédée par les toilettes.

— Je n'y ai pas réfléchi, répondit Lauren d'un ton vague. Peut-être la robe que j'avais pour ma soirée de fiançailles.

Meg fronça les sourcils.

— Tu ne peux absolument pas porter la même chose une nouvelle fois.

— Mais si, je peux, dit-elle avec entêtement.

— Enfin, qu'est-ce que tu as ? Depuis quelque temps, tu es... je ne sais pas... différente.

Lauren se demanda si elle était différente. Elle ne pensait qu'à Nick. Le soir de son anniversaire, il lui avait paru sensible et si compréhensif, et après la représentation, quand il l'avait embrassée, c'était vraiment quelque chose de spécial. Elle n'arrivait pas à croire qu'il avait pratiquement agressé Meg. La vérité, c'était que Meg avait dû l'encourager et puis reculer au dernier moment, ce qui était toujours dangereux.

— Moi, annonça Meg d'un ton théâtral, je serai en noir.

— Ça va être superbe, murmura Lauren.

Franchement, elle s'en fichait éperdument.

Le soir du bal du nouvel an, une épaisse couche de neige recouvrait le sol. Lauren regarda par la fenêtre les flocons qui tombaient. Elle se demanda si ce ne serait pas un prétexte pour ne pas y aller. Pas de chance. Stock téléphona pour annoncer qu'il viendrait la prendre à sept heures.

— Tâche d'être prête, lui demanda-t-il.

Mon Dieu, qu'il était autoritaire ! Quand l'avait-elle jamais fait attendre ? Sa résolution pour la nouvelle année : se sortir de ces fiançailles une fois pour toutes. Cesser d'y penser, et le faire.

Comme cadeau de Noël, les Browning avaient insisté pour qu'elle vienne à leur magasin choisir une toilette. Elle avait accepté à contrecœur et seulement sur l'insistance de sa mère. Elle avait choisi une robe noire courte qui lui laissait les épaules nues. Quand sa mère la vit, elle faillit avoir une attaque.

— Tu ne peux tout de même pas porter ça, c'est absolument impossible.

— Pourquoi ?

— C'est trop sophistiqué. D'ailleurs, les jeunes filles ne portent pas de noir.

— La jeune fille que voici aime assez cette idée.

Jane soupira.

— Je ne sais pas ce que tu as ces temps-ci, tu discutes toujours.

107

Hmmm! Meg et elle auraient-elles bavardé?

Stock arriva avec un bouquet d'orchidées blanches et lança d'un ton admiratif :

— Whoo! Tu as l'air...

Il allait dire « sexy », mais comme Mr. et Mrs. Roberts rôdaient dans le vestibule, il préféra dire « sensationnel ».

Elle sourit; pour une fois il avait trouvé le mot juste.

Jane exhiba son appareil.

— Une photo! s'exclama-t-elle gaiement.

Elle posa consciencieusement pour une photo avec Stock, puis embrassa ses parents, dit « à tout à l'heure » et quitta la maison. En général, il y avait une discussion sur l'heure du couvre-feu, mais comme c'était le réveillon et qu'elle était avec Stock, ça ne semblait pas avoir d'importance. Tout ce qui les intéressait, c'était de cimenter l'accord.

Mack Ryan attendait dans la voiture et ils partirent pour prendre Meg. Quand ils arrivèrent chez elle, elle lança à Lauren un regard fielleux.

— Tu ne m'avais pas dit que tu avais acheté une robe noire. Comment as-tu pu? *Moi,* je suis en noir, murmura-t-elle d'un ton furieux. Et tu le savais.

Lauren haussa les épaules; très sincèrement, elle avait oublié.

— Ça n'a aucune importance. Nous ne nous ressemblons pas.

— Je voulais qu'on me remarque, fit Meg en secouant la tête d'un air irrité. Maintenant on dirait des jumelles.

— Mais si, on te remarquera, répliqua Lauren en songeant que son amie avait dû prendre un bon kilo.

— Non, c'est toi. C'est *toujours* toi.

Ils arrivèrent tard au bal, car ils s'étaient arrêtés pour sabler le champagne dans la voiture. Lauren n'avait pas l'habitude de boire : elle détestait l'alcool, mais elle avait décidé que ce nouvel an allait être différent des autres. Il était temps de grandir. Quand ils entrèrent, le bal battait son plein. Stock l'empoigna par le bras, se frayant un passage parmi ses copains pour l'entraîner sur la piste.

— Tu es formidable, ce soir, déclara-t-il. Je ne voulais pas le dire devant tes parents mais, fichtre, tu as une sacrée silhouette!

Était-ce la première fois qu'il le remarquait? Elle décida de lui rendre la monnaie de sa pièce.

— Fichtre, tu n'as rien à m'envier toi aussi.

Il ne savait pas très bien comment prendre cela, alors il fit semblant de ne pas avoir entendu et se mit à se déhancher aux accents de « Honky tonk woman » joué par l'orchestre local. Pas tout à fait Mick Jagger — en fait, on en était assez loin. Lauren se sentait un peu étourdie ; quand elle commença à danser, son regard parcourait sans cesse la salle.

Qu'est-ce que tu cherches, Lauren ?

Je cherche Nick Angelo. Ça te dérange ?

À la surprise de Nick, Cyndra avait dit oui quand Joey l'avait invitée au bal.

— Il paraît que tu y vas avec Joey, dit-il.

Elle le foudroya du regard.

— Un de ces jours, tu vas te rendre compte que tu t'en prends à la personne qui n'y est pour rien, dit-il en essayant de mettre en place son nœud papillon.

— Ce jour-là, je te le ferai savoir, répliqua-t-elle en brossant ses longs cheveux bruns.

— Bon, je retiens mon souffle, dit-il, agacé par son attitude agressive.

Des chocs sourds et des vociférations venant de la caravane d'à côté vinrent les interrompre. Rien de nouveau : depuis Noël, Primo et Aretha Mae n'arrêtaient pas de se disputer. Cyndra le regarda d'un air mauvais comme si c'était sa faute.

— Peut-être que tu ne vas pas rester ici bien longtemps encore.

— Combien de fois faut-il te le répéter ? Ça n'était pas mon choix.

— Tu es son fils, et il n'est que de la crotte, dit-elle d'un ton vengeur.

— Peut-être... mais laisse-moi te dire une chose : tu es sa fille aussi.

Les yeux de Cyndra lançaient des éclairs.

— Je ne le crois pas.

— Est-ce que tu veux me dire que ta mère t'a menti, c'est ça ? Ses yeux sombres continuaient à flamboyer.

— Je ne peux pas croire que ce gros porc soit mon père.

— Il l'est. Autant t'y faire.

Joey arriva pour l'emmener sur sa motocyclette. Cyndra, plantée sur le seuil de la caravane, regardait dehors d'un air furibond.

— Il neige, déclara-t-elle. Comment allons-nous faire par un temps pareil ?

Joey exhiba un imperméable en plastique dans un étui, le déroula d'un geste théâtral et lui en couvrit les épaules.

— Voilà. Qu'est-ce que tu en dis?

— Oh, quelle classe! marmonna-t-elle. J'ai vraiment un cavalier très classe.

— Tu t'attendais à quoi? À un Kennedy?

— À rien, fit-elle avec une grimace. Absolument à rien.

Nick avait compté demander à Primo s'il pouvait lui emprunter la camionnette, mais avec tous ces hurlements venant de la caravane, il décida d'aller à vélo jusque chez Dawn pour voir s'ils pourraient prendre la voiture de sa mère. Il détestait ce smoking de location, il était trop grand pour lui, et qu'est-ce qu'il était donc censé se mettre aux pieds?

Et puis, zut! Il allait mettre ses baskets et, si quelqu'un y trouvait quelque chose à redire, il lui casserait la figure. Harlan lui affirma qu'il était superbe. Luke le dévisagea comme un zombie. L'idée vint à Nick que ce gosse devrait peut-être consulter un médecin.

— Qu'est-ce que vous faites tous les deux ce soir? demanda-t-il.

Question stupide. Qu'est-ce qu'ils pouvaient bien faire? Ils n'avaient aucun moyen d'aller en ville, sauf à pied, et la couche de neige était épaisse. Ils ne pouvaient même pas se glisser dans l'autre caravane pour regarder la télévision étant donné qu'Aretha Mae et Primo étaient en pleine scène de ménage.

— Tiens, dit-il, pour essayer de les consoler. Demain, je vous emmène tous les deux au cinéma.

Harlan hocha la tête, et son visage s'illumina. Il partit chercher Dawn à bicyclette. C'était une longue route et, quand il arriva là-bas, il était trempé. Dawn l'accueillit, portant la robe la plus moulante qu'il ait jamais vue. Elle n'était pas du genre à laisser travailler l'imagination des gens.

— Quel brillant cavalier tu fais! dit-elle en secouant la tête. Il faut que tu te sèches avant qu'on puisse aller où que ce soit.

— Est-ce qu'on peut emprunter la voiture de ta mère?

— Pas de problème, mon joli. Elle allait l'utiliser, mais là-dessus elle est tombée ivre morte. Allons, déshabille-toi, je vais essayer de sécher tout ça.

Il la suivit dans sa chambre en haut et se déshabilla. Deux grands posters d'Elvis Presley le contemplaient en ricanant. Elle promena sur le corps de Nick un regard approbateur.

— Hmm! tu es sûr que tu veux aller au bal? Ma mère ne refera pas surface avant demain.

110

— Écoute, je n'ai pas fait tout le chemin jusqu'à Ripley pour me louer un smok juste pour rester assis à la maison.

Elle eut un clin d'œil suggestif.

— Je ne pensais pas vraiment rester assise.

— On peut faire ça plus tard, d'accord?

— Comme tu voudras, mon grand.

C'était toujours la même chose avec Dawn, elle disait toujours oui.

Lauren le repéra dès l'instant où il entra. D'un côté, elle ne s'attendait pas à le voir. De l'autre, elle espérait sa venue. Et voilà maintenant qu'il était là avec Dawn pendue à son bras comme une sangsue. Elle essaya de ne pas trop le regarder. Il était superbe dans son smoking, même si la veste était un peu grande. De toute évidence il avait fait un effort. Était-ce à cause de Dawn? *La garce!*

Lauren aussitôt se sentit coupable. Dawn n'était pas du tout une garce, c'était une fille tout à fait charmante qui se trouvait simplement être la traînée du lycée. Lauren soupçonnait Stock d'avoir couché avec elle. Il ne l'avouait pas. D'ailleurs, elle s'en fichait. Stock était enchanté de la faire tourbillonner sur la piste, gonflé comme toujours de son importance.

— Allons prendre un verre, dit-elle, tout essoufflée, en se dégageant.

Il souriait aux anges.

— Excellente idée. Si on allait finir le champagne dans ma voiture?

— Je voulais dire quelque chose de non alcoolisé.

— Oh, pardon!

Elle avait horreur quand il essayait d'être sarcastique.

Planté devant le bar, Nick tendit à Dawn un verre de punch où il y avait plus de jus de fruits que de rhum.

— Essaie donc ce poison.

Dawn parcourut des yeux l'assistance et secoua la tête.

— Je ne sais pas ce qu'on fiche ici. On aurait dû aller à Ripley.

Elle lui lança un regard complice.

— Ou rester à la maison.

Il était bien d'accord avec elle : ils n'étaient pas à leur place ici. Dawn fit semblant d'étouffer un bâillement.

— On est venu, on a vu, on s'est ennuyé. Fichons le camp d'ici, ce sera plus drôle chez moi. On pourra jouer au docteur.

Il n'était pas disposé à s'en aller avant d'avoir vu Lauren. Après tout, c'était à cause d'elle qu'il avait loué un smoking et qu'il était venu.

— Hé! tu me disais que tu étais si bonne danseuse. Si on leur montrait de quoi est capable une *vraie* dansceuse?

Dawn était toujours prête à relever un défi.

— Mon chou, je peux les enfoncer toutes. Quand tu veux. Comme tu veux.

— Alors, qu'est-ce qu'on attend?

Il l'entraîna sur la piste encombrée. Non pas qu'il aimât danser, mais il pouvait toujours s'il y était obligé. Dawn adorait s'exhiber. Elle avait ses atouts et elle savait les mettre en valeur, surtout dans sa robe moulante préférée. Une petite foule se rassembla tandis qu'ils faisaient leur démonstration.

Là-dessus, il aperçut Lauren. Elle était assise à une table avec Stock et un groupe d'amis à lui, et naturellement elle était sensationnelle. Il savait qu'il devrait faire un geste. Il ne savait pas quoi ni quand, mais il ne partirait pas avant de l'avoir fait.

18

— Alors, demanda Joey en se penchant sur la petite table. Tu aimes danser?

— Non, dit Cyndra, parcourant la salle de ses yeux sombres et boudeurs, en se demandant pourquoi Joey l'avait invitée.

— Comment ça se fait?

— Comment ça se fait que quoi? riposta-t-elle. Simplement parce que je suis à moitié noire je suis censée avoir du rythme?

— Je n'ai pas dit ça.

— Non, mais tu l'as sûrement pensé. C'est pour ça que tu m'as invitée ce soir? Une petite Noire, ça n'a pas de morale... ce sera facile.

— Hein?

— Tu m'as entendue.

— J'ai entendu quelqu'un qui a un gros complexe.

— Quoi ?

— Un complexe... quelqu'un qui en veut à tout le monde.

Elle lissa la jupe de sa robe de velours vert — achetée chez un fripier — et essaya de se maîtriser. Elle ne s'était quand même pas mise sur son trente et un pour venir se faire insulter.

— J'en veux à personne, dit-elle, réprimant sa colère.

— Tu devrais peut-être, observa-t-il. Ça n'est pas drôle : une mère noire, un père blanc — tu ne peux pas savoir de quelle couleur tu es.

Brusquement, des larmes vinrent aux yeux de Cyndra. Il avait raison, elle n'était ni l'un ni l'autre et ça faisait mal.

— Mon père à moi était juif, reprit Joey. Un flic juif de Chicago marié à une catholique irlandaise. Je ne dis jamais à personne que je suis demi-juif, ça n'est pas la peine d'attirer les ennuis.

— Quels ennuis ?

— Tu sais... les surnoms, les injures. Tu connais.

Oh oui, elle connaissait !

— Il faut apprendre à vivre avec, dit Joey d'un air entendu. C'est ce que j'ai fait.

Elle lui lança un bref coup d'œil. Il avait une drôle d'allure : grand et efflanqué avec une tignasse de cheveux bruns, un sourire en coin et des dents de travers. Elle ne savait pas pourquoi elle avait accepté son invitation. Peut-être parce que c'était la première fois qu'on l'invitait à quelque chose d'un peu officiel.

— Tu veux danser ? fit-il en désignant du pouce la piste encombrée.

Elle aperçut Nick qui se tortillait avec Dawn Kovak aux accents de « Sugar sugar ».

— Je... je ne crois pas.

Il remarqua qu'elle observait son frère.

— Qu'est-ce que tu as contre lui ? demanda-t-il.

Elle s'agita sur son siège, mal à l'aise.

— Contre qui ?

— Nick. Qu'est-ce qu'il t'a fait ?

— Il est venu, c'est tout, dit-elle d'un air mauvais.

— Il n'a pas choisi, dit Joey en tirant de sa poche un paquet de Camel et en lui offrant une. C'est un type réglo. Tu devrais lui donner une chance.

Elle refusa la cigarette.

— Tu ne comprends pas.

— Peut-être qu'un jour tu m'expliqueras. Ça fait quelquefois du bien de parler... de sortir ce qu'on a sur le cœur. Il s'interrompit, comprenant qu'il abordait un sujet délicat. Quand tu voudras... je suis là. D'accord ?

Elle plissa les yeux et le considéra avec méfiance.

— Qu'est-ce que tu veux de moi ?

Il haussa les épaules.

— Rien, si ça ne t'ennuie pas.

— Quelle heure est-il ? demanda Meg en se cramponnant à Mack Ryan, comme si c'était eux le couple de fiancés.

Stock consulta sa superbe montre étanche — un cadeau de ses parents.

— Minuit moins vingt-cinq. Dans une demi-heure, on s'en va.

— Et comment, dit Mack, en posant sa main sur la nuque de Meg et en la chatouillant légèrement. Cette petite dame et moi... on veut être un peu tranquille.

Meg gloussa.

— Ah oui ? fit-elle d'un ton aguicheur.

Bien sûr, songea Lauren. *Et demain cette petite dame va venir se plaindre en disant que tu l'as presque violée.*

— Ce soir, proclama Stock, on fait la fête !

Lauren avala une grande gorgée de punch et le regretta aussitôt : c'était écœurant.

— Viens, insista Stock en la tirant de sa chaise. Ils jouent mon air favori.

Son air favori se révéla être une version sirupeuse de « Rocket man ». Elle avait horreur de ça, surtout quand il se mit à devenir romantique, en la serrant contre lui, et en chantant faux à son oreille.

C'est pour ce soir, se dit-elle avec résolution. *Il va faire un geste et à ce moment-là je lui rends sa bague. Il serait temps.*

Sur la piste de danse, Nick naviguait pour s'approcher de Lauren, guidant Dawn jusqu'au moment où elle finit par comprendre qu'il se passait quelque chose et dit avec agacement :

— Où est-ce qu'on va ? Tu me pousses comme un aspirateur !

— On va faire un échange.

— Quoi ?

— Je vais inviter Lauren à danser... et tu t'occuperas de Stock.

— Ah oui ?

— Parfaitement. Il faut mettre un peu d'animation.

— Ça, ça mettra de l'animation, dit-elle, s'imaginant la scène, sans en être particulièrement ravie.

Si Nick croyait qu'il allait marquer un point avec cette petite pimbêche de Roberts, il allait avoir une surprise. La chère petite Lauren ne le regarderait même pas deux fois. Et Stock lui casserait la figure s'il faisait un geste en direction de sa précieuse fiancée. Sitôt qu'il eut manœuvré pour être près de Lauren et de Stock, il poussa Dawn en avant et lui lança pour l'encourager :

— Vas-y!

Dawn adressa à Stock un sourire provocant. Après tout, elle le connaissait assez bien : ils couchaient ensemble de temps en temps depuis la seconde, et ses fiançailles n'avaient assurément pas apporté de différence à sa vie sentimentale.

— A mon tour, dit-elle gaiement en l'enlevant à Lauren avec un « Tu permets, hein? » lancé pour la forme par-dessus son épaule.

— Je t'en prie, dit Lauren, un œil sur Nick — qui lui fit un clin d'œil comme pour dire : *Ça t'a plu, la façon dont j'ai arrangé ça?*

Avec Stock, ça n'était pas difficile. Était-ce sa faute si les filles le trouvaient irrésistible? Dawn joua son rôle, l'entraînant jusqu'au milieu de la piste en se collant à lui.

— Hé, fit Nick, en regardant Lauren droit dans les yeux. On dirait que tu as besoin d'un danseur.

Elle sentit son cœur se mettre à battre follement. Tout d'un coup, elle pouvait à peine respirer.

— On dirait.

Il la prit dans ses bras, en l'attirant tout contre lui.

— Ce soir, dit-il à voix très basse, tu romps tes fiançailles.

— Je sais, se surprit-elle à répondre.

Il la serra encore plus fort.

— Dès l'instant que tu le sais...

— Il va y avoir des problèmes, fit Joey.

— Quel genre? interrogea Cyndra.

— De gros problèmes, répondit Joey en désignant la piste.

Cyndra ne savait absolument pas de quoi il parlait. Tout le monde avait l'air de bien s'amuser.

— Tu ne vois pas? dit-il.

Elle se demandait ce qu'elle était censée voir.

— Stock Browning.

Browning. Le seul son de ce nom la fit frissonner. Saleté de famille Browning, c'étaient vraiment des gens horribles.

— Qu'est-ce qu'il a, Stock, demanda-t-elle en essayant de rester calme.

— Ton frère est en train de faire du gringue à sa petite amie.

Elle fronça les sourcils.

— Combien de fois faudra-t-il que je te le dise? Nick n'est *pas* mon frère.

— Ça ne change rien, il va se faire casser la figure.

— Tant mieux.

— Tu as envie qu'il se fasse rosser?

— Je m'en fiche.

— Bon... Moi, il va falloir que je m'en mêle.

— Pourquoi?

— Parce que c'est mon copain.

Elle examina la piste. Stock virevoltait avec Dawn. Nick était de l'autre côté, dansant langoureusement avec Lauren.

— Il ne va rien se passer, déclara-t-elle.

— J'espère que tu as raison.

— C'est généralement le cas.

— Qu'est-ce que Lauren fait avec ce type? dit Meg en les regardant d'un air furibond.

Mack n'écoutait pas un mot de ce qu'elle disait.

— Tu sais, j'ai toujours eu un faible pour toi... même quand j'avais une amie régulière, annonça-t-il.

Meg avait la tête ailleurs. Elle appréciait toutes ces attentions, mais en même temps elle voyait d'un mauvais œil sa meilleure amie faire risette à Nick Angelo.

— Où est Stock? demanda-t-elle. Il devrait mettre un terme à ça.

— Tu as les plus jolies petites fesses que j'aie jamais vues.

Un compliment était un compliment. Pendant une minute, elle oublia Lauren.

— C'est vrai?

— Oh oui! Jolies fesses. Jolie tête. Tu me plais vraiment, Meg. Tu m'as toujours plu.

— Ah oui?

— Allons nous asseoir dans la voiture.

— Il fait froid là-bas.

— On mettra le chauffage, on écoutera la radio, on finira le champagne. Allons, dis oui... Je veux te raconter la première fois où je t'ai remarquée.

Comment pouvait-elle résister ?

— Tu... tu ne vas rien essayer ?

Il eut l'air offensé qui convenait. Les filles étaient vraiment les créatures les plus stupides de la terre : est-ce qu'elle s'imaginait vraiment que c'était sa conversation qu'il recherchait ?

— *Moi ?* J'ai trop de respect pour toi, Meg. Ma parole.

Elle se laissa persuader. Après tout, il était assez mignon lui aussi.

— Bon... d'accord.

Enfin ! Quels efforts il devait faire pour détourner ses yeux de ses petits seins ronds en l'entraînant dehors.

Comme minuit approchait, un frémissement d'impatience parcourut l'assistance. L'atmosphère était résolument électrique. L'orchestre jouait à plein tube un pot-pourri des Beatles. Les bras de Nick se resserraient autour de Lauren.

— C'est une nuit très spéciale, dit-il d'une voix sourde et chaude. Le début de quelque chose de nouveau.

— Je sais, fit-elle doucement.

— Dans dix ans à cette heure-ci, on sera vieux.

— Un peu.

— Très.

— Peut-être.

— Mais on sera ensemble.

Il avait l'air si sûr, et pourtant elle savait que ça n'allait pas être facile. Stock, elle pouvait s'en arranger, mais ses parents allaient devenir fous si jamais elle commençait à sortir avec Nick Angelo.

Ne sois pas pessimiste, Roberts.

Bon, bon. Du calme. Je vais essayer d'être aussi positive que possible.

Le pot-pourri des Beatles s'acheva et l'orchestre attaqua avec fracas sa bruyante version de « Born to be wild ». Sitôt que Stock commença à reculer, Dawn saisit la main de Stock.

— Où est-ce que tu t'en vas, mon grand ? On commençait tout juste à s'y mettre. Elle se lécha les lèvres de façon provocante et tortilla des hanches. Tu ne vas pas me plaquer maintenant.

Stock ne se sentait pas les idées très claires.

— Faut que je trouve Lauren, il est presque minuit.

— Oh, c'est vrai, minuit, ricana Dawn. Et alors? Je peux te faire passer un meilleur moment que la petite Miss Bon Chic Bon Genre, et tu le sais bien.

— Faut que je la trouve, répéta Stock d'une voix pâteuse, le visage tout rouge à force d'avoir bu des lampées de scotch de la flasque subtilisée à son père qu'il avait cachée dans sa poche.

Dawn estima qu'elle avait rempli son rôle : elle n'allait pas le supplier. Que Nick Angelo aille se faire voir : ça n'était pas comme ça qu'elle avait prévu de passer son réveillon de nouvel an.

Au bord de la piste, Nick et Lauren étaient blottis dans les bras l'un de l'autre, indifférents à tous ceux qui les entouraient. Stock les aperçut et s'avança. Joey se leva.

— Ça y est, grogna-t-il en éteignant sa cigarette.

Cyndra jouait avec son verre de punch.

— Il ne va rien se passer.

Le chef d'orchestre empoigna son microphone.

— Minuit dans cinq minutes! s'écria-t-il, tout excité. Décollage dans cinq minutes! Sommes-nous prêts?

— Oui! rugit la foule. On est prêts!

L'orchestre passa à « Crocodile Rock » : on était dans une phase Elton John.

— Lauren. Stock posa une main sur son épaule et déclara d'une voix plaintive : Je ne comptais pas danser si longtemps avec Dawn. Viens... il est l'heure de partir.

Lauren sursauta. Elle avait un instant oublié tout et tout le monde, à l'exception de Nick, et Stock avait cessé d'exister. Elle se tourna vers lui.

— Je... je ne veux pas partir, dit-elle d'une voix étouffée, le cœur battant.

— Pourquoi donc? demanda-t-il d'un ton hargneux.

— Parce que je ne veux pas.

Stock commençait à s'énerver. Est-ce qu'elle lui faisait la tête parce qu'il avait dansé avec Dawn? Un moment il hésita, comprenant tout d'un coup que, pendant qu'il était occupé, Lauren avait fait ami-ami avec Nick Angelo.

— Qu'est-ce qui te prend de danser avec ce type? demanda-t-il. Regarde-le un peu : il est en baskets. Il ne peut même pas se payer des chaussures.

Elle sentit Nick se crisper, prêt à la bagarre. Elle lui toucha aussitôt le bras, espérant le retenir.

— Minuit dans trois minutes! cria le chef d'orchestre.

— Tu viens avec moi, dit Stock.

118

— Non, répliqua-t-elle.

— Tu es ma fiancée. Ça suffit maintenant. Fais ce que je te dis.

Sans un mot, elle ôta sa bague de fiançailles et la lui tendit. Il était abasourdi.

— Qu'est-ce que ça veut dire ? fit-il en contemplant la bague avec ahurissement.

— C'est fini, Stock, dit-elle, avec l'impression enfin d'avoir la situation en main.

— Fini ? dit-il, incrédule. Ça n'est pas possible.

— Mais si, répondit-elle calmement, avec un immense sentiment de soulagement.

Le visage de Stock devenait plus rouge. Il haussa le ton.

— Rien n'est fini avant que *moi* je dise que ça l'est.

Elle étouffa un fou rire hystérique. Était-ce son imagination, ou bien avait-il vraiment l'air d'un homard qu'on vient de faire cuire ?

— Ne crie pas comme ça, réussit-elle à dire.

— Deux minutes ! lança une voix de l'orchestre.

— Merde ! s'écria Stock.

Les gens maintenant commençaient à s'apercevoir que quelque chose se passait. Nick décida que le moment était venu d'intervenir. Il passa son bras autour de la taille de Lauren.

— Partons, dit-il.

— *Toi*, fiche-moi le camp, cria Stock, fou de rage. Ça ne te regarde en *rien*.

— Tu te mets le doigt dans l'œil, répondit Nick d'un ton uni. Ça me regarde en *tout*.

— Pauvre type ! hurla Stock.

— Le compte à rebours commence, cria le chef d'orchestre, dont la voix dominait tout le brouhaha. Alors, allons-y en chœur. Cinquante-neuf... cinquante-huit... cinquante-sept...

— Bon sang ! Stock se frappa le front de la paume de sa main et foudroya Lauren du regard. Je sais maintenant pourquoi je n'ai jamais rien pu faire avec toi. Ce pauvre abruti qui aime les nègres est passé le premier !

— Comment oses-tu me parler comme ça, dit-elle.

— Je te parle comme ça me plaît. Tu n'es qu'une petite traînée... j'aurais dû écouter ma mère.

Nick fit un pas en avant.

— Ce grand singe cherche la bagarre.

— Non !

Elle essaya de l'empêcher d'arriver jusqu'à Stock.

— Dix-neuf... dix-huit... dix-sept..., poursuivait le chef d'orchestre, imperturbable.

— Ôte-toi de là, bon Dieu, fit Stock à Lauren. Je m'en vais lui donner une leçon, à cette petite ordure.

— Non !

Elle s'efforça de les arrêter ; elle n'avait pas voulu qu'on en arrive là.

— ... Onze... dix... Allons, tout le monde en chœur. Que je vous entende un peu !

La foule se lança dans un chœur assourdissant. Joey se frayait un chemin dans la foule, espérant empêcher l'inévitable. Cyndra le suivait.

— ... Cinq... quatre... trois...

Stock écarta brutalement Lauren. Nick s'avança pour la protéger et, avant d'avoir compris ce qui lui arrivait, Stock prenait son élan et lui décochait un direct qui l'envoya au tapis.

— ... Deux... un. BONNE ET HEUREUSE ANNÉE !!!

Nick n'avait pas une chance. Il s'effondra. Juste avant de perdre conscience, il vit des ballons. Des centaines et des centaines de jolis ballons roses qui flottaient dans l'air.

19

Il reprit peu à peu ses esprits, cherchant à reprendre haleine, la tête endolorie comme si elle allait éclater. Avec un gémissement, il porta une main à son visage et sentit du sang poisseux. Lentement, il ouvrit les yeux. Lauren était assise sur le parquet, elle lui tenait la tête sur ses genoux. Ils étaient dans le couloir. Quelques personnes faisaient cercle autour d'eux, attendant de voir, sans aucun doute, s'il était mort.

Mr. Lucas, un des chaperons du lycée pour la soirée, le regardait d'un air mauvais.

— Vous avez eu un comportement répugnant, Angelo, dit-il sèchement. Nous ne pouvons pas admettre qu'on se batte dans l'enceinte de cet établissement.

— Mais *lui* n'a rien fait, Mr. Lucas, protesta Lauren. C'est Stock qui l'a frappé.

Mr. Lucas l'ignora.

— Il vaudrait mieux que quelqu'un le raccompagne chez lui, dit-il d'un ton impatient, gonflé de sa propre importance. Il faut que je retourne là-bas.

Maintenant que l'excitation était passée, les rares badauds s'éloignèrent. Il ne resta que Joey et Cyndra juste derrière lui.

— Eh bien, mon vieux, ça va? demanda Joey. J'étais en chemin quand cet abruti t'en a décoché un.

Nick essaya de mettre de l'ordre dans ses pensées. Il ne se sentait pas frais. D'une main hésitante, il se palpa le nez.

— Je... je crois qu'il est cassé.

— Alors, on ferait mieux de t'emmener aux urgences, dit Joey, prenant les choses en main.

— Quelles urgences? demanda Cyndra. On n'est pas à Chicago, tu sais. Il y a deux docteurs en ville et ils sont probablement sortis pour le réveillon.

— Tu es sûr que c'est cassé? demanda Lauren, qui se sentait coupable.

Il se tâta de nouveau le nez.

— Oui, j'en suis sûr.

Il avait le visage couvert de sang et quelques gouttes avaient coulé sur la robe de Lauren, laissant de grosses taches rouges.

— Je ne pensais pas que ça tournerait comme ça, murmura-t-elle. Je suis vraiment désolée.

Il essaya de prendre la chose à la légère.

— Bah, un nez cassé, ça vaut la peine, si ça t'a débarrassée de cette brute.

Elle réfléchit à ce qu'il venait de dire. Oui, Stock était certainement sorti de son existence, il n'y avait aucun doute là-dessus.

— Il est sorti de ma vie, annonça-t-elle calmement. Pour toujours.

— Bon, fit Joey, tout ça est bien gentil, mais qu'est-ce qu'on va faire?

— On pourrait l'emmener à l'hôpital de Ripley, suggéra Cyndra. Ils ont un service d'urgence là-bas.

— Comment va-t-on l'emmener? fit Joey en se grattant le menton. Il neige, il fait un froid de canard et c'est le réveillon. Comment va-t-on faire? Le mettre à l'arrière de ma moto?

— Ça ne me paraît pas indiqué, fit Cyndra.

— Il ne peut pas aller jusqu'au terrain de camping, dit Lauren d'un ton ferme. C'est trop loin. Je vais appeler mon père et lui demander de venir nous chercher. Il peut coucher à la maison ce soir.

— Tu es dingue? s'exclama Joey. Tes parents vont tomber pâles quand tu vas leur annoncer que c'est fini avec Stock.

— Tu as raison, dit-elle, l'air sombre. Mais c'est ma faute s'il est blessé et j'en prends la responsabilité.

Nick poussa un gémissement.

— J'aimerais lui démolir le portrait à cet abruti.

— Ça t'avancerait à quoi? demanda froidement Cyndra.

Il eut un faible rire.

— Tiens, il faut quelque chose comme ça pour que tu m'adresses la parole, hein?

Elle haussa les épaules.

— Ne te laisse pas griser.

Lauren partit en hâte pour appeler ses parents. Elle était devant le téléphone public, attendant avec impatience que quelqu'un lui réponde. Puis elle se souvint qu'ils étaient allés à une soirée et qu'ils n'étaient sans doute pas rentrés, ce qui était d'autant mieux pour introduire Nick dans la maison avant qu'ils puissent protester. Elle appela le service local de taxis et eut la chance de trouver une voiture. Quand elle revint, Nick était sur ses pieds.

— Écoute... je peux marcher. Ne faisons pas de ça toute une histoire, dit-il, très gêné.

— Tu es sûr?

— Mais oui. Il regarda Cyndra. Dis-leur que je ne rentrerai pas ce soir. Pour ce que ça les intéresse...

— Parce que tu crois que je vais leur parler quand je vais rentrer, dit-elle d'un ton sarcastique.

De retour chez elle, Lauren emmena Nick droit jusqu'à sa chambre.

— Comment te sens-tu? demanda-t-elle avec inquiétude.

— Stupide. Ton petit ami m'a pris par surprise. On aurait dû sortir et j'aurais pu lui flanquer une bonne correction.

— Mon ex-petit ami, dit-elle d'un ton détaché, en tirant la couverture de son lit. Tu vas dormir ici.

Il réussit à faire un pâle sourire.

— Avec toi?

Elle lui rendit son sourire.

— Soyons sérieux.

Il s'assit sur le lit.

— Bon, bon. Je posais simplement la question.

Elle trempa une serviette dans l'eau et essuya avec douceur le sang sur son visage.

— Ouille !

— Ne sois pas un bébé.

Quand elle eut fini, il dit :

— Et maintenant ? Je vais me mettre entre les toiles tout habillé ?

— Je vais m'occuper de tout, lui assura-t-elle.

Il sourit de nouveau.

— Y compris me déshabiller ?

Elle secoua la tête, amusée.

— Un de ces jours... peut-être. Mais, pour l'instant, tu peux le faire toi-même. Tu devrais dormir un peu, on discutera demain matin.

— Ta robe est toute tachée de sang. Tu ne ferais pas mieux de te changer avant que tes parents voient ça ?

Il avait raison, sa robe noire neuve était maculée de taches sombres.

— De toute façon, je détestais cette robe. Disons que c'est mon cadeau de rupture des Browning.

— Tu sais, Lauren, fit-il en lui prenant la main. Ça valait le coup.

— Attends demain matin quand tu te seras vu dans la glace.

Le temps que ses parents rentrent, elle s'était préparé un lit sur le divan, elle avait passé un peignoir et les attendait de pied ferme. Comme ils franchissaient la porte d'entrée, elle entendit la voix furieuse de son père :

— Ne me menace pas, Jane. Ne t'avise jamais de me menacer.

— Je ne te menace pas, répondit Jane d'une voix tendue. Mais je peux te dire une chose...

Elle aperçut sa fille et s'arrêta brusquement.

— Lauren, qu'est-ce que tu fais à la maison si tôt ?

Ça, c'en était une nouvelle. À la maison si tôt ? Il était une heure du matin.

— Euh... quelqu'un a été blessé au bal.

— Pas toi ? dit aussitôt Phil.

— Non, je vais bien, répondit-elle.

— Alors, demanda Jane, qui ça ?

— C'est... heu... c'est Nick Angelo. Tu te souviens ? Il jouait dans la pièce avec moi.

— Qu'est-ce qui lui est arrivé ? demanda Jane, sans manifester le moindre intérêt.

— Il a été pris dans une bagarre. Ça n'est pas lui qui a commencé, mais il a le nez cassé et il n'était pas question de le laisser rentrer chez lui ce soir avec la neige et tout, alors je l'ai ramené ici. Elle savait qu'elle parlait trop vite, mais elle ne pouvait pas s'en empêcher. En fait, il dort dans mon lit. Tout ça est parfaitement convenable, maman. Je dors sur le canapé.

Son père avait l'air furieux.

— Ce garçon est ici... dans ton lit ?

— Oui, papa, dit-elle avec patience. Mais pas moi. Je suis en bas avec vous. D'accord ?

Phil et Jane échangèrent des regards horrifiés.

— Je regrette que tu aies fait ça sans nous consulter, fit Jane avec agacement. Je n'aime pas que des étrangers dorment sous mon toit. Qui est-ce, d'ailleurs ?

— Je te l'ai dit, maman. Nick Angelo. Il jouait Brick dans la pièce.

— Ah, c'est lui. Un garçon à l'air bizarre, reprit Jane. On m'a dit qu'il habitait une caravane sur le terrain de camping. C'est vrai ?

— Est-ce que ça change quelque chose ? riposta Lauren.

Jane fronça les sourcils ; sa fille pouvait parfois se montrer très entêtée et elle sentait que c'était une de ces fois-là.

— Eh bien, si tu as envie de dormir sur le divan, je pense que nous ne pouvons rien y faire. Nous te verrons demain matin.

Lauren leur accorda une demi-heure. Elle attendit de les avoir entendus tous deux utiliser la salle de bains, puis la porte de leur chambre se referma. Après cela, il y eut un léger murmure de conversation, et enfin le silence.

Quand la maison fut absolument silencieuse, elle se glissa jusqu'au premier étage et regarda Nick. Il était allongé sur le dos, les bras étendus, les yeux fermés. Elle le contempla longuement.

Nick Angelo, tu as changé ma vie. Et je t'en suis tellement, tellement reconnaissante !

Le lendemain matin, Lauren était debout à six heures. Elle avait décidé que mieux valait faire sortir Nick de la maison avant qu'il eût à affronter ses parents. Si elle opérait assez vite et assez discrètement, elle pourrait emprunter le break familial et le conduire à l'hôpital de Ripley avant leur réveil.

Elle n'avait pratiquement pas fermé l'œil. Tout changeait et elle aussi. Elle savait qu'elle devait être forte, prête à tenir tête à ses parents. Cela faisait tant d'années qu'elle était la bonne petite Lauren, la travailleuse petite Lauren. Maintenant on l'avait traitée de vilaine petite Lauren parce qu'elle ne voulait pas rester fiancée au plus riche parti de la ville. Dommage. Elle pouvait s'en arranger. Le problème était : le pourraient-ils, eux ?

Là-haut, dans la chambre de Lauren, Nick était assis au bord du lit, vêtu de son smoking en lambeaux. Elle entra dans la pièce, porta un doigt à ses lèvres et murmura :

— Chut... nous partons.

Il hocha la tête, soulagé à l'idée de s'en aller. Elle s'engouffra dans sa penderie, passa un jean, un chandail et un épais duffle-coat.

— Suis-moi, chuchota-t-elle tandis qu'ils descendaient l'escalier sur la pointe des pieds.

Dans la cuisine, elle griffonna un mot expliquant pourquoi elle avait pris la voiture et le colla à la porte du réfrigérateur. Quelques minutes plus tard, ils étaient dehors.

— Ouf ! soupira-t-elle en ouvrant la portière de la voiture. Ça n'est pas facile de se conduire comme une criminelle.

— Je prends le volant, dit-il.

— Non, répondit-elle d'un ton ferme. Pas cette fois.

— Tu as dormi ? demanda-t-il en s'installant sans protester davantage à la place du passager.

— Non. Et toi ?

Il tâta mélancoliquement son nez tout enflé.

— Qu'est-ce que tu crois ?

Elle dégagea la voiture du trottoir. La neige avait cessé de tomber, mais la chaussée était humide et glissante.

— Je crois que nous sommes fous tous les deux ! s'exclama-t-elle, ravie.

— Et ça te plaît.

— J'adore ! répondit-elle. Je me sens libre pour la première fois depuis une éternité.

Il la regarda intensément.

— Ah oui ?

— Absolument. Stock était comme un gros nuage noir planant au-dessus de ma tête.

— Alors pourquoi restais-tu avec lui ?

— Ça semblait la solution la plus facile.

— La facilité n'est pas toujours ce qu'il y a de mieux, observa-t-il gravement.

— Tu as une tête épouvantable, dit-elle en lui lançant un bref coup d'œil.

— Merci !

— Comment te sens-tu ?

— Comme si un tracteur m'était passé sur le visage. À part ça... très bien.

— Le médecin va t'arranger le nez.

— Quel médecin ?

— On va à Ripley.

— Ah bon ?

— Je te dois un nez tout neuf. C'est ma faute si tu as été frappé.

— Bah, quand tu voudras... si ça veut dire dormir dans ton lit.

Il la regarda en souriant. J'ai bien aimé les draps avec la tête de Snoopy !

— Ne te moque pas de moi. Ma mère ne jette jamais rien.

Il continuait à avoir des élancements dans le nez et il souffrait beaucoup. Alors pourquoi avait-il envie de chanter ? Après tout, Lauren n'était qu'une fille comme une autre. Oui... seulement, c'était la plus belle fille du monde ! Il examina son profil parfait.

— Qu'est-ce que tes parents vont dire de tout ça ?

Elle eut une grimace.

— Je te raconterai.

Il alluma la radio et prit une station de musique rock. Si seulement ils pouvaient rester dans la voiture et rouler sans jamais s'arrêter. Était-ce trop lui demander de renoncer à tout pour s'enfuir avec lui ?

Ils arrivèrent à Ripley en une heure et demie et allèrent droit à la salle des urgences. Le réveillon avait laissé des traces : l'établissement était encombré de survivants de diverses batailles. Il y avait des blessures au couteau, une ou deux blessures par balle, deux ou trois femmes battues et un grand Noir qui vociférait des obscénités. Ils s'assirent et Lauren se cramponna à son bras.

— Hé, vas-y doucement, dit-il.

Il se sentait tout drôle. Ils attendirent près de cinq heures avant qu'on ne s'occupe d'eux et puis un jeune médecin harassé entraîna Nick dans une salle d'examen et confirma qu'il avait bien le nez cassé. Il remit les cartilages en place et lui fit un pansement.

— J'ai l'impression d'avoir fait la guerre, plaisanta Nick en sortant de l'hôpital.

Au fond de son cœur, il se demandait l'air qu'il aurait quand on lui retirerait le pansement. Il avait toujours été content de son physique. Et maintenant ? Un nouveau handicap ?

126

— Ne t'inquiète pas, fit Lauren en lisant dans ses pensées. Tu vas être très beau quand même.

Dehors, la neige avait recommencé à tomber de plus belle.

— Les grandes villes, dit-elle en frissonnant, ça me fait toujours peur.

Il éclata de rire.

— Ça n'est pas une grande ville. C'est Disneyland comparé à New York ou à Chicago. Il claqua dans ses mains. Seigneur ! je gèle !

— Moi aussi. Et je meurs de faim !

— Moi aussi.

Elle jeta un coup d'œil à sa montre.

— Il est près de trois heures. Mes parents vont me tuer. Nous ferions mieux de repartir.

— Pas avant d'avoir mangé quelque chose.

Ses parents allaient la tuer de toute façon, qu'est-ce qu'une demi-heure de plus changerait ?

— D'accord, dit-elle, en se demandant si elle ne devrait pas leur téléphoner.

Non, décida-t-elle ; mieux valait garder la grande confrontation pour plus tard. Ils laissèrent le break au parking de l'hôpital et partirent en courant, glissant sur le trottoir mouillé, jusqu'à un bistrot voisin où on vendait des hamburgers. Une serveuse s'approcha de leur table. Elle avait une cigarette au coin des lèvres et un air blasé.

— Ouais ? Qu'est-ce que ce sera ?

— Un double hamburger avec le grand jeu, un Coke et des frites, commanda Lauren sans reprendre son souffle. Deux portions. Elle regarda Nick en souriant. Ça te va ?

Il avait vingt dollars dans sa poche.

— C'est moi qui paie.

— Non, c'est moi, insista-t-elle. C'est ma faute si on est ici.

— Je ne peux pas te laisser faire ça.

— Mais si.

— C'est bien deux hamburgers ?

La serveuse était lasse, elle se fichait de savoir qui allait payer dès l'instant où on réglerait l'addition. Lauren acquiesça de la tête et la serveuse s'éloigna. Nick se pencha au-dessus de la table et embrassa Lauren.

— C'est en quel honneur ? demanda-t-elle en ouvrant de grands yeux.

— Euh... Je pense que c'est parce que tu es toi.

Elle sourit. Il décida qu'elle avait le plus beau sourire du monde.

— Dis donc, balbutia-t-il, incapable de se retenir. Je crois que je...

— Oui ? demanda-t-elle avec impatience.

— Bah... laisse tomber.

Elle avait les yeux qui brillaient. Elle insista pour qu'il continue.

— Quoi donc ?

— Eh bien, je crois... euh... tu sais... eh bien, je crois que je t'aime.

— Moi aussi, chuchota-t-elle doucement, avec l'impression de fondre de bonheur. Moi aussi.

20

Tout d'abord, Jane Roberts fut soulagée, en s'éveillant, de constater que Lauren était partie avec Nick Angelo ; elle n'avait pas envie de discuter avec un étranger le matin. D'ailleurs, elle avait d'autres choses en tête et n'avait pas le temps de s'inquiéter, pour l'instant, de l'entêtement de sa fille.

Elle se rembrunit en trouvant dans la cuisine le mot laissé par Lauren. Phil n'allait pas être content de découvrir que Lauren avait pris la voiture sans sa permission : ça ne lui ressemblait pas. Elle relut le message de sa fille.

> J'AI EMPRUNTÉ LA VOITURE.
> JE REVIENS BIENTÔT.
> TENDRESSES. LAUREN.

Quand Phil arriva à son tour dans la cuisine, il était furieux.

— Nous laissons bien trop de liberté à cette enfant, marmonna-t-il. Comment ose-t-elle s'imaginer qu'elle peut partir comme ça au volant de ma voiture !

— Que va dire Stock ? fit Jane avec inquiétude. J'espère qu'elle sera rentrée à temps pour le déjeuner de nouvel an avec les Browning, on nous attend là-bas à une heure.

— Elle sera de retour, dit Phil d'un ton rogue. Elle a dû ramener ce garçon chez lui.

— Je me demande avec qui il s'est battu.

128

— Qui sait ? Mais quelle importance ! répondit Phil en ouvrant le placard de la cuisine pour y prendre une boîte de corn-flakes. En tout cas, c'était probablement quelqu'un de plus grand. Lauren protège toujours le perdant.

— C'est vrai, dit Jane. Mais ça n'était pas très gentil de la part de Stock de la laisser toute seule.

Phil versa les corn-flakes dans une assiette et ajouta du lait.

— Il faut que nous parlions de nous, Jane, déclara-t-il.

— Nous en avons parlé hier soir, fit-elle en rougissant.

— Pas assez.

— Assez pour moi, répondit-elle, les lèvres crispées.

La sonnerie du téléphone interrompit ce qui allait être une nouvelle scène. Phil décrocha.

— Oui ?

— Pardonnez-moi, Mr. Roberts, je vous ai réveillé ?

— Non, dit-il sèchement.

— C'est Meg. Est-ce que je peux parler à Lauren ?

— Elle est sortie de bonne heure.

— Où est-elle allée ?

Sans répondre à sa question, il poursuivit :

— Elle t'appellera quand elle sera rentrée.

— Euh... merci, Mr. Roberts.

Peu avant midi, Jane Roberts était assise à sa coiffeuse, ajoutant un nuage de poudre ici, un soupçon de rouge là. Elle avait une nouvelle robe cannelle avec des escarpins assortis. Elle avait décidé de mettre son manteau de fourrure. Il avait cinq ans, mais peut-être que, quand Lauren aurait épousé le fils Browning et que les affaires de Phil commenceraient à aller mieux, il pourrait lui en acheter un neuf. Phil entra dans la chambre et se planta derrière elle, tapotant sa montre d'un doigt impatient.

— Elle n'est pas rentrée.

— Oh, mon Dieu ! fit Jane. Comment peut-elle nous faire une chose pareille ?

— Il recommence à neiger. Phil s'approcha de la fenêtre et regarda dehors. J'espère qu'elle n'a pas eu d'accident.

— Lauren conduit très bien.

— Je sais, dit Phil en arpentant la pièce. Je ne comprends pas où elle peut être.

— Moi non plus, rétorqua Jane, exaspérée à l'idée que sa fille ait choisi aujourd'hui pour tout gâcher.

Le téléphone sonna.

— Ça doit être elle, dit Phil en saisissant le récepteur.

Ce n'était pas Lauren, c'était Daphné Browning.

— Phil, dit-elle de son ton autoritaire, je voudrais parler à Jane.

— Certainement, Daphné. Il couvrit de sa main le récepteur du téléphone. C'est toi qu'elle demande. Ne parle pas de Lauren.

Jane se précipita.

— Bonne année, Daphné, lança-t-elle. Vous êtes partie terriblement tôt de chez les Lawson, hier soir, mais c'était amusant, n'est-ce pas ?

Daphné n'était pas d'humeur à plaisanter.

Je n'arrive tout simplement pas à croire à la conduite de votre fille, dit-elle d'un ton catégorique.

— Je vous demande pardon ? fit Jane, interloquée.

— La conduite de Lauren, répéta Daphné, comme si elle s'adressait à une enfant extrêmement retardée.

— Qu'est-ce qui s'est passé ?

— Enfin, vous devez bien savoir.

Jane lança à tout hasard :

— C'est à propos de la bagarre ?

— Répugnant ! s'exclama Daphné. On aurait pu croire que Lauren aurait la décence de rester avec son fiancé plutôt que de s'en aller avec ce moins-que-rien des faubourgs.

Jane prit une profonde inspiration ; elle avait toujours su que les fiançailles de Lauren avec Stock, c'était trop beau pour être vrai.

— Vous nous attendez toujours pour déjeuner ? demanda-t-elle d'un ton hésitant, connaissant la réponse avant même de poser la question.

— Je ne pense pas que cela s'impose maintenant, vous ne trouvez pas ?... répliqua Daphné. Il y eut un long silence glacé. Je suis extrêmement déçue par Lauren. Vous devez l'être aussi.

— Lauren a toujours bien agi, dit Jane, prenant enfin la défense de sa fille.

— Assurément pas cette fois.

— Allons..., fit Jane d'un ton conciliant. Je suis sûre que, quoi qu'il se soit passé entre eux, Stock et Lauren vont régler ça.

— Vous prenez tout cela bien légèrement, dit Daphné d'un ton pincé. Vous savez, je pense, qu'elle lui a rendu sa bague.

— Oh ! s'exclama Jane d'une voix blanche.

— Il s'en moque, dit Daphné d'un ton sec et méprisant. Après la façon dont elle l'a traité...

— Il faut que je vous laisse, bredouilla Jane, qui n'avait pas envie de prolonger la conversation.

— Très bien, lança Daphné en raccrochant.

Phil revint dans la pièce en resserrant son nœud de cravate.

— Il faudrait y aller, dit-il. Tu ferais mieux de laisser un mot à Lauren en lui disant que nous sommes partis les premiers.

— Trop tard, répliqua Jane. Les fiançailles sont rompues. Nous ne sommes plus invités à déjeuner.

À midi, toute la ville savait que Lauren Roberts avait rompu ses fiançailles avec Stock Browning. On savait aussi que Stock avait frappé Nick Angelo en plein visage, mais personne ne semblait au courant de ce qu'étaient devenus Nick et Lauren.

Joey était inquiet, il avait senti l'électricité entre les deux garçons et savait que cela n'annonçait rien de bon. Peu avant midi, il prit sa moto pour aller chercher Cyndra.

— Tu as eu des nouvelles de Nick ? demanda-t-elle.

— Non. Et toi ?

— Au cas où tu n'aurais pas remarqué, nous n'avons pas le téléphone.

Harlan traînait devant la caravane.

— Nick devait nous emmener au cinéma, dit-il d'un ton plaintif.

— Il a été blessé, expliqua Cyndra. Il s'est battu.

— Quand est-ce qu'il rentre ?

— Plus tard.

— Il a promis, fit Harlan, tout triste. Luke avait hâte d'y aller.

— Il vous emmènera un autre jour, annonça Cyndra.

— Pourquoi tu ne nous emmènes pas, toi ? demanda Harlan en ouvrant de grands yeux.

— Une autre fois, répondit-elle aussitôt. Bon, Joey. On y va.

Cyndra ne voulait pas le reconnaître, mais elle était contente de voir Joey. Quand il l'avait raccompagnée hier soir, il n'avait même pas essayé de l'embrasser pour lui souhaiter bonne nuit. Avec lui, elle se sentait en sécurité. C'était un agréable changement. Ils descendirent en ville sur sa moto et s'arrêtèrent au drugstore. Joey l'installa dans une niche d'angle et s'en alla parler à quelques-uns de ses copains. Quand il revint, il annonça :

— Bon, voilà ce qu'on raconte : Nick a donné un coup de poing à Stock et l'autre brute lui a cassé la figure.

— Mais ça n'est pas vrai, dit Cyndra avec feu. Nick n'a pas eu une chance. Stock l'a frappé alors qu'il ne regardait pas.

— Oui, nous, nous le savons, reconnut Joey. Mais comme il est porté disparu, c'est difficile de le défendre. Oh, et Meg dit que Lauren n'est pas là non plus. Elle a essayé de l'appeler toute la journée.

Tous deux réfléchirent un moment à la situation.

— Dis donc, fit enfin Joey, comme s'il venait d'avoir une révélation. Tu ne penses pas qu'ils ont filé pour faire ça, non ?

Cyndra eut un sourire narquois.

— Pour faire *quoi*, Joey ?

Il sourit à son tour.

— Oh, tu sais bien. Ce que nous, nous allons faire un de ces jours.

Ah oui ? C'est ce qu'il croyait.

— Ne compte pas là-dessus, dit-elle en buvant une gorgée de son Coca.

Il leva les mains.

— Bon, bon. Je voulais seulement plaisanter.

En fin d'après-midi, la chute de légers flocons s'était transformée en tempête de neige.

— J'appelle la police, déclara Phil Roberts. Je vais leur donner le numéro de la voiture et ils vont la retrouver.

Jane avait l'air consterné.

— Comment peut-elle nous faire une chose pareille ? gémit-elle d'une voix chevrotante. Elle ne sait donc pas que nous sommes fous d'inquiétude ?

Phil secoua la tête en traversant la pièce jusqu'au téléphone.

— J'appelle la police, répéta-t-il.

Jane hocha la tête. Il ne semblait pas y avoir d'autre solution.

21

Ils restèrent deux heures dans le bistrot. Ils bavardaient. Ils apprenaient à se connaître. Ils se regardaient dans les yeux. Ils se tenaient les mains. Ils riaient. Ni l'un ni l'autre n'avaient la moindre idée de l'heure. Ils formaient un drôle de couple : Lauren toute emmitouflée dans ses vêtements d'hiver et Nick avec son smoking en lambeaux, son pansement sur le nez, ses cheveux bruns tombant sur son front, ses yeux verts au regard plus intense que jamais. La serveuse finit par s'approcher.

— Vous ne pouvez pas rester ici à siroter un Coca toute la journée, dit-elle sèchement. Ou bien vous commandez autre chose, ou bien vous partez.

Nick se leva.

— On s'en va.

— Vieille salope! murmura Lauren.

— Pas de gros mots, dit-il en riant.

— Je ne suis pas la petite bon chic bon genre que tout le monde s'imagine.

— Oui... j'ai remarqué.

Il lui prit la main et ils sortirent en courant. La neige tombait maintenant en rafales glacées.

— Je ferais mieux de téléphoner à la maison, dit Lauren, qui se sentait coupable.

— Ils vont te faire une scène. Prenons la route et rentrons.

Quand ils arrivèrent au break, la neige commençait à l'ensevelir. Il faisait si froid qu'une partie s'était déjà changée en glace. Lauren prit une pelle dans le coffre et la tendit à Nick, qui essaya de casser la glace.

— Je n'aurai plus de mains quand j'aurai terminé, gémit-il. J'ai les doigts gelés.

— Est-ce que je peux t'aider?

— Oui, monte dans la voiture et mets le moteur en marche. On ferait mieux de partir avant qu'il fasse nuit.

La voiture refusait de démarrer. Lauren essaya en vain. Elle laissa Nick s'installer au volant. Il fit quelques tentatives jusqu'au moment où le moteur finit par se mettre à tourner, et ils démarrèrent. La voiture commença aussitôt à déraper sur la chaussée glissante. Nick brancha la radio sur une station d'informations. Un bulletin météo annonçait de fortes chutes de neige et des routes impraticables.

— Qu'est-ce qu'on fait? demanda Lauren, désemparée.

— On peut essayer de passer.

— Et si on est coincés?

— Je ne sais pas.

— Nous ferions peut-être mieux de rester ici, proposa-t-elle.

— Alors, il va vraiment falloir que tu appelles chez toi. Tu ne peux pas leur laisser croire que tu ne reviendras jamais.

— D'accord.

— Il y a un motel près de la station d'essence, à l'entrée de la ville. Voyons si nous pouvons aller jusque-là.

— Très bien, répondit-elle, en réfléchissant à la façon dont elle allait expliquer la chose à ses parents.

Quand ils arrivèrent au motel, elle frissonnait d'énervement. Tandis que Nick prenait une chambre, elle se précipita sur un téléphone. Son père lui répondit par un brusque « Oui ? ».

— Papa ?

— Lauren, dit-il, d'un ton sévère. Où es-tu ? Ta mère et moi sommes malades d'inquiétude.

— Je m'en doute. Je suis désolée.

— Tu es désolée ? Nous t'imaginions morte, enfouie sous une congère, et tu appelles pour dire que tu es désolée. Rentre tout de suite ! Tu m'entends ? Tout de suite !

— Papa, je ne peux pas. Je suis à Ripley. Les routes sont fermées.

Il y eut un silence menaçant.

— Avec qui es-tu ?

— Je... je suis avec Nick. Je l'ai conduit à l'hôpital. Tu comprends, c'est ma faute s'il a le nez cassé. Je sais que je n'aurais pas dû emprunter la voiture sans te le demander, mais je ne voulais pas te réveiller. Le service des urgences était débordé, il a fallu attendre... je... je ne me doutais pas que ça prendrait si longtemps.

— Es-tu en train de me dire que tu ne peux pas rentrer ?

— Nous pensions nous arrêter dans un motel et repartir demain.

— Ma fille... dans un motel ? Avec ce voyou ?

— Nick n'est pas un voyou, répliqua-t-elle d'un ton de défi. C'est quelqu'un de très bien. Ce n'est pas sa faute si Stock lui a cassé la figure, c'est la mienne.

— Tu ferais mieux de parler à ta mère.

Jane se saisit du téléphone.

— Tu te conduis d'une façon absolument scandaleuse, émit-elle d'une voix tendue.

— Je suis navrée...

— Je n'ai pas envie d'entendre tes excuses. Si les routes sont fermées, il est bien évident que tu ne peux pas rentrer à la maison ce soir. Puisque tu es obligée de rester à Ripley, promets-moi que vous prendrez des chambres séparées et que

134

tu n'auras pas le moindre contact avec ce garçon. Peux-tu me faire cette promesse, Lauren ?

Inutile de discuter. Elle croisa les doigts de la main gauche et, pour plus de sûreté, de la main droite aussi.

— Je te le promets, maman.

— Nous réglerons cela demain, fit Jane. Et ne compte pas sur notre indulgence.

La chambre du motel avait des abat-jour orange à franges avec des traces un peu roussies. Le dessus-de-lit d'un jaune fané avait connu des jours meilleurs. Le tapis bleu était usé jusqu'à la corde. Mais il y avait un poste de télévision et, à la réception, on trouvait des distributeurs de boissons sans alcool et des sandwiches.

— C'est trop cher de prendre deux chambres, expliqua Nick quand elle revint après avoir téléphoné. Ça ne t'ennuie pas d'en partager une, n'est-ce pas ?

Ça ne la gênait pas. Elle savait que, quand elle serait rentrée, tout ça serait terminé — alors pourquoi cette nuit ne serait-elle pas inoubliable ? Une fois installés, ils décidèrent tous les deux de passer une bonne soirée. Ils avaient fait provision de chocolat et de chips, de Coca et de Seven-up, et ils étaient maintenant assis en tailleur sur le lit à mâchonner tout en regardant une rediffusion de *I love Lucy*.

— C'est formidable, dit Nick en buvant une lampée de Coca.

Lauren eut un sourire ravi.

— Je n'arrive pas à croire que nous soyons ici tous les deux.

— Tu sais, j'avais toujours cru que tu étais une fille timide, qui n'osait pas prendre une initiative.

— Alors pourquoi m'as-tu couru après ?

— Parce que je me suis dit que tu valais la peine d'être sauvée.

— Merci bien !

— Je t'en prie.

Elle éclata de rire.

— Tu as l'air si ridicule avec ton pansement sur le nez.

— Peut-être que je devrais l'enlever. Ce médecin n'avait même pas l'air de savoir très bien ce qu'il faisait.

— Avant, tu étais trop beau.

— Tu me trouvais beau ?

— Très.

— Mais pas ton type ?

— Voilà.

— Évidemment. Tu les aimes grands et costauds.

Elle lui lança un oreiller en pleine figure.

— Tu veux t'arrêter ?

— Seulement si tu m'y obliges.

— Oh, ne t'inquiète pas pour ça, fit-elle en riant.

Elle roula sur lui en essayant de lui bloquer les bras. D'un mouvement preste, il renversa la situation et c'était elle maintenant qui était coincée sous lui.

— Cette fois-ci, fit-il, tu es ma prisonnière. Je peux faire tout ce dont j'ai envie.

— Vas-y, murmura-t-elle, soudain grave.

Elle savait dans son cœur que, quand ils rejoindraient le monde de la réalité, on lui interdirait de le voir et elle avait envie d'être aussi près de lui que possible pendant qu'elle le pouvait encore.

Lui était en proie à des émotions mélangées. Son corps le pressait d'aller de l'avant, mais sa tête lui disait qu'il ferait mieux de se retenir. Lauren Roberts n'était pas une simple conquête d'un soir. Elle était jolie, douce, talentueuse et, surtout, spéciale. Ce qui ne l'empêchait pas d'être terriblement excité. Elle le regarda, l'air rêveur et provocant.

— Oh, tu sais, peut-être qu'on ne devrait pas..., fit-il.

— Si... on devrait, dit-elle avec énergie, levant la main pour lui caresser le visage. Je suis prête, Nick. C'est ce que je veux. C'est ce que nous voulons tous les deux, n'est-ce pas ?

— Seulement si tu es sûre..., dit-il d'un ton hésitant.

— Je suis tout à fait sûre.

Il se mit à l'embrasser, d'abord lentement, mais ils commençaient tous deux à s'échauffer et il avait du mal à se maîtriser. Pour une fille qui manquait d'expérience, on pouvait dire qu'elle savait embrasser. Il passa la main sous le chandail pour lui toucher les seins, en tâtonnant pour dégrafer son soutien-gorge.

Elle l'aida à faire passer le chandail par-dessus sa tête et s'attaqua aux boutons de sa chemise à lui, déchirant le tissu dans sa hâte. Du bout des doigts, il suivit le contour de ses seins, la touchant avec douceur, caressant les boutons jusqu'à ce qu'elle commence à pousser de petits gémissements.

Mon Dieu ! Sa peau était comme du satin, ses longs cheveux soyeux se répandaient sur les draps. Et il émanait d'elle une odeur si nette et si fraîche. La plupart des filles aimaient les parfums lourds et avaient l'haleine chargée de tabac. Dawn Kovak se mettait du musc ; il devait se brosser sous la douche pour faire disparaître son parfum.

— Viens, Nick.

C'était elle maintenant qui dirigeait les opérations, cherchant à lui ôter son jean tout en se tortillant pour se débarrasser du sien. Jamais il n'avait vu une fille avec des jambes aussi longues. Elle s'offrait sans inhibition. Pour elle c'était la première fois, mais ça n'avait pas d'importance.

Après, il la serra dans ses bras, la berçant jusqu'à ce qu'elle s'endorme, un sourire aux lèvres. Il avait fait l'amour une centaine de fois depuis sa première expérience, quand il avait treize ans, mais jamais comme ça — jamais les sentiments n'étaient venus se mêler à l'acte.

Lauren Roberts. Lauren Angelo. *Ça sonnait bien.*

Il avait enfin trouvé une âme sœur et, pour sa part, il estimait que leurs vies étaient à jamais entrelacées.

22

— *Jamais* tu ne le reverras, tonna Phil Roberts. Tu m'as compris, Lauren?

Elle avait très bien compris, et le langage brutal de son père ne la surprenait pas : alors pourquoi sentait-elle son cœur se briser? Pourquoi cette horrible crainte qui lui serrait l'estomac? Pourquoi avait-elle envie de mourir? Elle jeta un coup d'œil à sa mère. Jane avait les lèvres serrées. Lauren connaissait cette expression. Elle signifiait : *Je ne m'en mêle pas... ne me demande rien.*

— Papa..., commença-t-elle.

Il leva la main.

— Non! Je ne veux pas entendre tes excuses. Ce que tu as fait était impardonnable. Prendre la voiture. Ne pas rentrer de la nuit.

— J'ai téléphoné, protesta-t-elle. J'ai expliqué que les routes étaient impraticables. Que je ne pouvais pas rentrer.

— Et, quant à la façon dont tu as traité Stock, ça me dépasse.

— C'est un crétin, papa. Il m'a traitée d'allumeuse.

— Lauren! fit Jane, horrifiée.

— Comment oses-tu parler comme ça devant ta mère, rugit Phil.

Lauren s'imaginait comme une étrangère observant cette scène de famille. Phil Roberts, tout rouge, ne contrôlant plus une vertueuse indignation. Jane Roberts, beauté fanée dans une petite ville, les épaules crispées, qui regardait faire son mari.

Et puis il y avait Lauren. Seize ans et qui n'était plus vierge. Seize ans et désespérément, follement, incroyablement amoureuse. Ils ne pouvaient pas l'empêcher de voir Nick. Qu'allaient-ils faire... L'enfermer à clé dans la maison? Dès l'instant où elle avait franchi le seuil, ils avaient commencé.

Pourquoi as-tu rompu tes fiançailles?

Nick Angelo n'est qu'un voyou.

Comment peux-tu nous faire ça? Que vont penser les gens?

Qui se souciait de ce que pensaient les gens? Certainement pas elle. Pour une fois dans sa vie, elle se sentait absolument, totalement vivante.

— Monte dans ta chambre, lança son père. Et restes-y jusqu'à ce que nous t'autorisions à en sortir.

Parfait. Tout ce qu'elle voulait, c'était être seule pour pouvoir penser à Nick, revivre chaque merveilleux moment. Ce qu'elle avait éprouvé à le toucher, à goûter la saveur de sa peau, le frisson d'être dans ses bras. Elle tourna les talons pour monter l'escalier.

— Tu nous as beaucoup déçus, Laura.

Cette fois, c'était sa mère.

Oh, va te faire cuire un œuf! Tu ne sais même plus qui je suis.

Sa chambre était en désordre, comme elle l'avait laissée : son lit défait, les draps froissés après que Nick y eut dormi. Elle se pencha pour les humer, pour y retrouver son odeur. Oh, mon Dieu! Il fallait qu'elle le revoie bientôt, il lui manquait déjà.

Ses héros — John Lennon et Emmerson Byrn — la contemplaient du mur au-dessus de son lit. Autrefois, c'étaient ses idoles, mais cela lui paraissait stupide, aujourd'hui, d'adorer des gens de loin. Elle ôta les posters, les roula et les rangea dans son placard. Puis elle se regarda dans la glace, concluant qu'elle semblait toujours la même : pas de vrai changement, sauf peut-être l'expression de son regard. Il y avait là quelque chose de nouveau... quelque chose d'intangible.

Après l'amour, Nick et elle avaient dormi toute la nuit dans les bras l'un de l'autre. Et au matin ils avaient de nouveau fait l'amour et, cette fois, elle avait trouvé cela encore plus merveilleux. Elle avait crié de pur plaisir tandis que son corps était secoué de spasmes et qu'elle éprouvait une sensation si extraordinaire, si stupéfiante, qu'elle aurait voulu éclater en sanglots de bonheur.

Ils n'avaient quitté le motel qu'à onze heures du matin. Nick roulait prudemment sur la route verglacée pendant qu'elle se blottissait contre lui. Quand ils étaient arrivés à Bosewell, il était presque deux heures et demie.

— Dépose-moi à la station d'essence, avait-il dit. À moins que tu ne veuilles que je vienne affronter tes parents avec toi. Ça ne me gêne pas.

— Non, il vaut mieux que je fasse ça toute seule.

Il avait arrêté la voiture et avait sauté sur le trottoir.

— Je t'appellerai plus tard.

En riant elle s'était glissée au volant. Il avait fait le tour de la voiture et était venu l'embrasser par la vitre ouverte.

— Je... euh...

Elle avait le droit d'être exigeante maintenant.

— Quoi donc? Dis-le.

Il avait essayé de prendre ça à la légère.

— Eh bien, je t'aime, là.

— Moi aussi.

Et elle l'avait regardé traverser la rue en courant, son héros au nez cassé, avec son smok taché de sang. Maintenant, c'était le retour à la réalité.

Dès qu'elle eut atteint le sanctuaire de sa chambre, elle décrocha son téléphone pour appeler Meg et savoir ce qui s'était passé pendant son absence. Elle n'avait pas fini de composer le numéro que son père apparut sur le pas de la porte.

— Pas de coup de téléphone, déclara-t-il.

— Mais, papa..., avait-elle protesté.

— J'ai dit que tu ne te servirais pas du téléphone, répéta-t-il d'un ton ferme et, entrant dans la chambre, il débrancha et partit, l'appareil sous le bras.

Ils étaient plus en colère qu'elle ne l'avait cru, sans doute parce qu'elle avait rompu avec Stock. Ce n'était pas qu'ils en voulaient à Nick, raisonna-t-elle; ils ne le connaissaient même pas. Peut-être qu'au bout de quelques semaines elle pourrait l'introduire dans leur existence et ils ne tarderaient pas à s'apercevoir que c'était un type formidable.

La vérité, c'était qu'ils n'avaient aucun moyen de l'empêcher de le voir. Les cours allaient reprendre dans peu de temps et alors elle serait avec lui tous les jours, que ça plaise à ses parents ou non. Pour l'instant, il était bien évident qu'ils n'allaient pas la laisser quitter la maison. Pas de voiture. Pas de téléphone. Pas de contact avec ses amies. Elle était prisonnière. Prisonnière avec ses pensées.

Ah... mais ses pensées allaient la rendre très heureuse jusqu'au moment où elle reverrait Nick. Très heureuse.

— Tu nous as laissé tomber, dit Harlan d'un ton accusateur, assis sur les marches de la caravane d'où il lançait des cailloux sur une boîte de conserve vide.

— Hé, ça n'est pas vrai. Je n'ai pas pu venir. J'ai eu un accident. Regarde ma tête, fit Nick.

— Tu nous avais promis qu'on irait au cinéma, fit Harlan d'un ton maussade.

— Je n'étais pas ici, expliqua-t-il en le contournant pour entrer dans la caravane. Je t'ai dit pourquoi.

Luke était allongé sur le matelas qu'il partageait avec Harlan.

— Qu'est-ce qu'il a ? demanda Nick.

— Je ne sais pas. Harlan le suivit, haussant les épaules. Il est malade.

— Qu'est-ce que dit ta maman ?

— Elle n'est pas là.

Il s'approcha de Luke et posa une main sur son front. Le gamin brûlait de fièvre.

— Depuis quand est-il comme ça ?

— Je ne sais pas, fit Harlan avec un soupir.

Nick se déshabilla, et s'aperçut qu'il ne pourrait jamais rendre le smoking. Heureusement que, quand Joey était allé prendre les vêtements au magasin de location, il avait donné une fausse adresse.

— Où est Cyndra ? demanda-t-il en enfilant son jean.

— Elle est sortie avec Joey.

Harlan, adossé à la porte, avait l'air malheureux.

— Je vais te dire une chose, fit Nick d'un ton joyeux. Dès que Luke ira mieux, on ira voir ce film.

— Tu as déjà dit ça.

— Oui, mais cette fois-ci je ne vais pas me retrouver coincé à Ripley avec le nez cassé.

— Tu as une drôle de tête, fit Harlan en le dévisageant.

— Oui, oui, je sais.

Il se demandait ce que faisait Lauren. Après qu'elle l'eut déposé à la station-service, il avait travaillé deux heures, mais tout était si calme qu'il avait fini par rentrer chez lui, prenant son vélo devant chez Dawn sans sonner à sa porte. Joey n'était pas au garage ; il ne savait donc pas du tout ce qu'on racontait en ville. Il avait pensé retourner au drugstore pour voir Louise et Dave, mais maintenant il se disait qu'il ne devrait pas laisser Luke.

— Il y a un thermomètre ici ? demanda-t-il.

Harlan le considéra, l'air grave.

— C'est quoi ?

— Ça ne fait rien, dit-il. Attends-moi, je vais demander à Primo.

Son père était dans sa position habituelle : allongé comme un pachyderme endormi et ronflant bruyamment. La télévision marchait à pleine puissance et il y avait trois boîtes de bière alignées sur le plancher auprès du lit. Il portait un maillot de corps déchiré et un caleçon sale. Le contenu d'un sac de chips à demi consommé s'était renversé sur sa poitrine. Nick le secoua violemment jusqu'au moment où il reprit ses esprits, l'œil rouge et le visage congestionné.

— Qu'est-ce qu'il y a ? Qu'est-ce qui se passe ? ronchonna-t-il en se redressant brusquement. Qu'est-ce que tu veux ?

— C'est Luke, dit Nick en essayant de se faire comprendre. Il est brûlant de fièvre et allongé là sans bouger.

— C'est pas mon problème.

Primo bâilla, cherchant machinalement une bière.

— Ça pourrait l'être s'il lui arrivait quelque chose, dit Nick, haïssant son père encore davantage, si c'était possible.

— Pourquoi tu ne le dis pas à Aretha.

L'attention de Primo se concentrait maintenant sur une blonde en bikini qui se trémoussait sur l'écran de télévision.

— Elle est à son travail, fit Nick sèchement.

— Cesse de m'embêter. Verse sur lui un seau d'eau froide : ça le rafraîchira en attendant qu'elle rentre. Primo se gratta le ventre d'un air songeur. Et ne lui parle pas de Luke avant qu'elle ait préparé mon dîner.

Nick resta là un moment se demandant quoi faire. Puis il aperçut les clés de la fourgonnette sur la table et les rafla en sortant. Lorsqu'il revint à l'autre caravane, Luke avait une drôle de respiration. Sa décision fut vite prise.

— On va l'emmener en ville, dit-il à Harlan. Enveloppe-le dans des couvertures et allons-y.

— Assieds-toi, Aretha Mae, dit Benjamin Browning.

Aretha Mae se planta sur le seuil de son bureau, l'air méfiant.

— Pourquoi ?

Benjamin prit un stylo en argent sur son bureau et le fit tourner entre ses gros doigts. Il n'aimait pas beaucoup la tâche dont Daphné l'avait chargé, alors plus tôt ce serait fait, mieux ça vaudrait.

— Parce que je te le dis, lança-t-il d'un ton agacé. Entre. Ferme la porte derrière toi et assieds-toi, bon sang.

Elle obéit, mais à contrecœur. Une fois qu'elle fut assise, il fit pivoter son fauteuil de cuir de façon à ne pas avoir à la regarder en face.

— Oui ? fit-elle d'une voix qui trahissait son impatience.

— Je mets fin à ton travail, dit-il froidement.

— Qu'est-ce que vous dites ? fit-elle, stupéfaite.

— Je te congédie. Je n'ai plus besoin de tes services.

Un tic nerveux déforma l'œil gauche d'Aretha.

— Oh, vous n'en avez plus besoin, hein ?

— Mrs. Browning et moi avons décidé que tu as droit à six semaines d'indemnités pour les années que tu as passées à notre service. Il lui tendit un chèque signé. Mrs. Browning a demandé que tu ne reviennes pas travailler à partir de demain. C'est clair ?

— C'est clair..., murmura-t-elle.

Il crut qu'elle acceptait son congé sans discussion. Dieu soit loué !

— Eh bien, fit-il, ravi de la voir prête à partir sans histoire. Voilà.

— Voilà, répéta-t-elle sans bouger.

— Tu peux t'en aller, dit-il en la congédiant d'un geste négligent.

Aretha Mae se leva, appuya ses deux mains sur le bureau et le regarda d'un air furibond.

— Je ne m'en vais nulle part, espèce d'enfant de salaud, l'apostropha-t-elle en l'obligeant à la regarder.

Il avait bien pensé qu'elle chercherait à faire des histoires. C'était trop demander qu'elle s'en aille sans bruit. Autrefois... voilà bien des années, quand elle était pour la première fois venue travailler pour eux, elle était ravissante. Jeune et vibrante avec de longues jambes, des seins magnifiques et un sourire effronté — tout comme Cyndra —, un beau petit brin de fille. Aujourd'hui, dix-sept ans plus tard, c'était une vieille femme amère et desséchée. Décharnée, le regard affolé, les joues creuses et les cheveux teints en roux.

— Je te mets dehors, répéta-t-il. Tu ne comprends pas ? Tu dois partir.

— Ça n'est pas bien, parce que Aretha Mae, elle n'a rien fait, lança-t-elle en se rasseyant. Ça n'est pas bien, et vous le savez.

Exaspéré, il lança son stylo sur le bureau.

— Si c'est ça que tu veux, je vais doubler ton indemnité. Trois mois de salaire et tu décampes aujourd'hui.

— Je ne pars pas, dit-elle, obstinée.

Il commençait vraiment à s'énerver.

— Et pourquoi donc ?

— Parce que dans trois mois je n'aurai pas trouvé de travail, je n'aurai pas d'argent, je n'aurai rien du tout.

— Tu peux trouver une autre place.

— À Bosewell ? Ça m'étonnerait. Vous connaissez une autre famille qui a une bonne à plein temps ?

— Il y a toujours du travail à la papeterie ou à la conserverie.

Elle se leva d'un bond.

— Non ! lança-t-elle avec force. Je travaille ici... et c'est ici que je reste.

Il resta un moment silencieux avant de dire :

— Qu'est-ce que tu veux ?

— Le même argent que je gagne maintenant jusqu'à la fin de mes jours. Et cinq mille dollars à la banque pour ma petite Cyndra. Oh oui, et une lettre d'avocat pour dire que j'ai eu ça régulièrement.

— C'est du chantage.

— C'est vous qui le dites... pas moi.

— Et si je refuse ?

— Alors, toute la ville apprendra qui est le papa de Cyndra, et toutes les vilaines choses que vous lui avez faites.

— Qu'est-ce que tu dis ?

— Je sais ce que je dis. Cyndra est *votre* enfant.

Benjamin pâlit.

— Ce... ce n'est pas possible.

— Mais si.

— Comment ça ?

— Vous vous rappelez quand j'ai commencé à travailler ici ?

Il sentait sa gorge se serrer.

— Oui.

— Vous me couriez après jour et nuit — sitôt que votre femme avait quitté la maison, vous étiez après moi —, je dormais dans cette chambre dans le sous-sol. Eh bien, une nuit vous êtes venu là, vous avez posé votre main sur ma bouche et vous m'avez forcée à coucher avec vous, même si je n'en avais pas envie.

— Tu en avais envie, dit-il, furieux. Après la première fois, c'est toi qui me suppliais.

— Vous m'avez mise enceinte et je ne savais pas quoi faire. Alors j'ai fini par épouser le premier homme qui voulait bien de moi, et on est allé s'installer sur le terrain de camping. Mais quand je lui ai dit que j'étais enceinte, il m'a plaquée... et toutes ces années-là, j'ai été seule. Mais j'ai continué à travailler pour vous, et vous avez continué à m'embêter jusqu'au jour où je n'ai plus été assez jeune pour vous.

— Ma femme et moi t'avons entretenue, et voilà comment tu nous récompenses... en racontant n'importe quoi ?

Elle eut un rire caverneux.

— Entretenue... Ça alors ! Je me suis esquinté la santé pour vous et votre famille, n'oubliez pas ça.

— Et maintenant tu vas me faire chanter avec cette histoire à dormir debout ?

— Je veux avoir ce qui est juste pour moi et pour cette enfant qui est la vôtre.

— Ce n'est pas mon enfant, protesta-t-il avec véhémence.

— Vous voulez que je raconte à toute la ville comment vous m'avez harcelée pendant toutes ces années ? Vous voulez que je raconte comment vous avez violé votre propre fille ?

— Tu ne ferais pas ça.

— Mon chou, dit-elle d'un ton amer, moi, j'ai rien à perdre. Et vous ?

23

Nick alla jusqu'au drugstore, gara la fourgonnette derrière et entra par la cuisine, attrapant Louise au moment où elle allait servir un plat d'œufs au bacon. Elle s'arrêta et poussa un sifflement.

— Ça alors ! Tu t'es bien arrangé.

— J'ai besoin d'un docteur, dit-il d'un ton pressant.

— Il me semble que tu aurais dû y penser plus tôt.

— Ça n'est pas pour moi. Luke est malade... mon petit frère. Il est dans la fourgonnette. Chez qui est-ce que je peux l'emmener ?

— Ah ! la la !... fit-elle en hésitant. Le Dr Marshall n'est pas là, et le Dr Sheppard n'aime pas qu'on le dérange chez lui.

— Où habite-t-il ?

Elle posa sa commande sur le comptoir et se tourna vers lui, l'air soucieux.

— Qu'est-ce qu'il a, le petit ?

— Je ne sais pas. Il est tout brûlant, il respire mal.

— Il faudrait peut-être que je jette un coup d'œil avant que tu ailles réveiller le Dr Sheppard : c'est un vieux ronchon. Elle dénoua son tablier. Eh, Dave, cria-t-elle, je m'arrête une seconde. Demande à Cheryl de me remplacer.

Dans la camionnette, Luke frissonnait de tous ses membres. Harlan, assis auprès de lui, avait un air misérable.

— Je croyais que tu disais qu'il brûlait de fièvre, dit Louise d'un ton accusateur en posant une main sur le front de l'enfant. Oh, fichtre, oui... c'est vrai qu'il est brûlant.

— Qu'est-ce que c'est, à ton avis ? demanda Nick.

— Je ne sais pas. Mais ça n'est pas bon. Elle monta dans la fourgonnette. Allons-y. On va réveiller le vieux Dr Sheppard. Tu tournes à gauche et puis tu prends la seconde à droite. Hé, Nick... le pied au plancher.

Aretha Mae trouva le trajet en car plus long que jamais. Assise auprès de la fenêtre, elle regardait dehors. En général, elle laissait son esprit se vider, se débarrasser de tous les soucis de la journée. Mais aujourd'hui, elle était pleine d'émotions réprimées, de sentiments qu'elle n'avait pas laissés remonter à la surface depuis dix-sept ans. Benjamin Browning était le père de Cyndra, et elle était bien contente de le lui avoir enfin dit. Oui, contente de voir l'expression de son pompeux visage de Blanc quand il avait reçu le choc de plein fouet et qu'il s'était rendu compte de ce qu'il avait fait. Le porc. Il ne valait vraiment rien : seul son argent l'empêchait de barboter dans le ruisseau.

Avec un profond soupir, elle se rappela le jour où elle avait commencé à travailler chez les Browning. Sa mère avait répondu à une annonce dans le journal et Mr. Browning avait accepté de payer son billet de car depuis Kansas City si elle pouvait commencer tout de suite. « Ma fille sera là », avait promis la mère d'Aretha Mae, ravie d'être débarrassée d'une de ses sept filles. Sa mère avait menti en disant qu'elle avait dix-huit ans. La vérité, c'était qu'elle avait à peine quinze ans et qu'elle sortait tout juste de l'école. « Travaille dur, tiens ta langue. Ne t'attire pas d'histoires. » Ç'avait été les paroles d'adieu de la vieille Noire à sa fille.

Au début, elle aimait bien travailler dans une maison avec l'eau courante, des toilettes à l'intérieur et des luxes inouïs comme un réfrigérateur et la télé. Mais Daphné Browning n'était pas une patronne commode. Elle venait de mettre au monde Stock et elle n'avait aucune intention de s'occuper de l'enfant, à moins qu'il ne fût à tout moment propre et bien soigné et qu'il ne pleurât jamais. Bien qu'elle eût tout le travail de la maison à faire, Aretha Mae se trouva bientôt chargée du bébé en plus de ses autres tâches.

Benjamin Browning la guettait comme un tigre traque sa proie. Elle avait conscience de son regard lubrique et de ses mains baladeuses, mais elle réussissait à l'éviter. Il avait alors une trentaine d'années et c'était un fort bel homme. Plein d'énergie, rusé, il s'était fait lui-même. Daphné avait la peau pâle, les cheveux blondasses et de gros seins.

Le premier soir où Benjamin vint la trouver dans sa chambre, il était ivre : il revenait d'une soirée de célibataires. Il était tard et elle dormait. Il arracha les couvertures du lit, plaqua une main énergique sur sa bouche, souleva sa chemise de nuit et se jeta sur elle. Elle n'avait pas osé se plaindre. À quoi bon ? Elle n'avait nulle part où s'enfuir. Quand il fut sûr de son silence, ça devint une habitude — souvent deux ou trois fois par semaine, selon son humeur. Puis il cessa de lui plaquer une main sur la bouche.

Au bout d'un moment — elle en avait honte — elle commença à attendre ses visites nocturnes. Et puis elle se retrouva enceinte. Aretha Mae n'était pas idiote : elle savait que, si elle en parlait, ils la jetteraient dehors, alors elle ne dit rien, elle se contenta d'attendre son heure, prenant désespérément des bains brûlants, buvant du gin quand il n'était pas là, dans l'espoir que le bébé grandissant dans son ventre allait s'en aller discrètement.

Primo Angelo était arrivé en ville juste au bon moment. C'était un grand et bel homme à l'air conquérant, avec une petite flamme dans ses yeux verts. Charpentier de son état, il travaillait à la nouvelle école en construction. Aretha Mae fit tout ce qui était en son pouvoir pour le séduire. Elle le flatta, le cajola, lui dit qu'il était le plus beau gaillard qu'elle eût jamais vu et refusa de coucher avec lui. Que pouvait faire un homme frustré ? Il l'épousa et ils s'installèrent sur le terrain de camping, mais elle n'abandonna pas son travail chez les Browning.

Primo, lui, cessa immédiatement de travailler.

— J'ai besoin de toute ma force pour te faire l'amour, lui dit-il.

L'homme à la langue d'argent et au derrière de plomb. Quand elle lui annonça qu'elle était enceinte, il décampa sans même lui dire au revoir. Elle fut malheureuse cinq minutes. Les hommes... Qu'est-ce qu'on pouvait attendre d'eux ? Ils n'étaient jamais fidèles, jamais sincères.

Quand elle eut son bébé, tout le monde crut que son mari envolé en était la père. Mais Aretha Mae savait la vérité et la garda pour elle comme un trésor. Un jour, ce renseignement rapporterait gros. Et voilà qu'enfin ce jour-là était venu.

Le car arriva à l'arrêt et elle descendit, fatiguée mais triomphante. Benjamin Browning avait accepté ses conditions. Il avait promis de faire préparer les papiers par son homme de loi et bientôt, pour la première fois de sa vie, elle connaîtrait la sécurité.

Le Dr Sheppard vivait dans une grande maison, avec un vaste jardin et un panneau suspendu au-dessus de la porte d'entrée sur lequel on pouvait lire : VENEZ À MOI, VOUS QUI SOUFFREZ, CHERCHER ICI SOUTIEN ET RÉCONFORT. Nick frappa à la porte à coups redoublés tandis que Louise et Harlan restaient dans la fourgonnette avec Luke, dont l'état ne faisait qu'empirer.

Comme personne ne répondait, il continua à marteler le battant. Une fenêtre au premier étage s'ouvrit toute grande et un vieil homme aux cheveux blancs, en pyjama rouge vif, se pencha dehors.

— Qu'est-ce que c'est que ce vacarme ! cria-t-il d'une voix bougonne.

— Il y a quelqu'un de malade. On peut entrer ? hurla Nick.

— Maintenant ? répondit le Dr Sheppard, manifestement surpris .

— Non, demain matin, pauvre idiot, marmonna Nick entre ses dents.

Entre-temps, Louise l'avait rejoint.

— Docteur Sheppard, lança-t-elle. C'est moi. Louise. Du drugstore. Vous vous souvenez ? Vous m'avez fait cet examen il y a deux mois. Vous m'avez dit que j'avais un bassin superbe.

Elle avait réussi à attirer son attention.

— Je descends tout de suite, fit-il d'une voix enrouée.

— Vieil abruti, murmura Louise.

— Fais-toi ouvrir la porte, je vais porter Luke à l'intérieur, dit Nick.

Quand il revint à la camionnette, Harlan était en larmes.

— Qu'est-ce qui se passe, petit ? demanda-t-il.

— Est-ce que Luke va mourir ? gémit Harlan, les larmes ruisselant sur ses joues.

— Non, lui assura Nick en le prenant dans ses bras, il ne va pas mourir. En voilà une idée ! Attends ici... ça va aller très bien.

Il emmena le petit garçon dans la maison. Il ne savait pas trop ce qui allait se passer, mais tout ça ne lui paraissait pas bon. Louise se fit ouvrir la porte et entreprit de charmer le Dr Sheppard — un petit homme aux mains poilues, avec une auréole de cheveux blancs et des grands yeux un peu exorbités. Il était vieux et hargneux, et elle dut se donner beaucoup de mal.

— Qu'est-ce que c'est ? dit-il en voyant Nick apparaître avec Luke dans ses bras.

— Cet enfant est malade, s'empressa d'expliquer Louise. Pouvez-vous l'examiner, docteur ? Je vous en prie.

— Je ne suis pas de garde, dit le vieux misérable.

— Je sais. Louise parlait d'une voix douce et persuasive. Mais je me suis dit que vous nous rendriez bien ce service... avec le Dr Marshall qui n'est pas là, vous êtes le seul docteur qui reste en ville... Elle marqua un temps, en lui lançant un regard séduisant. Je vais venir vous voir la semaine prochaine. J'ai de nouveau ces crampes dans le ventre, je me suis dit que vous pourriez m'examiner.

Le Dr Sheppard se ragaillardit à cette idée. Louise poursuivit :

— Je pense que j'ai besoin d'un autre de ces... de ces examens que vous faites si bien. Je me suis sentie tellement mieux après la dernière fois.

— Bon, bon, marmonna le vieil homme. Amenez l'enfant dans mon cabinet.

Elle fit un clin d'œil à Nick. Il porta Luke dans la salle d'examen et le posa sur la table glacée.

Le médecin se pencha et considéra Luke.

— Ce garçon est noir, dit-il avec indignation.

Et alors ? avait envie de dire Nick. *Qu'est-ce que ça peut vous faire ?*

— Nous avons pensé qu'il était trop malade pour qu'on l'emmène à Ripley, dit Louise aussitôt.

— C'est là que doivent aller les Noirs, marmonna le Dr Sheppard en frottant son nez bourgeonnant du bout de son pouce. Je ne suis pas censé soigner les gens de couleur.

— Hé..., ne put s'empêcher de dire Nick. On est en 1970, bon Dieu, et on n'est même pas dans le Sud.

148

Le Dr Sheppard le foudroya du regard.

— Qui êtes-vous, jeune homme ? Je ne vous ai jamais vu.

— Dieu merci, murmura Nick, puis assez fort pour se faire entendre du docteur : Je suis son frère.

Le Dr Sheppard haussa ses sourcils broussailleux.

— Son frère ?

— Vous voulez bien examiner ce gosse ?

Dix minutes plus tard, ils étaient sortis du cabinet.

— Je ne vois rien qui cloche chez ce garçon, avait dit le Dr Sheppard. Tout ce qu'il lui faut, c'est une bonne nuit de sommeil et de l'aspirine.

Nick ne le croyait pas, mais que pouvait-il faire ?

— Et cet autre médecin dont il parlait... celui de Ripley ? demanda-t-il à Louise.

— Je ne sais pas, dit-elle en haussant les épaules. Je n'ai jamais entendu parler de lui. Je suis désolée, il faut que je rentre travailler. Dave va être furieux, tu sais comment il est.

Il déposa Louise et repartit vers le terrain de camping. Peut-être le vieux médecin avait-il raison... peut-être que tout ce qu'il fallait à Luke, c'était du repos et de l'aspirine. Sur le chemin du retour, il aperçut Aretha Mae qui marchait le long de la route. Il s'arrêta.

— Qu'est-ce que tu fais avec la camionnette de ton père, mon garçon ? lui demanda-t-elle aussitôt.

Il expliqua rapidement l'état de Luke. Elle sauta à l'arrière de la camionnette, jeta un coup d'œil à l'enfant et fut aussi affolée que Nick.

— Je lui avais dit de ne pas jouer dans la neige ! s'écria-t-elle. Je lui avais dit qu'il allait attraper froid. Il a quelque chose de grave, je le sens.

— Oui, reconnut Nick. C'est pour ça que je l'ai emmené chez le Dr Sheppard.

— Ce vieil imbécile... il n'y connaît rien, fulmina-t-elle en secouant la tête d'un air écœuré. Il ne veut pas nous soigner... malgré ce que dit la loi. Il faut l'emmener à Ripley.

— Les routes ne sont pas encore dégagées. Tout à l'heure, ça m'a pris des heures pour revenir.

— Il faut y aller, insista Aretha Mae, obstinée.

— Et Primo ? Il ne sait pas que j'ai pris la camionnette.

— Tant pis, fit-elle.

Il haussa les épaules.

— Bon ! En route pour Ripley.

Il roula aussi vite qu'il pouvait, compte tenu de l'état de la route. Malgré tout, il était minuit quand ils arrivèrent à Ripley. Aretha Mae lui indiqua le chemin jusqu'à une maison dans un quartier délabré et, quand il fut arrivé, elle sauta de la fourgonnette et sonna.

Une Indienne en sari vint ouvrir la porte. Elle ne semblait nullement surprise de voir des patients arriver en plein milieu de la nuit.

— C'est mon enfant. Il n'est vraiment pas bien.

— Amenez-le, dit la femme avec douceur. Je vais chercher mon mari.

Le Dr Singh Amroc était un frêle Indien, complètement chauve, avec une petite moustache noire. Après un rapide examen de Luke, il déclara :

— Cet enfant a une pneumonie. Il faut absolument le faire hospitaliser tout de suite.

Ils partirent, s'entassant tous dans la camionnette, le médecin aussi. Sur le chemin de l'hôpital, Nick se mit à penser à Lauren. Il ne l'avait pas appelée, est-ce qu'elle allait être furieuse ? Les filles avaient de drôles de réactions pour certaines choses, comme téléphoner quand on avait dit qu'on le ferait — mais il était sûr qu'elle comprendrait quand il lui expliquerait tout ça.

Il se demanda si ses parents lui en avaient fait voir de dures. Elle lui manquait déjà et il avait hâte de la revoir. À l'hôpital, il s'assit dans la salle d'attente avec Harlan tandis que le médecin et Aretha Mae remplissaient les formulaires pour faire admettre Luke. Harlan regardait son demi-frère.

— Merci, Nick, dit-il gravement. Tu es mon meilleur ami.

— Allons..., fit-il en haussant les épaules, l'air gêné. Ça n'est rien du tout.

Les gargouillements d'estomac de Primo le tirèrent de sa stupeur. L'œil congestionné, il chercha à tâtons le gros réveil qui faisait tic-tac sur le plancher. Il était tard, très tard, et où diable était Aretha Mae ? Il se leva en trébuchant, chassa un cafard qui courait sur le côté du lit et s'en alla uriner sur les buissons voisins. Puis il rentra, attrapa une boîte de bière et s'assit en ruminant sa colère. Au bout de dix minutes, il ressortit et ouvrit d'un coup de pied la porte de la caravane des gosses. Personne.

— Où sont-ils donc tous passés, bon Dieu ? cria-t-il. Où est mon dîner, sapristi ?

Il s'aperçut que la fourgonnette n'était pas là. « Bon sang ! » marmonna-t-il en revenant sur ses pas. La garce avait emmené sa camionnette et les gosses. Elle allait lui payer ça, de rentrer à des heures pareilles. *Personne* ne le traitait comme ça. *Personne* ne faisait attendre Primo Angelo sans le payer cher.

Luke dut rester à l'hôpital.

— Il n'est pas question que je m'en aille, déclara Aretha Mae, l'air buté. Absolument pas question.

— Si tu restes, on reste aussi, dit Nick.

— Non... il vaudrait mieux que tu rentres. Quand Primo va s'apercevoir que sa camionnette a disparu, il va être furieux.

— Je ne rentre pas sans toi et Luke.

— Moi non plus, maman, renchérit Harlan.

— Comme tu voudras.

Elle était trop fatiguée pour discuter.

— Je connais un motel pas cher, déclara Nick. On peut tous passer la nuit là-bas.

— Qu'est-ce qu'on va faire pour Primo ? demanda Aretha Mae, inquiète.

— J'appellerai Joey demain matin. Il passera à la caravane pour lui expliquer ce qui se passe.

Elle acquiesça.

— Bon. Maintenant tu emmènes Harlan à ce motel et moi je reste ici.

— Pourquoi est-ce qu'on ne reste pas avec toi ?

Elle secoua la tête.

— Non. Je ne veux pas que Harlan tombe malade aussi. Allez vous reposer tous les deux.

À contrecœur, il se leva.

— On reviendra demain matin très tôt.

— Tu as de l'argent, mon garçon ?

— Oh..., je ne sais pas si j'en ai assez.

— Tiens.

Elle fouilla dans son sac et compta quinze dollars en billets tout froissés.

— Merci, dit-il en empochant l'argent. On reviendra tôt.

Ils quittèrent l'hôpital et allèrent droit au motel. L'homme de la réception le reconnut.

— Vous revoilà ? dit-il avec un clin d'œil paillard.

Nick ne releva pas.

— Nous ne restons qu'une nuit, annonça-t-il en payant d'avance.

Il emmena Harlan dans la chambre, l'installa devant la télévision et se précipita vers le téléphone public. Il resta un moment dans la cabine glacée à se demander s'il devrait appeler Lauren à une heure aussi tardive. Pas question. Il était même trop tard pour contacter Joey : sa mère serait furieuse. Il n'avait rien d'autre à faire que de se coucher, il téléphonerait demain matin.

Harlan s'éveilla à six heures.

— J'ai un pressentiment, j'ai mal au ventre, gémit-il.

Nick sortit du lit et s'étira.

— Ne t'inquiète pas. Tout va s'arranger.

Harlan secoua la tête.

— Non, Nick. Je ne crois pas.

— Cesse de t'inquiéter. Il faut qu'on soit à l'hôpital de bonne heure.

Dehors le vent hurlait. Frissonnant, Nick remonta le col de son blouson, fourra les mains dans ses poches et courut jusqu'à la camionnette. Harlan le suivit et sauta auprès de lui.

Cinq minutes plus tard, ils étaient devant le bureau de réception de l'hôpital.

— Luke Angelo, demanda Nick.

L'infirmière consulta son registre d'admission.

— Salle cinq, cinquième étage.

Ils prirent l'ascenseur. Au bureau des infirmières du cinquième, Nick demanda de nouveau :

— Nous sommes ici pour voir Luke Angelo.

L'infirmière leva les yeux.

— Vous êtes de la famille ? questionna-t-elle.

— Oui. Je... je suis... euh... son frère.

— Le docteur est avec Mrs. Angelo en ce moment, dit l'infirmière. Asseyez-vous, je vous en prie.

— Dites-moi... pour Luke... ça va ?

— Asseyez-vous.

Ils attendirent dix minutes qu'Aretha Mae revienne, serrant autour d'elle son mince manteau d'hiver, une vieille frusque des Browning. Harlan se précipita dans le couloir et se jeta dans les bras de sa mère.

Avant qu'elle eût dit un mot, Nick avait compris. Il se leva et s'approcha d'elle à pas lents. Il avait la bouche sèche et l'estomac serré. Désespérée, Aretha Mae secoua la tête.

152

— Il est parti, dit-elle d'une voix qui n'était qu'un chuchotement rauque. Mon bébé est mort.

Harlan poussa un hurlement qui s'entendit d'un bout à l'autre de l'hôpital. C'était un cri que Nick n'oublierait jamais.

24

— Est-ce que Nick a appelé ?

Chaque matin, Lauren posait la même question, et tous les matin ses parents lui faisaient la même stupide réponse.

— Peu importe qu'il l'ait fait ou non. Tu ne le reverras *jamais*.

— Ça m'est égal, répondait-elle, le cœur battant très vite. J'ai simplement besoin de savoir.

— Ça ne change rien, dit son père brutalement.

— Ça change pour moi, répliqua-t-elle, se demandant comment elle avait jamais pu imaginer que son père fût un homme bon et sensible.

— Alors dans ce cas, non, il ne t'a pas appelée.

Elle ne savait pas s'ils lui disaient la vérité. Elle restait dans sa chambre à broyer du noir. Nick la considérait-il comme une fille facile ? Est-ce que le sexe était tout ce qui l'intéressait ? *Oh, mon Dieu, non ! Je vous en prie, mon Dieu, non !*

Ils avaient été si proches et maintenant ils semblaient si loin l'un de l'autre. Elle savait qu'il n'avait pas le téléphone et qu'elle ne pouvait donc pas l'appeler. Ses parents d'ailleurs ne la laisseraient pas approcher d'un téléphone. Ils l'avaient enfermée dans la maison, la surveillant comme si elle était prisonnière dans un quartier de haute sécurité.

— Qu'est-ce que j'ai fait de si terrible ? demanda-t-elle un jour.

— Tu étais fiancée à un des plus beaux partis de la ville, répliqua son père, le visage fermé. Tu aurais dû penser que j'étais en affaires avec le père de Stock avant de rompre tes fiançailles sans réfléchir.

— Je ne me rendais pas compte qu'il s'agissait d'un arrangement commercial, murmura-t-elle.

— C'est à ta famille que tu devais en parler, pas à toute la ville, dit son père.

Elle n'arrivait pas à croire qu'ils puissent être aussi méchants.

— Je n'ai jamais rien fait pour vous contrarier de toute ma vie, gémit-elle. Pas d'alcool, pas de drogue, rien de toutes ces choses que font certains des jeunes du lycée. Tout ce que j'ai fait, c'est emprunter la voiture familiale et vous me punissez comme si j'étais une criminelle.

Ensemble — un duo parfait — ils lancèrent à l'unisson :

— Il faut qu'on t'apprenne la vie, Lauren.

— Qu'est-ce qui va se passer quand les classes vont recommencer ? demanda-t-elle. Vous ne pouvez pas me surveiller tous les jours ?

— Quand le nouveau semestre va commencer, nous espérons que tu auras compris, dit Phil.

Et si ça n'est pas le cas ? Et si, la première fois que je revois Nick, nous partons ensemble ?

Comme si elle lisait ses pensées, sa mère déclara :

— Si tu vois Nick Angelo au lycée, je veux ta promesse solennelle que tu ne lui adresseras même pas la parole.

Elle croisa ses doigts derrière son dos.

— Entendu, maman, si ça peut te faire plaisir.

Mais oui, la bonne petite Lauren apprenait à jouer le jeu à leur façon — et c'était leur faute. Le premier jour où elle retourna au lycée, elle tomba sur Meg qui allait au cours d'histoire.

— Oh, mon Dieu ! oh, mon Dieu ! s'exclama Meg, tout excitée. Je désespérais de te revoir. Je t'ai appelée des douzaines de fois. Je suis même passée chez toi en suppliant ta mère. Elle n'a pas voulu me laisser entrer. Mais qu'est-ce qui se passe ?

— C'est toi qui vas me le dire, dit Lauren. J'ai été retenue prisonnière, coupée de tout.

Meg baissa la voix.

— On a raconté que tu étais enceinte et que tu avais dû te faire avorter.

— Tu parles sérieusement ? Enfin, toi, tu sais ce qui s'est passé ?

— Tu veux dire au bal du réveillon ?

— Exactement... Quand Stock a frappé Nick, qu'il lui a cassé le nez et que je l'ai emmené à l'hôpital à Ripley. Je suis certaine que tu as entendu dire que nous avions été coincés là-bas pour la nuit, que les routes étaient impraticables et que nous ne pouvions pas rentrer. Mes parents étaient furieux.

— Oh, fit Meg, l'air déçu. C'est tout ?

— Ça ne te suffit pas ?

Meg voulait en savoir plus.

— Qu'est-ce qui s'est passé entre toi et Nick?

— Rien, répondit Lauren sans vergogne. On m'a punie absolument pour rien.

— Nick Angelo est un garçon épouvantable. Comment se fait-il que tu l'aies conduit à l'hôpital? Stock était dans un état... Mack et moi avons essayé de nous occuper de lui, mais..., comment dirais-je, il a le cœur brisé. Meg secoua la tête. Tu as vraiment été moche avec lui.

Lauren était furieuse.

— Moi, moche avec lui? Qu'est-ce que tu dis de la façon dont il s'est conduit?

Meg poursuivit comme si elle n'avait pas entendu.

— Quand même, lui rendre sa bague et tout. Moi, on m'a dit que c'était Nick qui avait commencé et que c'est pour ça que Stock lui a cassé le nez : il ne faisait que se défendre.

— Ça n'est pas vrai!

— Si, c'est vrai. Nick Angelo est une brute. Regarde ce qu'il m'a fait.

Lauren s'efforça de garder son calme.

— Qu'est-ce qu'il t'a fait, Meg?

— Il m'a pratiquement violée.

Elle avait une violente envie de gifler son amie avec son air satisfait.

— Vraiment? et j'imagine que tu ne l'as pas provoqué?

— Qu'est-ce que tu veux dire?

— Il me semble que chaque fois que tu sors avec un garçon, c'est la même chose.

Meg rougit.

— Absolument pas.

— Je croyais que tu étais mon amie, fit Lauren d'un ton triste.

— Et moi, répliqua Meg en lui lançant un regard méprisant, je croyais que cela valait la peine de t'avoir comme confidente.

Lauren s'installa en classe, navrée, cherchant Nick des yeux, mais il ne se montra pas. Peu avant la pause du déjeuner, elle repéra Joey dans le couloir et se précipita vers lui.

— Salut. On peut parler?

Il lui jeta un regard mauvais.

— Oh, tiens, c'est toi? Alors, tu as refait surface?

— Qu'est-ce que ça veut dire?

— Ç'aurait été gentil si tu avais appelé Nick après tout ce qui s'est passé.

— Qu'est-ce qui s'est donc passé?

— La mort de son petit frère et tout.

Elle était sincèrement bouleversée.

— Quoi ?

Il voyait bien qu'elle ne jouait pas la comédie.

— Tu ne l'as pas su ?

— Je suis en quarantaine depuis le nouvel an.

Joey était très gêné.

— Je suis désolé. Nick m'a dit que tu ne voulais pas lui parler.

Elle se demanda ce que Joey savait.

— Pourquoi est-ce que je l'éviterais ? demanda-t-elle prudemment.

— Il a téléphoné je ne sais combien de fois chez toi. Tes parents lui ont dit que tu refusais de lui parler.

— C'est eux qui lui ont raconté ça, pas moi. Je t'en prie, Joey, dis-moi ce qui est arrivé.

— Son demi-frère a attrapé une pneumonie. Le Dr Sheppard a refusé de le soigner, alors ils ont dû l'emmener voir un autre toubib à Ripley. Le petit est mort à l'hôpital là-bas.

— Oh, mon Dieu ! C'est épouvantable !

— Oui.

— Mais où est Nick ? Il faut que je le voie.

— Il ne reviendra pas au lycée.

— Pourquoi donc ?

— Il a été mis dehors à cause de ton petit ami.

— Tu veux dire renvoyé ?

— Oui. La famille Browning ne voulait pas qu'il soit dans les parages : ils ont fait pression sur le proviseur. Bien sûr, ça n'a pas arrangé les choses qu'il ait brisé la plaque sur la maison du Dr Sheppard et qu'il ait menacé de casser la figure à ce vieux machin.

— Il a fait ça ?

— Oui, Cyndra était avec lui. Ce vieil imbécile a appelé le shérif. Nick a passé la nuit en taule. Cyndra voulait aller le rejoindre, mais j'ai réussi à la persuader que ça n'était pas très malin.

— Où est-il maintenant ? demanda-t-elle, songeant à ce qu'il avait dû endurer.

— Il travaille au garage à plein temps. Le vieux Browning a essayé de s'opposer à ça aussi, mais George n'a rien voulu entendre. Si on avait écouté les Browning, il aurait été chassé de la ville.

— Tu peux m'emmener là-bas ?

— Bien sûr, mais si on se fait pincer, ça va faire du grabuge.

— Ne me dis pas ça à moi.

— Bon. D'accord. Rendez-vous au parking dans cinq minutes.

— J'y serai.

— Et n'en parle pas non plus à ta grande amie Meg. C'est une vraie pipelette et tout le temps fourrée avec Stock et ses copains.

— Je comprends.

Elle courut jusqu'à son vestiaire pour prendre son sac et son blouson. En descendant, elle tomba sur Stock. Leurs regards se croisèrent.

— Tiens, salut, dit-elle, essayant de se tirer de cette situation gênante.

La mâchoire de Stock se crispa, un tic lui tira l'œil droit. Puis il ignora totalement Lauren, passant son chemin comme si elle n'existait pas.

D'accord. Si c'est ce que tu veux, Stock Browning, ça m'arrange.

Joey l'attendait dans le parking, faisant pétarader sa motocyclette.

— Monte, dit-il. On ferait mieux de filer avant de se faire coincer.

Elle sauta à l'arrière de sa moto et ils démarrèrent. Peu lui importaient les conséquences. Elle allait voir Nick, et c'était tout ce qui comptait.

25

— Merci, mon chou.

La femme dans la Cadillac rouge avait une poitrine généreuse qui tendait son chandail rose moulant. Elle était déjà venue deux fois cette semaine pour faire le plein. Pourtant, elle n'en avait pas vraiment besoin : la seconde fois, le réservoir avait failli déborder.

Nick passa d'un pas nonchalant de l'autre côté de la voiture.

— Vous voulez que je vérifie l'eau et l'huile ? demanda-t-il.

— Pourquoi pas, mon chou ?

Pendant qu'il s'affairait sous le capot, il remarqua qu'elle se regardait dans un petit poudrier en argent. La femme commença par s'examiner les yeux — elle n'avait lésiné ni sur le mascara ni sur le rimmel. Puis le nez — un peu de poudre. Et enfin les lèvres

— des lèvres pleines, sexy, prêtes à l'action. Elle avait de longs cheveux roux et portait un manteau de fourrure qui ne parvenait pas à dissimuler son abondante poitrine. Elle était vieille, au moins trente ans. Nick était passé maître dans l'art d'estimer l'âge des femmes.

— Qui est-ce ? avait-il demandé à George, la première fois qu'elle était venue.

— Je ne l'avais jamais vue, avait dit George en mâchonnant sa chique de tabac. Des plaques de l'Illinois : elle doit être de passage.

— Il y a un endroit où je peux me repoudrer ? demanda la femme en refermant son sac.

— Quoi ?

— Les toilettes ?

Il lui indiqua la direction. Elle descendit de voiture. Elle était grande — une vraie chance, se dit Nick, car avec ce qu'elle trimbalait dans son corsage, elle aurait risqué sans ça de tomber en avant. Son manteau de fourrure s'arrêtait aux hanches. Dessous elle portait une jupe courte et des cuissardes en vernis noir.

— Vous êtes de la région ? demanda-t-il, en sachant bien que non.

Elle passa sa langue sur ses dents de devant.

— Je suis juste de passage avant de regagner le monde civilisé. Je suis pour une semaine chez ma sœur.

— Vous vous plaisez ?

Il se serait giflé. Quelle question stupide ! Comment pouvait-on se plaire à Bosewell ? Elle le regarda lentement, ses yeux de séductrice le balayant de la tête aux pieds.

— Que non, dit-elle en s'éloignant vers les toilettes.

George lui fit un clin d'œil complice.

— Elle en pince pour toi, mon garçon. Tu ferais mieux de faire gaffe ! Tu as vu cette poitrine !

George se mit à glousser. Quelques semaines plus tôt, songea Nick, cette femme aurait pu l'intéresser. Mais maintenant... bah ! Tout ce qu'il voulait, c'était gagner de l'argent, beaucoup d'argent, et dès qu'il aurait économisé cinq cents dollars, il quitterait ce trou.

La femme avait laissé son sac ouvert sur la banquette de la voiture. Il remarqua son portefeuille qui dépassait, bourré de billets. Quand elle revint, il le lui fit remarquer.

— Vous ne devriez pas laisser votre sac ouvert comme ça... c'est chercher les ennuis.

— C'est l'histoire de ma vie, fit-elle avec un sourire. L'huile, ça allait ?

158

— Très bien.

— Je n'ai besoin de rien ?

— Vous êtes parfaite.

Elle lui tendit une carte de crédit et il l'introduisit dans l'appareil. Geneviève Rose. Il avait déjà remarqué son alliance, un gros anneau de diamants.

— Vous êtes d'où ? demanda-t-il tandis qu'elle signait.

— Chicago. Vous n'êtes jamais allé là-bas ?

— Pas moi, mais mon copain. Son père était flic.

Encore une remarque idiote. Seigneur ! Mais qu'est-ce qu'il avait aujourd'hui ?

— Un flic ? Il n'y a pas pire.

Elle lui glissa cinq dollars de pourboire et démarra sans ajouter un mot.

— Dis donc, fit-il à George, elle m'a donné un billet de cinq.

— Fais-le encadrer, dit George. C'est la première et la dernière fois que tu verras un pourboire comme ça.

— Ça, oui.

Il entra dans les toilettes et renifla : le parfum de la femme flottait encore dans l'air. Il se rinça le visage à l'eau froide et remarqua que le miroir au-dessus du lavabo était toujours fendu. George disait que ça ne valait pas la peine de le faire réparer. Se regardant, il palpa doucement son nez. Ce n'était plus le même nez — ce ne serait plus jamais le même —, mais ça n'était pas si terrible. Il n'était pas droit comme avant, un peu de travers, et ça lui donnait un air de dur. Au fond, son visage avait maintenant plus de caractère et il paraissait certainement plus que dix-sept ans. Betty Harris affirmait que son nez cassé donnait à son visage une force qu'il n'avait pas avant. Il n'en était pas si sûr.

— Quand tu seras célèbre, tu pourras toujours te le faire arranger, avait-elle dit.

Célèbre ! Fichtre ! Ce genre de propos dans sa bouche, c'était un compliment. Betty Harris s'était révélée la seule personne à qui il pouvait se fier. Maintenant qu'il n'avait plus à aller en classe, il partageait son temps entre travailler pour l'argent et travailler pour le plaisir. Les longues séances avec Betty étaient de la pure souffrance mêlée d'un plaisir intense. Jouer la comédie lui donnait des satisfactions comme il n'en avait jamais connu. Depuis l'âge de treize ans, il avait toujours eu le sexe pour se changer les idées. Mais, après Lauren, l'amour à la va-vite n'avait plus le même attrait, alors il rassemblait toute son énergie rentrée et la déversait dans les rôles que Betty lui faisait répéter. Hamlet était un de ses personnages favoris, ainsi que Stanley dans *Un tramway nommé désir*.

Betty était impressionnée. Elle ne cessait de lui faire des compliments, et ses encouragements l'aidaient vraiment. Quand on l'avait jeté en prison pour avoir tout cassé devant la maison du Dr Sheppard, c'était Betty qui avait payé la caution. Il avait été inculpé de dégradation d'immeuble. Si on l'avait laissé faire, il aurait dégradé ce gnome de toubib aux cheveux blancs jusqu'à l'expédier *ad patres*. Sans ce vieux salaud, Luke serait peut-être encore en vie.

Le premier choc passé, Aretha Mae était redevenue la femme stoïque qu'elle avait toujours été. Primo était indifférent : Luke n'avait jamais rien représenté pour lui. Cyndra était triste. Et Harlan, inconsolable. Soir après soir, Nick entendait le pauvre gosse sangloter avant de s'endormir. Quelquefois, Cyndra prenait Harlan dans son lit et le réconfortait en lui racontant des histoires et en lui chantant des chansons. Nick parfois se joignait à eux. Un lien s'était formé entre eux trois. Pour la première fois depuis la mort de sa mère, il avait vraiment le sentiment d'avoir une famille.

Primo avait voulu lui chercher des crosses pour avoir emprunté la camionnette. Pour une fois, Aretha Mae lui avait cloué le bec d'une façon qu'il n'était pas prêt d'oublier. Primo s'était esquivé comme un chien battu.

Quand on l'avait renvoyé du lycée, Nick n'avait pas pris la peine de le dire à son père. À quoi bon ? George lui avait proposé un travail permanent au garage et il mettait de côté chaque dollar qu'il gagnait — il les entassait sous son matelas — et regardait la liasse de billets grossir chaque semaine.

Quant à Lauren, il l'avait chassée de ses pensées. Quand il n'avait plus entendu parler d'elle... quand il n'avait jamais reçu aucun message, il s'était senti profondément trahi. Il avait un jour ouvert son cœur à une autre créature humaine et voilà où ça l'avait mené : exactement nulle part. Plus jamais. L'amour... on pouvait s'asseoir dessus. En sortant des toilettes, il tomba sur George qui lui dit :

— Tu as de la visite. Prends mon bureau.

— Qui ça ? demanda-t-il, mais George était déjà reparti.

Il entra dans la petite pièce encombrée, et elle était là : Lauren, juchée sur le bord de la vieille table boiteuse, aussi belle que jamais.

— Salut.

Sa voix était presque un murmure.

Seigneur! Il ne manquait plus que ça.

— Qu'est-ce que tu fiches ici? demanda-t-il brutalement.

Elle sauta à bas du bureau et s'approcha de lui.

— J'ai demandé à Joey de m'amener.

— C'est son problème.

— Je suis venue dès que j'ai pu.

— Avec quelques semaines de retard, dit-il froidement. Mais j'imagine que tu étais occupée.

— Mes parents ne voulaient pas me laisser sortir. Je n'avais aucune idée de ce qui s'était passé. Elle s'approcha. Nick, je suis désolée pour ton frère. Je ne savais pas. Je pensais te voir au lycée aujourd'hui, et comme tu n'étais pas là... Sans terminer sa phrase, elle eut un haussement d'épaules désespéré. Il faut que tu me pardonnes... ça n'était pas ma faute.

Ça semblait logique. Seulement pourquoi ses parents avaient-ils paru si sincères en lui annonçant qu'elle ne voulait pas lui parler? C'est vrai... des parents... il n'y avait pas plus menteurs.

Il fit un dernier effort pour reculer.

— Tu sais, ça va. Tu n'as pas besoin de me plaindre.

Les yeux de Lauren s'emplirent de larmes.

— Te plaindre? Tu crois que c'est seulement ça?

— Écoute, c'est...

— Mais je t'aime, lança-t-elle en l'interrompant, sa voix se brisant. Je t'aime sincèrement.

Ses mots firent fondre la glace et tout d'un coup elle fut dans ses bras, douce et parfumée. Il était incapable de lui résister. Et il n'en avait aucune envie. Ils discutèrent plus d'une heure, pour tout s'expliquer et, quand elle partit, ils avaient mis les choses au point. Joey serait leur agent de liaison : il transmettrait les messages et arrangerait leurs rencontres.

— Un de ces jours, je persuaderai mes parents de te recevoir, promit Lauren, et alors on pourra être ensemble autant qu'on voudra.

Mais oui, se dit-il, compte là-dessus. Ses parents et lui, ça ne ferait pas un bon mélange.

Il l'embrassa avant de s'en aller. Elle n'était même pas partie qu'il avait déjà hâte de la revoir.

— À bientôt, promit-elle.

Il n'était pas si sûr que ce serait aussi facile qu'elle le croyait.

26

Ils s'organisèrent donc, avec toute la prudence et la discrétion possibles. Bien sûr, un secret, ça n'existe plus dès l'instant qu'il y a plus de deux personnes au courant. Joey était au courant, et Cyndra et Harlan. Et George, qui se confia à Louise et à Dave.

Les mois passaient, ils grappillaient par-ci par-là un rendez-vous furtif. Lauren commença à ressentir la tension de mentir sans cesse à ses parents. Elle était devenue très experte dans l'art d'inventer de savantes excuses qui n'éveilleraient pas leurs soupçons, mais c'était quand même dur.

C'était dur pour Nick aussi. Il ne voulait pas faire pression sur elle, mais ça ne lui suffisait pas d'être juste quelques instants avec elle. Il n'était plus un gosse et il commençait à se dire qu'il ne pourrait pas supporter un soir de plus de baisers volés et de caresses à la va-vite, il lui en fallait davantage.

Comme le temps s'améliorait et que le printemps s'installait, il eut l'idée de la faire venir dans la caravane. Harlan était à l'école, Cyndra à son travail et Primo restait toujours vissé devant son poste de télévision. Ça n'était évidemment pas l'endroit idéal, mais c'était quand même mieux que la vieille voiture abandonnée derrière la station-service où ils étaient obligés de passer le plus clair du temps qu'ils avaient ensemble.

Il organisa la chose en s'arrangeant pour que Joey conduise Lauren jusqu'au garage. Cette idée l'excitait et, le jour venu, elle annonça à ses parents qu'elle allait aider l'assistante sociale après la classe et qu'elle rentrerait plus tard que d'habitude.

Le jour de leur rendez-vous se leva, frais et ensoleillé. Lauren entretenait maintenant des rapports de politesse guindée avec ses parents. Ils croyaient qu'elle avait oublié Nick Angelo, le voyou venu en ville pour bouleverser son existence. Ils ne se doutaient pas de ce qui les attendait. Elle partit pour le lycée à l'heure habituelle, entra par la porte de devant, évita l'appel et sortit par-derrière. Elle savait qu'elle vivait dangereusement, que faire l'école buissonnière était risqué : une parole imprudente et elle pouvait se faire renvoyer. Et puis après ? Le jeu en valait la chandelle.

Par chance, elle ne tomba sur personne susceptible de lui poser des questions. Son étroite amitié avec Meg était finie depuis longtemps. Celle-ci faisait maintenant partie du groupe de Stock, et Stock refusait de lui adresser la parole. Comme sa vie avait changé au cours de ces derniers mois... et pourtant, elle était plus heureuse qu'elle ne l'avait jamais été. Joey emballait son moteur sur le parking, prêt à partir.

— Allez, dit-il. En selle.

Les premiers moments, c'était bizarre, dans cette caravane qui était un tel taudis. Nick s'était efforcé de mettre un peu d'ordre, fourrant tous les vêtements dans un coin, lissant les plis de la couverture usée sur son matelas, mais il ne pouvait pas faire grand-chose pour améliorer quatre mètres carrés partagés par trois personnes peu soigneuses.

Il voyait bien que Lauren était choquée par ce cadre misérable, mais elle le dissimulait de son mieux.

— D'accord, c'est une tanière, dit-il en crânant. Mais qui t'a promis la Maison-Blanche ?

Elle fit semblant de prendre un air grave.

— Alors, il va falloir que je parte.

— Ah oui ?

— Enfin... peut-être.

— Oh, vraiment ?

— Je crois.

— Viens ici.

— Pourquoi ?

— Tu sais pourquoi.

Il s'affala sur le matelas en l'entraînant auprès de lui. Ils commencèrent à s'embrasser, d'abord lentement — chacun savourant les lèvres de l'autre — puis plus fiévreusement jusqu'au moment où tous deux eurent envie de plus. Il glissa les mains sous son chandail et lui caressa la poitrine.

— Tu m'as tellement manqué, murmura-t-il.

— Toi aussi, réussit-elle à dire.

Il lui ôta son chandail et dégrafa son soutien-gorge, se penchant pour lui embrasser les seins. Elle eut un long, long soupir. C'en était trop. Ni l'un ni l'autre n'eurent le temps de s'arrêter pour réfléchir et ils avaient déjà passé le point de non-retour. Il était plus agressif que la dernière fois : il la prit avec violence comme si sa vie en dépendait. Et maintenant qu'elle savait à quoi s'attendre, elle réagit avec un déchaînement et un abandon dont elle ne se croyait pas capable.

— Oh... Seigneur! s'exclama-t-il. Ça n'a jamais été aussi bon.

— Vrai?

— Vrai.

— Pour moi aussi.

Elle se blottit dans ses bras et sombra dans un sommeil bienheureux.

Quand elle s'éveilla, c'était l'après-midi et il était allongé sur le dos auprès d'elle, les mains croisées derrière la nuque. Lentement, elle suivit les contours de la poitrine de Nick avec sa langue — hésitant au début parce qu'elle ne savait pas s'il aimerait ça. Manifestement, il adorait, alors elle se mit à lui lécher le torse en le mordillant.

— Où as-tu appris tout ça? demanda-t-il en gémissant.

— Hmmm... tu aimerais bien savoir?

À la fin de l'après-midi, ils savaient tous les deux qu'il fallait bouger.

— Tu ferais mieux de t'habiller, dit-il, regrettant qu'ils ne puissent pas rester au lit pour toujours.

— Dis-moi... où est la salle de bains?

— Je ne sais pas comment t'annoncer ça, mais nous n'en avons pas.

Elle crut qu'il plaisantait et elle éclata de rire.

— Non, sérieusement... on n'en a pas.

— Pas de salle de bains?

— Désolé.

— Où te douches-tu?

— À la station-service. Ça n'est pas exactement une douche... mais je ne crois pas que les détails t'intéressent.

Elle se sentait navrée de lui avoir posé la question; elle ne voulait pas l'embarrasser.

— Peut-être que nous pourrons venir ici toutes les semaines, dit-il en se levant et en passant son jean. Rien que toi et moi... coupés du monde.

— Je ne peux pas manquer trop souvent les cours.

— C'est vrai. Et j'imagine que George ne serait pas trop content si je le laissais régulièrement tomber.

— Nick... Elle le regarda, le visage soudain grave. Et si j'étais...

— Non... pas question! J'ai fait attention.

Elle était soulagée.

— C'est vrai?

— Bien sûr que oui. Je ne prendrais pas ce risque.

— Dieu merci!

— Il faut que tu apprennes à me faire confiance. Tu sais que je... euh...

— Dis-le !

Il sourit.

— Que je t'aime.

Elle le regarda et lui caressa le visage.

— Oui, je sais.

— C'était comment, au lycée, aujourd'hui ?

— Hein ? fit Lauren en essayant de passer devant sa mère qui, debout dans le vestibule, lui barrait l'accès de l'escalier.

— Au lycée, répéta Jane Roberts.

Si Lauren n'avait pas été si obsédée à l'idée de regagner sa chambre, elle aurait remarqué la voix tendue de sa mère.

— Oh, comme d'habitude : un cours de maths assommant, un cours d'histoire rasant. Et de la gym. J'ai horreur de la gym. D'ailleurs les douches ne marchaient pas... je me sens toute poisseuse. Je vais peut-être aller prendre une douche maintenant.

Jane ne bougeait toujours pas.

— Il ne s'est rien passé d'extraordinaire ?

Une sonnette d'alarme retentit dans la tête de Lauren. Il s'était passé quelque chose au lycée dont elle ne savait rien. *Il va falloir jouer serré, Lauren Roberts. Il ne s'agirait pas de te faire renvoyer.*

— En fait, maman, dit-elle précipitamment, je ne voulais pas t'inquiéter... mais, après la gym, je ne me sentais pas si bien. L'infirmière m'a conseillé de m'allonger un moment.

— Vraiment ?

Jane gardait un ton glacial. D'ordinaire elle aurait manifesté de l'inquiétude. Il y eut un bref silence embarrassé. Comme sa mère ne semblait pas décidée à bouger, Lauren se dirigea vers la cuisine. Mais Jane la suivit : pas moyen de lui échapper. Ouvrant le réfrigérateur, Lauren prit une bouteille de lait et se retourna pour trouver sa mère qui braquait sur elle un regard accusateur. Elle n'en pouvait plus.

— Quelque chose ne va pas ?

— Pourquoi demandes-tu cela ?

Elle haussa les épaules, cherchant un verre.

— Je ne sais pas. Je te trouve... drôle.

Elle se demandait si elle allait pouvoir passer devant Jane et filer dans sa chambre sans subir d'autres questions.

— Lauren, reprit sa mère avec lenteur. Nous t'avons toujours élevée pour être une fille bien. Toujours sincère.

Oh, mon Dieu, il y avait certainement quelque chose.

Elle essaya de prendre un air innocent.

— Oui, maman ?

— Tu n'étais pas au lycée aujourd'hui, n'est-ce pas ?

Maintenant elle avait le choix : allait-elle continuer à mentir et tenter sa chance ? Ou bien allait-elle dire la vérité ?

Ma chère mère, j'ai passé la journée au lit à faire l'amour avec Nick Angelo. Vraiment, ma chérie ? Comme c'est charmant.

Oh, merci, maman, tu es si compréhensive.

Elle se mordit les lèvres. Il n'y avait qu'une solution.

— Je te l'ai dit, j'étais bien au lycée, mais je me sentais un peu patraque.

— La secrétaire du proviseur a téléphoné pour m'informer que, ces derniers mois, tu as sans doute fait de temps en temps l'école buissonnière.

Elle réussit à prendre un air stupéfait.

— Comment ça ?

— Apparemment tu as été absente plusieurs fois en invoquant diverses excuses. Un mal de gorge, un rhume, un rendez-vous chez le dentiste. Et tous tes mots d'excuse étaient censés être signés par moi. Miss Adams n'est pas idiote. Elle a fini par avoir des soupçons — surtout que, ce matin, on t'a vue partir à l'arrière d'une motocyclette.

Oh, mon Dieu, ça y est ! Elle était dans le pétrin.

— Nous t'avons toujours fait confiance, Lauren, et voilà comment tu te conduis. Ton père va bientôt rentrer.

Naturellement.

— C'est ta faute, balbutia-t-elle, ses joues s'empourprant. Tu ne peux pas m'empêcher de voir Nick. Nous nous aimons.

— Vous vous aimez ? fit Jane avec un rire narquois. Tu as seize ans, qu'est-ce que, toi, tu connais de l'amour ?

Plus que tu ne crois, avait-elle envie de hurler. *Plus que tu n'en sauras jamais.*

Les mots sortaient précipitamment.

— Tu ne comprends donc pas ? Nick n'a personne d'autre que moi. Je ne peux pas le laisser tomber comme tout le monde. Je ne peux pas faire ça.

— Tu vas faire exactement ce que ton père et moi te dirons.

La crainte s'abattit sur elle. Ce n'était pas une menace en l'air. D'une façon ou d'une autre, elle allait devoir y faire face.

27

— On s'en va d'ici, annonça Joey.

— Hein ? fit Nick en sortant de sous la Lincoln sur laquelle il travaillait. Qu'est-ce que tu racontes ?

— Je dis que nous quittons la ville, moi et Cyndra.

— Vous n'avez pas assez d'argent, fit Nick en s'essuyant les mains sur un chiffon.

— Bien sûr que si, répliqua Joey. Je travaille dans deux places différentes, tu te rappelles ? Et Cyndra a fait des heures supplémentaires à l'atelier. On en a assez de cette ville.

Joey et Cyndra, les deux personnes dont il était le plus proche, s'en allaient. Est-ce que ça n'était pas déjà assez dur qu'il ne puisse plus voir Lauren ?

— D'ailleurs, dit Joey en allumant son mégot, on a discuté tous les deux et on s'est dit que si tu voulais venir avec nous, ce serait bien.

— Où comptez-vous aller ?

Joey haussa les épaules.

— À Chicago. J'ai de la famille là-bas, des amis, des gens qui nous logeront en attendant qu'on trouve un endroit.

— Tu l'as dit à ta mère ?

Joey tira sur sa cigarette.

— Tu plaisantes ? Je lui laisserai un mot. Si je dis quelque chose, elle va en faire tout un plat.

— Et Cyndra ?

— Elle n'en parle à personne, rien qu'à toi. Il laissa tomber son mégot sur le sol et l'écrasa sous sa semelle. On part demain.

Nick secoua la tête.

— Seigneur ! Demain ? Tu me préviens quand même à la dernière minute !

— Je sais que c'est un peu soudain, mais si on ne le fait pas maintenant, on ne bougera jamais. Tu viens avec nous ou pas ?

Il était déchiré. Bien sûr qu'il voulait s'en aller, mais comment pouvait-il quitter Lauren ? Même s'il ne l'avait pas vue depuis six semaines, il l'aimait encore. Ce n'était pas sa faute si elle était prisonnière, c'était lui le responsable : il aurait dû être plus prudent.

Un vrai gâchis. Les parents de Lauren étaient fous de rage. Phil Roberts était même venu jusqu'à la caravane. Nick l'avait écouté parler à Primo. Ce gros porc s'en moquait pas mal.

— Je veux votre parole que votre fils n'aura plus aucun contact avec ma fille, avait déclaré Phil Roberts, planté très raide sur le pas de la porte.

— Qu'est-ce que vous me racontez ? Fichez-moi le camp d'ici, avait répondu Primo, en vrai gentleman.

Phil Roberts avait rapidement battu en retraite.

Nick déboutonna sa salopette graisseuse.

— Je ne sais pas quoi dire, Joey. Je suis vraiment tenté.

— Écoute... je comprends que ça n'est pas facile.

— Je ne peux pas plaquer Lauren sans la voir.

— Pourquoi ne pas lui écrire une lettre ? Dis-lui que tu reviendras la chercher quand tu auras de l'argent.

— Quand ça ?

— Qu'est-ce que je suis, une voyante ? Qui sait ? Mais tu ne vous préparez sûrement pas un avenir à tous les deux en traînant ici.

Joey avait raison. S'il partait, il pourrait faire ce qu'il voulait, commencer une vie nouvelle — n'importe quoi — et, quand Lauren aurait dix-huit ans, elle pourrait dire à ses parents d'aller se faire voir et ils seraient ensemble.

— Laisse-moi y réfléchir, dit-il en ôtant sa combinaison.

— Ne réfléchis pas... agis, insista Joey. Parce que j'ai pas l'intention de finir mes jours ici... et Cyndra non plus. On s'en va, Nick... et si tu es malin, tu viendras avec nous.

Il y pensa toute la journée et plus il y réfléchissait, plus la perspective devenait séduisante. S'en aller. Dire adieu à Primo, à Bosewell, à tout ce qui lui empoisonnait la vie. Seigneur, c'était tentant. Puis il se mit à penser à Harlan. Comment pouvait-il laisser tomber le gosse ? Surtout avec Cyndra qui s'en allait aussi.

Dis donc, mon vieux, qu'est-ce que tu es, un baby-sitter ? Pense un peu à toi pour changer.

Il avait besoin de voir Lauren, mais ça n'était pas possible. Écrire une lettre semblait une bonne idée. Il pourrait tout lui expliquer pour qu'elle comprenne. Comme ça, elle ne penserait pas qu'il l'avait plaquée. Après le travail, il s'arrêta au drugstore. Louise l'accueillit, avec son entrain habituel.

— Qu'est-ce qu'il y a, Nick ?

168

— J'ai besoin que tu me rendes un grand service.

— À part ça, quoi de neuf ?

— Peux-tu t'arranger pour remettre une lettre à Lauren si je te la confie ?

— Tu veux dire la lui donner quand elle viendra ?

— Oui. Mais pas si elle est avec sa mère.

— Sans problème.

— Passe-moi un stylo et du papier. Il faut que je l'écrive.

Toujours serviable, Louise lui trouva du papier et un stylo, et il s'installa dans une niche d'angle en essayant de trouver ce qu'il allait écrire.

Chère Lauren, je m'en vais, mais je reviendrai te chercher. Ça ne rime à rien pour moi de traîner ici puisque de toute façon nous ne pouvons pas nous voir, alors je resterai en contact et tu sauras toujours où je suis.

Ça n'était vraiment pas génial. Il fit une nouvelle tentative.

Très chère Lauren...

Ça n'était pas ça non plus. Encore une fois...

Lauren, tu me manques tant que chaque soir, quand je m'endors, je ne peux penser qu'à toi. Je vois ton visage. Je sens ton corps. Ton odeur.

Non, ça faisait vulgaire. Il recommença et finit par trouver les mots. Puis il cacheta le billet dans une enveloppe sur laquelle il écrivit son nom, ajoutant en grosses lettres PERSONNEL ! et URGENT ! Il n'avait plus qu'à dire à Joey qu'il partait avec eux. Au moment où il quittait le drugstore, Stock Browning descendit de sa voiture avec deux de ses copains. Il passa devant Nick en roulant des mécaniques, voyant là une occasion rêvée de jouer les gros bras, son sport favori.

— Vous ne sentez pas quelque chose, les gars ? fit-il en fronçant le nez. Comme si on avait laissé une poubelle ouverte ?

Ses amis éclatèrent d'un gros rire. Nick attendait ce moment-là depuis le jour où il s'était fait casser le nez.

— Hé, mon vieux, riposta-t-il. Comment se fait-il que tu te balades toujours avec des gardes du corps ? C'est pour le cas où tu tomberais sur moi, non ?

— Sur *toi* ? ricana Stock en se pavanant devant ses copains. Des pauvres types comme toi, je les écrase sous mes pieds.

— Ah oui... ma foi, ils sont assez grands pour ça.

— Qu'est-ce que tu as dit, pauvre cloche ?

— Tu m'as entendu, abruti.

Comme il avait rossé Nick une fois, Stock se dit que ça n'était pas difficile. Il se tourna vers lui, son puissant bras droit levé, prêt à décocher un direct. Mais, cette fois, Nick était prêt.

— Va te faire voir, cracha-t-il en décochant à Stock un coup de genou dans l'entrejambe, suivi d'un violent coup de pied dans le jarret.

Stock poussa un cri de douleur. Nick lui expédia une manchette en travers du cou et, avant que personne eût compris ce qui se passait, Stock était affalé par terre.

— Tiens, fit Nick en le poussant du bout de sa chaussure, je crois que je te devais bien ça.

Puis, tournant le dos, il s'éloigna. Quand il rentra, Cyndra était dans la caravane, occupée à entasser tout ce qu'elle possédait dans un petit sac à dos.

— Alors, Joey t'a dit? fit-elle en fourrant dans le sac son chandail favori.

— Oui.

— Qu'est-ce que tu as décidé?

— Je vais venir avec vous.

Elle se releva d'un bond, lui jeta les bras autour du cou et l'embrassa.

— Je suis vraiment contente, Nick.

— Moi aussi.

Ils échangèrent un sourire. Ça avait pris du temps, mais ils avaient fini par bien s'entendre. Quand Harlan rentra, il comprit tout de suite que quelque chose se préparait.

— Où tu vas? demanda-t-il à Cyndra, ouvrant de grands yeux accusateurs.

— Nulle part, dit-elle, évitant son regard.

— Il faut lui expliquer, souffla Nick.

— Écoute, je l'aime autant que toi, mais on ne peut absolument pas traîner un gosse avec nous. Je connais ma mère... elle se fera à l'idée que je sois partie... mais si nous emmenons Harlan, elle enverra les flics à notre poursuite.

— On ne peut pas le laisser tomber comme ça.

Elle regarda Nick, désemparée.

— Si on lui dit, il courra le raconter à Aretha Mae.

— Pas s'il nous fait une promesse.

— Qu'est-ce qui se passe? demanda Harlan en s'approchant.

— Viens ici, petit, dit Nick en tapotant son matelas. Qu'est-ce que tu dirais d'avoir cette caravane pour toi tout seul? Tu deviens grand, maintenant, tu pourras amener des filles, organiser des soirées avec des copains, hein?

Les yeux de Harlan s'emplirent de larmes. Il se doutait que c'était une mauvaise nouvelle.

— Toi et Cyndra, vous partez, c'est ça ?

— Oui... il faut qu'on s'en aille, dit Nick. Mais ça n'est pas si terrible.

Cyndra approcha.

— Un de ces jours, je reviendrai te chercher. Je te le promets.

Harlan secoua la tête.

— Non, tu ne le feras pas.

— Mais si, je viendrai, insista-t-elle. Tu veux parier ?

— Je prends le pari, fit Nick. Et si ça n'est pas elle, ce sera moi. Qu'est-ce que tu dis de ça ?

Harlan n'était pas convaincu. Il essuya ses larmes du revers de la main et essaya de faire comme si ça n'avait pas d'importance. Nick éprouvait des remords, mais que pouvait-il faire ? Il avait pris une décision et il comptait bien s'y tenir.

Le lendemain matin, le jour se leva exceptionnellement clair et lumineux. Comme c'était jour de paye, leur plan était d'aller chacun à son travail, de toucher son chèque et de se retrouver tous vers six heures. Joey expliqua à sa mère qu'il serait absent pour le week-end. Cyndra raconta la même chose à Aretha Mae. Malheureusement Primo surprit leur conversation et se redressa sur son lit.

— Où est-ce que tu vas ? interrogea-t-il, comme s'il avait le droit de savoir.

— C'est pas tes oignons, répliqua Cyndra.

Aretha Mae sentit qu'il se passait quelque chose. Elle prit sa fille à part et lui chuchota d'une voix rauque :

— Tu vas toucher de l'argent. Une grosse somme.

Cyndra était surprise.

— Ah oui ?

— Mr. Browning... il a accepté.

— Pourquoi ? demanda Cyndra, méfiante.

— Parce que je lui ai dit qu'il devait faire ce qui est juste.

— Je pensais que tu ne me croyais pas.

— Peut-être que oui, peut-être que non. Ça n'a pas d'importance... il a une dette à ton égard.

— Combien d'argent ? demanda précipitamment Cyndra.

— On en parlera la semaine prochaine.

— Pourquoi pas maintenant ?

— Ça n'est pas le moment.

En allant travailler, Cyndra rapporta à Nick la conversation.

— Elle sait, dit-elle en se mordant nerveusement l'ongle du

pouce. C'est pour ça qu'elle me parle de cet argent maintenant. Pourquoi ne m'en a-t-elle rien dit avant ?

Il haussa les épaules.

— Je n'en sais rien. Mais pourquoi est-ce que le vieux Browning te donne de l'argent ?

— C'est une longue histoire, dit-elle sans rien ajouter.

Il n'insista pas ; elle lui raconterait quand elle serait prête.

Maintenant qu'il avait pris la décision de partir, il était impatient, même s'il voulait quand même prendre le temps d'aller dire adieu à Betty Harris. Elle avait été bonne avec lui, il lui devait bien ça.

Depuis qu'elle était partie de chez les Browning, Aretha Mae travaillait à la conserverie. C'était plus dur que d'être domestique, mais au moins c'était une place. Elle n'avait pas dit à Primo qu'elle n'allait plus chez les Browning : ça ne le regardait pas. D'ailleurs, ç'avait été une erreur de reprendre Primo. Elle avait pensé qu'elle serait peut-être contente d'avoir un homme auprès d'elle, mais qu'est-ce qu'il lui donnait ? Rien de rien.

Benjamin Browning avait tenu parole. Il n'avait vraiment pas le choix : il ne pouvait pas prendre le risque de voir Aretha Mae le dénoncer comme le pervers qu'il était. Elle avait mis à la banque les cinq mille dollars qu'il lui avait remis en liquide. Quel beau jour ç'avait été !

D'abord, elle n'avait pas compté parler à Cyndra de l'argent : il était là en cas de besoin. Mais, ce matin-là, elle avait eu une drôle d'impression quand Cyndra lui avait dit au revoir, et c'est pourquoi elle avait parlé de l'argent. Elle ne voulait pas voir sa fille faire une bêtise, par exemple filer avec Joey Pearson. Une fille avec le physique de Cyndra pouvait trouver bien mieux que lui.

Le vendredi, Aretha Mae ne travaillait que la mi-journée. Ces temps-ci, elle avait pris l'habitude d'aller chercher Harlan à l'école, de l'emmener dans la Grand-Rue et de lui offrir une glace. Ils se sentaient tous les deux bien seuls depuis la mort de Luke. Elle pensait souvent à lui, et elle avait le cœur plein de tristesse. Pauvre Luke... pauvre bébé... il n'avait jamais eu de chance dans la vie. Harlan l'attendait devant l'école quand elle arriva. Elle voulut lui prendre la main, mais il se dégagea.

— Comment ça va, mon bébé ? demanda-t-elle en se disant que c'était vraiment un beau petit garçon.

— Ne m'appelle pas comme ça, maman.

Harlan regarda autour de lui, pour s'assurer qu'aucun de ses camarades d'école n'avait entendu.

— Je vais t'acheter une glace, lui annonça Aretha Mae.

Harlan avait le cœur gros. Il ne voulait pas de glace : il voulait que Dieu fasse revenir Luke. Et peut-être qu'en même temps Dieu pourrait persuader Cyndra et Nick de rester.

Betty Harris ne fut pas surprise.

— Je savais que tu t'en irais un de ces jours, dit-elle en invitant Nick à entrer dans son salon. Je ne me doutais pas que ce serait si tôt.

— Rien ne me retient ici, expliqua-t-il, en se laissant tomber sur son canapé. Il faut que je quitte mon paternel avant de finir comme lui.

— Qu'est-ce qui te fait croire que ça arriverait ? demanda Betty

— Parce que, si je reste auprès de lui, je n'ai aucune chance.

— Et tu t'imagines que tu en auras une à Chicago ?

— Pourquoi pas ? C'est une grande ville.

— Les grandes villes peuvent être des endroits cruels, fit-elle doucement. Tu es jeune et beau. Je suis certaine que les propositions ne te manqueront pas... peut-être pas toujours celles que tu attends.

— Je suis assez grand pour me débrouiller, dit-il, vexé.

— Je le sais. Elle soupira, songeant à quel point il était vulnérable, malgré ses airs de dur. Tu me manqueras, Nick. Ça a été une merveilleuse expérience de te donner des leçons, tu es vraiment un garçon talentueux. Tu as un don naturel pour devenir le personnage que tu incarnes... Elle hésita avant de lui décocher ce qu'elle considérait comme l'ultime compliment. Parfois, tu me fais penser à un jeune James Dean.

Il rit, un peu embarrassé.

— Hé, ne nous laissons pas emporter, ou peut-être que je ne partirai pas.

Betty Harris l'observait, l'air grave.

— Si les gens te voient, si tu trouves les bonnes occasions... je ne devrais pas t'encourager parce que, être comédien, c'est la profession la plus difficile du monde. Elle soupira encore. Tu sais bien que la plupart du temps la majorité des acteurs est sans travail, n'est-ce pas ?

— Il faut bien que je prenne le risque, dit-il, regrettant qu'elle ait évoqué le côté négatif de l'aventure.

Elle hocha la tête.

— Oui, c'est la bonne attitude. Être positif. Attends une minute.

Elle quitta la pièce. Il se leva et marcha de long en large. Il aimait le salon de Betty, c'était si chaud et si confortable, un vrai foyer. Il y avait des photographies dans des cadres en argent et des tas de livres intéressants. Mon Dieu, comme il regrettait qu'on ne l'eût pas encouragé à lire quand il était enfant. Il n'avait pas su ce que c'était qu'un livre avant son premier jour en classe. Il prit une photo de Betty en robe de dentelle blanche, ses cheveux tombant en longues vagues autour de son visage juvénile.

— J'étais jolie, hein ? fit-elle en revenant dans la pièce et en le faisant sursauter.

— Vous l'êtes toujours, répondit-il galamment.

— Si jeune et si malin. Il y aura toujours une femme pour s'occuper de toi.

— Ça n'est pas ce que je veux.

— Je sais.

Elle sourit et lui remit une grosse enveloppe.

— Qu'est-ce qu'il y a là-dedans ? demanda-t-il en la soupesant.

— Quelque chose que je veux que tu aies, dit-elle avec force.

— Si c'est de l'argent, je ne peux pas le prendre.

— Ça n'est pas de l'argent.

— Je peux l'ouvrir ?

— Vas-y.

Il décacheta l'enveloppe. C'était le précieux exemplaire dédicacé à Betty de *Un tramway nommé désir*.

— Betty... oh, c'est formidable !

— Tant mieux. Je veux que tu l'aies.

Il glissa le livre sous son bras.

— Betty, il faut que je vous dise... vous avez été si bonne avec moi. Je ne vous oublierai jamais.

— Moi non plus, Nick. Prends soin de toi.

D'un élan impulsif, elle fit un pas en avant et le serra contre elle. Il l'étreignit à son tour, très fort. Betty représentait son dernier vestige de sécurité : il allait la regretter, et aussi leurs séances de répétition.

Quand il quitta sa maison, il le fit sans un regard en arrière. Il était temps d'avancer. Sa vie nouvelle commençait tout juste.

Ils se retrouvèrent à six heures le vendredi soir, excités, peut-être un peu effrayés, mais aucun d'eux ne le montrait. Joey avait soigneusement préparé leur voyage. Le dernier car pour Ripley, et puis ils sauteraient dans un train de marchandises qui les emmènerait jusqu'à Kansas City, et de là... Chicago. Ils se regardèrent tous les trois.

— Ça y est ! dit Joey.

— Adieu, Bosewell ! lança Cyndra.

— Je ne reviendrai que quand j'aurai réussi, promit Nick avec assurance. Et je réussirai. Alors, je reviendrai chercher Lauren. Vous pouvez y compter.

28

Chaque matin, Lauren s'éveillait avec la même impression de vide. Dès qu'elle ouvrait les yeux, elle ressentait un sourd désespoir contre lequel elle n'arrivait pas à lutter. Elle s'était mise à détester ses parents. C'était un effort pour elle que d'entrer dans la cuisine pour prendre le petit déjeuner avec eux. De s'asseoir à table et d'écouter leurs conversations sans intérêt. Ils ne se rendaient donc pas compte qu'ils étaient en train de la tuer à petit feu ? Est-ce qu'ils ne comprenaient pas qu'ils étaient mesquins, sans pitié et que, surtout, ils avaient tort ?

Elle n'arrêtait pas de penser à Nick et elle savait dans son cœur qu'elle devait absolument le voir. Mais comment. C'était là la grande question. *Comment ?* Tous les jours son père la conduisait au lycée et sa mère venait la chercher, avec le break familial, sans lui laisser la moindre possibilité d'évasion. Cela durait depuis six semaines — depuis qu'elle s'était fait prendre en flagrant délit d'école buissonnière.

— Quand allez-vous me refaire confiance ? demanda-t-elle un jour.

— Quand ton père et moi estimerons que nous le pouvons, répondit sa mère avec un air vertueux.

Inutile de continuer. C'était sans espoir d'essayer de leur faire changer d'opinion sur Nick. Aujourd'hui on était lundi et elle pensait plus que jamais à Nick. Elle s'approcha de la fenêtre de sa chambre et regarda dehors. Le soleil flamboyait, avec une ardeur qui n'était pas de saison. En bas, elle entendait sa mère qui appelait :

— Lauren ! le petit déjeuner est prêt.

Bientôt, elle allait devoir s'asseoir dans la voiture, auprès de son père qui la déposerait au lycée. On la conduisait et on venait la rechercher. Et elle savait qu'ils vérifiaient chaque jour auprès de la secrétaire du proviseur qu'elle n'avait pas filé. L'esprit ailleurs, elle descendit, avala le petit déjeuner que sa mère avait préparé — picorant la nourriture sans le moindre appétit — et rassembla ses livres.

Phil Roberts apparut cinq minutes plus tard. Était-ce son imagination, ou bien l'atmosphère entre ses parents était-elle tendue ? Ils semblaient ne plus se parler. Elle était sûre que c'était à cause d'elle. C'était sans doute parce que son père n'avait jamais signé le contrat d'assurance avec Benjamin Browning et que sa mère n'en avait donc pas reçu les avantages financiers et sociaux qu'elle attendait. Bah, ça n'était rien comparé à ce qu'elle endurait.

— Il fait chaud aujourd'hui, marmonna Phil en enfilant sa veste et en attrapant au passage une tartine de pain grillé sur la table de la cuisine.

— La météo dit qu'il fera plus chaud qu'hier, remarqua Jane.

Phil ne regarda même pas dans sa direction. Il s'avança dans le vestibule et s'examina dans le miroir, levant la main pour s'arracher un cheveu gris.

— Ce soir, annonça-t-il en prenant son porte-documents, je rentrerai tard.

Jane ne répondit pas. Elle posa bruyamment la vaisselle dans l'évier et fit couler l'eau. Sur le chemin du lycée, Lauren décida d'engager la conversation.

— Papa, est-ce qu'on peut parler ? commença-t-elle, décidée à établir le contact.

— Pas aujourd'hui, Lauren, dit-il, les yeux fixés sur la route. Je ne suis pas d'humeur.

— Quand seras-tu d'humeur ?

— Cesse de me harceler.

Sa vie se brisait en morceaux et tout ce que son père trouvait à dire, c'était : « cesse de me harceler ». Autrefois, elle avait l'impression qu'elle pouvait s'adresser à lui pour n'importe quel problème qui la tracassait ; maintenant, entre eux, c'était la guerre froide. Ça lui était donc égal de l'éloigner ainsi ? Quand il la déposa, elle ne prit même pas la peine de dire au revoir.

Dawn Kovak traînait du côté des vestiaires. Dawn et elle n'étaient pas à proprement parler des amies proches, mais Dawn l'accueillit comme si c'était le cas.

— Tu as entendu ce que Nick avait fait à Stock? demanda Dawn.

Lauren fut aussitôt en alerte.

— Quoi donc?

Dawn était décidée à faire traîner les choses.

— Tu veux dire que tu n'es pas au courant?

— Mais non. Tu vas me le dire?

Dawn lissa sa jupe qui la moulait.

— Pas la peine de t'énerver.

— Je ne m'énerve pas. Si tu as quelque chose à me dire, vas-y.

— Eh bien, d'après ce qu'on m'a raconté, Nick a envoyé Stock au tapis.

Dawn ne pouvait s'empêcher de rire. Lauren attendit d'en apprendre davantage.

— Tu es sûre?

— Ça s'est passé devant le drugstore. Stock arrivait avec quelques copains et Nick en sortait. Ils ont eu une discussion et Nick lui a flanqué une rossée. C'est drôle, hein?

Bien qu'elle mourût d'envie de connaître tous les détails, Lauren s'efforça de rester calme.

— Est-ce que... est-ce que Nick va bien?

— Pour te dire la vérité, répondit Dawn, détachée, moi et Nick... on ne se voit plus.

Lauren hocha la tête.

— Oh!

— Écoute, fit Dawn, soudain compatissante, j'ai compris ce qu'il éprouve pour toi. Je ne voudrais surtout pas m'interposer.

Lauren sentit les larmes lui monter aux yeux. Personne ne lui avait parlé de Nick, il n'y avait personne à qui elle pouvait se confier.

— Mes parents m'interdisent de le voir, dit-elle d'un ton misérable. Je ne sais pas quoi faire.

Dawn avait l'air sincèrement soucieuse.

— Oui, Joey me l'a dit. Tu sais, les parents sont de vrais casse-pieds. Peut-être qu'ils vont changer d'avis.

Lauren secoua la tête.

— Pas les miens... Elle marqua un temps. Tout ça me navre. C'est ma faute si Nick s'est fait renvoyer du lycée. Je veux dire que sans moi...

— Ne t'en fais pas. Il est ravi de travailler à la station-service, c'est plus marrant que le lycée. Et ça n'est pas du tout ta faute. C'est Stock qui a fait intervenir ses parents.

— Je sais que tu as raison, mais quelquefois je me réveille le matin et je n'ai qu'une envie, c'est de m'enfuir.

Dawn hocha la tête d'un air compréhensif.

— On connaît tous ça.

— Vraiment?

— Bien sûr. C'est naturel.

Deux filles passèrent en courant.

— Viens, Lauren, tu vas être en retard, cria l'une d'elles.

Elle hésita un moment.

— Qu'est-ce que tu fais pour déjeuner aujourd'hui?

Dawn était interloquée.

— Qui ça? Moi?

— Je ne vois personne d'autre dans les parages.

— Ce que je fais d'habitude. Je traîne. Pourquoi? Tu veux manger avec moi?

— J'aimerais que nous puissions parler un peu plus, dit Lauren.

Dawn semblait ravie.

— Moi aussi.

Après avoir déposé Lauren, Phil alla droit à son bureau. Avant de monter, il s'arrêta à la quincaillerie pour prendre les nouveaux ciseaux de cuisine que Jane avait commandés. Des ciseaux de cuisine, songea-t-il. Elle va probablement me les planter dans le dos.

Il les avait pris le matin parce qu'il savait qu'au moment où viendrait l'heure de rentrer la dernière chose à laquelle il penserait ce serait de faire une course pour sa femme. Arrivé en haut, il ouvrit la porte de son bureau et entra. Éloïse, sa secrétaire, n'était pas encore arrivée. L'endroit sentait le renfermé et l'humidité. Il ouvrit grandes les fenêtres et s'installa à sa table, en se disant qu'il aurait peut-être dû laisser Lauren lui parler dans la voiture. Ce n'était pas bien, cette distance entre eux. Si les choses étaient différentes à la maison, ce serait peut-être plus facile de communiquer avec sa fille, mais il y avait une telle tension entre lui et Jane qu'il semblait n'avoir le temps de s'occuper de rien d'autre.

Il songea à appeler Benjamin Browning. Ils étaient sur le point de conclure une affaire quand Lauren avait rompu ses fiançailles ; après cela, il n'avait pas réussi à le joindre. Eh bien, tant pis ! Décrochant le téléphone, il composa le numéro du bureau de Benjamin avant d'avoir changé d'avis. Ce fut une secrétaire qui répondit, d'un ton froid et efficace.

— Qui dois-je annoncer ?

— Phil Roberts.

— Un instant, Mr. Roberts, je vais voir s'il est disponible. Dix secondes s'écoulèrent. Je suis désolée, Mr. Roberts, Mr. Browning est en réunion. Puis-je prendre un message ?

— Oui, j'ai appelé plusieurs fois. J'aurai besoin de lui parler dès que possible. Est-ce qu'il pourrait me rappeler ?

— Je transmettrai le message à Mr. Browning. Je suis sûre qu'il vous rappellera.

Mais oui, j'en suis sûr aussi, songea Phil avec amertume.

Harlan dit à Aretha Mae qu'il avait mal à la gorge.

Ça te fait très mal ? demanda-t-elle.

— Oh oui ! dit Harlan sans vergogne.

— Où est ta sœur ?

Son regard pénétrant fouillait la caravane vide.

— Elle n'est pas encore rentrée, répondit Harlan.

Aretha Mae le fixa d'un regard d'acier, le mettant au défi de lui raconter des craques.

— Est-ce qu'elle revient ?

Il évita son regard.

— Je ne sais pas.

Aretha Mae fit la grimace, sachant pertinemment que Cyndra ne reviendrait pas. Elle s'en était doutée vendredi quand sa fille lui avait raconté qu'elle partait pour le week-end. Elle se mit à fouiller les lieux : tous les objets favoris de Cyndra avaient disparu, et ceux de Nick aussi. Il avait donc filé en même temps. Elle se demanda si elle devait prévenir Primo. Non. Elle attendrait de voir s'il remarquait que son fils unique avait disparu. Ça lui prendrait sans doute des semaines ; il tenait tellement à lui.

Au fond, ça ne la dérangeait pas tant que ça maintenant qu'elle savait que Nick était avec Cyndra. Au moins, il la surveillerait, et peut-être qu'à eux deux ils arriveraient à se faire une vie meilleure.

— Bon, fit-elle à Harlan, tu peux rester à la maison.

Il était ravi : il n'avait pas espéré s'en tirer si bien. Harlan ne racontait jamais à personne combien c'était moche à l'école, les noms qu'on lui donnait — « sale nègre », « pauvre cloche » et « salopard ». Il avait fini par s'y habituer — il s'était même habitué à se défendre quand on l'attaquait.

Sitôt qu'Aretha Mae fut partie pour son travail, il se glissa dans l'autre caravane pour voir s'il trouvait quelque chose à manger. Primo était dans sa position habituelle, dormant à poings fermés devant la télévision qui marchait à plein tube. Harlan remarqua qu'il avait la bouche grande ouverte et ne put s'empêcher de se demander s'il ne lui arrivait jamais d'avaler une mouche. Réprimant un fou rire, il se glissa jusqu'au réfrigérateur et en inspecta le contenu. Il repéra une cuisse de poulet et, sans envisager les conséquences, la saisit et se glissa précipitamment dehors avant d'avoir été découvert.

Primo entendit le claquement de la porte qui se refermait et cela le réveilla. Il se dressa sur son séant en se grattant le ventre. Malgré l'heure matinale, il faisait fichtrement chaud : il sentait la sueur qui ruisselait sur son corps. Il se leva, se dirigea vers la porte et descendit les marches. Un chien décharné lui montra les dents. Il ramassa une boîte vide et la lança sur la pauvre bête.

Ces temps derniers, Primo était nerveux. Il n'aimait pas rester longtemps au même endroit. Aretha Mae était peut-être une brave femme, mais il commençait à s'ennuyer. Au bout d'un moment, être avec une femme lui semblait toujours assommant. Peut-être le moment était-il venu de bouger : après tout, le pays était grand et ça ne manquait pas de femmes qui seraient trop contentes de l'accueillir. Il était encore bel homme. Eh oui, bel homme et plein de charme ! Qu'est-ce qu'une femme pouvait demander de plus ? Continuant à se gratter le ventre, il se dirigea vers les lieux d'aisances. Quand il en ressortit, il aperçut Harlan assis sur les marches de sa caravane à mâchonner une cuisse de poulet.

— Qu'est-ce que tu regardes, mon garçon ?

— Rien, fit Harlan en baissant les yeux.

— Ne me raconte pas d'histoires. Comment ça se fait que tu ne sois pas à l'école ?

Harlan ne leva pas les yeux.

— Je ne me sens pas bien, murmura-t-il.

Aretha Mae et ses pouilleux de gosses : toujours patraques. Sauf Cyndra. Sa propre enfant. Maintenant, c'était vraiment un beau brin de fille. Si elle n'avait pas été la chair de sa chair, il lui aurait bien fait la cour. Elle avait besoin d'un homme plus âgé, d'un homme d'expérience qui pourrait lui apprendre la vie.

— Tu veux faire un tour? demanda-t-il à Harlan.

Le garçon ouvrit de grands yeux. Primo ne lui avait jamais adressé la parole, encore moins proposé de faire un tour.

— Où ça? demanda-t-il avec méfiance.

— En ville, à moins que tu aies une meilleure idée.

— Oh non!

— Alors, monte.

Primo se demanda pourquoi il était si généreux de laisser le gosse venir avec lui. Parce qu'il n'y avait rien à faire à Bosewell, voilà pourquoi. C'était vraiment un bled. Pas de bistrot convenable, pas de danseuses, rien de rien.

Une nouvelle idée commençait à cheminer dans sa tête. S'il décidait de quitter Bosewell, devrait-il emmener Nick avec lui? Mais non, pourquoi donc? Le garçon était assez grand et assez débrouillard pour se tirer d'affaire tout seul. D'ailleurs, Aretha semblait l'avoir pris en affection. Qu'elle en assume donc la responsabilité.

Non pas qu'il soit décidé à partir aujourd'hui. Pour l'instant, il n'allait en ville que pour faire provision de bières et de bretzels. Il filerait la semaine prochaine — juste après qu'Aretha Mae fut rentrée à la maison avec sa paye. Pourquoi ne lui emprunterait-il pas un peu d'argent? Il ferait ça au milieu de la nuit : il aurait fait deux ou trois cents kilomètres avant qu'on s'aperçoive de son départ. Primo Angelo avait bien le droit de vivre aussi, et ce qu'il y avait de bien c'est que, s'il ne trouvait rien là-bas, il aurait encore la possibilité de revenir. Aretha Mae l'attendrait toujours.

Éloïse Hanson arriva au bureau de Phil Roberts à midi précis. Elle venait trois après-midi par semaine faire des travaux de dactylographie et de classement. Non pas qu'il y eût grand-chose à classer dernièrement : les affaires n'allaient pas fort. Éloïse était une petite femme rondelette d'une trentaine d'années, avec des joues roses, le teint clair et de doux yeux bruns. Veuve depuis l'année dernière — son mari avait trouvé la mort dans un accident de travail à la conserverie — elle avait besoin d'un peu plus d'argent pour les faire vivre, sa vieille mère et elle.

Au début, les relations entre elle et Phil Roberts avaient été purement professionnelles mais, à mesure que les mois passaient, il s'était formé entre eux des liens qui avaient fini par tourner à une liaison. Ils en éprouvaient l'un comme l'autre du remords.

Tous deux avaient horreur de la duplicité que cela nécessitait. Mais aucun des deux ne pouvait se passer de l'autre. Dès qu'Éloïse entra dans le bureau, en s'éventant et en se plaignant de la chaleur, Phil comprit que le travail était fini pour la journée. Il la prit par la main et l'entraîna dans son bureau.

— Aujourd'hui, dit-il en serrant sa paume moite, congé.

Elle rougit, sachant fort bien ce qu'il avait en tête.

— Mais j'ai du courrier à faire.

— Tant pis.

Elle accepta son désir sans rechigner et se mit lentement à déboutonner son corsage. Phil alla jusqu'à la porte qu'il ferma à clé, puis il tira le rideau et accrocha le panneau FERMÉ.

Il savait que Jane soupçonnait leur aventure de durer toujours, même s'il lui avait assuré que c'était complètement terminé. Mais il ne pouvait pas s'en empêcher. Éloïse était une femme si pleine d'attentions, si généreuse et si bonne. Et surtout, au lit, c'était une vraie tigresse : une femme sans inhibition. Dans ses bras, Phil se sentait un vrai homme.

Bien sûr, faire l'amour avec sa femme n'avait pas toujours été une partie de plaisir : au long des années, ils avaient eu des rapports satisfaisants — satisfaisants au point d'en devenir presque assommants. Avec Éloïse, c'était différent : elle éveillait en lui une passion qu'il avait crue éteinte. Éloïse lui permettait de revivre l'excitation de sa jeunesse. Après tout, il n'avait pas cinquante ans, et il avait quand même bien le droit d'avoir ce dernier sursaut, non ? Récemment, Jane lui avait posé un ultimatum.

— Renvoie-la, avait-elle dit d'un ton qui ne souffrait pas la discussion.

— Pourquoi donc ? avait-il répondu, luttant pour garder le contrôle de son mariage. C'est une excellente secrétaire. Et tu sais très bien qu'il n'y a plus rien entre nous.

— Ça m'est complètement égal, avait objecté Jane. Je ne veux pas voir cette petite garce auprès de toi.

Jane ne disait jamais un mot plus haut que l'autre. Entendre dans sa bouche le mot « garce » était profondément choquant. Phil savait qu'il devrait un jour renvoyer Éloïse, mais il ne cessait de retarder cet instant. Éloïse était son évasion et, sans elle, qu'est-ce qui lui resterait au juste ?

Lauren et Dawn, assises sur l'herbe, partageaient un sandwich au thon.

— Je sais que tu es sorti avec Nick, dit Lauren, qui n'avait pas envie d'avoir des détails, mais incapable de s'empêcher de découvrir si ç'avait été sérieux.

— C'était avant qu'il commence à te voir, expliqua Dawn. Dès que tu es entrée en lice, ça a été fini. Elle haussa les épaules. Tu sais, je comprends. J'ai rencontré des tas de garçons comme Nick. Je suis comme un bouche-trou, tu vois ? Je suis là quand ils ont besoin de moi, et puis ils passent leur chemin. Il t'aime — moi, il ne m'a jamais aimée.

— Est-ce que je peux te dire une chose ? fit Lauren d'un ton hésitant.

— Vas-y, répondit Dawn en mordant dans son sandwich.

— C'est... c'est un peu gênant.

— Ah ! fit Dawn. Tu peux me faire confiance, j'ai tout entendu. Rien ne me gêne.

Lauren poussa un long soupir.

— C'est que mes parents sont très stricts, et que ça fait près de deux mois qu'ils ne me laissent plus voir Nick... je ne sais pas quoi faire.

— Qu'est-ce qu'il y a ? demanda Dawn. Tu peux me le dire.

Ça n'était pas facile, mais Lauren parvint à sortir les mots.

— Je... je crois que je suis enceinte.

Jusqu'au moment où elle dut dire cela tout haut, elle n'était pas prête à y croire. Maintenant qu'elle avait exprimé ses doutes, elle se sentit profondément soulagée.

— Merde alors ! fit Dawn. Tu as du retard ?

Lauren contempla la pelouse.

— Presque six semaines, murmura-t-elle. Je n'ose pas en parler à mes parents. Je... il faut que je voie Nick. Il faut que je lui disc.

— Ça me paraît une bonne idée.

— Comment est-ce que je peux faire ?

— C'est plutôt : qu'est-ce que tu ne dois pas faire. Si j'étais toi, j'irais droit au garage pour le lui dire. Tu ne devrais pas régler ça toute seule.

— Et si mes parents l'apprennent ?

— Ça ne peut pas être pire avec eux que ça l'est maintenant, non ?

Dawn avait raison.

— Je vais le faire, décida-t-elle.

— Peut-être que vous pourriez tous les deux vous enfuir et vous marier, dit Dawn, emportée par son élan. Ce serait follement romantique.

— Ce sont mes parents qui seraient contents.

— Cesse de t'inquiéter pour eux. Discutes-en avec Nick. À mon avis, tu as le choix entre deux solutions : l'épouser et garder le bébé, ou te faire avorter.

Le mot « avorter » la pétrifia. S'il y avait un bébé qui grandissait en elle, elle n'envisagerait jamais de lui faire quoi que ce soit.

— Est-ce que ça t'est jamais arrivé ? demanda-t-elle.

— Pour te dire la vérité, non. Mais je suis toujours prudente. Nick ne prenait pas de précautions ?

Lauren n'arrivait pas à croire qu'elle était en train de discuter d'un sujet aussi intime avec Dawn.

— Non... il me disait qu'il... euh... qu'il faisait attention.

— Oh, doux Jésus ! fit Dawn, écœurée. Ne les laisse jamais te raconter ça, c'est un truc vieux comme le monde. Ça et « laisse-moi juste m'allonger auprès de toi, je te jure que je ne ferai rien ». Elle se leva et lui tendit la main. Viens, lève-toi, on va faire des plans. Si tu sèches la classe maintenant et que tu passes au garage, tu verras bien ce qu'il va dire et tu pourras prendre une décision. Avec un peu de chance, tu seras de retour avant que ta mère arrive ici.

— Tu as raison, dit Lauren, en respirant un grand coup. C'est la seule solution, n'est-ce pas ?

— Bien sûr. C'est sa responsabilité à lui autant que la tienne. C'est lui le crétin qui est censé faire gaffe. Et ne t'inquiète pas, quoi que tu décides, je suis ta copine et je t'aiderai si je peux.

Lauren acquiesça avec reconnaissance et regretta toutes les horreurs qu'elle et Meg avaient pu dire autrefois à propos de Dawn.

— Merci, dit-elle en lui serrant la main. Tu as été formidable. Je te revaudrai ça.

29

Le lundi matin de bonne heure, ils arrivèrent à Chicago. Sales, épuisés et affamés, mais absolument ravis.

— Chicago, Chicago, c'est le bonheur à gogo, chantait Joey à tue-tête.

— Assez poussé la chansonnette. Où est-ce qu'on va? demanda Nick.

— Oui, où ça? fit Cyndra. Je suis crevée.

— Allons, fit Joey, je maîtrise la situation.

— J'aimerais bien que tu maîtrises mon estomac aussi, gémit Cyndra. Voyager toute la nuit sur ce fichu train de marchandises m'a donné les crocs.

— Bon, bon, j'ai compris. Entrons là.

Ils s'engouffrèrent dans un café minable. Cyndra fit la grimace tandis que Joey commandait des œufs au bacon, du café et du jus d'orange.

— On peut se le permettre? chuchota-t-elle. On ne devrait peut-être pas claquer notre fric comme ça.

— Mais si, fit Nick. On mérite un petit déjeuner convenable.

— Voici mon plan, dit Joey, prenant les choses en main. Quand on aura mangé, je vais passer quelques coups de fil. Ne vous inquiétez pas, ce soir on dormira dans des lits.

— J'espère bien, fit Cyndra d'un ton las. Parce que je ne peux pas supporter une nuit de plus à dormir à la dure.

Elle disparut dans les toilettes pour se laver.

Un vieux vagabond en haillons s'approcha de leur table.

— Vous avez une pièce? demanda-t-il.

— Décampe! lança Joey.

Nick fouilla dans sa poche, cherchant de la petite monnaie, et tendit au vieil homme une pièce de vingt-cinq cents.

— Qu'est-ce que tu fabriques? On pourrait en avoir besoin, fit Joey, indigné.

— C'est de la superstition, répondit Nick. Je ne dis jamais non à un mendiant.

— Tu parles d'une superstition. Ils vont tous te suivre comme le joueur de flûte de Hamelin!

Cyndra revint des toilettes, ayant brossé ses longs cheveux bruns et s'étant lavé le visage.

— Maintenant, je me sens mieux, dit-elle en s'attaquant avidement aux œufs mal cuits et au bacon trop gras.

— Faudra que ça nous fasse jusqu'au dîner, les prévint Joey en prenant un toast pour saucer ses œufs. Bon, je vais aller donner ces coups de fil.

Un quart d'heure plus tard, il était de retour.

— Ah, fit-il d'un ton amer, les amis ! On ne peut vraiment pas compter dessus.

— Qu'est-ce qui s'est passé ? demanda Nick.

— Eh bien, voilà ! Tu sais, j'avais ce camarade de classe. Il m'a dit qu'il n'était pas question qu'on puisse aller chez lui parce qu'il a des problèmes avec son père, donc, pour celui-là, c'est râpé.

Cyndra se pencha.

— Qui d'autre as-tu appelé ?

— Cette fille avec qui je sortais. Mais quand je lui ai annoncé qu'on était trois, elle a dit que ça n'était pas possible. Alors j'ai appelé mon cousin.

— Je croyais qu'on laissait tomber la famille.

— Ne nous casse pas les pieds. Il a changé de numéro. Le nouveau est sur la liste rouge.

— Alors, demanda Nick, c'est ça les amis et les parents qui devaient nous loger ?

— Hé, les temps changent, fit Joey. Mais on a assez d'argent pour se payer l'hôtel.

— Pas pour longtemps, fit Nick. On a juste de quoi tenir trois ou quatre jours, et puis on sera à la rue.

— On va trouver du travail, fit Joey.

— Quel travail ? demanda Cyndra.

— Je m'en vais essayer dans des music-halls, fit Joey avec entrain. Allons... je suis jeune, j'ai du talent, on n'attend que moi !

— Je pense que je pourrais trouver une place de serveuse, fit-elle d'un ton songeur.

— Toi, Nick, tu trouveras bien du boulot dans une station-service, fit Joey.

— Si je voulais travailler dans une station-service, je serais resté à Bosewell, répliqua Nick.

— Cesse de geindre, fit Joey. On est ici. On a quitté Bosewell. On va bien trouver une occasion.

Après une heure passée à traîner dans les rues, ils trouvèrent un hôtel minable avec une enseigne au néon clignotante, des lits à vibrateur et des cassettes pornos. Tandis que Joey et Cyndra s'inscrivaient comme Mr. et Mrs. Pearson, Nick se glissait par-derrière. Dès qu'ils eurent gagné leur chambre, ils le firent entrer par l'escalier d'incendie.

— Quelle taule ! se plaignit Cyndra en essayant le lit cabossé.

— Tu t'attendais au Plaza ? riposta Joey.

— Ça suffit, fit Nick. Je ne vais pas vous écouter tous les deux vous bagarrer toute la nuit.

Ils se mirent à examiner le journal en entourant au crayon les possibilités d'emploi. Joey trouva ce qu'il cherchait et s'apprêta. Il se peigna soigneusement, se gomina les cheveux, passa sa plus belle veste et déclara :

— Je m'en vais au Comedy Club. Quel âge vous me donnez ?

Cyndra se renversa en arrière en plissant les yeux.

— Dans les dix-sept ans.

— Tu es une vraie chieuse. Il se tourna vers Nick. Qu'est-ce que tu en dis ?

— Tu pourrais passer pour vingt ans.

— Je vais me laisser pousser la barbe, ça fera l'affaire.

Cyndra plissa le nez.

— Quoi ?... je déteste les barbes.

— Tu détestes tout, déclara Joey.

— Absolument pas, répliqua-t-elle.

Nick commençait à s'énerver.

— Allons, vous deux, fit-il. Ça suffit.

— Écoutez un peu, s'écria triomphalement Cyndra en lisant tout haut le journal : « On recherche belle jeune femme pour emploi de mannequin. Possibilités de voyager à l'étranger essentielles. » Ça m'a l'air formidable. Elle sauta sur le plancher et se mit à parader dans la chambre. Je pourrais être mannequin, n'est-ce pas ?

— Ça m'a l'air superbe, fit Joey. Tu vas te retrouver sur un vieux rafiot en route pour la Chine avec une aiguille dans le bras.

— Quoi ?

— C'est ce qu'ils font aux filles une fois qu'ils ont mis la main dessus. Ils les expédient dans des bordels de Bangkok.

— Toi et ton imagination.

— Je ne blague pas.

— Je vais faire un tour, annonça Nick. À tout à l'heure.

— Oui, fit Joey, bonne idée. Je vais en faire autant. Cyndra, on te laisse toute seule, alors ne va pas signer avec une agence de mannequins avant de m'avoir consulté.

— Certainement, monsieur l'imprésario, dit-elle d'un ton sarcastique.

Joey sourit. Il aimait bien son impertinence.

— Tu ferais mieux de me croire. On se retrouve ici dans deux heures.

En déambulant dans les rues de Chicago, Nick sentit des poussées d'adrénaline dans ses veines. C'était excitant de se promener dans les rues, de regarder les gens, de prendre la température de la ville. Il passa devant des panneaux d'offres d'emploi et entra, pour trouver chaque fois la place prise. Mais au fond, qui avait envie de travailler dans une boîte de hamburgers ou chez un coiffeur ?

Au bout d'un moment, il passa devant un bar-restaurant avec une affiche en vitrine. Pourquoi pas... il ferait un très bon barman. Il s'aventura dans la pénombre de l'intérieur pour inspecter les lieux. L'établissement était minable, avec un éclairage tamisé et une strip-teaseuse fatiguée qui tournoyait au son d'un vieux disque de Glenn Miller sur le juke-box. Il n'y avait pas grand monde. Il se dirigea vers le bar, où un vieil homme rabougri aux cheveux coupés en brosse et aux yeux injectés de sang montait la garde.

— Ouais ? fit l'homme d'une voix râpeuse. Qu'est-ce que je vous sers ?

— La place m'intéresse, dit-il.

L'homme ricana et se retourna.

— Par ici.

— C'est quel genre de travail ?

— La plonge.

— Ça n'est pas exactement ce que j'avais en tête.

— Qu'est-ce que t'avais en tête, mon gars ? dit l'homme en prenant un verre et en passant rapidement dessus un chiffon crasseux.

— Votre place.

— Ah ! ah ! monsieur est comédien. Va donc voir derrière si j'y suis.

Nick se disait que mieux valait réparer les voitures que laver la vaisselle mais, puisque de toute façon il était ici, il s'engagea dans la ruelle, pour se trouver devant un gros rat en équilibre sur une poubelle débordante. Il l'évita et franchit la porte d'une cuisine crasseuse. Un homme décharné, drapé dans ce qui avait pu être jadis un tablier blanc, était assis sur un tabouret, les jambes allongées sur un comptoir. Il fumait une cigarette en lançant nonchalamment des ronds de fumée vers le plafond. Sur le fourneau, des frites grésillaient dans une mer d'huile noirâtre.

— C'est pour quoi ? fit l'homme en le regardant.

— Je venais demander pour la place, fit Nick.

— Si t'as envie de faire la vaisselle, radine-toi, dit l'homme en désignant un évier ébréché où s'empilait de la vaisselle sale.

— Combien ?

— Deux dollars cinquante l'heure, en liquide.

— Ça n'est pas assez.

— Pour qui tu me prends ? Pour Rockefeller ? Tu veux la place ou pas ?

— Combien d'heures par jour ?

— Deux à l'heure du déjeuner, deux ou trois le soir.

Treize dollars s'il avait de la chance, et il lui resterait le matin et l'après-midi de libre pour passer des auditions.

— Mettez trois dollars par heure pour faire un chiffre rond et je suis votre homme.

— Ne marchande pas avec moi, petit. Je peux trouver un Mexico pour faire ça à moitié prix.

— Qu'est-ce qui vous en empêche ?

L'homme lui souffla la fumée de sa cigarette au visage.

— Oh, et on a une grande gueule en plus, hein ? C'est vrai que ces fichus Mexicains, ça casse tout.

— Deux soixante-quinze, marchanda Nick.

— Seigneur ! fit l'homme en se frappant le front. Tu commences maintenant et tu as la place, ou bien tu vas tenter ta chance ailleurs. C'est à prendre ou à laisser.

Il prit. C'était sûrement mieux que d'arpenter les rues.

30

Lorsque Lauren arriva à la station d'essence, elle était en nage et épuisée. Comme il n'y avait personne aux pompes, elle se dirigea vers le bureau et frappa à la porte.

George était assis à sa table, à vérifier des comptes.

— Oui ? fit-il.

— Excusez-moi, dit-elle en passant la tête par l'entrebâillement de la porte. Je cherche Nick Angelo.

— Nick ne travaille plus ici, fit George d'un ton bourru.

— Ah bon ?

— Non. Il est parti.

Elle était abasourdie. Comment pouvait-il quitter son travail comme ça ? Elle allait poser d'autres questions, mais le téléphone sonna et George se lança dans une longue conversation. Elle quitta le garage en essayant de réfléchir à ce qu'elle allait faire.

Au point où tu en es, Lauren Roberts, autant aller jusqu'au bout. Prends un bus jusqu'au terrain de camping et tâche de savoir ce qui se passe.

Elle était plus nerveuse à l'idée de parler à Nick que d'affronter ses parents, mais il fallait bien le faire. Qu'est-ce qu'il dirait quand elle lui annoncerait qu'elle était enceinte ? Oh, mon Dieu ! Allait-il la détester ? Elle ne pourrait pas le supporter. Elle se hâta vers l'arrêt du bus et attendit dix minutes avant qu'il en arrive un. À l'intérieur, il faisait une chaleur étouffante et elle commençait à avoir la nausée.

— C'est du mauvais temps qui se prépare, fit le chauffeur en prenant sa monnaie.

Qu'est-ce qu'il racontait ? C'était une journée superbe, beaucoup trop chaude, mais on n'avait certainement pas l'impression qu'il allait pleuvoir.

— Y a de l'orage dans l'air, reprit le chauffeur en hochant la tête d'un air entendu. Je les sens à des kilomètres.

S'installant auprès d'une fenêtre, elle regarda dehors : pas un nuage dans le ciel. À peine le bus avait-il démarré qu'elle se mit à penser à son père. Phil Roberts lui avait toujours enseigné à être sincère, à dire la vérité, alors pourquoi ne pouvait-elle pas être franche avec lui ?

Dans une brusque impulsion, elle descendit à l'arrêt de la Grand-Rue, ayant décidé d'aller le voir à son bureau pour tenter une dernière fois de communiquer avec lui. Quand elle arriva au pied de l'escalier, elle avait préparé dans sa tête exactement ce qu'elle allait dire. Elle lui expliquerait que, si on ne la laissait pas voir Nick Angelo, sa vie était finie. Et puis elle lui parlerait du bébé. Le store était tiré sur la porte de son bureau et le panneau FERMÉ accroché à la vitre. Déçue, elle descendit jusqu'à la quincaillerie et s'adressa à un des frères Blakely.

— Quand mon père sera-t-il de retour ?

— Il est là-haut, Lauren.

— Non, le bureau est fermé.

— Je suis presque sûr qu'il est là-haut. Tiens, voilà l'autre clé, tu pourras l'attendre.

Elle prit la clé et remonta. Son père était probablement sorti déjeuner. Cette pause était la bienvenue : cela lui donnerait le temps de se calmer. Quand il reviendrait, elle serait prête avec un discours parfaitement raisonnable qu'il ne pourrait manquer de comprendre. Elle introduisit la clé dans la serrure et entra dans le petit vestibule. Dès qu'elle eut mis le pied à l'intérieur, elle sut qu'elle n'était pas seule : d'étranges sons étouffés venaient du bureau.

On est en train de le cambrioler, pensa-t-elle aussitôt. Sans réfléchir davantage, elle ouvrit la porte et s'arrêta sur le seuil. Éloïse, la secrétaire de son père, était allongée nue sur le canapé. Penché sur elle et nu lui aussi, son père. Lauren porta la main à sa bouche pour réprimer un cri de surprise. Éloïse poussa un petit gémissement d'horreur et Phil Roberts tourna la tête pour croiser le regard bouleversé de sa fille.

— Lauren ! fit-il en se laissant rouler à terre et en s'efforçant frénétiquement d'enfiler son pantalon. Oh, mon Dieu ! Ça n'est pas ce que tu crois. Lauren, qu'est-ce que tu fais ici ?

Elle tourna les talons et sortit en courant, trébuchant dans l'escalier et s'efforçant de ne pas pleurer. C'était ça, son père ? C'était ça le sévère Phil Roberts, l'homme qu'elle avait toute sa vic regardé avec respect ? C'était un faux jeton. Un rien du tout. Et elle ne lui pardonnerait jamais. Jamais.

Primo Angelo entra d'un pas lourd dans l'épicerie et acheta quatre packs de six boîtes de bière. Harlan était sur ses talons. Quand il eut chargé la camionnette, il dit :

— Je meurs de faim. Tu ne veux pas manger un morceau ?

Harlan n'en croyait pas sa chance.

— Oh si, s'empressa-t-il de dire. Moi, j'ai toujours faim.

— Où est-ce qu'on peut se trouver un bon hamburger ? demanda Primo.

Harlan désigna la Grand-Rue.

— Au drugstore.

Primo s'avança, Harlan trottinant derrière lui. Louise les accueillit avec un sourire, un menu et un « bonjour« un peu sec. Primo la salua de la tête. Pas mal, cette petite.

— Deux hamburgers, dit-il. Bien dodus et juteux. Avec un clin d'œil suggestif, il ajouta : Comme vous, mon chou.

Le sourire disparut du visage de Louise.

— Au fromage, au chile ou nature ? demanda-t-elle d'un ton glacé.

— Deux cheeseburgers, bien cuits, dit-il, la déshabillant du regard.

Il commençait à s'exciter. Il en avait assez d'Aretha Mae, elle était vieille et desséchée, il lui fallait quelqu'un de plus jeune, quelqu'un comme cette serveuse aguichante.

Louise entra dans la cuisine, passa la commande à Dave et disparut dans l'arrière-boutique en grommelant toute seule. Il y avait des hommes qui n'avaient vraiment pas de manières. Des obsédés. Elle prit son sac sur l'étagère et en sortit son bâton de rouge à lèvres et une brosse à cheveux. Puis elle se peigna, ajusta sa frange et se remit du rouge. Elle aimait toujours être soignée, surtout quand elle avait affaire à des abrutis sexistes. Au moment où elle rangeait ses affaires, elle remarqua sur l'étagère d'en bas la lettre que Nick lui avait laissée pour qu'elle la remette à Lauren. Je ne peux pas la lui donner si elle n'est pas là, se dit-elle. Nick avait marqué sur l'enveloppe PERSONNEL et URGENT. Si Lauren ne venait pas bientôt, peut-être qu'elle demanderait à son amie Meg de la lui passer. Louise posa la lettre contre le mur pour ne pas l'oublier et repartit vers la cuisine.

La secrétaire du proviseur téléphona à Jane Roberts à une heure de l'après-midi.

— Mrs. Roberts, je suis désolée d'avoir à vous dire cela, mais il semble que Lauren soit encore absente. Elle était ici ce matin et apparemment elle est maintenant partie.

Jane serra les lèvres.

— Vous voulez dire qu'elle n'est pas au lycée ?

— Je suis désolée, Mrs. Roberts, mais je dois vous prévenir que si votre fille continue à se comporter ainsi... eh bien, je n'ai pas besoin de vous expliquer les conséquences que cela peut avoir.

— Merci.

Jane raccrocha et composa aussitôt le numéro de son mari. Pas de réponse. Pourquoi Lauren lui faisait-elle cela ? Est-ce que ça ne suffisait pas que Phil couche avec sa secrétaire ? Est-ce que ça ne suffisait pas qu'elle ait été humiliée par la façon dont les Browning l'avaient repoussée ? L'existence sur mesure de Jane commençait à s'écrouler, et elle ne pouvait pas le supporter. Elle saisit ses clés de voiture et sortit.

Lauren se mit à courir dans la Grand-Rue jusqu'au moment où elle se sentit suffisamment loin du bureau de son père et de toute cette scène sordide. Elle ne cessa qu'en arrivant à l'arrêt du bus. Des images de son père, penché sur Éloïse, repassaient dans sa tête. Elle comprenait maintenant pourquoi ses parents n'arrêtaient pas de se disputer. Son père avait une liaison et sa mère assurément s'en doutait.

Oh, mon Dieu ! C'était donc cela l'homme qui lui avait dit comment se conduire dans la vie ? L'homme qu'elle avait toujours respecté et considéré comme un exemple ? Elle avait envie de pleurer, mais les larmes ne venaient pas. Pauvre maman, songea-t-elle, consternée. Pauvre que je suis !

Le bus arriva et elle sauta sur les marches. Elle savait maintenant ce qu'elle allait faire. Elle devait voir Nick, c'était la seule personne à qui elle pouvait parler. La seule personne au monde à qui elle pouvait se fier. Deux femmes montèrent et vinrent s'asseoir en face d'elle.

— Je viens de parler à ma sœur, dit la première des deux femmes, une blonde échevelée. Elle m'a dit qu'il y a un gros orage sur Ripley.

— Ah oui ?

L'autre femme n'avait pas l'air particulièrement intéressée. Elle était enceinte de plusieurs mois et semblait épuisée.

— Il paraît que nous pourrions nous attendre à une tornade par ici, reprit la blonde.

La femme enceinte secoua la tête.

— Penses-tu. Il fait un temps superbe... Nous avons de la chance.

Lauren cessa d'écouter. Sa vie était anéantie et ces femmes parlaient du temps qu'il faisait. Qu'allait-elle faire, c'était la grande question. *Maintenant qu'est-ce qu'elle allait faire ?*

Primo prit dans sa poche un billet de cinq dollars, le roula en un étroit cylindre et voulut le fourrer dans l'ouverture du corsage de Louise.

Elle lui donna une claque sur la main en le foudroyant du regard.

— Qu'est-ce qui vous prend ?

— Je vous donne un sacré pourboire.

— Vous savez, mon bon monsieur... vous pouvez reprendre votre pourboire et vous... Elle vit Harlan qui les observait. Oh, laissez tomber.

Primo se leva et se dirigea d'un pas lourd vers la porte. Harlan saisit au passage quelques frites qui traînaient dans le panier posé sur le comptoir et le suivit jusqu'à la camionnette.

— Tu as vu cette garce, dit Primo avec amertume. Ah, les femmes... Écoute bien ce que je te dis... toutes des putes. Tâche de ne jamais avoir affaire à elles. Souviens-toi de ça.

Il ouvrit une boîte de bière et prit deux grandes lampées, puis tendit la boîte au jeune garçon.

— Essaie, ordonna-t-il.

— J'en ai pas envie, répondit Harlan en tapant du pied sur l'asphalte.

— Essaie donc! répéta Primo. Sois un homme, bon sang!

D'une main hésitante, Harlan prit la bière et parvint à boire quelques gorgées, en manquant s'étrangler. Primo en riant lui reprit la boîte. Il avait envie de se remuer un peu. Il avait envie de faire quelque chose. Il avait envie d'une femme.

— Ça n'est pas votre faute, Éloïse, répétait Phil Roberts.

Éloïse, rhabillée et les joues toutes rouges, était assise sur le canapé du bureau, sanglotant dans un élégant mouchoir de dentelle.

— Elle va le dire à votre femme. Je sais qu'elle va le dire.

— Pas si j'arrive là-bas le premier, la rassura-t-il en s'efforçant de la calmer. Je peux lui expliquer ce qui s'est passé. Lauren est une brave fille... elle comprendra.

— Qu'y a-t-il à comprendre? fit Éloïse en haussant le ton. Ce qu'il y avait entre nous deux était spécial et maintenant c'est... c'est sale.

— Ça n'est pas sale, protesta Phil.

— Mais si, insista Éloïse en sanglotant toujours. Tout est gâché.

Il ne savait pas comment s'y prendre avec elle.

— Rentrez chez vous, conseilla-t-il. Laissez-moi m'occuper de ça. D'ici demain, tout sera oublié.

Éloïse secoua la tête.

— Votre femme va détruire ma réputation.

Prudent, Phil s'était bien gardé de lui dire que Jane était déjà au courant de leur liaison.

— Rentrez chez vous, Éloïse, répéta-t-il d'un ton ferme. Il faut que je trouve Lauren.

Il faut que je la trouve avant qu'elle aille tout raconter à Jane.

Quand le bus arriva à l'arrêt le plus proche du terrain de camping, la pluie commençait à tomber à grosses gouttes. Et pourtant le soleil brillait toujours et l'air restait étouffant. Lauren n'était venue qu'une fois à la caravane de Nick, mais elle était certaine qu'elle pourrait la retrouver. Elle s'engagea d'un pas vif sur le chemin en essayant de ne plus penser à son père. Nick allait régler tous ses problèmes. Nick allait tout arranger.

C'était une journée bizarre, avec cette chaleur étouffante et la pluie — il y avait un calme étrange dans l'air, tout était si silencieux. Une fourgonnette la dépassa. Lauren, la tête baissée, continuait d'avancer.

Elle finit par repérer le terrain de camping et hâta le pas. Une meute de chiens fourrageaient du côté des tas d'ordures. Comment Nick pouvait-il vivre ici ? Comment pouvait-il supporter un tel décor ? Elle reconnut la caravane et se précipita. Un grand gaillard s'extirpait de la fourgonnette garée à côté, un petit garçon noir auprès de lui. L'homme leva les yeux.

— Vous cherchez quelqu'un ?

— Oui... Nick Angelo. Savez-vous s'il est chez lui ?

— Nick, c'est mon garçon.

— Je vous demande pardon ?

— Mon garçon, mon fils. Qui êtes-vous ?

— Vous êtes Mr. Angelo ?

— Mais oui... c'est moi, tout à fait. Je suis le bel homme de la famille.

Il rit de son propre humour et lui tapota le bras. C'était donc le père de Nick, cette grosse brute mal rasée avec une boîte de bière à la main et un grand sourire édenté. Le moment n'était peut-être pas bien choisi pour lui rendre visite.

— Je... je ne veux pas vous déranger, dit-elle d'un ton mal assuré. Je ferais peut-être mieux de revenir une autre fois.

— Me déranger ? Mais pas du tout ! Entrez donc, fit Primo en ouvrant toute grande la porte de la caravane.

Harlan essaya d'attirer l'attention de Lauren.

— Si vous cherchez Nick...

Primo l'écarta brutalement.

— Entrez, insista-t-il. Nick ne va pas tarder. Vous pourrez l'attendre, je serai ravi de vous tenir compagnie.

À contrecœur, elle entra dans la caravane en désordre et faillit suffoquer : les relents de bière et de sueur étaient épouvantables.

Harlan voulut les suivre, mais Primo le poussa dehors et claqua la porte. Il eut un grand geste.

— Asseyez-vous où vous voudrez. Vous voulez une bière ?

— Non... non, merci. Nick est ici ?

— Le petit va le trouver.

Primo l'inspecta. C'était une jolie fille, une très jolie fille. Probable que Nick l'avait fait profiter de la bonne vieille magie des Angelo. Tel père, tel fils. Eh oui, ils étaient comme ça chez les Angelo, de vrais dons Juans.

Lauren, extrêmement mal à l'aise, allait et venait nerveusement près de la porte en souhaitant que Nick ne tarde pas.

— Asseyez-vous donc, insista Primo. Il ne va pas tarder. Alors..., fit-il en lui lançant une œillade lubrique. Vous êtes de vieux amis tous les deux, c'est ça ?

— Nous allons au lycée ensemble. C'est-à-dire, nous y allions... jusqu'à ce que Nick... euh... parte.

Primo sursauta.

— Comment ça, qu'il parte ?

Elle hésita ; manifestement, Nick n'avait pas dit à son père qu'on l'avait renvoyé. Elle se reprit rapidement.

— Oh, je veux dire *quand* il part... pour aller à son travail, vous savez ?

— Oui, oui... son boulot de week-end à la station-service. Primo se passa la langue sur ses dents. Vous avez essayé là-bas ?

— On m'a dit qu'il n'était plus là.

À peine avait-elle dit cela qu'elle sut qu'elle n'aurait pas dû. Il la regarda en plissant les yeux.

— Comment ça, plus là ?

— Euh, pour la journée. Il était parti pour la journée.

— Oh, fit Primo en ouvrant une autre boîte de bière. Vous en voulez un coup ?

— Il faut vraiment que j'y aille, Mr. Angelo, mes parents m'attendent.

Il s'approcha d'elle, si près qu'elle sentait sa mauvaise haleine.

— Une jolie fille comme vous, je parie qu'il y a toujours quelqu'un qui l'attend.

Maintenant elle se sentait plus que mal à l'aise. La présence physique de ce gros homme était menaçante. Tout doucement, elle commença à se rapprocher de la porte. D'un mouvement vif, il lui barra le chemin.

— Où est-ce que vous allez comme ça ?

— Je... je vous l'ai dit, il faut que je rentre.

La voix de l'homme était maintenant un murmure lubrique.

— Vous et Nick, ça y va, hein ? Vous et mon garçon, vous vous amusez bien ?

Elle avait l'estomac noué et elle essaya de bouger. Il plongea en avant, lui saisissant le sein.

— Ne me touchez pas ! Vous n'allez pas me toucher ! hurla-t-elle en essayant de s'éloigner.

— Tiens, gloussa Primo, c'est qu'elle n'a pas bon caractère la poulette, hein ? Si Nick vous le fait, pourquoi pas moi ?

Lauren avait les yeux qui flamboyaient.

— Vous feriez mieux de me laisser sortir d'ici, ou je vais crier, dit-elle en essayant de ne pas s'affoler.

— Qui est-ce qui va t'entendre, ma petite ? Tu crois qu'il y a quelqu'un par ici que ça intéresse ?

Du coin de l'œil, elle aperçut un couteau de cuisine posé au bord de l'évier. Lentement, elle recula dans cette direction.

Primo s'amusait.

— Allons, ma poulette, détends-toi. Tu as couché avec le garçon ; tu ne veux pas que le vieux te saute aussi ? dit-il avec une œillade obscène tout en s'approchant encore.

Elle était adossée à l'évier. Avec des gestes très prudents, sa main tâtait derrière elle, cherchant le couteau.

— Je vous ai dit de me laisser sortir, répéta-t-elle avec une colère sourde, réussissant à empoigner enfin le couteau.

— Quand ça me chantera, répondit Primo en commençant à dénouer sa boucle de ceinture. Quand ça me chantera.

Dehors le ciel s'obscurcit soudain et, par la fenêtre, elle vit jaillir un éclair, suivi de lourds grondements de tonnerre. Elle serrait le couteau dans sa main.

— Vous feriez mieux de me laisser partir ou bien...

Il pouffa.

— Ou bien quoi, princesse ?

Il y eut un nouvel éclair, suivi de violents roulements de tonnerre. Le ciel devenait de plus en plus noir et la pluie maintenant tombait en rafales. Primo ne remarqua rien tant il était concentré sur ce qu'il voulait faire. Elle décida que, si cet homme la touchait encore une fois, elle le frapperait avec le couteau.

Dehors Harlan se mit à marteler la porte.

— Ouvre-moi ! cria-t-il. Ouvre-moi !

— Va-t'en ! cria Primo en ouvrant son pantalon. Fous-moi le camp d'ici !

Harlan continuait à hurler en martelant la porte de son poing. Il avait l'air désespéré. Un vent violent soufflait dehors et la pluie se transforma en grêle.

— Viens par ici, ma petite, dit Primo en la tirant par le bras tandis qu'elle essayait une fois de plus de l'éviter.

— Non ! lança-t-elle.

Il n'était pas d'humeur à écouter ses protestations. Il l'empoigna, plaquant ses grosses lèvres sur celles de Lauren. Au lycée, elle avait pris des cours d'autodéfense et elle en fit bon usage : levant brusquement le genou, elle le toucha à l'entrejambe.

Il poussa un grognement de douleur, mais parvint à ne pas la lâcher : il la poussait en arrière jusqu'au moment où elle sentit le corps malodorant qui se pressait contre le sien. Elle comprit alors qu'il fallait agir. Serrant bien le couteau derrière son dos, elle s'apprêta. Primo avait empoigné sa jupe et la retroussait.

— Viens, petite garce, tu vas voir, tu vas aimer ça, marmonnat-il en commençant à se déshabiller.

Elle fonça, le couteau à la main, frappant aveuglément tandis que la caravane commençait à osciller sous les assauts du vent et qu'on entendait un rugissement terrifiant.

Une tornade — l'idée lui traversa l'esprit. *Oh, mon Dieu, c'est une tornade !*

31

Jane Roberts roulait vers la Grand-Rue quand le ciel devint soudain d'un noir menaçant. Jaillissant on ne sait d'où, d'énormes grêlons se mirent à marteler le pare-brise. Elle s'arrêta le long du trottoir, pétrifiée, et attendit que cessent les violentes rafales de pluie, priant le ciel pour que cela se calme, car elle avait toute sa vie vécu dans le Middle West et elle savait ce que pouvait apporter ce genre de temps.

Louise regarda par la vitrine du drugstore et cria à Dave :

— Chéri, tu ferais mieux de venir baisser le rideau. Il tombe des grêlons gros comme des balles de golf.

Dave avait à peine fait un pas vers elle qu'au loin ils entendirent un terrible fracas qui devenait de plus en plus fort.

— Bon sang ! fit Dave en se précipitant vers la vitrine.

— Quoi ? demanda Louise, sentant son inquiétude.

— Ça m'a l'air d'être une tornade. Doux Jésus ! Tu ne vois pas là-bas ?

Mais si, elle voyait. Un gros entonnoir gris amenant la mort et la destruction qui venait dans leur direction.

Éloïse était à la porte du bureau de Phil, prête à s'en aller, quand le brusque hurlement du vent la figea sur place. Elle se tourna vers Phil.

— Qu'est-ce que c'est ? demanda-t-elle, la voix tremblante de frayeur.

Il paraissait inquiet.

— Je... je ne sais pas. Allumez la radio.

Éloïse se précipita vers la radio portable posée sur son bureau et l'alluma. Une chanteuse de western se lamentait sur les méfaits de son homme. Les hurlements du vent s'amplifiaient de seconde en seconde, dehors le soleil avait disparu et le ciel devenait noir.

— Trouvez les informations, lança Phil.

— J'essaie, dit Éloïse, tournant frénétiquement le bouton.

— Essayez encore. Je crois que nous sommes dans le pétrin.

Stock et Mack s'entraînaient sur le terrain de football, tandis que Meg, non loin de là, répétait un nouveau pas avec l'équipe des majorettes, quand le moniteur aperçut la tornade au loin et se mit à crier :

— Tout le monde à l'intérieur ! Tout le monde dans la salle de gym ! Vite ! Tout de suite ! Dépêchez-vous !

Stock et Mack se regardèrent. Le ciel s'obscurcissait, mais ils n'auraient pas cru qu'un peu de pluie allait interrompre un entraînement de football. Stock commençait à dire : « Où est le problème... » quand Mack repéra le redoutable entonnoir qui fonçait vers eux. Mr. Lucas sortit en courant du bâtiment principal.

— À l'intérieur ! hurla-t-il. Tout le monde à l'abri. Courez !

Mack se précipita et empoigna Meg par la main. Elle regretta que ce ne fût pas Stock.

— Qu'est-ce qui se passe ? demanda-t-elle. Qu'est-ce que c'est que cette panique ?

— Il faut entrer dans le bâtiment, dit Mack. Tu ne vois pas ? Il y a une tornade qui arrive.

Aretha Mae se dirigeait rapidement vers la porte de l'atelier quand elle regarda dehors et frémit. À seulement quelques kilomètres et se déplaçant à toute vitesse, un énorme entonnoir de poussière grise, hurlant et tourbillonnant, fonçait dans leur direction, détruisant tout sur son passage. Aretha Mae n'avait jamais été très religieuse, mais cette fois elle se signa et tomba à genoux.

— Mon Dieu, murmura-t-elle, sauvez Harlan. Je vous en prie, mon Dieu... sauvez mon petit garçon.

32

— Nettoie par terre.

— Je n'ai pas été engagé pour nettoyer par terre.

— Fais-le, bon Dieu ! J'ai les inspecteurs du service d'hygiène sur le dos.

Q.J. était le patron. Un visage de rat, avec de longs cheveux gras, un nez aquilin et des yeux en amande. Il portait un costume blanc douteux, une chemise noire de mauvaise qualité et une cravate d'un vert vif. Il n'était pas très grand, il boitait un peu et fumait de petits cigares. Il n'avait pas encore atteint quarante ans, mais il était près d'y arriver s'il ne se faisait pas descendre d'abord. Q.J. avait pas mal d'ennemis. Nick empoigna une serpillière et se mit au travail. Il n'était là que depuis quelques heures et il pensait déjà à s'en aller.

— Où est-ce que tu m'as trouvé ce clown ? demanda Q.J. à Lane, le prétendu chef cuisinier.

Lane le regarda.

— Il passait dans la rue. Je l'ai engagé à titre provisoire.

— Dis-lui que je n'aime pas qu'on me réponde.

— Oui, oui, je lui dirai.

Ils parlaient de lui comme s'il n'existait pas. Ils devaient quand même se rendre compte qu'ils avaient de la chance de trouver quelqu'un pour travailler dans une boîte pareille ? La strip-teaseuse à l'air fatigué qu'il avait aperçue un peu plus tôt arriva dans la cuisine en traînant les pieds, ayant pour tout vêtement un kimono trop court et un bandeau jaune dans les cheveux.

— Salut, Q.J.

— Salut, poupée.

— Ça ne va pas fort, les affaires.

— C'est l'époque.

Elle ouvrit le gros réfrigérateur, prit la bouteille de lait, but une lampée et la remit en place.

— C'est dégueulasse, ce que tu fais, Erna, marmonna Q.J. Un pauvre crétin va retrouver ta salive dans son café.

— Il en aurait de la chance.

Erna se mit à bâiller en se grattant vigoureusement sous son kimono.

— Qui est ce petit, Lane ?

— On l'a pris à l'essai, répondit Lane. S'il se secoue un peu, il a un boulot.

— Il est mignon, observa Erna, avec un petit clin d'œil en direction de Nick. Mets-le en salle... fais-en un aide-serveur.

— Excuse-moi, lança Q.J. C'est moi qui dirige cet établissement.

— Ça n'était qu'une suggestion, fit Erna en lançant un nouveau clin d'œil à Nick. Peut-être que les dames aimeraient regarder quelque chose, pour changer.

— Allons bon, fit Q.J. en secouant la tête en direction de Lane. Maintenant, il faut que j'écoute les conseils de ta femme.

Lane ne releva pas, il était occupé à retirer les abats d'un poulet. Nick se demandait si Joey et Cyndra avaient trouvé du travail. Avant que le service de nuit commence, il voulait retourner à l'hôtel pour souffler un peu. Il jeta un coup d'œil à sa montre : presque six heures, ce qui signifiait qu'il nettoyait depuis trois heures.

— À quelle heure vous voulez que je revienne ? dit-il en s'adressant à Lane.

— Comment ça... que tu reviennes ? demanda Q.J. en enjambant un cageot de laitues fanées. Ça va être bientôt le coup de feu. Tu vas rester ici jusqu'à ce qu'on ferme.

— Il m'avait dit deux heures au moment du déjeuner et deux ou trois le soir, fit Nick en désignant Lane du menton.

Q.J. haussa les épaules.

— Qu'est-ce que tu veux que je te dise ? Il t'a menti.

— Je suis quand même payé à l'heure ?

— Mais oui, mais oui, fit Q.J. avec impatience.

Il tira sur ses manchettes révélant deux gros boutons de nacre. Nick se demanda si c'était du vrai.

— C'est quand le jour de paye ? demanda-t-il.

— Vendredi. Seigneur ! Il ne manquait plus que ça : un plongeur avec une grande gueule !

— Fous-lui la paix, Q.J. Il travaille dur. C'était Erna, son nouvel ange gardien. Pour une fois, ça a l'air presque propre ici.

Le temps d'en avoir fini, il était une heure passée. S'il calculait bien, il s'était fait plus de vingt dollars. Mais, Seigneur, qu'il était fatigué, prêt à tomber, et voilà maintenant qu'il n'arrivait plus à se rappeler où était ce maudit hôtel. Il arpenta les rues pendant une heure avant de renoncer, pour s'engouffrer dans le métro et se recroqueviller sur un banc devant les toilettes. Il retrouverait l'hôtel demain matin, pour l'instant il ne pensait qu'à dormir. Juste avant de sombrer dans le sommeil, il pensa à Lauren et s'endormit, un sourire sur le visage.

Des mains le réveillèrent, des mains qui exploraient pourtant avec précaution une poche de son blouson. Un grand type, sale et qui puait le vin et la sueur, était penché sur lui.

— Hé ! fit Nick. Ça ne va pas, non ? Si c'est de l'argent que tu cherches, mon vieux, tu es mal tombé !

— Pardon, mon prince, il y a erreur..., balbutia l'homme en s'éloignant rapidement.

Nick retrouva la rue et l'air frais. Il prit une profonde inspiration. Eh bien ! Si c'était ça la grande ville, il ferait mieux de faire attention. Il jeta un coup d'œil à sa montre ; sept heures passées et il y avait déjà de l'animation dans les rues. Maintenant que le jour était levé, il ne lui fallut pas longtemps pour retrouver l'hôtel, se glisser devant la réception et monter l'escalier jusqu'à leur chambre. Cyndra et Joey dormaient encore. Charmant. Ils n'avaient vraiment pas l'air de s'être fait du mauvais sang à son sujet. Il secoua Joey sans douceur.

— Qu'est-ce qu'il y a ? murmura Joey en ouvrant un œil.

— Je suis là, voilà ce qu'il y a.

Joey se redressa.

— Où étais-tu, mon vieux ?

— Je travaillais. Et toi ?

Joey était impressionné.

— T'as trouvé du boulot ?

— Pas merveilleux. Je lave la vaisselle. Je le ferai jusqu'à ce que je trouve autre chose.

— Laver la vaisselle, fit Cyndra en émergeant de sous les couvertures. Je ne suis pas partie de la maison pour faire ça.

— Eh bien, ça n'est pas toi qui le fais, n'est-ce pas ? C'est moi, répondit Nick. Et seulement en attendant mieux.

— Ça ne tardera pas, fit Joey d'un ton assuré en sautant du lit. Tu vas voir.

Malheureusement, constata Nick, il était le seul à avoir trouvé du travail. Ni Cyndra ni Joey n'avaient eu cette chance. Secrètement, il était fier de lui. Il avait prouvé qu'il pouvait se débrouiller tout seul et c'était un exploit : il aurait peut-être dû s'enfuir de chez son père depuis longtemps. Plus tard, quand il se présenta à son travail, il se sentit plus à l'aise. Le rat qui fouillait les poubelles lui parut un vieil ami et Lane, dans son tablier sale, lui fit même un signe amical, aspergeant le carrelage de cendre de cigarette.

Nick Angelo, plongeur. Joli début. Mais c'était mieux que rien.

Cyndra n'avait peut-être que dix-sept ans, mais il y avait un regard qu'elle savait reconnaître : il était dans les yeux de la plupart des hommes dès qu'ils la voyaient. Celui-là n'était pas différent. Ce petit abruti, décharné, chauve, avec des lunettes et un tic.

— Quel âge as-tu ? demanda-t-il en se curant le nez.

Elle s'était présentée pour une place d'ouvreuse dans un cinéma. Quel âge fallait-il avoir pour guider les spectateurs jusqu'à leur place ? Elle lança :

— Vingt ans.

— Tu as des références ?

— Non.

Il la regarda à travers ses épaisses lunettes.

— Pas de références ?

Et alors. Elle essaya un sourire.

— Ce serait ma première place, dit-elle poliment.

L'homme fixait ses seins.

— Je t'engagerais bien, mais la direction demande des références.

— Comment est-ce que je peux en avoir si je n'ai jamais

travaillé ? dit-elle d'un ton raisonnable, en regrettant de ne pas avoir mis un chandail plus épais.

L'homme remonta ses lunettes sur son front.

— Je ne peux pas prendre le risque.

C'était son cinquième rendez-vous de la journée — sans doute le cinquantième de la semaine. Elle avait cherché tous les jours, et Joey aussi. Comment se faisait-il que Nick n'avait eu qu'à descendre dans la rue pour trouver tout de suite du boulot ? Ça n'était pas juste. Si elle écrivait à la conserverie de Bosewell, se demanda-t-elle, est-ce qu'on lui enverrait des références ?

À toutes fins utiles : Cyndra Angelo s'est usé la santé ici pendant plusieurs mois à s'assurer qu'il ne tombait pas une pêche de trop dans la boîte où il ne fallait pas. Elle a passé dix heures par jour à la chaîne de montage et nous l'avons payée le salaire minimum. Ah oui, et tous les hommes de l'atelier ont essayé de coucher avec elle.

Pas question. Elle était partie sans préavis. Gallagher, le contremaître de son service, était sans doute encore furieux. Elle quitta le cinéma et se retrouva dans la rue. Il faisait chaud et elle avait mal aux pieds. Elle s'assit sur un banc près de l'arrêt d'autobus en essayant de réfléchir à l'étape suivante.

Utilise ton physique, lui murmurait dans sa tête une petite voix. *Que ça te serve au moins à quelque chose.*

Elle se souvint d'un rendez-vous auquel elle était allée deux jours plus tôt. ON RECHERCHE DANSEUSES, disait l'annonce. Elle s'était rendue dans un loft du centre et s'était alignée avec vingt autres filles pendant qu'un homme en manches de chemise avec une caméra vidéo les filmait. Quand il eut terminé, il déclara :

— Bon, maintenant les nus. Toutes celles qui ne veulent pas se déshabiller s'en vont.

Avec trois autres filles, elles avaient précipitamment battu en retraite. Les autres avaient commencé à ôter leurs vêtements. Que serait-il arrivé si elle était restée ? Elle frissonna, elle n'avait pas envie de savoir. Parader toute nue, ça n'était pas son style. Et du style, elle en avait. Quoi qu'il lui arrivât, quoi que lui réservât l'avenir, il faudrait toujours qu'elle croie en elle, sinon, elle était finie.

— J'ai deux amis... ils cherchent tous les deux du travail, lança Nick.

Ce soir-là, Q.J. arborait une veste de smoking en velours rouge élimée aux coudes. Cary Grant n'avait qu'à bien se tenir.

— Où est-ce que tu crois qu'on est ? Dans une œuvre de charité ? dit Q.J. en faisant une grimace à Lane comme pour dire : *Qu'est-ce que c'est que cet imbécile ? Et pourquoi travaille-t-il pour moi ?*

Lane s'acharnait sur un morceau de lapin qu'on allait bientôt servir sous le nom de poulet surprise.

— Tu ne veux pas faire la conversation, ne viens pas dans la cuisine. Ce gosse n'arrête pas. Il se prend pour un acteur.

— Un acteur ? Q.J. prit un air stupéfait. Il n'y aurait bien que moi pour engager un plongeur qui se prend pour un acteur.

Comme toujours, ils parlaient de lui comme s'il n'existait pas. Ça ne le gênait pas : il en avait l'habitude maintenant. Deux semaines à travailler chez Q.J. et il s'était fait à tout. L'établissement était une boîte minable, mais qui était devenue populaire. Il n'avait pas fallu longtemps à Nick pour découvrir que Q.J. était un cambrioleur repenti qui avait passé tellement de temps en taule que, deux ans auparavant, il avait décidé de renoncer à ses activités criminelles pour ouvrir un bar-restaurant avec son beau-frère Lane, ancien serveur dans un des plus élégants hôtels de Chicago. Erna, la sœur de Q.J., s'était proclamée capitaine des strip-teaseuses. Chaque fois qu'elle n'était pas dans les parages, Q.J. se lamentait.

— Il faut qu'elle prenne sa retraite, Lane. Quand elle se met à poil, la moitié de mes clients se lèvent et s'en vont.

— Dis-le-lui donc, toi, répondait immanquablement Lane. Moi, je passe mes nuits avec elle.

La clientèle de Q.J. était constituée des éléments les plus pittoresques de la population criminelle de Chicago. Rien que des petits délinquants, mais ils avaient tous de l'argent à dépenser et Q.J. s'arrangeait pour que tout le monde s'amuse, même avec Erna et sa danse des sept voiles.

Q.J. était un hôte accueillant qui faisait un peu de fourgue à ses moments perdus et, avec ses airs de dur, il avait un cœur d'artichaut. Et c'est pourquoi Nick décida de répéter :

— J'ai ces amis... ils cherchent tous les deux du travail.

— Est-ce que j'ai l'air d'un bureau de placement ? demanda Q.J. en ouvrant grands les bras. J'ai chaque semaine neuf personnes à payer — dix si tu comptes la femme de ménage qui ne fait pas de ménage du tout. Je ne suis pas, fit-il en haussant la voix de façon théâtrale, je ne suis pas un refuge pour tous les imbéciles d'adolescents qui viennent de l'Est.

— De l'Ouest, corrigea Nick.

Q.J. lui lança un regard mauvais.

— Maintenant, à cause de ta grande gueule, je ne peux plus mettre les pieds dans ma propre cuisine. Qu'est-ce que j'ai fait au bon Dieu pour mériter ça ?

Lane prit sa cigarette qui se consumait sur le dessus du comptoir. Il tira une bouffée, ce qui fit tomber un paquet de cendre sur le morceau de lapin. Ni Q.J. ni Lane ne semblaient s'en soucier.

— Je peux leur dire de venir ? demanda Nick, empilant avec adresse les verres propres pour les rapporter au bar.

— Non, dit Q.J.

— Non, renchérit Lane.

— Je suis sûr qu'ils vous plairont, conclut Nick.

Deux soirs plus tard, il se pointa à six heures avec Cyndra et Joey sur ses talons.

Q.J. jeta un coup d'œil à Cyndra et ouvrit des yeux comme des soucoupes.

— Trop jolie, déclara-t-il. Les femmes vont la détester. On ne peut pas avoir une strip-teaseuse qui soit mieux que les clientes : elles n'aiment pas ça.

— Je ne fais pas de strip-tease, déclara Cyndra, furieuse, en foudroyant Nick du regard.

Q.J. la regarda en plissant les yeux.

— Qu'est-ce que tu es, ma poupée ? Une chirurgienne du cerveau avec une jolie poitrine ?

— Une chanteuse.

— Une quoi ?

— Vous m'avez entendue.

Q.J. ajusta le col de sa chemise à rayures et desserra sa cravate cerise. La fille était superbe : un peu foncée pour son goût et dangereusement jeune, mais elle avait de la classe. Peut-être que ses clients l'aimeraient bien si Erna lui trouvait une robe rouge moulante très décolletée. Allons... peut-être qu'il allait jouer les âmes charitables et lui donner une chance.

Il faut que je sois fou, dit-il en secouant la tête. Un soir. Dix dollars. Si tu ne leur plais pas, tu es vidée.

— Et moi ? demanda Joey. Je suis...

— Ne te fatigue pas, fiston. J'ai fait ma B.A. pour la journée.

Joey savait quand il fallait se taire.

Les débuts de Cyndra comme chanteuse ne furent pas fracassants. Habillée par Erna d'une robe moulante qu'elle détestait, avec les cheveux gonflés et trop de maquillage, elle apparut devant un public imbibé d'alcool et susurra sa version de « Mon homme ». C'était une erreur. Cyndra n'avait jamais chanté qu'en famille et, bien qu'elle eût une voix agréablement rauque, elle ne savait absolument pas s'en servir.

Au bout de quelques minutes, le public commença à s'agiter.

— À poil, ma jolie ! cria un homme, et d'autres spectateurs reprirent en chœur.

Debout au fond de la salle, Q.J mâchonnait un cure-dents, l'air maussade. Il avait cru faire une découverte, mais comme d'habitude il s'était trompé. La fille l'avait blousé en le persuadant qu'elle pouvait faire quelque chose dont elle était incapable.

— Tu couches avec elle ? demanda Petey la Grenouille, un de ses habitués, les yeux exorbités.

— Non, je lui donne simplement sa chance, répondit Q.J. en lissant les revers de sa veste de velours.

— Allons donc, je parie que tu couches avec elle, reprit Petey en buvant une rasade.

— Trop jeune, dit sèchement Q.J. en s'éloignant.

Cyndra termina son numéro sous quelques applaudissements moqueurs et des cris plus nourris de « À poil ! ». Elle quitta la scène en courant.

— Je démissionne, annonça-t-elle à Q.J., stupéfait.

— Tu démissionnes ? parvint-il à dire. Mais ça ne va pas, c'est moi qui te flanque dehors, poupée.

Elle le foudroya du regard.

— Vous ne pouvez pas mettre dehors quelqu'un qui a déjà démissionné.

— Et je ne te paie pas non plus, ajouta Q.J., le visage tout rouge.

— Oh, mais si, vous allez me payer, dit-elle d'un ton énergique. J'ai fait mon numéro. Vous allez payer. Ça n'est pas ma faute si vos clients sont une bande de gorilles stupides.

Q.J. n'avait encore jamais rencontré une fille comme Cyndra. Elle était jeune, mais elle avait du cran et il ne pouvait s'empêcher de l'admirer. Dommage qu'elle n'ait pas de talent.

Sa première femme était comme ça : Sarah la coquette, comme on l'appelait. Elle était partie avec leur électricien pendant que lui languissait en prison. Sa seconde femme avait choisi le plombier. Ça faisait maintenant huit ans qu'il était célibataire et il avait bien l'intention de le rester.

Il régla à Cyndra ses dix dollars. Elle ne semblait pas lui en être particulièrement reconnaissante.

— Rien ne m'y oblige, lui déclara-t-il.

— Mais si, répliqua-t-elle en disparaissant dans la nuit.

Q.J. n'appréciait pas son attitude : un peu de léchage de bottes aurait été gentil.

— Ne m'amène plus de tes amis, précisa-t-il à Nick.

— Vous auriez dû la laisser s'entraîner, protesta Nick.

Q.J. regarda Lane en secouant la tête.

— Bon Dieu, mais qu'est-ce qui se passe ici ? J'ai un plongeur qui a une grande gueule et une nana qui ne sait pas chanter et qui prend des grands airs. Est-ce que je mérite ça ?

— C'est la vie, fit Lane en trempant le doigt dans une jatte de crème.

— Merde ! fit Q.J. *Merde !*

— Écoutez..., commença Nick.

— Un mot de plus et tu es viré, lança Q.J. d'un ton bourru.

Erna entra dans la cuisine, rayonnante.

— Beau succès, hein ?

— Avec tout le respect que je dois à une artiste, répondit Q.J. à sa sœur, tu ne saurais pas ce que c'est qu'un succès s'il te tombait dessus !

Le temps que Nick ait fini son travail et soit rentré à l'hôtel, Cyndra et Joey attendaient dehors, leurs bagages bouclés. Il était deux heures du matin.

— Qu'est-ce qui se passe ? demanda-t-il, redoutant la réponse.

— On nous a jetés dehors, dit Joey en tapant du pied pour se réchauffer.

— Comment ça se fait ?

— Parce qu'on leur doit de l'argent.

— Mais je vous en ai donné pour payer la note.

Joey prit un air penaud.

— Je me suis fait un peu entuber dans une partie de bonneteau.

— Crétin ! murmura Cyndra.

— De toute façon, s'empressa de dire Joey, c'est trop cher ici. Demain, on va se trouver un studio... ce sera meilleur marché.

Nick était furieux. Il était toujours le seul à travailler... et voilà maintenant que Joey prenait l'argent qu'il avait tant de mal à gagner et le claquait en se faisant avoir comme un touriste. Le moment était peut-être venu de se séparer.

— J'ai froid, fit Cyndra d'une voix de petite fille. Où va-t-on dormir ?

C'était sa sœur, il ne pouvait pas l'abandonner.

— Allons, fit-il. On va trouver un banc public bien confortable, te couvrir de journaux et tu vas dormir comme un bébé.

Elle retrouva son humour.

— Oh, j'ai hâte d'y être.

Joey claqua des doigts.

— Qu'est-ce que tu veux ? Le penthouse du Ritz-Carlton ?

Elle le regarda comme s'il était un vermisseau.

— Oui, fit-elle. Et un de ces jours c'est exactement ce que j'aurai.

— Sûrement, fit Nick. Mais pour ce soir, c'est le jardin public, alors allons-y.

Ils ramassèrent leurs affaires et partirent. Comme ils se dirigeaient vers le parc, Nick se mit à penser à Lauren et à se dire qu'elle lui manquait beaucoup. Elle avait maintenant dû lire sa lettre et peut-être que s'il prenait une boîte postale et qu'il écrivît de nouveau, aux bons soins de Louise, elle répondrait.

La première chose à faire, c'était de trouver un endroit où habiter. Joey avait raison : l'hôtel, même s'il était bon marché, était encore trop cher. Voilà des semaines qu'ils auraient dû déménager. Quand ils tournèrent le coin, un vent glacé leur fouetta le visage. Joey s'arrêta pour ramasser une liasse de vieux journaux qui dépassaient d'une poubelle, dérangeant au passage un chat efflanqué qui détala dans la rue en miaulant. Deux vieux clochards ivres les croisèrent, marchant d'un pas incertain. Deux camés étaient blottis devant une porte, occupés à se shooter. Cyndra se cramponna au bras de Nick en frissonnant.

— J'ai peur, murmura-t-elle.

— T'en fais pas, dit-il en s'efforçant de la rassurer. On va s'en tirer.

Elle lui serra le bras plus fort.

— Promis ?

— Écoute, ma petite, tant que tu seras avec moi, je ne te laisserai jamais tomber. D'accord ?

— Oui, Nick.

Il avait peut-être un ton très assuré, mais c'était un monde dur et froid dans lequel ils étaient et il y avait des moments où il avait peur aussi.

33

On aurait dit que tout arrivait en même temps : Lauren se débattait contre Primo, et puis tout se brouilla de façon terrifiante. D'abord le hurlement du vent, suivi d'un grondement de tonnerre au moment où la tornade arrivait sur eux, frappant la caravane, la soulevant dans les airs et la projetant à quelques centaines de mètres comme un fêtu de paille.

Précipitée dehors et assommée, Lauren perdit connaissance. Quand elle revint à elle, la tornade était déjà loin, détruisant tout sur son passage en traversant le centre de la ville. Allongée sur le sol, elle poussa un gémissement, porta la main à son visage et sentit du sang sur sa joue. Elle essaya de se relever, écrasée par un accablant sentiment de désespoir tout en essayant de se rappeler exactement ce qui s'était passé.

Primo... qui la saisissait dans ses grosses pattes... qui déchirait ses vêtements... et puis le couteau. Oh, mon Dieu, le couteau ! Est-ce qu'elle l'avait tué ?

Prise de panique, elle réussit à se lever et s'obligea à mettre de l'ordre dans ses pensées. Tout ce qu'elle se rappelait, c'était la puissance de la tornade s'abattant sur la ville ; puis elle-même projetée au-dehors comme par une main magique tandis que la caravane était balayée à l'autre bout du terrain.

Elle était saine et sauve. Pourquoi ? Elle regarda autour d'elle : tout avait disparu ; même les arbres étaient déracinés. Vivant dans le Middle West, elle avait toute sa vie entendu parler de tornades, mais elle n'en avait jamais vu. La réalité maintenant était là, et Lauren constatait les dégâts.

Au loin, elle distinguait encore l'entonnoir grisâtre qui tourbillonnait, en démolissant tout ce qu'il rencontrait. La pluie avait cessé, il régnait maintenant un calme étrange, un silence de mort. Elle se força à bouger, mais ses jambes se dérobaient sous elle. Quelque part un chien hurlait à la mort.

Il faut que je rentre à la maison. Ils vont être très inquiets.

Lauren se mit à marcher. Pour rentrer en ville. Pour rentrer à la maison qui, elle l'espérait, était encore debout.

La tornade balaya la Grand-Rue, anéantissant tout sur son passage. Tout fut aspiré dans ce terrifiant entonnoir d'un blanc grisâtre. Arbres, gens, bêtes, voitures... tout y passait. S'intensifiant à mesure qu'elle progressait, la tornade avait atteint son paroxysme quand elle s'abattit sur la Grand-Rue, avec des vents qui tourbillonnaient à près de quatre cents kilomètres à l'heure.

La vitrine du drugstore fut défoncée, projetant alentour de grands éclats de verre. Priant de toute son âme, Louise était blottie contre Dave. Il la traîna dans la rue au moment où le plafond s'effondrait et où les débris tombaient autour d'eux. La protégeant du mieux qu'il pouvait, il la plaqua au sol et s'allongea sur elle, tous deux tremblant de peur. Une lame de verre s'enfonça dans la jambe de Dave, la sectionnant au-dessous du genou. Louise poussa un long hurlement d'angoisse tandis que le sang de la blessure de David l'inondait.

La tornade poursuivit sa route, démolissant la quincaillerie des frères Blakely, au-dessus de laquelle Phil Roberts et Éloïse étaient serrés l'un contre l'autre. Ils eurent à peine le temps de comprendre ce qui leur arrivait. Les derniers mots qu'entendit Phil Roberts, ce fut Éloïse qui hurlait : « Mon Dieu, je ne voulais pas le faire. Pardonnez-moi mes péchés, je vous en prie, pardonnez-moi ! » Et puis il n'y eut plus rien.

Au volant de sa voiture, Jane Roberts fut aspirée par le tourbillon et transportée sur près d'un kilomètre et demi. Le choc la tua sur le coup. Vingt-quatre heures plus tard, on retrouva la voiture avec son corps à l'intérieur. Miraculeusement, elle était encore intacte.

Le lycée de Bosewell fut frappé de plein fouet. Comme les étudiants se précipitaient dans la salle de gymnastique, la tornade aspira le toit du bâtiment, faisant pleuvoir sur eux des éclats de verre et des fragments de béton. Des débris touchèrent une conduite de gaz, ce qui déclencha un terrible incendie. Meg parvint à s'accrocher à Stock, cramponné à l'échelle murale, la seule partie de la salle de gymnastique restée debout. Elle le tenait de toutes ses forces, essayant d'ignorer les sanglots hystériques qu'il poussait et de garder son sang-froid. Mack avait disparu, aspiré dans le redoutable cône de poussière.

— Au secours ! sanglotait Stock, fou de terreur. Au secours !

— Je suis là, cria Meg d'un ton apaisant. Ne t'inquiète pas, je vais m'occuper de toi, je suis là.

Aretha Mae regarda l'atelier disparaître sous ses yeux. Elle était plantée au milieu de cette apocalypse, parfaitement indemne, et elle continua à prier.

Quand la tornade s'éloigna de Bosewell, quatorze personnes avaient trouvé la mort et il y avait plus de cent cinquante blessés. Plus de soixante bâtiments avaient été endommagés ou anéantis et la ville fut déclarée zone sinistrée. Aucun des articles parus dans la presse ne mentionna même le nom de Bosewell : la tornade meurtrière avait balayé tout le Middle West en semant sur son passage la mort et la destruction, et la petite bourgade de Bosewell n'était qu'une victime sans grande importance. Quand les agences de presse reprirent l'information, ce fut la même chose.

LIVRE DEUX

34

CHICAGO, 1979

Nick, allongé sur le lit, suivait du regard la rousse nue qui se promenait dans son minuscule studio. Elle s'appelait DeVille et elle était superbe. Il aimait l'observer chez lui : c'était sûrement mieux que de la voir tournoyer sur scène tandis que des douzaines de vieux paillards lorgnaient ses charmes. À vingt-six ans, elle était un peu plus âgée que lui, ce qui ne les gênait ni l'un ni l'autre.

DeVille avait des cheveux longs, des yeux pâles couleur d'aigue-marine, des lèvres boudeuses, des seins voluptueux et un caractère enjoué. Cela faisait près de six mois qu'elle vivait avec lui.

— Je peux t'apporter quelque chose, mon chou ? demanda-t-elle en évoluant dans son appartement, toutes courbes au vent.

— Oui, fit-il en se renversant, un bras derrière la tête. Viens donc ici.

DeVille ne discuta pas, elle ne discutait jamais. Il le regrettait parfois. Elle s'approcha du lit et se planta devant lui. Il tendit la main pour palper un sein parfait, qui ne devait rien au silicone : DeVille était très nature. Chez elle seul son nom était du toc.

Caressant son bout de sein entre ses doigts, il lui fit comprendre qu'elle ne devait pas bouger. DeVille était ravie. Son dernier amant avait vingt ans de plus qu'elle et mauvais caractère. Nick était un amour.

— Oh! la la! s'exclama-t-elle en tirant le drap qui le recouvrait et en ouvrant de grands yeux. Les belles... les belles cuisses que tu as.

— C'est pour mieux te serrer, mon enfant!

Il l'attira sur lui et tous deux éclatèrent de rire tandis qu'elle l'entourait de ses longues jambes blanches. Ils se mirent à faire l'amour comme des possédés. Quand ils en eurent terminé, il roula à bas du lit et passa dans la minuscule salle de bains.

— Si je faisais des crêpes? proposa DeVille.

— Je n'ai pas faim, s'empressa-t-il de répondre.

La seule chose qu'elle ne savait pas faire, c'était la cuisine. Il aperçut une araignée qui grimpait sur le côté de la baignoire. La saisissant par une patte, il la déposa délicatement sur le rebord de la fenêtre et la regarda s'enfuir par l'escalier d'incendie.

— Alors, je vais faire du café.

Ça, au moins elle savait. Il entra dans la baignoire à l'émail écaillé et ouvrit le robinet de la douche : comme d'habitude, il n'eut qu'un filet d'eau tiède. Il avait la gueule de bois. La nuit précédente avait été longue, animée, et il n'était pas rentré avant trois heures du matin.

Qui aurait cru que Q.J. allait devenir *la* boîte à la mode? Et qui aurait cru qu'il en deviendrait le directeur? Ah, belle réussite : de plongeur à directeur. Et ça ne lui avait pris que cinq ans. Pas mal!

— Qu'est-ce qu'on va faire aujourd'hui? demanda DeVille en passant la tête par la porte de la salle de bains.

— Je suis à ta disposition.

— On pourrait peut-être aller au ciné, il y a un nouveau Paul Newman.

Pourquoi pas? Ça voulait dire qu'elle sortirait de là encore tout excitée.

— Bien sûr, dit-il, bon enfant.

Quand il émergea de la salle de bains, DeVille était habillée. Le dimanche, elle aimait jouer les grandes filles toutes simples. Elle avait passé un jean, un chandail, et coiffé en tresses ses longs cheveux roux. En la regardant aujourd'hui, personne n'imaginerait qu'elle avait un des numéros les plus sexy de la ville.

— Oh, j'ai oublié de te dire. Cette lettre est arrivée pour toi hier, dit-elle en lui tendant une enveloppe.

Il regarda l'écriture : c'était celle de Cyndra.

— Combien de fois faudra-t-il que je te le dise ? Quand j'ai du courrier, j'aime l'avoir tout de suite, fit-il avec agacement.

— Je t'ai dit : j'ai oublié.

L'enveloppe avait l'air en mauvais état.

— Qu'est-ce que tu as fait, tu l'as ouverte à la vapeur ?

— Comme si j'allais faire ça !

— Comme si tu n'allais pas le faire.

DeVille était d'une jalousie qu'il n'appréciait pas.

— C'est de ta sœur ? demanda-t-elle en regardant par-dessus son épaule.

— Tu vois bien que tu l'as ouverte, accusa-t-il.

— Mais non. Il y a son nom derrière.

C'était une idée stupide, mais il espérait toujours qu'un de ces jours il recevrait une lettre de Lauren. Oui... une idée vraiment stupide. Lauren, c'était son passé, disparu depuis longtemps. Il lui avait écrit bien des fois sans jamais avoir de réponse. Au bout de quelque temps, il avait renoncé. De toute évidence, elle se fichait pas mal de lui. Mais ça ne l'empêchait pas de penser à elle de temps en temps. Il l'imaginait toujours à Bosewell, mariée et avec des enfants, heureuse, ne pensant plus jamais à lui : elle ne se rappelait sans doute même pas son nom.

Il ouvrit la lettre de Cyndra. Elle avait quitté Chicago avec Joey voilà plus de quatre ans. Ils étaient partis tous les deux quand l'hiver était devenu trop dur et qu'ils n'arrivaient ni l'un ni l'autre à garder une place. Ils avaient essayé de le persuader de partir avec eux, mais à cette époque-là il était bien installé chez Q.J., où il faisait tout depuis tenir le bar jusqu'à faire des courses pour le patron.

Cyndra était restée deux ans à New York avec Joey, jusqu'au jour où elle avait fini par rencontrer un gigolo du nom de Reece Webster, qui l'avait entraînée en Californie avec de belles promesses. Elle était toujours avec lui. D'après ce que Nick avait cru comprendre, le type était marié, mais sur le point de quitter sa femme. Il était sur le point de le faire depuis deux ans. Il parcourut la lettre de sa sœur.

Cher Nick,

Ma foi, ça ne se passe pas trop mal à Los Angeles, je suis sûre que tu te plairais ici. Il fait chaud tout le temps et il y a partout ces grands palmiers — mais j'ai déjà dû te dire ça je ne sais pas combien de fois — pas vrai ?

Pourquoi ne viens-tu pas me voir ? Je peux te loger, si ça ne te gêne pas de dormir sur un canapé. Reece n'est jamais là pendant les week-ends, alors on pourrait s'amuser et tu sais combien tu me manques.

Quant à ma carrière... eh bien, je prends des leçons de chant — parfaitement ! Ça ne te fait pas plaisir ? Je rencontre aussi des tas de gens dont Reece dit qu'ils pourront m'aider.

Ça fait un moment que je n'ai pas eu de nouvelles de Joey. Je crois qu'il est chauffeur de taxi. Tu connais Joey, il attend toujours la grande occasion. Comme nous tous...

Mais, sérieusement, Nick... je t'en prie, pense à venir me voir ici, même si ça n'est que pour un long week-end.

Je t'aime et tu me manques beaucoup.

Je t'embrasse,

Ta sœur, Cyndra.

Elle n'était pas la plus grande épistolière du monde, mais au moins elle prenait la peine d'écrire.

— Tu n'es jamais allée en Californie ? demanda-t-il à DeVille, en repliant la lettre et en la fourrant dans sa poche.

— Une fois, répondit-elle. Quand j'avais dix-huit ans. C'était avec ce type riche qui avait son avion privé. Il m'a emmenée avec trois autres filles pour une soirée à Vegas. On leur a fait un de ces spectacles qu'ils ne sont pas près d'oublier !

— Quel genre de spectacle ?

— Du strip-tease, on leur a montré la marchandise.

— Tu n'as jamais fait le tapin ?

Sa bouche se crispa.

— Pourquoi me demandes-tu ça ?

— Je disais ça comme ça, dans la conversation.

— Eh bien, trouve un autre sujet, Nick, dit-elle en le regardant d'un air mauvais. Je me mets à poil, mais c'est *tout* ce que je fais.

— Bon, bon, excuse-moi. Je ne sais pas pourquoi j'ai dit ça.

— Moi non plus.

Elle s'engouffra dans la salle de bains en claquant la porte derrière elle. Elle allait faire la tête cinq minutes et puis revenir. DeVille ne boudait jamais longtemps.

Q.J. avait cette théorie à propos des femmes : au fond, toutes des putes. Parfois, il faisait bénéficier Nick de sa sagesse.

— Voilà comment il faut voir les choses : quand elles épousent un type, qu'est-ce que tu crois qu'elles font ? Elles couchent pour de l'argent, pas vrai ? Grâce à elle, le mari passe une nuit de rêve, et le lendemain il lui achète une robe. Le pauvre imbécile paie tout. Pourquoi ne pas laisser plutôt cent dollars sur la table de nuit et en rester là ?

Q.J. était un vrai cynique. C'était peut-être comme ça qu'il fallait être. Nick n'avait aucune intention de se marier. Chaque fois que DeVille se risquait à faire une allusion dans ce sens, il éclatait de rire, sans la prendre au sérieux.

Une fois de plus, ses rêveries le ramenèrent à Lauren. Il ne pouvait pas s'empêcher de penser à elle : elle rôdait toujours au fond de son esprit, comme un lointain souvenir qu'il n'arrivait pas à oublier. Il avait toujours espéré qu'avec les années Joey ou Cyndra retournerait faire une visite à Bosewell, mais aucun d'eux ne semblait en avoir envie. Jamais à sa connaissance Joey n'avait repris contact avec sa mère et Cyndra n'éprouvait pas le besoin de revoir Aretha Mae, même si de temps en temps elle parlait de Harlan. Tous deux se sentaient coupables d'avoir abandonné ce gamin.

— Quand j'aurai réussi, j'irai le chercher, assurait Cyndra.

Mais oui. Bien sûr.

De temps en temps, l'idée lui venait d'appeler Louise au drugstore, histoire de savoir ce qui se passait en ville. Mais toujours quelque chose le retenait. La vérité, c'est qu'il n'avait pas vraiment envie de savoir. Au fil des années, il avait travaillé dur, aidant Q.J. à faire de son établissement la boîte en vogue qu'elle était aujourd'hui. Cinq ans auparavant, c'était un repaire de minables combinards avec leurs petites amies d'un soir, où l'on ne trouvait rien qu'une cuisine épouvantable et deux ou trois strip-teaseuses fatiguées. Quand la mode des discothèques commença vraiment à prendre, il avait harcelé Q.J. en lui disant de laisser tomber les strip-teaseuses et d'engager un disc-jockey.

— Tu as perdu la tête ou quoi ? avait dit Q.J. Mes clients, ce qu'ils veulent, c'est des nanas. D'ailleurs, on n'a pas la place pour une piste de danse.

— Fais-le, insistait-il. Tu devrais te lancer dans ce truc de disco avant que ça passe.

— J'engage par pitié un malheureux plongeur et voilà qu'il se met à me donner des conseils.

— Je ne suis plus à la plonge.

— Qu'est-ce que tu es alors ?

— Ton assistant.

— Si tu le dis.

Q.J. était trop radin pour engager un disc-jockey et trop timoré pour risquer de perdre des clients en congédiant les strip-teaseuses, alors il avait trouvé un compromis : c'était Nick le disc-jockey et il avait persuadé Erna d'arrêter son numéro pour former les deux nouvelles filles qu'il avait engagées. Les affaires avaient aussitôt démarré. Nick était triomphant.

— Je te l'avais dit, avait-il déclaré.

— Ouais, ouais, tu me l'avais dit, avait répondu Q.J. Comme si je ne le savais pas.

Nick s'était vraiment mis à la musique. C'était formidable d'aller traîner dans les magasins de disques pour écouter toutes les nouvelles formations et choisir les derniers succès. La sono que Q.J. avait trouvée ne valait pas grand-chose, mais Nick apprit rapidement à travailler son public, en mélangeant les vieux disques avec les nouveaux : un peu d'Elvis, suivi d'Al Green, un peu de Bobby Womack pour les secouer et puis on les calmait avec Dionne Warwick et Smokey Robinson. Quand il n'était pas au tourne-disque, il était derrière le bar.

Le barman en place n'aimait pas ça.

— Ne m'envoyez pas ce petit morveux dans les pattes, avait-il déclaré, ou bien je m'en vais.

Q.J. adorait les menaces. En outre, il pourrait s'en tirer en payant Nick la moitié de ce qu'il donnait à l'autre.

— Eh bien, décampe, avait-il dit.

Ce que le barman avait fait et Nick s'était trouvé responsable du bar.

— Il va falloir engager quelqu'un, avait-il protesté. Je ne peux pas mettre les disques et en même temps tenir le bar.

— Seigneur, tu vas me ruiner, avait gémi Q.J.

— Pas du tout, avait-il déclaré. Je vais faire ta fortune.

Erna était son meilleur supporter. Même Lane se mit de la partie en engageant un aide-cuisinier qui savait vraiment faire la cuisine. La boîte de Q.J. se mit à prospérer. Non pas que personne ait jamais pensé à remercier Nick. Les remerciements, il n'en avait pas besoin : un travail régulier, ça suffisait.

Il réfléchit à la situation. Il s'était lancé cinq ans plus tôt avec exactement rien dans sa poche et voilà qu'il était maintenant le fils que Q.J. n'avait jamais eu. Pas mal. Pas si bien non plus. Il était venu à Chicago dans l'espoir d'être un acteur et il n'avait jamais rien fait pour ça. Il avait vingt-deux ans : s'il ne démarrait pas bientôt, il ne le ferait jamais. Tant qu'il restait chez Q.J., il n'avait de temps pour rien d'autre, pas même pour des cours du soir. Avec les années, il avait réussi à mettre de côté un peu plus de deux mille dollars et voilà maintenant que la Californie l'appelait. La lettre de Cyndra, c'était un signe. S'il ne bougeait pas, il serait à jamais coincé chez Q.J., à porter des chemises cerise et à exhiber ses boutons de manchette tout comme Q.J. Terrifiante perspective !

DeVille sortit de la salle de bains. Elle était jolie, sexy et gentille. Mais c'était fini. Six mois, c'était la limite pour Nick. D'ailleurs, il ne pouvait pas l'emmener avec lui : ça n'était jamais une bonne idée d'avoir un excédent de bagages.

— On va au cinéma ? demanda-t-elle.

— Bien sûr.

Mon Dieu, quelles lèvres !

Ça allait être dur de dire adieu à une bouche pareille.

35

PHILADELPHIE, 1979

— Pardonnez-moi, Miss Roberts.

— Oui, Mr. Larden ?

— Je vois qu'il pleut et je me demandais si je pourrais vous proposer de vous raccompagner.

— C'est très gentil de votre part, Mr. Larden, mais mon cousin passe me prendre.

— Oh !

Mr. Larden la dévisagea. C'était un homme d'une trentaine d'années, de taille moyenne avec un début de calvitie et une bouche un peu molle. Marié, avec deux enfants, un chien et plusieurs hamsters, il se trouvait être aussi son patron.

— Vous êtes sûre, Miss Roberts ? demanda-t-il, plein d'espoir.

— Oui, Mr. Larden, je suis sûre.

Ils jouaient tout le temps ce jeu-là. Il faisait semblant d'être le patron plein de sollicitude, toujours soucieux du bien-être de sa secrétaire. Elle faisait comme s'il voulait vraiment la raccompagner par bonté d'âme, parce qu'il pleuvait. Ils savaient tous les deux que c'était un mensonge. Il avait tout simplement envie de la mettre dans son lit. Lauren était sa secrétaire particulière depuis deux ans maintenant, et elle savait qu'elle devrait un jour partir si elle ne voulait pas devenir complètement folle.

— Eh bien, dit-il en prenant son porte-documents, je vous verrai demain alors.

— Oui, Mr. Larden.

Elle attendit qu'il fût parti avant de décrocher le téléphone.

— Brad, dit-elle d'une voix étouffée, je ne peux pas te voir ce soir.

— Comment ça, tu ne peux pas me voir? balbutia-t-il.

— C'est difficile à expliquer maintenant. On parlera demain.

Elle raccrocha précipitamment sans lui laisser le temps de discuter. Bradford Deene, son cousin. Ce bon vieux Brad. Sans lui, elle n'aurait probablement pas tenu ces cinq dernières années. Mais leurs relations étaient malsaines, cela devait cesser et c'était à elle d'y mettre un terme.

Cinq ans auparavant, elle était arrivée à Philadelphie dans un triste état. Will, le frère de sa mère, avec son épouse, Margo, l'avaient accueillie à l'aéroport.

— Nous sommes désolés, ma chérie, vraiment vraiment désolés, avait dit Margo, mais sans verser une larme.

Will semblait plus sincère.

— Ta mère était une femme admirable — toujours une excellente sœur pour moi. Elle va nous manquer.

Les Deene l'avaient emmenée chez eux, à Roosevelt Boulevard. C'était une belle maison, mais ce n'était certainement pas un foyer. Brad, son cousin, âgé de dix-neuf ans, était au collège et on l'avait installée dans sa chambre. Le soir, elle les entendait chuchoter, Margo disant :

— Qu'est-ce que nous allons faire d'elle? Nous ne pouvons pas la garder ici.

Et Will répondait :

— Margo, Lauren est la fille de ma sœur. Elle n'a pas d'autre famille. Nous *devons* l'héberger. Après tout, elle n'a que seize ans.

— Je sais, je sais. Mais pour combien de temps?

Jane et Phil Roberts avaient tous les deux péri dans la terrible tornade qui avait pratiquement anéanti Bosewell. Lauren ne se rappelait pas grand-chose de ce cauchemar. Elle était arrivée à Philadelphie, encore abasourdie par le choc. Et, peu après, elle avait dû confier à Margo qu'elle était enceinte.

Sa tante était devenue complètement folle.

— Comment est-ce arrivé? Tu as été violée? avait-elle demandé.

— C'est... c'est arrivé...

— C'était ce garçon à qui tu étais fiancée? Stock? Parce que, si c'était lui, nous pourrions le forcer à t'épouser.

— Non, ce n'était pas Stock.

— Alors qui ?

— Peu importe.

— Tes malheureux parents. Ils seraient si... si déçus par toi.

— Je veux garder le bébé, avait dit calmement Lauren.

Margo avait secoué la tête.

— Il n'en est absolument pas question. C'est déjà suffisant que *toi* tu sois ici : nous ne pouvons pas nous occuper d'un bébé encore en plus.

— Tu n'as pas le choix, avait dit son oncle. Il faut que tu te fasses avorter.

Elle s'en souvenait comme si c'était hier. Margo l'avait emmenée chez le gynécologue, un homme chauve au regard endormi et aux mains gantées de caoutchouc.

— Qu'est-ce que vous avez fait, jeune personne ? avait-il dit avec un clin d'œil jovial tandis qu'elle était allongée sur le plastique glacé de la table d'examen, se sentant nue et vulnérable sous la chemise de papier que l'infirmière lui avait fait enfiler. Allons, mon enfant, mettez les pieds dans les étriers.

Il l'avait palpée, et tâtée jusqu'au moment où elle n'en pouvait plus.

— Je ne veux pas perdre mon bébé, avait-elle murmuré.

— Ça n'est rien du tout, avait-il répondu. Ne vous inquiétez pas. La prochaine fois, soyez un peu plus prudente, voilà tout.

Puis on lui avait fait une piqûre et elle ne se souvenait de rien sauf d'avoir senti l'acier froid entre ses jambes. Après cela, plus de bébé, plus de Nick.

Les premiers temps, elle y pensait à chaque seconde de la journée, mais maintenant elle s'était obligée à ne plus le faire. Nick Angelo l'avait abandonnée, il avait quitté la ville sans même lui dire au revoir et elle n'avait plus jamais entendu parler de lui, pas même après la tragédie.

Dans une certaine mesure, elle le détestait. Il l'avait utilisée par pur égoïsme, et puis il l'avait plaquée — la laissant enceinte et seule. Elle avait été bouleversée par son départ. Pas une lettre, pas un mot, rien. Elle avait voulu l'oublier mais, pour on ne sait quelle raison inexplicable, elle aurait quand même voulu garder son bébé.

Margo et Will avaient insisté pour qu'elle reprenne ses études. Elle avait accepté à contrecœur, parce qu'elle n'avait pas le choix. Un soir, Margo et Will l'avaient fait venir dans le salon et lui avaient annoncé la mauvaise nouvelle.

— L'héritage de ton père ne te laisse rien. Les droits de succession ont englouti le peu qu'il y avait. Il était criblé de dettes.

— Je suis désolée, Lauren, déclara Margo. Il n'y a pas d'argent pour t'envoyer au collège. Tu dois bien comprendre que nous n'avons pas les moyens de le faire. Nous avons travaillé dur toute notre vie pour donner à Bradford tous les avantages qu'il a eus et nous avons bien le droit maintenant de profiter de ce qui reste.

— Je ne veux pas aller au collège, avoua-t-elle. Dès que j'aurai terminé le lycée, je trouverai du travail.

— Tu pourrais toujours essayer d'obtenir une bourse, suggéra Will, qui se sentait coupable. Après tout, tu es une fille intelligente.

Ils ne comprenaient pas ce qu'elle voulait dire quand elle leur avait assuré qu'elle ne voulait pas aller au collège. Depuis des années, la tornade lui inspirait des cauchemars. Elle la revoyait s'abattant sur la caravane — et parfois, dans ses rêves, la tornade se transformait pour devenir Primo. Il en faisait partie... il la lorgnait... il la touchait... il disait des choses obscènes — jusqu'au moment où elle était obligée de brandir le couteau et de frapper.

Elle avait tué Primo. L'avait-elle vraiment fait ? L'incertitude la rendait folle.

Sitôt le lycée terminé, elle avait trouvé du travail à la banque locale et commencé à mettre de l'argent de côté. Dès l'instant où elle en aurait assez, elle comptait quitter la maison des Deene.

Depuis qu'il était rentré de l'université, Brad était toujours dans les parages. Il était beau garçon, avec des cheveux bruns et bouclés, et un sourire engageant. Il était plus grand que Nick, plus musclé. Elle comparait toujours tous les hommes qu'elle rencontrait à Nick : c'était une habitude dont elle n'arrivait pas à se défaire.

Quand elle eut dix-neuf ans, elle avait économisé assez d'argent pour déménager. C'était une bonne secrétaire et elle trouva aussitôt une meilleure situation chez Larden and Scopers, un cabinet d'avocats. C'était Mr. Larden en personne qui l'avait reçue et il lui avait annoncé qu'elle était parfaite, exactement ce qu'il cherchait.

Sa vie s'écoulait sans histoire jusqu'au jour où Brad était venu tout compliquer. Il était passé un soir chez elle, il était resté trop longtemps et avait trop bu. Puis il lui avait avoué qu'il croyait l'aimer et, sans trop savoir comment, ils s'étaient retrouvés au lit tous les deux, même s'ils se rendaient compte l'un comme l'autre que ce n'était pas bien. Elle avait essayé de n'en faire qu'une folie d'un soir, mais il n'avait rien voulu entendre. Il lui avait prodigué de beaux discours et, une fois qu'elle avait accepté, elle ne pouvait plus s'en tirer. D'ailleurs, ça n'était pas si mal d'être avec quelqu'un qui s'intéressait à vous.

Leur aventure durait depuis plusieurs mois et le remords l'étouffait. Elle en avait assez. Tout ce qu'elle avait à faire, c'était de le lui annoncer. Elle quitta le bureau et prit le bus jusqu'à son appartement, faisant au pas de course les cent derniers mètres qui la séparait de son immeuble, où elle arriva trempée. Brad était là, assis sur *son* canapé, les pieds posés sur *sa* table, à regarder *sa* télévision.

— Je t'ai dit que je ne pouvais pas te voir, déclara-t-elle en ôtant son imperméable.

— Tu ne le pensais pas sérieusement, répliqua-t-il.

— Je veux que tu me rendes ma clé, fit-elle en éteignant la télévision.

Il se rembrunit.

— Qu'est-ce que tu as depuis quelque temps ? Tu es bizarre.

— Brad, tu sais que ça n'est pas bien. Il faut que ça cesse.

— Pas question, bébé.

Il se carra sur le canapé, parfaitement à l'aise.

Sa façon de dire « bébé » lui retourna l'estomac. Elle était certaine de ne pas être la seule fille avec qui il couchait.

— Je t'en prie, dit-elle. Je veux en finir.

Il lui tendit les bras.

— Viens ici.

— Non, Brad.

— Allons, on joue les difficiles ?

Il ne voulait pas partir et elle ne pouvait pas le forcer à s'en aller.

— Et si je le disais à tes parents, menaça-t-elle.

— Tu ne ferais pas ça.

— Je pourrais.

— C'est à toi qu'ils le reprocheront.

— Tu crois que ça me gênerait ? De toute façon ils n'ont jamais eu envie que je vienne habiter avec eux.

Il réfléchit à ses menaces : elle était bien capable de le faire.

— Qu'est-ce qu'il y a, tu es mal fichue ? demanda-t-il en rallumant la télévision.

Elle avait un plan. Si lui ne voulait pas partir, ce serait elle.

225

Une semaine plus tard, lors du cocktail de fin d'année au bureau, Mr. Larden un peu ivre l'entraîna dans son bureau, la coinçant contre un classeur. Elle savait exactement comment s'y prendre avec les hommes qui cherchaient à l'obliger à faire quelque chose dont elle n'avait pas envie. Elle saisit un coupe-papier et le frappa au bras. Mr. Larden poussa un cri de surprise et de douleur.

— Vous êtes folle ? cria-t-il.

— Essayez de comprendre que je ne veux pas, dit-elle en se dirigeant vers la porte.

— Vous êtes congédiée, dit-il.

— Bon.

Quand Noël arriva, elle avait mis au point tous les détails de son départ. Le jour de Noël, elle alla déjeuner chez Margo et Will : ils étaient bien plus gentils avec elle depuis qu'elle avait déménagé et qu'ils n'étaient plus obligés de l'entretenir. Brad était là avec une fille du nom de Jennie. Ils passèrent toute la journée à glousser et à se bécoter.

— Je crois bien qu'ils vont peut-être se fiancer, lui confia Margo dans la cuisine.

— C'est bien, dit Lauren.

S'il amenait sa petite amie pour la rendre jalouse, c'était raté.

Revenue s'asseoir, elle vit Brad glisser la main sous la table pour caresser la cuisse de Jennie.

— Tu sais, dit Margo, en se tournant vers Lauren, sans avoir remarqué les tentatives furtives de son fils, tu peux très bien amener un garçon ici. Est-ce que tu vois quelqu'un ?

Lauren secoua la tête.

— Non.

— Une jolie fille comme toi, lança Willie. Mais tu devrais avoir des petits amis à la douzaine.

— Elle nous les cache sans doute, dit Brad en riant d'un air plein d'assurance, tandis que ses doigts jouaient avec l'élastique de la culotte protégeant la vertu de sa petite amie.

Lauren soupira. Il était un bon amant et il le savait. Il jouait en expert de son corps. Plus tard ce soir-là, quand il se fut débarrassé de Jennie, il arriva sans se faire annoncer chez Lauren. Elle se laissa faire pour la dernière fois, seulement il ne savait pas que c'était la dernière, il avait l'impression erronée qu'elle serait toujours disponible pour lui quand il en aurait envie.

Dès qu'il fut parti, elle se précipita sous la douche, pour laver à jamais tout souvenir de lui. Puis elle fit sa valise et, très tôt le lendemain matin, elle se fit conduire en taxi à la gare routière et prit un car pour New York. Elle ne laissa aucune adresse pour faire suivre son courrier.

Lauren Roberts allait commencer une vie nouvelle.

36

Plusieurs événements persuadèrent Nick qu'il était temps de bouger, et notamment l'incident Carmello. Celui-ci était un petit homme grisonnant d'une cinquantaine d'années avec un nez en bec d'aigle, le teint sombre et une voix rauque et menaçante. On racontait que c'était un tueur à gages qui venait de temps en temps chez Q.J., toujours escorté de quelques jeunes filles nubiles, toujours prêt à en repérer une autre. Ce soir-là, il arriva avec une seule femme, une grande rousse d'une trentaine d'années à la poitrine plantureuse et à l'air maussade.

— Merde, fit Q.J., tout agité, c'est sa femme !

— Et alors, demanda Nick, qu'est-ce que ça fait ?

— Tu ferais bien de t'assurer que personne ne dise un mot des autres filles avec lesquelles il vient ici — parce que, si sa femme l'apprend, elle lui bottera le cul jusqu'à Cuba et retour. Elle est déchaînée.

— Tu te fais trop de soucis, dit Nick calmement. Je m'occuperai moi-même de Mr. Rose.

Et pourquoi pas ? Carmello Rose était connu pour laisser des pourboires de cent dollars. Quand il s'approcha de la table et qu'il les regarda de plus près, il eut l'impression d'avoir déjà vu cette femme quelque part. Elle portait une robe de cocktail au décolleté vertigineux et il n'arrivait pas à détacher ses yeux de ses généreux appas. Carmello le surprit à lorgner le corsage de sa femme et lui lança un long regard qui disait : on peut regarder, mais pas toucher.

— Qu'est-ce que je peux vous servir, Mr. Rose ? demanda Nick.

Carmello commanda une bouteille de champagne.

— Je viens d'apprendre que c'est l'anniversaire de sa femme, dit Q.J., très nerveux, en rôdant auprès de Nick derrière le bar. Dis à Lane de préparer un gâteau.

— Qu'est-ce que fait sa femme ? demanda Nick.

— Qu'est-ce qu'elle fait ? Qu'est-ce que tu t'imagines ? elle s'occupe de lui.

— Alors comment se fait-il qu'il soit toujours avec d'autres femmes ?

Q.J. était plus nerveux que jamais.

— Nous ne savons rien de tout ça, tu entends ? Apporte-lui une bouteille du meilleur champagne... avec mes compliments.

— Pourquoi est-ce que ça n'est pas *toi* qui y vas ?

— Parce que Carmello me fiche la frousse. Ça n'est pas une raison suffisante ? Tu n'as qu'à continuer à regarder en coulisse sa nana et il va faire une crise.

— Tu sais, j'ai l'impression de l'avoir déjà vue quelque part.

— Seigneur, Nick, est-ce que tu n'as pas assez de pépées comme ça ? D'ailleurs, celle-ci est trop vieille pour toi.

— Qui a dit qu'elle m'intéressait ? Je veux juste me rappeler où je l'ai vue.

Q.J. secoua la tête.

— N'y pense plus.

Nick apporta le champagne à leur table en leur annonçant que c'était de la part de Q.J.

— Pour fêter l'anniversaire de Mrs. Rose, dit-il avec un sourire.

Carmello grommela quelque chose.

— Merci, mon petit, dit Mrs. Rose.

Était-ce son imagination, ou bien lui avait-elle fait une œillade ? Il jeta un nouveau coup d'œil furtif à son impressionnante poitrine et tout d'un coup la mémoire lui revint. C'était la femme qui était venue faire le plein au garage de Bosewell quelques années plus tôt. La femme au chandail avec des airs de vamp. Qui pourrait jamais oublier des nichons pareils !

— Comment va votre sœur ? demanda-t-il à la femme en lui servant une coupe de champagne.

Elle passa sa langue sur ses dents et lança à Carmello un coup d'œil nerveux.

— Quoi ? fit-elle.

Carmello sursauta.

— Qu'est-ce que *toi* tu sais de sa sœur ?

— Elle habite Bosewell, non ? J'habitais là-bas aussi.

De toute évidence, il ne lui avait fait aucune impression. Elle ne savait absolument pas de quoi il parlait.

— Voyons... j'ai fait le plein de votre voiture deux ou trois fois. Vous étiez venue voir votre sœur, vous vous rappelez?

Carmello lança à sa femme un regard méfiant.

— Tu connais ce garçon?

— Non, absolument pas, lança-t-elle, faisant étinceler les trois énormes diamants qu'elle avait au doigt.

— En tout cas, il a l'air de se souvenir de toi.

— Tout le monde se souvient de moi, dit-elle d'un ton de défi.

— Oh, vous savez, ça n'a pas d'importance, s'empressa de dire Nick, pressentant les ennuis. J'ai dû me tromper, ajouta-t-il en versant encore un peu de champagne dans la coupe de Carmello avant de s'éloigner.

Cinq minutes plus tard il était dans la réserve quand Carmello entra, refermant d'un coup de pied la porte derrière lui. Avant qu'il ait pu dire un mot, Carmello avait sorti un pistolet qu'il lui enfonçait dans l'estomac. Nick eut l'impression de ne plus avoir de jambes.

— Bon sang! mais qu'est-ce que vous faites? murmura-t-il, affolé et revoyant toute sa vie défiler dans sa tête.

— Tu veux savoir ce que je fais moi, grommela Carmello en lui enfonçant le canon de son arme dans les côtes. Qu'est-ce que toi tu fabriquais avec ma femme?

Il avait la gorge si sèche que c'était à peine s'il pouvait parler.

— J'ai fait le plein de sa voiture, c'est tout.

— T'as fait le plein de sa voiture, hein? C'est ça?

Nick transpirait.

— C'est tout. Je n'étais qu'un gosse... je vous jure.

Seigneur! il avait l'estomac noué comme s'il venait de passer dans une essoreuse. Carmello enfonça plus fort son pistolet.

— Jure un peu mieux que ça, petit salaud. À genoux et jure.

— C'est la vérité... devant Dieu, c'est la vérité.

— Retourne-toi et à genoux, petite ordure.

Peut-être que Carmello allait l'abattre sur place, peut-être que non. Nick ne le saurait jamais car à cet instant Q.J. ouvrit la porte et tomba sur eux.

— Tout va bien? demanda-t-il calmement, comme s'il ne savait rien de ce qui se passait.

À contrecœur, Carmello rangea son arme.

— Bien sûr, bien sûr. Le petit et moi... on bavardait.

Et ce fut tout. La crise était passée. Mais Nick savait que le moment était venu de filer. Deux jours plus tard, il alla voir Q.J. dans son bureau.

— Je m'en vais, annonça-t-il.

— Tu *quoi* ?

— Tu m'as entendu.

— Bien sûr que je t'ai entendu, mais je n'en crois pas mes oreilles.

— Ça fait assez longtemps que je suis à Chicago.

Q.J. le regarda d'un air mauvais.

— Ouais. Assez longtemps pour apprendre tout ce que je sais. C'est ça ? Tu vas ouvrir ta propre boîte. J'aurais dû m'en douter. Il se leva et se mit à arpenter la pièce d'un air rageur. Je t'ai pris, je t'ai bien traité, et maintenant tu vas me planter un couteau dans le cœur.

— Ce n'est pas ça, fit Nick. Je compte aller en Californie.

Q.J. frotta ses doigts tachés de nicotine.

— Pour quoi faire ?

— Pour tenter ma chance.

— Je t'ai donné une chance. Ça ne te suffit pas ?

— J'ai toujours eu envie d'être acteur. Si je n'essaie pas maintenant, je ne le ferai jamais.

Q.J. eut un ricanement écœuré.

— Jouer, pauvre idiot. Tu es dans la limonade, voilà ta place.

— Quand je serai installé, je t'appellerai, je te dirai comment ça marche.

— Qu'est-ce que ça peut bien nous faire ? Tout ce qui m'intéresse, c'est que tu restes ici. Tu es mon directeur, tu t'occupes de tout. Et si tu te montrais un peu reconnaissant ?

— Quand je suis venu travailler ici, je n'ai jamais dit que c'était pour la vie, expliqua-t-il, espérant que Q.J. allait comprendre.

— Seigneur ! fit Q.J. en levant les yeux au ciel. On ne peut plus faire confiance à personne.

— Je resterai jusqu'à ce que tu trouves un remplaçant.

Q.J. était en rage.

— J'ai besoin de personne d'autre. Ne t'inquiète de rien... sale petit ingrat. Tu peux bien me planter là, je m'en fiche pas mal.

Il savait que Q.J. n'en pensait rien.

— Et si je restais deux semaines ? proposa-t-il.

— Fais ce que tu veux, lança Q.J.

Un peu plus tard, Erna le prit à part.

— Il paraît que tu t'en vas à Hollywood, dit-elle, frémissant à cette idée.

— Oui, je vais tenter le coup.

Elle lui donna un coup de coude en lui lançant un regard malicieux.

— Ça te plairait que je vienne avec toi?

— Euh... je ne pense pas que ça ferait plaisir à Lane.

Elle se mit à rire.

— T'as peut-être raison, dit-elle en tirant sur sa bretelle de soutien-gorge. J'ai eu l'occasion d'y aller une fois. J'aurais pu être une starlette célèbre. Elle lui fit un clin d'œil complice. Évidemment, ça voulait dire coucher avec un vieux gros producteur, alors je suis restée ici, j'ai épousé Lane, et maintenant regarde-moi.

— Tu es heureuse, non?

— Je suis la femme de Lane, ça ne me met pas en extase.

— Il m'a l'air d'un brave type.

— Ce n'est pas Q.J.

Erna venait de confirmer les soupçons de Nick : elle avait vraiment un faible pour son frère.

Quand DeVille apprit son départ imminent, elle piqua une crise de colère parce qu'il ne lui en avait jamais parlé. En général, elle quittait la boîte avant lui, mais ce soir-là elle resta, allant s'installer à la table d'un client, chose qu'elle ne faisait jamais. Nick comprit que c'était mauvais signe. S'il avait été malin, il serait parti sans prévenir personne. À l'heure de la fermeture, DeVille laissa tomber le client, et partit avec Nick en se pendant à son bras. Elle était ivre et furieuse, ce qui ne faisait pas un heureux mélange.

— Tu sais, Nicky, lui murmura-t-elle à l'oreille d'une voix pâteuse, sachant pertinemment qu'il avait horreur qu'on l'appelle Nicky.

— Quoi encore? dit-il en la poussant dans un taxi.

— Tu es une ordure, voilà ce que tu es. Elle hocha la tête pour confirmer sa déclaration. Parfaitement, une ordure.

— Écoute, j'allais justement t'en parler, fit-il. Mais il fallait que je le dise à Q.J. d'abord, je lui devais bien ça.

— Tu lui devais bien ça, reprit-elle en l'imitant. Et à moi, qu'est-ce que tu me dois?

Il haussa les sourcils.

— Tu crois que je te dois quelque chose?

— Salaud, lança-t-elle.

Le chauffeur de taxi — un vieux de la vieille qui en avait vu d'autres — jeta un coup d'œil méfiant dans son rétroviseur.

— Salopard, lança DeVille en prenant son élan pour le gifler. On vit ensemble... ça ne veut rien dire pour toi?

Le taxi vint se ranger le long du trottoir et le chauffeur se retourna.

— Je ne veux pas d'histoire, dit-il. Dehors. Tous les deux.

— Ne vous inquiétez pas, mon vieux, fit Nick en empoignant solidement DeVille par le bras. Il n'y aura pas d'histoire. Continuez.

— Le dernier couple qui a eu une scène dans mon taxi a tout bousillé, marmonna le chauffeur.

— Je vous ai dit de continuer, répéta Nick. Je vous revaudrai ça.

Marmonnant toujours dans sa barbe, le chauffeur redémarra. DeVille éclata en sanglots. Il pouvait supporter sa colère, mais les larmes, ça lui faisait toujours quelque chose.

— Allons, dit-il en essayant de la réconforter. Je ne pars que pour un mois ou deux.

— Tu mens, cria-t-elle, se penchant contre lui et barbouillant de mascara sa seule et unique veste.

— Je te ferai peut-être venir.

— Maintenant, fit-elle en sanglotant, tu mens vraiment.

DeVille n'était pas idiote, elle savait que c'était fini. Dès qu'ils arrivèrent chez lui, elle commença à faire ses bagages, jetant ses affaires dans une valise.

— Je croyais que tu étais quelqu'un de différent ! hurla-t-elle. Mais non. Tu es comme tous les autres : égoïste, égocentrique, tout ce qui t'intéresse, c'est ta précieuse petite personne.

Ça lui allait bien d'être en colère et ils se retrouvèrent au lit. DeVille croyait que, si elle se donnait du mal, il l'emmènerait peut-être avec lui. Ce fut une folle soirée. À quatre heures du matin, leurs voisins n'en pouvaient plus d'entendre des gémissements et des cris : ils appelèrent la police. Tout cela se termina pour Nick et DeVille dans un fou rire inextinguible.

Le lendemain matin, ils se séparèrent. DeVille était grave et tendue, et bizarrement digne. Quand elle le quitta, elle faillit lui manquer... enfin, presque.

— Tu es un salopard, tu sais ça ? Aucune loyauté.

Q.J. était lancé et il n'avait pas l'intention de s'arrêter.

— Laisse le petit tranquille, dit Erna, prenant à la défense de Nick.

Q.J. la regarda d'un air mauvais.

— Je t'ai demandé quelque chose ?

232

— Non, mais...

— Je le traite comme un fils, fit Q.J., sans la laisser continuer. Je le forme, tu sais ce que ça veut dire ?

— Tu le formes pour quoi ? demanda sèchement Erna. Pour être barman toute sa vie comme nous ? Qui a envie de ça ?

Voilà qu'ils recommençaient à parler de lui comme s'il n'était pas là. Lane se mêla à la conversation.

— Il reviendra, dit-il en hochant la tête d'un air sagace. Il fait trop chaud en Californie.

Q.J. n'en avait pas l'air si sûr.

— Tu crois ? demanda-t-il.

— Non, fit Erna avec rancœur. Il ne reviendra pas. Pourquoi le ferait-il ?

Pour son dernier soir, Q.J. se calma et, une fois le bar fermé, il donna à Nick une grande soirée d'adieu. Pour la première fois, celui-ci se demanda s'il avait raison de partir. Tout le monde était si chaleureux, si amical. Les serveuses, les danseuses, Erna, Lane, — même Q.J. Au fond, c'était sa famille maintenant, la famille qu'il n'avait jamais eue.

DeVille fit un numéro, et quel numéro ! Elle se tortilla et se déhancha suffisamment pour damner un saint ! Peut-être voulait-elle lui faire comprendre exactement ce qu'il laissait derrière lui. Il le savait bien, mais il devait quand même s'en aller. Q.J. le prit par les épaules.

— Tu sais, Nick, si jamais tu veux revenir, ta place t'attend. Je n'ai jamais dit ça à personne encore qui ait travaillé pour moi. Considère que c'est un honneur.

— Je considère que c'est un honneur, dit-il en souriant.

— En attendant, poursuivit Q.J., quand tu seras à Los Angeles, je veux que tu ailles voir mon ancien associé.

— Qui est ton ancien associé ?

— Un type qu'on appelait Manny la menace, mais qui est maintenant tout ce qu'il y a de réglo. Appelle-le Mr. Manfred et ne t'avise pas de mentionner son surnom : ça le rend dingue.

— Qu'est-ce qu'il fait ?

— Il a un service de limousines. Respectable. Tout comme moi.

Nick éclata de rire.

— Qui a jamais dit que tu étais respectable ?

— Très drôle.

Q.J. lissa un pli imaginaire sur son pantalon à rayures qui n'allait pas avec sa veste rouge vif et sa cravate à pois verts.

— Tu es sûr que ce type est régulier ? demanda Nick, qui trouvait que ce soir Q.J. avait l'air d'un serveur de bordel.

— Est-ce que je te mentirais ?

— Mais oui.

— Va le voir, Nick. Il te trouvera du boulot. Tu n'as qu'à dire que je lui demande de se rappeler le service que je lui ai rendu. Q.J. vient réclamer son dû : voilà ce que tu lui diras. Il saura ce que tu veux dire.

— Est-ce que tu ne devrais pas le contacter d'abord ?

— On ne se parle pas.

— Alors pourquoi voudrait-il... ?

— Fais-moi confiance. Q.J. griffonna quelque chose sur un bout de papier et le lui tendit. Voilà son numéro. Fais comme je t'ai dit et appelle-le dès que tu seras là-bas.

— Merci, dit-il en fourrant le papier dans sa poche.

Ça valait certainement mieux que de débarquer à Los Angeles comme une fleur.

Erna le serra dans ses bras, l'imprégnant de son parfum envahissant.

— Ne nous oublie pas maintenant, tu m'entends ?

— Comment, dit-il en souriant, pourrais-je jamais t'oublier, toi ?

Elle eut un petit rire de jeune fille.

— Tu ne risques pas.

Lane était, comme d'habitude, stoïque. Ils se serrèrent la main.

— Tu reviendras, fit Lane d'un ton convaincu.

— Peut-être... un de ces jours.

Maintenant il commençait vraiment à regretter sa décision de partir. Il ne savait pas du tout à quoi ressemblait Los Angeles. Il n'avait pas d'amis là-bas, pas de travail, rien que Cyndra, et il ne l'avait même pas prévenue de son arrivée, estimant que ce serait amusant de lui faire la surprise.

Le lendemain matin, Q.J. n'était pas visible.

— Il n'aime pas les adieux, expliqua Erna, tandis que Lane et elle le conduisaient à l'aéroport en voiture. On a voulu que tu partes en grand style, ajouta-t-elle avec un clin d'œil espiègle.

Comme ils ne pouvaient pas se garer, ils le déposèrent devant le terminal. Il prit son sac de voyage dans le coffre et resta planté sur le trottoir à leur faire des signes d'adieu tandis qu'ils s'éloignaient dans la Chevrolet dorée de Lane avec le pare-chocs avant cabossé.

Dès qu'ils furent partis, il se sentit seul, mais juste un moment. Puis il prit son sac, tourna les talons et se dirigea d'un pas décidé vers le comptoir de la compagnie aérienne.

37

Le car déposa Lauren à New York vers midi. Elle fit un geste d'adieu au chauffeur, prit sa valise et se retrouva seule au milieu de la gare routière grouillante de monde. Elle n'avait pas eu le temps de faire deux pas qu'un homme mal soigné, empestant la lotion après-rasage de mauvaise qualité, s'approcha d'elle. Ses longs cheveux gras pendaient en mèches autour de son visage et il avait une cigarette vissée au coin de ses lèvres gercées.

— Bonjour, ma jolie. On cherche un hôtel ?

Elle n'était pas une petite péquenaude naïve débarquant du car à New York pour se faire lever par un maquereau qui rôdait par là.

— J'ai une adresse, merci, dit-elle en le foudroyant du regard.

— Je demandais comme ça. C'est la moindre des choses, pour une jolie poulette comme vous.

Elle s'éloigna rapidement pour se faire accoster quelques mètres plus loin par un homme à la peau sombre, vêtu d'un costume blanc douteux qui se glissa derrière elle.

— Vous voulez être mannequin ? lui murmura-t-il à l'oreille.

Elle ne s'arrêta pas.

— Vous voulez être mannequin et gagner plein de fric ? insista-t-il en lui emboîtant le pas.

Elle l'ignora.

— Vous voulez venir avec moi à l'hôtel ?

Elle s'arrêta, se retourna pour le regarder et dit d'une voix claire :

— Laissez-moi tranquille ou j'appelle un agent. Compris, vieux vicieux ?

Il s'esquiva. Devant la gare routière, elle trouva un taxi et donna au chauffeur l'adresse du Barbizon Hotel pour femmes.

— Combien de fois vous vous êtes fait aborder ? demanda le chauffeur, en écrasant la pédale d'accélérateur pour démarrer du trottoir, frôlant de quelques centimètres un autre taxi.

— Suffisamment, répondit-elle en regardant par la vitre les trottoirs crasseux, la foule qui se hâtait et les voitures qui n'avançaient pas.

C'était comme un rêve. Voilà qu'enfin elle était à New York, elle était libre et elle n'avait de comptes à rendre à personne. Avant de quitter Philadelphie, elle avait retenu une chambre au

Barbizon. Elle avait acheté aussi les journaux de New York et entouré au crayon des offres d'emploi, prenant quelques rendez-vous par téléphone.

Après avoir défait ses bagages et s'être installée, elle alla se promener sur la Cinquième Avenue. Oh oui, c'était exactement comme dans *Breakfast at Tiffany's*. La même grande artère, les mêmes magasins luxueux. Elle se trouva devant chez Tiffany's à contempler les vitrines comme une touriste. Elle étouffa un rire : il ne lui manquait plus maintenant qu'un chat et elle était parée !

Le lendemain, elle s'éveilla de bonne heure. C'était l'automne et il faisait frais. Elle s'habilla avec soin : une simple robe bleue, des chaussures à talons bas et le collier de perles de sa mère. Elle passa par-dessus un imperméable bleu marine. Elle avait tiré en arrière son abondante chevelure châtain et avait mis très peu de maquillage. Le plus simple sera le mieux, se dit-elle. Mais il était impossible de dissimuler le fait qu'à vingt et un ans Lauren avait une beauté naturelle, avec son visage à l'ovale parfait, des yeux d'une couleur écaille inhabituelle et un sourire éblouissant.

Avant toute chose, elle ouvrit un compte en banque où elle déposa ses quatre mille dollars d'économie. Puis elle partit pour le premier de ses trois rendez-vous. C'était avec un cabinet d'avocats installé dans un grand immeuble de chrome et de verre sur Park Avenue. Elle fut reçue là par une jolie femme noire qui lui posa une série de questions pertinentes et lui fit remplir un formulaire d'analyse de la personnalité. Après cela, elle dut s'installer à un bureau et donner un échantillon de ses talents de dactylo. La secrétaire la chronométra.

— Excellent ! s'exclama-t-elle. Où peut-on vous joindre ?

Le rendez-vous suivant était avec un cabinet d'experts-comptables de Lexington Avenue. L'immeuble n'était pas aussi somptueux, mais ce n'était pas loin de Bloomingdale's et c'était un nom qu'elle connaissait bien. Ce fut un jeune homme qui l'interrogea. Il était aimable et ne semblait pas vouloir lui faire la cour. Il lut à deux reprises ses références et lui demanda si elle pouvait commencer la semaine prochaine. Elle lui répondit qu'elle lui donnerait une réponse dans quelques jours.

Son troisième rendez-vous était avec une agence de mannequins de Madison Avenue qui s'appelait Samm's. Dans l'annonce, l'agence réclamait une bookeuse. Lauren n'avait pas la moindre idée de ce que faisait une bookeuse, mais travailler dans une agence de mannequins pourrait être amusant et cela ne lui ferait certainement pas de mal d'avoir un peu de diversion dans sa vie.

Une fille harassée en survêtement rouge lui annonça qu'elle avait fait une erreur et qu'elle ferait mieux de revenir le lendemain parce qu'il n'y avait personne pour la recevoir aujourd'hui.

— Je ne peux pas revenir demain, dit-elle. J'avais rendez-vous aujourd'hui. J'ai deux autres propositions à examiner et je dois prendre une décision.

La fille la regarda comme si elle était folle.

— Alors, ne revenez pas, dit-elle. Prenez un des autres postes qu'on vous propose.

— J'aimerais pouvoir choisir, répliqua Lauren. Pourquoi quelqu'un ne peut-il pas me recevoir aujourd'hui ?

— Ils sont tous à la grande séance de photos pour les cosmétiques Flash. Est-ce que c'est une assez bonne raison pour vous ?

Elle descendit l'escalier, trouva une cabine téléphonique et chercha le numéro des cosmétiques Flash. Puis elle appela leur bureau

— Pourriez-vous me dire où a lieu la séance de photos publicitaires ? demanda-t-elle. Ici Lauren de chez Samm's.

— Bien sûr, un instant, répondit la voix à l'autre bout du fil.

Deux minutes plus tard, elle avait le renseignement : au studio d'un photographe dans la 64ᵉ Rue Est. Elle se rendit à pied au studio. Cela ne lui prit qu'un quart d'heure et, quand elle arriva, elle annonça à la réceptionniste qu'elle avait quelque chose à apporter de chez Samm's. La fille lui dit d'aller au studio au fond. Elle suivit un étroit corridor qui débouchait dans un grand atelier brillamment éclairé et plein de monde.

La première personne qu'elle aperçut était un petit homme habillé de façon particulièrement voyante et penché derrière un appareil photo, entouré de plusieurs autres personnes. Devant l'appareil était alanguie la fille à l'air le plus extraordinaire que Lauren eût jamais vu. C'était une blonde exceptionnellement grande avec une masse de cheveux bouclés, d'énormes yeux bleus et des lèvres pulpeuses, moulée dans une robe en lamé argent très décolletée. Lauren reconnut aussitôt Nature, l'actuelle coqueluche des magazines de mode.

— Tu te grouilles, Antonio ? cria Nature. Elle avait une voix de poissarde et un accent à aiguiser des couteaux. Je me gèle.

— Croise les jambes, ma chérie, peut-être que ça te réchauffera, murmura une rousse émaciée d'une quarantaine d'années plantée sur le côté.

Lauren resta dans les parages. Nature prit la pose. Antonio se mit au travail.

— *Bellissima*, chérie, *bellissima*! Tu es la femme la plus fantastique du monde!

Plus il la flattait, plus Nature semblait adorer ça. Elle prenait des poses et se pavanait, faisant littéralement la cour à l'objectif, ses lèvres brillantes frémissant d'émotion, ses immenses yeux bleus fascinant son public. Antonio prit plusieurs rouleaux de pellicule avant d'annoncer une pause.

Tout le monde applaudit. Nature renversa la tête en arrière et se mit à rire, avec un bruit de perruche folle.

— Mes pieds me font un mal de chien, lança-t-elle en s'effondrant dans un fauteuil tandis qu'une maquilleuse et un coiffeur se précipitaient vers elle.

— Excusez-moi, dit Lauren en tapant sur le bras d'un des photographes. Pouvez-vous me dire qui sont les gens de chez Samm's?

— Là-bas.

Du pouce, il désigna une femme rousse. Lauren s'approcha en hésitant. La femme était en train d'allumer un long et mince cigarillo.

— Euh..., pardonnez-moi, fit-elle. Mon nom est Lauren Roberts. J'avais un rendez-vous aujourd'hui avec quelqu'un de chez Samm's, mais la réceptionniste m'a dit que tout le monde était ici.

La personne en question tira sur son cigarillo et la toisa de la tête aux pieds.

— Trop court; trop petite, trop forte, trop empressée.

Lauren fronça les sourcils. Avec un mètre soixante-huit on ne l'avait jamais trouvée petite — quant à trop forte... pas question. Cette femme était vraiment bizarre.

— Je vous demande pardon? fit-elle sèchement.

— Tu n'y arriveras jamais, ma chérie. Tu n'as pas l'attitude.

— Je n'arriverai jamais à quoi?

— A être mannequin. Ça n'est pas ce que tu veux être? Ce n'est pas ce qu'elles veulent toutes? Mais je dois dire que c'est très original de me suivre jusqu'au studio.

Elle ne recula pas.

— Je ne vous ai suivie nulle part. Et personne ne m'a encore jamais dit que j'étais trop forte.

— Pour quelqu'un de normal, tu n'es pas le moins du monde forte. Pour quelqu'un qui veut être mannequin, tu es beaucoup trop grosse.

— Nous avions un rendez-vous. Quelqu'un était censé me recevoir à propos du poste de bookeuse. Je suis allée à votre bureau et la réceptionniste m'a dit qu'il n'y avait personne pour me voir.

— Alors, vous avez décidé de venir ici.

Elle ne pouvait détacher son regard des ongles interminables et rouge sang de cette femme — des serres, aurait dit sa mère.

— Oui.

— Dans ce cas, très bonne note pour t'être servie de ta tête. Sais-tu taper à la machine ?

— J'ai envoyé mon C.V.

— Sais-tu taper ? répéta la femme avec impatience.

Ne t'énerve pas, Lauren. Reste calme.

— Oui, je sais taper.

— Tu sais répondre au téléphone ?

Elle ne put s'empêcher de laisser une pointe d'ironie percer dans sa voix.

— Ça m'a l'air d'un travail vraiment pas facile.

La responsable resta imperturbable.

— Oh, ne t'inquiète pas, ça n'est pas si facile. Je veux bien te prendre à l'essai. Sois au bureau à neuf heures demain.

— *Si* j'accepte, je peux commencer lundi.

La personne la regarda comme si elle n'était pas tout à fait sûre d'avoir bien entendu.

— Si tu *acceptes.* Mon Dieu, nous sommes une petite miss Indépendance, n'est-ce pas ?

— J'ai deux autres propositions auxquelles je réfléchis.

— Et qu'est-ce que tu ferais si je te disais que celle que je te fais n'est valable que maintenant, à cette minute même, et que, si tu la refuses, il est inutile de revenir ?

Il y eut un bref silence rompu par les vociférations de Nature.

— Magnez-vous un peu le train... je suis prête.

Lauren prit un moment pour envisager les possibilités. Elle pouvait accepter le poste dans le cabinet d'avocats, mais elle savait déjà ce que ce serait : assommant, assommant, assommant. Ou bien elle pouvait dire oui à la firme d'experts-comptables : encore une boîte où on ne devait pas arrêter de rigoler. La troisième solution était d'accepter l'offre de cette rousse autoritaire. Cela pourrait se révéler intéressant.

— Alors ? demanda brusquement le manitou. Tu viens avec nous ou pas ?

— Quel est le salaire ?

— Insuffisant, répliqua brutalement cette dernière.

— J'ai besoin d'un salaire convenable. Il faut que je trouve un appartement et que j'aie de quoi manger.

— Tu pourrais partager un appartement et crever de faim. Ça forme le caractère. Dis-moi quand tu seras décidée. Tu as exactement cinq minutes pour y réfléchir. Après cela, ma chère petite, ma proposition ne tient plus.

38

Elle était exactement comme Reece Webster la voulait : coincée sous lui, attendant le grand moment, presque suppliante. Il savait qu'il lui faisait bien l'amour, alors il pouvait se permettre de la laisser en suspens.

Il s'interrompit.

— Comment vous appelez-vous, ma petite dame? demanda-t-il.

— Cyndra, fit-elle, haletante.

Il prolongea l'attente.

— Cyndra quoi?

— Ne me torture pas, Reece.

— Cyndra quoi?

— Cyndra Webster.

Il se mit à rire et recommença à bouger.

— Et qu'est-ce qui va t'aimer jusqu'à ce que tu t'écroules?

— Toi.

— Et qui est-ce que je suis?

— Tu es... mon... mari.

— Parfaitement, bébé, parfaitement!

Il se déchaîna et elle aussi.

Cyndra frissonna et laissa rouler sur le côté son corps superbe. Certains hommes pourraient se vexer de la voir s'éloigner comme ça tout de suite, mais pas Reece Webster. C'était un homme, un vrai, et il pouvait le supporter. En fait, il était plutôt soulagé : les femmes qui voulaient se pelotonner contre lui et faire la conversation après l'amour lui donnaient envie de décamper tout de suite.

Il avait fini par laisser tomber sa première femme, une blonde sans intérêt, et deux jours plus tard il avait rencontré ce petit oiseau des îles à la peau sombre et il l'avait épousée. Elle, c'était une fille faite pour aller loin et lui, Reece Webster, il allait l'accompagner. Cyndra Angelo était un bon placement. Il l'avait épousée pour assurer ses vieux jours.

Reece Webster mesurait un mètre soixante-quinze. Il avait les cheveux roux, une petite moustache blonde, des yeux en amande et un penchant pour les tenues de cow-boy voyantes, même s'il était né à Brooklyn. À trente-huit ans, il avait seize ans de plus que Cyndra, mais, à ses yeux, c'était une bonne chose : ça voulait dire qu'elle n'en savait pas autant que lui. Il pouvait la modeler à sa guise et c'est exactement ce qu'il était en train de faire.

Ils s'étaient rencontrés à New York dans une boîte où le petit ami de Cyndra travaillait comme videur. Joey n'avait pas eu une chance dès l'instant où Reece Webster était entré en scène. Après s'être présenté comme imprésario, il lui avait demandé ce qu'elle faisait.

— Je compte devenir chanteuse professionnelle, avait-elle dit, très sûre d'elle.

— Alors vous venez de tomber sur l'homme qui va faire de vous une vedette, avait-il répondu avec autant d'assurance.

C'était une réplique usée jusqu'à la corde, mais ça marchait à tous les coups. Au début, elle ne l'intéressait que sur un plan purement sexuel. Mais elle n'avait pas envie d'une petite histoire à la va-vite — pas même quand il lui eut raconté qu'il produisait des disques et qu'il était pour quelque chose dans la carrière fulgurante de John Travolta. Autant de mensonges, bien sûr, mais qui irait prétendre le contraire ?

D'ordinaire, il ne les aimait pas si jeunes, mais il y avait chez Cyndra quelque chose de spécial, alors il avait poursuivi son attaque, en l'appâtant avec soin. Il avait loué un studio pour deux heures et avait payé pour qu'elle fasse un enregistrement. Elle n'avait aucune idée de ce qu'elle faisait, mais il y avait là une voix, et il avait décidé que, s'il arrivait à la faire vraiment sortir, ils rouleraient tous les deux sur l'or.

— Je retourne à Hollywood, lui avait-il dit nonchalamment un jour. Eh oui... Hollywood, c'est l'endroit où une fille comme toi pourrait vraiment faire quelque chose.

— Oh..., avait-elle murmuré d'un ton hésitant. Un de ces jours, Joey et moi...

— Ne pense plus à Joey. C'est un perdant. Reste avec lui et tu finiras comme lui. D'un autre côté... si tu viens avec moi, je ferai quelque chose pour ta carrière de chanteuse.

C'est ainsi qu'elle avait fini par laisser tomber Joey et par traverser l'Amérique avec Reece dans sa Cadillac 1969 rose vif, consommant leur relation dans un Holiday Inn quelque part du côté d'Albuquerque. Une fois installés à Los Angeles, Reece lui avait fait prendre des leçons de chant. Il ne fut pas déçu : c'était une chanteuse-née.

Aujourd'hui, deux ans plus tard, tous ses efforts et tout l'argent qu'il avait investi semblaient commencer à rapporter des dividendes. Il avait réussi à intéresser une ou deux maisons de disques, qui envisageaient de rencontrer Cyndra et peut-être de lui faire faire un enregistrement. Entre-temps, il l'avait épousée. Reece savait ce que c'était qu'un ticket-restaurant à vie quand il en avait un en face de lui.

Roulée en boule, les genoux contre sa poitrine, Cyndra n'arrivait pas à comprendre pourquoi elle ne se sentait pas changée. Bon sang, elle était mariée. Mariée ! Et pourtant elle se sentait toujours la même. Bien sûr, se disait-elle, ce n'était que depuis la veille. Peut-être qu'elle se sentirait autrement demain. Elle pensa à Aretha Mae et se demanda ce que celle-ci en aurait dit. Pour la première fois depuis son départ de Bosewell, elle songeait presque à retourner au pays. Rien que pour une visite, bien sûr, une très courte visite. Elle arriverait avec Reece au volant de sa grosse Cadillac et Harlan se précipiterait pour les accueillir. Mon Dieu, ce devait être un grand garçon maintenant : seize ans. Aretha Mae leur préparerait sa spécialité : du poulet grillé et des frites un peu grasses. Quel régal !

Le seul problème, c'était qu'elle n'avait jamais parlé à Reece de ses misérables débuts. Il croyait qu'elle était d'une bonne famille bourgeoise. Pour lui, sa mère s'occupait de la maison et son père gagnait sa vie comme vendeur de voitures. Elle n'avait pas eu le courage de lui dire la vérité : elle avait honte de ses origines.

Reece Webster avait fait irruption dans sa vie exactement au bon moment, juste à l'époque où ses relations sentimentales avec Joey se détérioraient de jour en jour. New York était une ville dure, elle avait occupé sept places différentes et ça commençait à lui saper le moral. Si elle devait encore servir un plat de haricots de plus, elle savait qu'elle allait devenir folle. Quand Reece Webster l'avait abordée, elle avait cru que ce n'était qu'un combinard de plus.

— Vous ne m'avez même pas entendue chanter, avait-elle dit avec mépris quand il lui avait annoncé qu'il ferait d'elle une vedette.

— Pas besoin, avait-il répliqué. Avec votre physique, il vous suffit d'ouvrir la bouche et tous les hommes de l'assistance danseront le fandango. Vous pigez ?

Oui, elle pigeait. Il n'avait pas besoin de lui parler des hommes et de la façon dont ils réagissaient devant elle. Joey était furieux quand elle lui annonça qu'elle partait.

— Qu'est-ce que tu sais de ce type ?

— Suffisamment, avait-elle répondu.

— Tu fais une bêtise.

Peut-être que oui, peut-être que non, mais elle devait tenter sa chance. Il était temps de s'en aller, alors elle avait fait sa valise et elle était partie, malgré les objections de Joey. À Los Angeles, Reece l'avait installée dans ce qu'elle considérait comme le luxe absolu. Un bel appartement sur Fountain Avenue, pas de cafards ni de rats, et un palmier devant sa fenêtre. Un palmier ! Elle se croyait au paradis.

Reece se partageait entre elle et quelques jours de temps en temps avec sa femme, qui habitait Tarzana. Pendant deux ans il avait promis à Cyndra qu'il allait divorcer : maintenant c'était fait, ils avaient sauté dans sa Cadillac, roulé jusqu'à Vegas et s'étaient mariés.

— Attends un peu, avait dit Reece. Quand tu seras riche et célèbre, on remettra ça. Et cette fois, le monde entier viendra. Tu verras, mon chou. Tu verras.

La première chose qui frappa Nick quand il débarqua de l'avion à Los Angeles, ce fut le soleil : un soleil éblouissant, aveuglant. Ensuite, il trouva là une ambiance nonchalante et amicale, comme il n'en existait guère dans les rues de Chicago. Il héla un taxi et donna au chauffeur l'adresse de Cyndra.

Pendant le trajet, il regarda le paysage. Des rues larges, de grands palmiers poussiéreux et une prolifération de stations d'essence, de chaînes de fast-food et des magasins de voitures d'occasion. Les piétons étaient rares, mais il y avait des voitures partout. Comme ils approchaient de la ville, il fut frappé par la verdure omniprésente. Chaque jardin semblait déborder de plantes exotiques et chaque rue était bordée d'arbres.

Il se sentait tout excité. Après tout, c'était vrai, il était à Los Angeles ! À Hollywood ! Le pays du cinéma. S'il avait de la chance, il allait peut-être tomber sur Dustin Hoffman ou sur Al Pacino se promenant dans la rue ! Le taxi s'arrêta devant l'immeuble de Cyndra, un bâtiment de stuc rose de trois étages. Nick sauta à terre et inspecta la rangée de sonnettes devant la porte d'entrée. Son nom était bien marqué au-dessus de l'un d'eux. Il pressa le bouton et attendit. Cinq minutes plus tard, comme il n'avait toujours pas de réponse, il se rendit compte qu'il aurait dû téléphoner. Une femme bien conservée en tenue de tennis et en chaussures de toile s'approcha de la porte, tenant en équilibre deux sacs de provisions.

— Bonjour, dit-il.

— Bonjour, répondit-elle en cherchant sa clé.

Il s'approcha pour l'aider à porter ses sacs.

— Je peux vous donner un coup de main?

Elle découvrit une rangée de dents d'un blanc parfait.

— Pourquoi pas?

Hmmm... À Chicago, elle lui aurait dit d'aller se faire voir. De toute évidence, les gens étaient plus confiants à Los Angeles. Il prit d'une main ses sacs à provisions, de l'autre son sac de voyage, et la suivit dans le vestibule. La première chose qu'il aperçut, ce fut une piscine. Merde alors! Cyndra devait rouler sur l'or. Autour de la piscine il y avait plusieurs appartements.

— Vous ne sauriez pas, par hasard, où habite Cyndra Angelo? demanda-t-il.

— Vous êtes un de ses amis?

— Je suis son frère.

— Appartement trois, de l'autre côté.

Il lui rendit ses provisions.

— Merci.

Elle sourit de nouveau.

— Je vous en prie. Bonne journée.

— J'y compte bien, mais merci quand même.

Il se dirigea vers l'appartement de Cyndra, frappa et, comme personne ne répondait, il posa son sac de voyage contre la porte et réfléchit à ce qu'il allait faire. Comme c'était son premier jour à Los Angeles et qu'il n'y avait personne dans la piscine, il décida de prendre un bain. Il se mit en caleçon, sauta à l'eau en s'agitant comme un poisson. C'était le luxe!

Il passa l'après-midi sur un fauteuil à prendre un peu le soleil et à attendre sa sœur. Vers six heures, il devint évident qu'elle allait être en retard. D'autres personnes rentraient de leur travail et regagnaient leur appartement. Deux ou trois lui jetèrent de drôles de regards. Il sentit qu'il ferait mieux de bouger avant que quelqu'un commence à trouver bizarre sa présence ici. En deux temps, trois mouvements, il utilisa sa carte de crédit pour ouvrir la serrure. Personne n'était là pour le remarquer quand il se glissa à l'intérieur. Il nota dans sa tête de s'assurer que Cyndra se fasse poser une serrure convenable.

Il examina les lieux. La sœurette ne vivait pas mal. Il ouvrit le réfrigérateur et y trouva un plat de spaghettis froids. Ça avait l'air appétissant. Il les dévora, puis se servit un verre de lait et se mit à parcourir le petit appartement. Il n'avait pas l'intention d'être indiscret, mais il ne put s'empêcher d'inspecter les armoires de la salle de bains et d'ouvrir la penderie. Il y avait manifestement un homme dans les lieux : un demeuré qui aimait les bottes de cow-boy et les grands chapeaux. Sur la chaîne, dans le salon, il y avait dans un cadre une photo de Cyndra avec un type plus âgé. Il la prit pour l'examiner.

C'était donc lui, le célèbre Reece Webster. Il avait l'air assez vieux pour être son père : maigrichon et blondinet, avec des lèvres serrées, une moustache qui tombait et un regard fuyant. Cyndra était sensationnelle en short avec un haut qui lui découvrait le nombril. La petite Cyndra était devenue une grande fille. Il alluma une cigarette et s'installa devant la télévision. Au bout de quelques minutes, il s'assoupit. Il se réveilla à minuit passé : la cigarette avait fait un trou dans l'accoudoir du canapé. Toujours pas trace de Cyndra, alors il prit une couverture dans la chambre, s'installa sur le canapé et se rendormit.

Cyndra ne voulait pas rentrer. Elle était tombée amoureuse de Las Vegas.

— Il n'y a pas mieux que cette ville, dit-elle à Reece, abasourdi.

— Ce bled est infect, mon chou, répondit-il, stupéfait à l'idée que quelqu'un puisse vraiment aimer Vegas.

— Alors pourquoi m'as-tu amenée ici ?

— Parce qu'on va se faire plein de fric dans ce trou.

— Comment ça ?

— Tu vas devenir une star ici, bébé. Je le sens.

Elle ne demandait qu'à le croire. Elle s'épanouissait dans son enthousiasme.

— Tu crois ?

— Bien sûr. J'ai pris des rendez-vous demain pour toi avec les dénicheurs de talents de quelques grands hôtels. Tu vas leur en mettre plein la vue.

— Comment est-ce que je vais faire ?

— En ayant l'air sexy et en chantant pour eux, mon chou.

— Pourquoi ? Quand nous avons ces maisons de disques qui m'attendent pour faire des enregistrements à Los Angeles.

— Un grand principe des affaires, déclara Reece, très sûr de lui. Ne jamais mettre tous ses œufs dans le même panier. Quand nous irons voir ces types, écoute, ne parle pas.

Ce soir-là, il lui fit faire la tournée des plus grands hôtels. Le Sands. Le Desert Inn. Le Tropicana. Cyndra était fascinée, elle n'avait jamais rien vu de pareil à ces somptueux palaces avec leurs fontaines multicolores, leurs sculptures gigantesques et leurs énormes salles de jeu bourrées d'Américains moyens en train de perdre leur argent durement gagné.

— Considère ce petit tour comme un voyage de formation, dit Reece en passant d'un hôtel à l'autre, jouant le milliardaire texan avec ses bottes de cow-boy et son grand chapeau à large bord. Il désigna du pouce une chanteuse dans le hall du Golden Nugget. Tu la vois ? Elle chante comme une casserole, mais elle est agréable à regarder.

— Pourquoi me dis-tu ça ? demanda Cyndra.

— Parce que, Mrs. Webster, non seulement tu as le physique, mais tu sais chanter aussi. Et on va mettre en œuvre tout ce qu'on a pour faire de toi une grande vedette.

Reece lui donnait l'impression de pouvoir obtenir n'importe quoi.

— Est-ce qu'on peut rester deux jours de plus ? supplia-t-elle. Est-ce qu'on peut ? S'il te plaît. Après tout, c'est notre lune de miel.

Il repoussa son chapeau en arrière.

— Qu'est-ce que tu me donneras si je dis oui ?

Elle sourit.

— C'est bien simple : tout ce que tu voudras, Reece. Absolument tout.

Nick se réveilla le matin tout courbatu et ayant trop chaud. Pas trace de Cyndra. Pourquoi n'avait-il pas téléphoné pour annoncer sa visite ? Maintenant, c'était trop tard. Il prit une banane, se prépara une tasse de café soluble et se dirigea vers la piscine. Une fille à l'allure athlétique, en maillot une pièce, faisait des longueurs, ses bras et ses jambes bronzés fendant l'eau bleue.

— Eh, cria-t-il. Vous ne sauriez pas par hasard où est Cyndra Angelo ?

La fille, battant l'eau avec vigueur, ne lui accorda aucune attention. Il s'accroupit au bord de la piscine en attendant qu'elle refît surface. Au bout de quelques minutes, elle nagea jusqu'au petit bain et sortit en s'ébrouant comme un chien mouillé. Elle n'était pas d'une beauté conventionnelle, elle avait plutôt un physique intéressant : un visage mutin, un nez en trompette et des yeux bleu clair. Elle mesurait environ un mètre soixante, et avait un corps musclé sensationnel et des cheveux roux très courts.

— Pardonnez-moi. J'essaie de trouver Cyndra Angelo.

— Qui êtes-vous ?

— Son frère.

— Vous êtes son frère ? dit-elle d'un ton incrédule, s'emparant d'une serviette pour se sécher. Cyndra n'a jamais parlé d'un frère.

— J'ai pris l'avion de Chicago... je me suis dit que j'allais lui faire la surprise. Je crois que ça n'était pas une si bonne idée.

— Qu'est-ce que vous avez fait, vous êtes entré chez elle par effraction ? dit-elle en frictionnant une cuisse bronzée.

— Techniquement, oui, mais je sais qu'elle voudrait que je me sente chez moi.

— Racontez donc ça au concierge.

— Il est dans les parages ?

— À votre place, je ne le chercherais pas, car il vous jettera dehors.

— Alors vous ne pouvez pas m'aider ?

— Maintenant que j'y repense, j'ai vu en effet Cyndra s'en aller avec un sac de voyage... voyons... c'était peut-être jeudi. Elle est probablement partie pour un long week-end.

— On est mardi aujourd'hui. Je vais attendre.

La fille lui lança un regard soupçonneux.

— Vous êtes sûr que son petit ami va aimer ça ?

— Qui est son petit ami ?

— Oh, fit-elle en riant, il n'est pas mal... quand on aime le genre cow-boy de drugstore. Elle termina de se sécher et se dirigea vers son appartement de l'autre côté de la piscine. À un de ces quatre, lança-t-elle par-dessus son épaule.

Elle était vraiment bien roulée.

— Oui... c'est ça. Oh... c'est quoi, votre nom ?

Elle se retourna sur le pas de sa porte.

— Annie Broderick. Oh, au fait, si vous la cambriolez, je pourrai donner votre signalement à la police. Et je n'y manquerai pas.

Il la dévisagea avec surprise.

— Est-ce que j'ai l'air capable d'une chose pareille ?

— Non. Vous avez l'air d'un acteur. De la pire espèce.

Elle entra dans son appartement en claquant la porte derrière elle. Même si elle avait essayé, elle n'aurait rien pu lui dire de plus agréable à entendre. Un acteur, hein? Ça, c'était un compliment. Il n'avait pas joué depuis si longtemps qu'il se demandait s'il se rappelait encore comment on faisait. Vers midi, il commençait à s'ennuyer : rester assis à attendre, ça n'était pas son style. Par curiosité, il décrocha le téléphone et appela le numéro que lui avait donné Q.J.

— Manfred, Prestige Limousines, fit une voix de femme.

Prestige Limousines... Elle blaguait?

— Est-ce que je pourrais parler à Mr. Manfred, dit-il aussitôt avant d'avoir changé d'avis.

— Qui dois-je annoncer?

— Dites-lui... oh, dites-lui que c'est un ami de Q.J.

Elle haussa le ton.

— Q.J.?

— Oui... Il saura qui vous voulez dire.

Il y eut une longue attente. Très longue. Si longue qu'il faillit raccrocher. Puis une voix bourrue lança :

— Qui est à l'appareil?

— Vous ne me connaissez pas, expliqua Nick en parlant rapidement. Mais votre ex-associé a dit que je devrais vous appeler quand j'arriverais à Los Angeles. Q.J. a dit que vous auriez peut-être du travail pour moi.

— Qui êtes-vous donc?

— Nick Angelo. Je tenais le bar de Q.J. à Chicago.

— Et qu'est-ce que vous comptez faire pour moi?

— Tout ce que vous voudrez, tant que c'est régulier.

— Je n'en crois pas mes oreilles, marmonna Manny. Vous décrochez un téléphone, vous mentionnez cette crapule à qui je n'adresse plus la parole depuis des années et vous vous imaginez vraiment que je vais vous donner du boulot?

— Écoutez, si c'est un problème, n'y pensez plus. C'est Q.J. qui a insisté pour que j'appelle. Il m'a conseillé de dire que Q.J. venait faire un recouvrement — pour ce service que vous lui devez. Mais si ça ne veut rien dire pour vous...

Il y eut un soupir las à l'autre bout du fil.

— Passez me voir.

— Quand ça?

— Soyez ici dans une heure.

— Où est-ce ici?

— Sur Sunset après La Brea. Vous ne pouvez pas le manquer.

248

Manny raccrocha sans même dire au revoir. Nick décida d'y aller. Après tout, il n'avait rien à perdre.

39

— Tu ne sors jamais avec des garçons? demanda Nature en examinant son visage dans un grand miroir grossissant qu'elle avait tiré de son énorme sac.

— Pas si je peux l'éviter, répondit Lauren.

— Pas si tu peux l'éviter, répéta Nature avec son accent cockney. Eh bien... elle est bonne celle-là. Moi, je ne peux pas tenir la journée si je n'ai pas un type qui m'attend le soir.

— Toi, tu es toi, et moi je suis moi, fit Lauren.

— T'as drôlement raison, reconnut Nature en cherchant un défaut imaginaire sur sa peau parfaite.

Cela faisait trois mois que Lauren travaillait chez Samm's. C'était assurément différent de tout ce qu'elle avait fait jusqu'à maintenant. Absolument pas ennuyeux. En fait, elle était si occupée qu'elle n'avait jamais le temps de penser à autre chose qu'à son travail. La responsable du booking, elle n'avait pas tardé à le découvrir, faisait tout pour le groupe de mannequins qui allait et venait dans l'agence. Elles étaient toutes superbes, mais toutes, semblait-il, avaient une vie personnelle insensée.

Nature, le plus célèbre mannequin de Samm's, était la plus dingue de toutes. Elle avait pris l'habitude de venir s'asseoir de temps en temps sur le bureau de Lauren pour bavarder. Nature lui avait confié qu'elle en avait par-dessus la tête des gens qui frimaient sans arrêt.

— Toi, avait-elle dit à Lauren, tu es quelqu'un de vrai. Je peux te parler, tu es si normale.

C'est bien gentil. Mais j'ai du travail.

Chez Samm's, le téléphone n'arrêtait jamais. Outre Nature, l'agence représentait trois des autres top models de New York : Selina, Gypsy et Bett Smith. À l'agence, on les appelait les Quatre Grandes. Selina était une blonde élancée aux yeux de chatte. Gypsy était une Eurasienne à la beauté exotique. Et Bett Smith était une blonde de pur sang américain avec un charmant petit nez en trompette et juste ce qu'il fallait de taches de rousseur.

Samm était la femme que Lauren avait rencontrée à la séance de photos où elle avait fait irruption. Samm Mason, ancien top model, aujourd'hui une des meilleures agences de New York.

Vers la fin des années cinquante, Samm avait été un des grands mannequins des États-Unis. Quand elle avait pris sa retraite, elle avait ouvert sa propre agence et, avec les années, en avait fait une redoutable concurrence pour Eileen Ford et pour l'agence Casablanca. Samm menait son agence d'une main de fer, protégeait ses filles et demandait à tout son personnel d'en faire autant.

— Je sais comme c'est facile de se faire traiter comme une rien du tout dans ce métier, disait-elle souvent à ses employés. Ça n'arrivera à aucune de mes filles. Pas tant qu'elles travaillent pour moi.

Lauren était devenue la copine d'une Américaine d'origine chinoise du nom de Pia, qui travaillait à l'agence depuis plusieurs années comme assistante personnelle de Samm. Sans Pia pour l'aider à ses débuts, elle aurait peut-être renoncé. Ça n'avait certainement aucun rapport avec un cabinet d'avocats : le milieu de la mode était cahotique. Des gens au téléphone jour et nuit réclamant à grands cris telle ou telle fille. Les mannequins hurlant qu'elles ne voulaient pas aller en Alaska, qu'elles préféraient faire les photos aux Bahamas. Les petits amis qui appelaient, des hommes qui essayaient de les poursuivre, des clients qui se plaignaient. Le travail de Lauren était de veiller à ce que chacun arrive à l'endroit voulu à l'heure voulue. On comptait aussi sur elle pour que tout le monde soit content. Elle excella bientôt dans cette tâche. Au bout de quelques semaines, Pia avait dit : — Tu te débrouilles bien, Samm est vraiment contente. Est-ce que tu t'amuses ?

S'amuser n'était pas exactement la meilleure façon de décrire ses deux premiers mois à New York. Elle avait à peine eu le temps de réfléchir, encore moins de s'amuser. Au début, Samm lui avait demandé si ça l'ennuyait de travailler pendant les week-ends. Comme une idiote, elle avait dit que non. D'ailleurs, elle n'avait rien d'autre à faire pour s'occuper et ça représentait des rentrées d'argent supplémentaires. Elle avait quitté l'hôtel pour un studio dans le Village. Ce n'était pas l'endroit rêvé. Au-dessus d'elle, une femme désagréable s'exerçait au piano à toute heure du jour ou de la nuit. Et à l'étage en dessous, un jeune garçon qui prétendait être un artiste faisait des passes. Ce qu'il y avait de bien, à New York, c'est qu'on n'avait jamais le temps de se sentir seul. Elle était toujours occupée à faire quelque chose.

— Figure-toi, dit Nature en se penchant sur son bureau, qu'hier soir j'ai rencontré un grand type, le genre Européen fauché. Il traînait dans une discothèque. Ma vieille, il m'a draguée à tel point que même moi je n'arrivais pas à m'en débarrasser, c'est dire! Nature eut un grand rire. Ces Italiens... on ne sait même pas encore leur nom qu'ils vous tripotent déjà avec leurs mains expertes. Encore heureux que je sache me défendre. Un coup de genou dans l'entrejambe et je file. C'est ma maman qui m'a appris ça.

— Tu étais sortie avec lui? demanda Lauren, songeant que ce genre de coup de genou expédié par Nature était suffisant pour tuer un homme normal.

Nature mesurait plus d'un mètre quatre-vingts et était extrêmement bien bâtie. Elle n'était pas décharnée comme sa grande rivale, Selina.

— Sortie avec lui? C'est plutôt rentrée avec lui, ricana Nature. Il m'a traînée à son hôtel et on a fait la fête.

— Quelle genre de fête?

— Qu'est-ce que tu crois? Un peu d'herbe, du rock'n roll à gogo, sauf qu'il voulait jouer les Julio Iglesias. J'ai mis le holà à ça tout de suite, je peux te le dire.

Lauren termina de taper une feuille de papier et la lui tendit.

— Voici tes instructions pour la séance de photo d'Acapulco. Tu pars jeudi. Une voiture et un chauffeur viendront te prendre à ton appartement et tu rentreras le mardi suivant, à temps pour être au studio mercredi matin pour la photo de couverture de *Cosmopolitan*.

Nature saisit la feuille de papier en y jetant à peine un coup d'œil.

— Acapulco, gémit-elle. Il fait une chaleur à crever là-bas.

— Tu y es déjà allée?

— Une dizaine de fois.

Lauren soupira : parfois elle enviait les mannequins et les magnifiques voyages qu'elles semblaient trouver tout naturels.

— Ça doit être absolument merveilleux, dit-elle d'un ton nostalgique.

Nature fit la grimace.

— Si tu aimes le soleil et une bande de types basanés qui grouillent dans tous les coins... personnellement, si j'avais le choix, je rentrerais à Londres prendre une bonne tasse de thé avec ma mère.

— Ça fait combien de temps que tu n'es pas revenue chez toi?

— Ça doit faire un an maintenant. Samm m'a promis que je pourrais prendre quelques semaines à Noël.

— Tu as besoin de sa permission ?

Nature partit d'un gros rire.

— Je ne vais pas tout fiche en l'air quand ça marche. C'est Samm qui m'a fait arriver là où je suis aujourd'hui. J'écoute ce qu'elle me dit, c'est une vieille maligne. Ça me rappelle... il faut que je la voie. Elle est seule ?

— Attends, je vais l'appeler.

— Merci, ma chérie. Tu es un ange.

Samm était libre. Nature partit au pas de charge vers son bureau, laissant Lauren avec ses appels qui résonnaient dans tous les sens. Il y avait deux autres filles pour s'occuper du booking, mais ni l'une ni l'autre n'étaient aussi consciencieuses qu'elle. Elle n'avait jamais eu l'intention de se rendre indispensable, mais au fond d'elle-même elle savait que tout le monde comptait sur elle. C'était une grande responsabilité, mais au moins elle avait l'impression d'être utile. Le reste de la journée passa rapidement, tout se déroulant au rythme infernal habituel. Quand le moment fut venu pour elle de partir, elle était épuisée. Pia la rattrapa à la porte.

— La semaine prochaine, c'est l'anniversaire de Samm, les filles veulent organiser une soirée et lui faire la surprise. Elle aura horreur de ça. Qu'est-ce que je vais faire ?

— Si elle a horreur de ça, dis-leur que non.

Pia tapota de ses longs ongles rouges son sac en faux Chanel.

— Tu as déjà essayé de dire non à ces petites garces gâtées ?

— Je peux le faire.

— C'est un anniversaire qui compte pour Samm, fit Pia, soucieuse. Je pense que nous devrions quand même organiser une soirée. Peux-tu t'arranger pour le buffet, la musique, les fleurs et tout ce qu'il nous faut d'autre ? Selina a proposé qu'on utilise l'appartement de son petit ami.

— Quel petit ami ?

— Tu n'es pas au courant ? Elle est de nouveau amoureuse.

C'était vrai : les mannequins changeaient de petit ami aussi souvent que de culotte. Les hommes, c'était un des avantages du métier.

— De qui est-elle amoureuse maintenant ? interrogea Lauren.

— De cette star anglaise de rock, Emerson Burn, fit Pia en riant. Quand Nature va apprendre ça, elle la tuera : elle pense que tout ce qui est anglais lui appartient automatiquement.

252

Lauren essayait de garder son calme. Au fond, tout ça, c'était trop. Un jour elle était assise à Philadelphie, à faire un travail qu'elle détestait, avec un patron qui n'arrêtait pas de lui courir après — sans parler de son aventure avec Brad — et voilà maintenant qu'elle était à New York, vivant au milieu des mannequins et des stars du rock. Emerson Burn était célèbre. Et elle allait le rencontrer. Emerson Burn ! Il n'y avait pas si longtemps, elle avait une affiche de lui sur le mur de sa chambre, à côté d'une grande photo de John Lennon.

Du calme, Lauren Roberts, ça n'est qu'un être humain. Et, à en croire la publicité, pas très sympathique.

— Est-ce que je peux compter sur toi pour t'occuper de ça ? demanda Pia, qui avait déjà un pied sur le palier. Je le ferais bien moi-même, mais tu te débrouilles si bien pour tout ça... tu es si organisée.

Je ne suis pas si organisée, avait-elle envie de crier. J'ai vingt et un ans, et j'aimerais bien avoir une vie, moi aussi.

— Bien sûr, dit-elle. Laisse-moi les numéros de téléphone sur mon bureau et je m'en occuperai demain.

— Fichtre ! fit Pia en regardant sa montre. Il est sept heures passées, mon homme va me tuer. On va voir *Manhattan.* J'adore Woody Allen. Peux-tu vérifier que toutes les lumières sont bien éteintes et fermer à clé en partant ?

Merci infiniment, Pia. Pourquoi est-ce que ça n'est pas moi qui touche ton salaire aussi ?

Elle rentra en métro ; elle s'arrêta au supermarché du coin pour s'acheter une boîte de haricots et un pain. Encore un dîner de gourmet qui se prépare, songea-t-elle avec amertume. Depuis son arrivée à New York, elle n'était pas sortie une seule fois. Son programme c'était boulot, dodo : ça ne changeait jamais. Quelques types l'avaient bien invitée : l'un, un photographe, qui était passé au bureau pour voir Samm, et l'autre, un adjoint du comptable de l'agence. Elle avait décliné les deux invitations. Qui avait besoin de s'embarrasser d'un homme ? Certainement pas elle.

Nick Angelo.

Souvent, son nom lui venait à l'esprit sans aucune raison, et elle se prenait à se demander où il était et ce qu'il faisait et surtout : était-il heureux ? Et alors ? Nick Angelo appartenait à son passé. Elle se disait que ça lui était bien égal de ne jamais le revoir.

40

Manny Manfred était à n'en pas douter l'homme le plus gros que Nick eût jamais rencontré. Manny n'était pas seulement gras, il était gargantuesque : avec des petits yeux porcins, des cascades de bajoues et de mentons, et des cheveux blonds avec deux centimètres de racine noire. Il était installé dans un fauteuil en faux cuir fait sur mesure derrière un bureau horriblement encombré, à siroter une limonade avec une paille tout en enfournant dans sa petite bouche avide des poignées de cacahuètes. Il n'était pas du tout ce à quoi Nick s'attendait. Q.J. et Manny ensemble, ça avait dû être le spectacle du siècle !

— Je suis Nick.

— Et alors ?

— Vous m'avez dit de passer.

— Oh oui, c'est Q.J. qui vous envoie ?

— C'est exact.

— Qu'est-ce que tu veux ?

— Du travail. À mi-temps. J'ai besoin d'être libre pour aller à des auditions s'il s'en présente.

— Quelles auditions ?

— Je suis comédien.

— Qui a dit ça ?

— Moi.

Manny déplaça dans son fauteuil son énorme masse et soupira.

— Tu sais conduire ?

— Oui.

— Tu sais bien conduire ?

— Oui.

— On ne t'a jamais retiré ton permis ?

— Bien sûr que non.

— Va voir Luigi. Dis-lui que je veux qu'on te mette sur le service de l'aéroport.

— C'est tout ?

— Qu'est-ce que tu veux... que je t'embrasse et que je te prenne dans mes bras ? File.

Il fila. Vit Luigi — un homme à la tête ronde, avec une dent de devant cassée et un air revêche —, eut droit à un cours rapide sur ce qu'il fallait faire et ne pas faire quand on était chauffeur de limousine et fut prié de se présenter à huit heures du soir. Pas plus difficile que ça.

Ça ne fut pas si facile de rentrer dans l'appartement de Cyndra. Le concierge lui tomba dessus juste au moment où il introduisait sa carte de crédit dans la serrure. C'était un homme à l'air féroce, avec les cheveux longs, deux dents en or et un air « moi-je-ne-fais-pas-de-prisonnier ». Il abattit sa grosse patte sur l'épaule de Nick.

— Qu'est-ce que tu fais, mon garçon ?

Il voulut s'expliquer. Le concierge ne voulut rien entendre. Il le jeta dehors.

Nick se rendit compte qu'il avait de la chance de s'en être tiré sans que l'autre appelle la police. Il rôda devant l'immeuble jusqu'au moment où Annie Broderick apparut. Habillée, elle n'était plus la même. Un survêtement recouvrait son corps harmonieux et une casquette de base-ball dissimulait ses courts cheveux roux.

— Vous vous souvenez de moi ? dit-il.

— Non, répondit-elle.

— Mais si, insista-t-il en la gratifiant de l'irrésistible regard de ses yeux verts.

— Qu'est-ce que vous voulez ? demanda-t-elle, nullement impressionnée.

— Que vous m'aidiez.

Elle s'approcha d'une vieille Packard marron et ouvrit la portière.

— Pourquoi ?

Il se fit on ne peut plus charmeur, attendant la réaction habituelle.

— Parce que vous me connaissez. Nous sommes amis.

Elle parut surprise.

— Ah bon ?

— Bien sûr que oui, fit-il d'un ton persuasif.

Annie estima qu'elle avait perdu assez de temps.

— Écoutez, fit-elle sèchement. Frère de Cyndra — ou qui que vous soyez — cessez de m'embêter. J'ai peut-être l'air d'une poire, mais faites-moi confiance, ça n'est pas le cas.

— Ça n'est pas à votre argent que j'en veux, dit-il, très vexé.

— Vous avez de la chance parce que je n'en ai pas.

— Tout ce que je veux, c'est laisser un mot pour Cyndra. Lui dire où elle peut me joindre.

— Qu'est-ce qui vous en empêche ?

— Le concierge m'a repéré : je ne peux même pas sortir mon

sac de voyage de son appartement. Il faut que j'explique ça à Cyndra.

— Expliquez-moi. Je transmettrai, dit-elle.

Il resta muet.

— Alors? fit-elle, impatiente. Que voulez-vous que je lui dise?

— Je n'ai pas d'endroit où aller.

C'était maintenant qu'elle était censée s'apitoyer sur son sort et lui proposer d'utiliser son canapé.

— Vous n'avez nulle part où aller, répéta-t-elle tranquillement. C'est embêtant, ça.

Autant pour le légendaire charme d'Angelo. Cette femme avait un cœur de pierre.

— Non... mais j'ai du travail, s'empressa-t-il de dire, comme si cela pourrait la faire changer d'avis.

— Tant mieux pour vous. Elle jeta un regard appuyé à sa montre. Je suis en retard pour mon cours.

Elle était peut-être lesbienne : tout était possible.

— Dites-lui simplement que je suis passé et que je l'appellerai. D'accord?

Annie acquiesça de la tête et démarra. Il passa le reste de la journée à traîner dans Hollywood, à regarder les noms des stars gravés sur le trottoir, à flâner dans une petite boutique pleine de photos de films pour finir par se retrouver dans un bistrot de Fairfax, où il commanda du bœuf vinaigrette et une salade de chou. Il réfléchit à ce qu'il allait faire ensuite. L'argent n'était pas un problème, il avait quitté Chicago avec douze cents dollars dans sa poche — pas mal étant donné qu'en général il dépensait l'argent aussi vite qu'il le gagnait. S'il le voulait, il pourrait louer un appartement et s'installer — mais c'était plus raisonnable d'attendre le retour de Cyndra et de camper quelques semaines sur son canapé en attendant d'avoir repéré un peu les lieux et de voir s'il avait envie de rester ou non.

La première chose à faire était certainement de louer une voiture. Il s'était vite rendu compte qu'à Los Angeles les bus étaient rares et ne couvraient pas toute l'étendue de la ville. Comme il n'y avait pas de métro, une automobile était indispensable. Il regarda les agences de location de voitures dans les pages jaunes et se loua une vieille Buick pour un mois. Au volant d'une voiture, il se sentait plus sûr de lui. Au moins il avait un chez-lui.

— Tu ne comptes pas porter ce que tu as sur le dos ? demanda Luigi en toisant Nick d'un air écœuré.

— Qu'est-ce que tu reproches à ce que je porte ?

— Tu te paies ma tête, fit Luigi en frottant son crâne rond. Tu as l'air d'un clochard.

Ils se dévisagèrent sans aménité. Les choses ne commençaient pas sous de bons auspices.

— Je n'ai rien d'autre, expliqua Nick. J'ai perdu ma valise.

— Il y a une penderie, là-dedans, fit Luigi en lui désignant la pièce de derrière. Trouve-toi quelque chose qui t'aille. Eh, bon sang, dépêche-toi ! Tu fais le service de l'aéroport.

— Qui est-ce que je vais chercher ?

— Mr. Evans. C'est un homme d'affaires. Tu brandis le panneau avec son nom écrit dessus, tu l'accompagnes jusqu'à la limousine, tu fermes la vitre de séparation et tu le conduis là où il voudra aller. Oh, et n'oublie pas de conduire en douceur. Mr. Evans n'aime pas les coups de frein brusques.

— Vu.

— Encore une chose : tu ne parles pas avant qu'il t'adresse la parole. Ça, c'est la règle du jeu. Ces gens-là paient du bon argent pour une limo, ils ne veulent pas qu'on leur fasse la conversation.

Ah ! Comme s'il allait chercher à faire la conversation à un parfait inconnu. Pour quel genre de crétin est-ce que Luigi le prenait ? Il inspecta la penderie et trouva un pantalon noir, une veste sombre et une chemise blanche. Les vêtements ne lui allaient pas tout à fait, mais bah... de toute façon, il serait assis derrière le volant d'une voiture.

Dans le bureau il y avait deux autres chauffeurs qui fumaient une cigarette en jouant aux cartes. Aucun d'eux ne leva le nez en l'apercevant. Luigi lui tendit un formulaire.

— Remplis ça, ordonna-t-il.

Il inscrivit l'adresse de Cyndra et mentit à propos de son expérience de chauffeur, déclarant qu'il avait travaillé pour une compagnie de voitures de maître à Chicago. Cette précision fit disparaître du visage de Luigi son air mauvais. Il se demanda en passant quel service Q.J. avait bien pu rendre à Manny. Un de ces jours, il avait bien l'intention de le découvrir.

Luigi lui confia une limousine argent. Elle était astiquée et les chromes étincelaient, mais quand il monta dans la voiture, il se rendit compte qu'elle avait connu des jours meilleurs. À l'arrière, où s'installaient les passagers, tout était impeccable avec une rose dans un petit vase, un compotier de fruits frais et de l'alcool dans les poches des portières. Mais devant, le cuir de la banquette était craquelé et les joints des vitres s'écaillaient. Autant pour les Prestige Limousines. La voiture lui fit penser à une fille superbe avec la vérole.

— Tu connais la route de l'aéroport ? demanda Luigi.

Il n'avait pas la moindre idée de l'itinéraire pour aller là-bas, mais il acquiesça quand même de la tête. Dès qu'il eut quitté le garage, il arrêta la limo dans une petite rue de côté et étudia un plan qu'il avait trouvé dans la boîte à gants. Ça n'était pas bien compliqué. À Los Angeles, il n'y avait que des rues droites allant dans différentes directions, comme un grand damier. Il alluma la radio et fila jusqu'à l'aéroport en écoutant Jimi Hendrix à plein tube.

Il arriva avec vingt minutes d'avance et ne savait absolument pas où se garer. Il y avait des flics partout, qui hurlaient, vociféraient et s'assuraient qu'aucune voiture ne s'arrêtait. Abaissant sa vitre, il tendit un billet de dix dollars à un porteur et lui demanda où il pouvait mettre la voiture. Le porteur saisit l'argent et lui expliqua où la laisser s'il ne voulait pas avoir de contravention.

Son passager arrivait par un vol en provenance de Suisse. Mr. Evans était un homme au teint basané, avec des cheveux qu'on aurait dits vernis et d'énormes lunettes noires. Un peu bizarre à dix heures du soir, mais Nick commençait à s'habituer aux petites faiblesses des gens qui vivaient à Los Angeles. Mr. Evans n'avait pas de bagage, à part un porte-documents en peau de serpent qu'il serrait sous son bras, et il poussa un grognement sauvage quand Nick voulut le lui prendre.

— Je voulais seulement vous aider, dit Nick en haussant les épaules.

Il escorta son passager jusqu'à la limo. Mr. Evans habitait sur une hauteur de Wilshire Boulevard. Nick le déposa et attendit un pourboire, un mot de remerciement, quelque chose. Mr. Evans n'était pas d'humeur badine. Il entra dans son immeuble sans même un coup d'œil en arrière.

— Va te faire voir, murmura Nick, songeant que la vie de chauffeur de voitures de maître n'était peut-être pas pour lui.

En rentrant à Prestige Limousines, il trouva Luigi assis dans son bureau à se curer le nez tout en parlant au téléphone.

— Je vais te faire ta fête, ma jolie. Un vrai feu d'artifice. Je m'en vais... Il s'arrêta brusquement en voyant Nick entrer.

Qu'est-ce que tu viens fiche ici? demanda-t-il, la main sur le micro du combiné.

— J'ai ramené la voiture. J'ai pensé que tu aimerais savoir que j'ai déposé sain et sauf ton passager chez lui.

— Qu'est-ce que tu veux, une médaille?

Luigi était une version atténuée de Manny : de toute évidence, tous les deux sortaient de la même école de charme.

— Même heure demain? se renseigna Nick, en se demandant quel genre de femme Luigi avait pu laisser pantelante à l'autre bout du fil.

— C'est ça, lança Luigi, impatient de revenir à sa chérie.

— J'y serai.

Peut-être.

S'il ne se présente rien de mieux.

Il s'installa dans sa Buick de location et descendit Hollywood Boulevard, pour finir par s'arrêter à un motel où il prit une chambre pour la nuit.

— Vous voulez une fille? proposa l'employé de la réception, s'arrachant à la lecture d'un magazine porno aux pages écornées.

— Pas ce soir.

L'employé le considéra avec méfiance.

— Pourquoi pas?

Il ne prit pas la peine de répondre. Allongé sur un lit défoncé, en regardant la télévision, il se demanda s'il avait bien fait de quitter Chicago. Il avait laissé là-bas une bonne place chez Q.J., une fille formidable, et pour quoi? Pour un motel minable et un travail de larbin. Il allait patienter deux semaines et, si les choses ne s'amélioraient pas, il reprendrait un avion pour rentrer.

41

Emerson Burn avait une crinière à rendre jalouse n'importe quelle femme. Lauren n'arrivait pas à en détacher son regard. Elle était une de ses fans depuis tant d'années, elle adorait sa musique et voilà qu'elle se trouvait maintenant devant lui. Elle n'arrivait pas à y croire. Il avait de longs cheveux d'un blond de miel qui lui tombaient plus bas que les épaules. Des yeux d'un gris rêveur, de longs cils incurvés. Un nez aquilin et des lèvres étonnamment pleines pour un homme.

Tu le dévisages, Lauren Roberts.

C'est plus fort que moi !

Lauren n'était pas seule avec lui. Il y avait là aussi son imprésario, son directeur de publicité, son secrétaire particulier et Selina qui, vêtue d'un tailleur en peau de léopard, arpentait l'appartement comme si elle en était propriétaire. Selina était d'une maigreur incroyable et presque aussi grande que Nature. Elle avait de longs cheveux d'un blond platine qui lui tombaient jusqu'à la taille et d'extraordinaires yeux de chat dans un visage d'une beauté classique. Elle n'arrêtait pas de regarder Emerson comme pour proclamer : *C'est à moi, ça, et je veux que personne n'y touche.*

— Bon, fit Emerson en se levant et en s'étirant, je crois que ça y est.

Bien qu'il frisât la quarantaine, il était encore en excellente forme. Il portait un pantalon de cuir noir qui moulait ses longues jambes minces, des chaussures au cuir éraillé et une chemise blanche avec une sorte de ridicule jabot. Mais, ridicule ou non, sur lui, ça faisait de l'effet.

Lauren, occupée à prendre des notes, se rendit compte qu'il ne l'avait pas regardée une seule fois. Et pourquoi l'aurait-il fait ? Après tout, elle faisait partie du personnel. Selina flotta jusqu'à Emerson et l'embrassa en plein sur la bouche, en s'assurant que tout le monde avait remarqué la façon dont elle lui mordillait les lèvres.

— C'est si chic de ta part de nous laisser utiliser ton appartement, soupira-t-elle. Samm va être absolument soufflée.

— Dès l'instant qu'on s'amuse, ma chérie, répondit-il en la prenant par la taille et en la serrant au creux des reins pour l'amener jusqu'à lui et échanger un nouveau baiser.

Ils s'embrassèrent comme s'il n'y avait personne dans la pièce : en fait, leur bécotage se poursuivit si longtemps que Lauren crut qu'ils allaient quitter la réunion pour se précipiter dans la chambre à coucher. Mais, apparemment, les autres n'y faisaient même pas attention. Ils avaient déjà dû voir ça souvent. Quand le baiser s'acheva, pour Emerson la représentation était terminée.

— Au revoir tout le monde, lança-t-il en se dirigeant vers la porte.

Les membres de sa petite cour sautèrent sur leurs pieds et le suivirent.

— À plus tard, don Juan, murmura Selina en lui envoyant quelques baisers pour faire bonne mesure.

Dès qu'il fut parti, Selina abandonna son rôle de petite fleur éthérée pour redevenir la redoutable casse-pieds qu'elle était en réalité.

— Tout est bien organisé, Laura ? Je ne veux surtout pas de pépins.

— Mais, oui, Selina, répondit Lauren d'un ton narquois. J'ai la situation bien en main.

— Je l'espère, fit Selina d'un ton menaçant, comme si Lauren était son esclave personnelle. Et, ajouta-t-elle en pivotant sur elle-même, si Samm entend parler de la soirée avant, c'est toi que je tiendrai pour personnellement responsable.

Lauren se dit que, de toutes les filles, Selina était quand même la plus garce. Quand elle rentra au bureau, Samm lui fit une scène.

— Pourrais-tu me dire où tu as passé toute la matinée ?

— J'ai dû aller chez le dentiste, déclara-t-elle sans vergogne.

— Ça n'est pas une excuse, fit Samm d'un ton sec. Prends tes rendez-vous chez le dentiste sur tes moments de loisir, pas quand tu es censée travailler.

— Je n'ai pas de moments de loisir, expliqua Lauren. Vous me faites travailler pendant les week-ends et je suis ici tard tous les soirs. J'avais mal aux dents... Qu'est-ce que je devais faire ?

— Hmmm... je pense que tu n'avais pas le choix, reconnut Samm. Elle fronça les sourcils. Je suis désolée de dire ça, mais quand tu n'es pas là, c'est le chaos ici.

— Vous arriviez bien à vous débrouiller avant que j'arrive, fit observer Lauren.

— Peut-être, mais autrefois, c'était autrefois, et maintenant, c'est maintenant. Allons, au travail.

Samm pianota des doigts sur son bureau. Le vernis de ses ongles ressemblait à la peinture d'une voiture neuve. Lauren s'assit et s'apprêta à prendre des notes.

— D'abord, je veux que tu fasses envoyer une bouteille de champagne à Antonio, dit Samm. Il a eu de durs moments avec la séance de photos de Selina. Il faut vraiment que je parle à cette fille avant qu'elle dépasse les bornes. Oh, et puis appelle les cosmétiques Flash : ils ont besoin de Nature au studio le même jour où elle a cette grande séance de photos pour *Vogue*. Dis à Nature qu'il faudra qu'elle commence plus tôt. Et laisse-la hurler. Après cela, discute avec le magazine *Plage* : il leur faut toutes les filles le 10. Je leur ai dit que c'était impossible d'amener qui que ce soit aux îles Vierges avant le 12, mais ils insistent. Tu arranges ça, Lauren, tu te débrouilles si bien avec les gens.

— Considérez tout cela comme réglé, dit-elle en se levant.

Dès qu'elle regagna son bureau, Pia arriva en chuchotant :

— Tout se passe bien ?

— Tout est paré.

Pia avait l'air soulagé.

— Tu fais tout ça si bien !

Mais oui, Pia. Comment donc !

À l'heure du déjeuner, plusieurs des filles arrivèrent au bureau avec un gâteau.

— Mon Dieu, je déteste les anniversaires, fit Samm, soufflant à contrecœur les bougies. Qui vous a prévenues ?

Personne ne broncha.

— Comme ça, elle croit que c'est terminé, murmura Pia. Ça va être une surprise !

— Comment l'amènes-tu jusqu'à l'appartement d'Emerson ? demanda Lauren.

C'était le seul détail dont on ne l'avait pas chargée.

— Selina passe la prendre. Elle a dit à Samm qu'Emerson et elle avaient une surprise et qu'ils voulaient la lui annoncer personnellement.

— Et Samm est tombée dans le panneau ?

— Absolument. Elle croit qu'ils vont se marier et elle est tout à fait disposée à les décourager.

Plus tard, Nature parvint à coincer Lauren dans son bureau. Cheveux blonds au vent, yeux bleus et superbe bronzage d'Acapulco.

— Je n'arrive pas à croire que Selina ait mis le grappin sur Emerson Burn, déplora-t-elle. Elle n'est pas son type, elle est bien trop maigre. Lui, il les aime un peu plus enveloppées, comme moi, par exemple !

— Tu le connais ?

Nature se passa la langue sur les lèvres.

— Non, mais je vais m'en occuper.

Lauren sentit que des ennuis s'annonçaient. Sitôt qu'elle put, elle quitta le bureau et se précipita à l'appartement d'Emerson Burn pour tout vérifier. Elle portait une jupe plissée et un simple chandail bleu, elle avait les cheveux tirés en arrière. Elle n'allait manifestement pas avoir le temps de retourner chez elle pour mettre une tenue un peu plus habillée. Et alors ? Tout le monde se fichait de l'air qu'elle avait, dès l'instant où elle restait à l'arrière-plan et faisait son travail.

Selina était déjà là, évoluant dans l'appartement en lançant des ordres. Les quatre domestiques d'Emerson circulaient avec des airs maussades. Ils n'aimaient pas voir chacune de ses petites amies successives débarquer en essayant de tout régenter.

— Dieu merci, te voilà ! s'exclama Selina. Va discuter avec le traiteur. Assure-toi que ces gens savent bien ce qu'ils font. Oh, Laura, tu t'es bien assurée qu'on avait dit à tout le monde d'être là à huit heures tapant ?

— C'est fait. Et, au fait, je m'appelle Lauren, pas Laura.

— Quelle importance ! fit Selina avec un geste nonchalant.

Garce ! songea Lauren en se précipitant dans la cuisine pour voir le traiteur.

Quelques membres de l'entourage d'Emerson rôdaient dans les parages, l'air malheureux parce qu'il avait prêté son appartement pour la surprise-partie de Samm. Après avoir vu le traiteur, elle inspecta les arrangements floraux, contrôla la liste des invités avec un gaillard baraqué planté devant la porte et finit par trouver un moment pour être seule.

S'enfermant dans la salle de bains d'ami, elle inspecta son reflet dans la glace. Était-ce ainsi qu'elle comptait passer sa vie ? À organiser des soirées pour que d'autres gens aient du bon temps ? Dire qu'elle avait voulu devenir une célèbre actrice new-yorkaise ! Voilà qu'aujourd'hui elle était une sorte de coursier qui faisait des choses pour les autres. Lauren Roberts, l'invisible. Quelqu'un essaya d'ouvrir la porte de la salle de bains. Elle ne broncha pas : on n'avait qu'à attendre. Mais on frappait violemment à la porte. Furieuse, elle l'ouvrit toute grande et se trouva nez à nez avec Emerson Burn.

— Qui êtes-vous ? interrogea-t-il.

— Lauren, répondit-elle, réprimant une violente envie de tendre la main pour tâter ses boucles couleur miel. De l'agence Samm's. C'est moi qui organise la soirée... vous vous rappelez ? Nous nous sommes rencontrés.

Il secoua sa crinière dorée et lui prit le bras.

— Suivez-moi, je vais vous faire entendre quelque chose.

— Pardon ?

— Ne discutez pas, dit-il en lui empoignant le bras et en l'entraînant le long d'un couloir tapissé d'une épaisse moquette jusqu'au fond de l'appartement, où il avait fait aménager un studio d'enregistrement ultra-sophistiqué.

— Asseyez-vous et écoutez-moi ça.

Mais pour qui se prenait-il ?

— Mr. Burn, dit-elle, je n'ai pas le temps d'écouter. J'essaie d'organiser une soirée pour vous... il faut que je veille à ce que tout se passe bien.

— Mais, bon sang, c'est *mon* appartement. C'est *moi* qui paye cette fichue soirée, alors asseyez-vous et bouclez-la.

Elle croyait entendre Nature. Peut-être qu'en effet ces deux-là étaient faits l'un pour l'autre : après tout, ils avaient le même accent. Elle s'assit toute raide dans un fauteuil tandis qu'il se dirigeait vers un tableau de commandes et pressait quelques boutons. La pièce fut soudain envahie d'une marée sonore. Elle reconnut aussitôt sa voix : cette voix rauque, sexy, sûre d'elle. Elle avait treize ans quand il était apparu sur la scène et avait pris d'assaut l'Amérique avec son plus fameux quarante-cinq tours : « Dog Days and Wild Women ». Ce qu'il lui faisait entendre maintenant, c'était une chanson d'amour, pas le genre romantique, mais une chanson dure et rythmée qui s'appelait « Viper Woman ».

— Écoutez ça et dites-moi ce que vous en pensez, ordonna Emerson en arpentant son studio.

Elle regarda les longues jambes vêtues de cuir.

— Ça a une importance, ce que je pense ?

— Mais oui, vous êtes le public, dit-il en parlant très lentement comme s'il s'adressait à une idiote. Vous êtes la fille de la rue. Vous n'allez pas me faire de la lèche : vous me direz la vérité.

Il augmenta le volume, lui faisant presque éclater les tympans. Les paroles retentissaient dans la pièce.

She loves me for my money
She loves me for my power
She even goddamn loves me for my fat car
She's a viper woman
Loves to rock'n roll
She's a viper woman
She only got one goal
Oh yeah !
Money money
Sex and honey
She got her eye on it all
Money money
Sex and honey
This bitch is pretty damn cool !

Ce n'était certainement pas de l'Emerson Burn grand cru. Il baissa le son et la dévisagea.

— Alors?

— C'est... c'est pas mal.

— Pas mal.

Il répéta « Pas mal » comme si c'était une grossièreté.

— Vous êtes sourde, ou quoi? Puis il haussa le ton. C'est la chanson titre de mon nouvel album, bon Dieu! Ça va faire le Top 50 à tous les coups!

Manifestement, ça ne l'intéressait pas d'entendre la vérité. Peut-être devrait-elle mentir et dire qu'elle n'avait jamais rien entendu de plus beau. Oh, et puis après tout, pourquoi le ferait-elle?

— Je n'aime pas, dit-elle. Je n'aime pas que vous traitiez les femmes de garces. Si c'est une chanson d'amour, pourquoi n'y a-t-il pas plus de tendresse?

— Qui est-ce que vous vous croyez, bon sang? tonna-t-il. *Viper Woman* est un des meilleurs tubes que j'aie jamais enregistrés.

— Vous vous prenez pour qui? riposta-t-elle. Je ne suis pas une groupie pâmée qui va vous dire que c'est merveilleux si je ne le pense pas. Vous m'avez demandé mon opinion, je vous la donne.

— Foutez-moi le camp d'ici, lança-t-il. Vous n'y connaissez rien, pauvre idiote.

Elle était folle de rage, mais elle ne pouvait rien faire. La soirée allait avoir lieu et elle devait s'assurer que tout se passerait sans accroc. Avec toute le dignité dont elle était capable, elle quitta la pièce.

— Oh, mais je savais que ça allait être une bonne journée.

Lauren se retourna pour se trouver nez à nez avec Jimmy Cassady, le photographe qui l'avait invitée à sortir quelques semaines auparavant.

— Salut, dit-elle, heureuse de rencontrer un visage ami.

— Salut, répondit-il avec un sourire.

Elle cherchait un sujet de conversation.

— Vous croyez que Samm a été surprise?

— Surprise? fit-il en riant. Agacée plutôt!

— Ça doit pas être drôle d'avoir quarante ans.

— Quarante ? fit-il en riant encore plus fort. Vous croyez que Samm a quarante ans ? Elle en a cinquante.

— Comment ? fit Lauren, stupéfaite. Elle ne les paraît pas.

— C'est vrai qu'elle n'en paraît même pas quarante, dit Jimmy. Samm est un phénomène. Avez-vous vu des photos d'elle quand elle était mannequin ?

— Non.

— De la dynamite !

Le regard de Lauren parcourait l'assistance. La plupart des invités étaient arrivés à l'heure et, quand Samm avait fait son entrée avec Selina d'un côté et Emerson de l'autre, tout le monde avait crié « SURPRISE ! » en chœur. Et tout allait si bien maintenant qu'elle se dit qu'elle pourrait filer discrètement.

— Et vous, demanda Jimmy en allumant une cigarette, quelle est votre histoire ?

Elle se tourna vers lui. Il était petit et sec, il avait une trentaine d'années, le visage allongé, avec des cheveux clairsemés sur le haut du crâne mais longs derrière. Il portait également des lunettes à la John Lennon et un jean très serré. Le jean la fit aussitôt penser à Nick. Résolument, elle chassa Nick Angelo de son esprit.

— Je n'ai pas d'histoire, dit-elle, décidant qu'elle pourrait s'éclipser par la cuisine sans se faire remarquer.

— Tout le monde a une histoire, répondit-il avec assurance. Et ça m'intéresse de découvrir la vôtre.

Elle haussa les épaules.

— Une petite provinciale, elle est arrivée à New York, elle a trouvé du travail. Voilà.

— Il y a bien plus à en dire sur vous que ça. Je l'ai senti dès l'instant où je vous ai invitée à dîner.

— On n'a pas l'habitude d'essuyer un refus, hein ?

Il tira sur sa cigarette et la regarda d'un air songeur.

— Vous n'êtes pas mariée, n'est-ce pas ? fit-il en fixant sa main gauche sans bague.

— Non, je ne suis pas mariée, dit-elle, sur la défensive.

— Pas de petit ami ? Il n'y a jamais de garçon avec vous.

— Je ne vois personne.

— Alors pourquoi est-ce qu'on ne peut pas sortir ensemble ?

Bonne question, mais elle ne lui devait aucune explication.

— L'idée ne vous est jamais venue que je pourrais ne pas en avoir envie ? dit-elle, espérant mettre un terme à la conversation.

Il refusa de se laisser décourager.

— C'est juste moi, ou bien est-ce que tout le monde a droit à un non ?

— Je m'en vais, annonça-t-elle, puis elle ajouta : Tout se passe bien, on n'a plus besoin de moi.

— C'est vous qui avez organisé cette soirée ?

— Exact.

Elle se glissa lentement vers la cuisine. Il la suivit.

— Vous avez fait un rudement bon travail, mais vous feriez mieux de ne pas partir.

— Pourquoi donc ?

Il désigna de la main l'autre bout de la pièce.

— Parce que Selina est sur le point de tuer Nature. Regardez donc.

Lauren regarda. Nature n'en avait que pour Emerson Burn qui paressait sur un canapé, ses jambes moulées de cuir allongées devant lui. On entendait le rire perçant de Nature à l'autre bout de la pièce. Selina était plantée derrière lui, vêtue d'une robe de mousseline qui flottait autour d'elle, ses yeux de chat flamboyant dangereusement.

— Ça n'est pas mon problème, déclara Lauren.

— Comment ça se fait ? demanda Jimmy. Vous êtes connue au bureau pour être celle qui résout tous les problèmes.

— Vraiment ?

Il sourit.

— Oui. Savez-vous comment elles vous appellent derrière votre dos ?

Elle aurait aimé qu'il la laisse tranquille.

— Je suis sûre que vous avez hâte de me le dire.

Il paraissait amusé.

— Miss E.

Maintenant, elle était vraiment agacée.

— Miss E. ? Qu'est-ce que c'est censé vouloir dire ?

— Miss Efficacité, fit-il en riant.

— Oh, merci beaucoup, dit-elle, pas franchement ravie de ce surnom.

Il insista.

— C'est vrai, n'est-ce pas ? Vous faites tout pour tout le monde. Vous vous êtes rendue indispensable. Ça fait combien de temps que vous êtes là... trois mois ? Les autres bookeuses doivent vous adorer. Je parie que même Pia commence à se faire du souci pour son job.

Comment en savait-il tant sur elle.

— De quoi parlez-vous ?

Il écrasa sa cigarette dans un cendrier à côté de lui.

— Je parle de vous. Vous êtes l'assistante idéale, et ne croyez pas que ça ait échappé à Samm, parce que rien n'échappe à madame.

— Je n'en veux au job de personne, déclara Lauren. Je suis parfaitement heureuse de ce que je fais.

Il la dévisagea derrière ses lunettes à la John Lennon.

— Ah oui ?

— Oui, répliqua-t-elle d'un ton de défi, en s'apprêtant à partir.

— Oh non ! s'exclama-t-il.

— Quoi ?

— Regardez-les.

Elle jeta un coup d'œil à Selina, Nature et Emerson juste à temps pour voir Selina verser délibérément le contenu d'une coupe de champagne sur la tête d'Emerson.

— Laissez, dit Jimmy, la retenant. Ils vont se débrouiller entre eux.

Emerson Burn était debout maintenant, fin rond et chancelant, le champagne ruisselant sur son visage.

— Espèce d'idiote, cria-t-il. Tu m'as esquinté les cheveux.

— Oui, renchérit Nature. Regarde ce que tu as fait.

— Ne t'occupe pas de ça, poufiasse, hurla Selina.

— Comment m'as-tu appelée ? cria Nature.

Et avant que personne ait pu les en empêcher, elle s'étaient jetées l'une sur l'autre comme deux tigresses, s'arrachant les cheveux, les vêtements, les boucles d'oreilles, tout ce qui leur tombait sous la main. Emerson s'opposait à toute intervention.

— Laissez-les faire, cria-t-il, ravi. C'est le meilleur moment de cette soirée.

— Venez, dit Jimmy en prenant le bras de Lauren. Je vous raccompagne.

Sans lui laisser le temps de discuter, il la poussa vers la porte et ils disparurent discrètement dans la nuit.

42

Cyndra arpentait son appartement, furieuse et incrédule.

— Quelqu'un est venu ici. Je n'arrive pas à le croire ! Regarde, Reece, regarde, il y a des mégots dans les cendriers et une brûlure de cigarette sur le bras du canapé.

— Là, c'est encore mieux, cria Reece de la chambre où il poursuivait ses investigations. Au lieu d'emporter *nos* affaires, ils ont laissé un sac.

— Quoi ? fit-elle en entrant dans la chambre pour voir de quoi il parlait.

Et c'était vrai : il y avait un sac plein de vêtements. Elle se mit à fouiller.

— Je ne comprends pas, dit Reece en se grattant le menton.

— Moi, si, dit Cyndra en exhibant des jeans usés. Ce sont les affaires de Nick.

— Qui est Nick ?

— Je t'ai parlé de lui... c'est mon frère.

Allons bon ! songea Reece. *De la famille ! Il ne me manquait plus que ça.*

— Comment est-il entré ? Et où est-il ? demanda Reece.

— Connaissant Nick, il a forcé la serrure. Il n'a pas laissé un mot, rien.

— C'est quand même un sacré culot que d'entrer par effraction chez quelqu'un, marmonna Reece.

— Oh, ça te gênerait, toi.

Il se mordilla la lèvre.

— Ça fait combien de temps que tu n'as pas vu ton frère ?

— Ça va faire quatre ans.

L'imagination de Reece commença à s'enflammer. Cyndra, sa petite beauté sombre, avait sans doute un frère qui mesurait un mètre quatre-vingts et qui était noir comme ses chaussures vernies. Qui plus est, il aurait sans doute envie de lui flanquer une rossée.

— Il faut faire attention avec la famille, lança-t-il.

Elle se tourna vers lui, furieuse.

— Nick est mon frère. Je l'adore.

— Bon, dit Reece, en espérant que le frère n'allait pas revenir, nous ne pouvons pas faire grand-chose. Je vais ranger son sac dans la penderie et on verra bien s'il te contacte. Une chose, mon chou. S'il le fait — j'ai connu cette expérience —, ne dorlote pas trop les membres de ta famille : après ça, ils s'incrustent et on n'arrive plus à s'en débarrasser.

— Merci du conseil, dit-elle d'un ton sarcastique. Je jetterai mon propre frère à la rue en espérant qu'il ne reviendra plus m'embêter.

S'ils avaient été mariés depuis plus longtemps, Reece l'aurait peut-être giflée, il n'aimait pas les femmes impertinentes. Mais il savait que, dès l'instant où on frappait une femme, il fallait la mettre dans une position où elle ne pouvait pas s'en aller et, comme ils venaient tout juste de se marier, Cyndra pourrait bien le plaquer là. Ça l'avancerait à quoi, avec tout l'argent qu'il avait investi en leçons de chant, en toilettes et tout le reste ?

— J'ai un rendez-vous, dit-il en rectifiant l'inclinaison de son feutre.

Elle ne répondit pas. Elle était trop occupée à se demander où pouvait bien être Nick.

Le second soir où il travailla pour Prestige Limousines, Nick se retrouva de nouveau à faire le service de l'aéroport. Son passager, cette fois, était une productrice anorexique aux cheveux coupés court et avec un caractère exécrable. Julia je ne sais quoi. Assise au fond de la limo, elle reniflait de la coke et parlait sans arrêt dans un téléphone portable. Quand ils arrivèrent à Bel Air, il se perdit dans le dédale des rues en lacet et elle se mit à l'invectiver, le traitant d'abruti et de pauvre imbécile. Il faillit arrêter la voiture pour la jeter dehors, mais la sagesse l'emporta.

Devant sa maison, elle changea d'avis et l'invita à entrer.

— Pour quoi faire ? demanda-t-il.

Elle avait un regard désespéré et mauvaise haleine.

— D'abord, prendre un verre..., dit-elle d'un ton lourd de suggestions.

— Désolé... j'ai un autre client à aller chercher.

Douce vengeance. Pour l'instant, on ne pouvait pas dire qu'il s'amusait comme un fou à Los Angeles.

Cette nuit-là, il la passa de nouveau au motel et, le lendemain matin, il appela Cyndra.

— Nick ! s'exclama-t-elle, tout excitée. J'attendais ton coup de fil. Je *savais* que tu étais ici. J'ai ouvert ton sac et je l'ai défait. Naturellement, il a fallu que je donne toutes tes affaires à laver, espèce de porc. Tu n'as pas changé, hein?

— Où étais-tu? demanda-t-il. J'ai fait tout ce trajet et tu n'étais même pas chez toi.

— Où te trouves-tu?

— Dans un motel minable de Hollywood Boulevard.

— Arrive ici tout de suite! Tu vas t'installer avec moi et Reece. Grouille-toi, je te prépare un petit déjeuner.

— Depuis quand est-ce que tu fais la cuisine?

— On est en Californie ici. Je prends un carton dans le congélateur, je le mets dans le grille-pain et j'appelle ça une gaufre. Tu vas adorer ma cuisine!

Il gagna l'appartement de sa sœur aussi vite qu'il put, et gara sa voiture dans la rue. Elle l'accueilit sur le pas de la porte, sautant presque sur place tant elle était contente. Se jetant à son cou, elle le serra contre elle et le traîna à l'intérieur.

— C'était bien toi, n'est-ce pas? Tu t'es introduit dans mon appartement.

Il eut un grand sourire.

— Qu'est-ce que je pouvais faire d'autre? Tu n'étais pas là, alors j'ai passé la nuit ici et, quand je suis revenu le lendemain, le concierge n'a pas voulu me laisser entrer.

Cyndra se mit à rire.

— Fais attention à Rasta. C'est un sauvage.

Ils passèrent dans la minuscule cuisine où elle lui servit du café et fit réchauffer ses fameuses gaufres congelées.

— Alors, demanda-t-il de nouveau, où étais-tu?

— Devine, fit-elle avec un sourire extasié.

Il avait horreur des devinettes.

— Je n'en ai pas la moindre idée.

Elle prit une profonde inspiration.

— Je me suis mariée.

Oh, formidable.

— C'est vrai?

— Oui... Reece et moi, on s'est mariés à Las Vegas. Elle le regarda d'un air mi-coupable mi-ravi, quêtant son approbation. Oh, Nick, j'espère que tu vas le trouver sympathique. Il m'aide dans ma carrière... il s'occupe vraiment de moi.

— Tant mieux. Parce que, sans ça, il aurait fallu que je le tue, dit Nick en essayant de plaisanter.

— Il m'aide vraiment. Tu vas voir. Je veux dire, quand on le rencontre pour la première fois, on peut penser qu'il est un tout petit peu plus âgé que moi et, tu sais, peut-être que sa tenue de cow-boy est un peu rididule, mais il va vraiment me donner un coup de main.

— Si tu le dis.

Ce mariage l'avait pris au dépourvu. Il s'était imaginé Cyndra et lui partageant un appartement et traînant ensemble tout comme à Chicago. Voilà maintenant qu'elle avait un mari et il n'était pas question pour Nick de rester.

Il essaya d'en savoir plus.

— Qu'est-ce qu'il fait, ce type ?

— Il est imprésario, annonça-t-elle fièrement.

— De qui ?

— Qu'est-ce que tu crois ? De moi, bien sûr !

Bien sûr.

— Alors comment gagne-t-il sa vie ?

Elle eut un geste vague.

— Je ne sais pas, il a un bureau... On ne discute pas argent. Il en a toujours assez.

Par moments, sa sœur était extrêmement naïve : comment pouvait-elle ne pas savoir ce que faisait son mari ?

— Tu vas t'installer ici, dit-elle. Le canapé se transforme en lit... tu seras très bien.

Maintenant, c'était différent. Il était certainement content de la voir, mais il ne comptait pas emménager chez eux.

— Non, ça ne marchera pas, pas avec toi jeune mariée et tout ça.

Elle ne put dissimuler sa déception.

— Il *faut* que tu restes ici, Nick.

Comment pouvait-il résister à ses grands yeux bruns ?

— Peut-être juste pour ce soir, mais ensuite je me trouverai un appartement.

— Tu vas pouvoir écouter mes enregistrements, dit-elle, toute fière. Des enregistrements de pro. Je suis une vraie chanteuse, maintenant.

— Ah oui ?

Il se souvenait de ses débuts de chanteuse chez Q.J.

— Un vrai désastre.

— J'ai pris des leçons, déclara-t-elle. Reece a trouvé une maison de disques qui veut me faire faire un enregistrement. Et quand nous étions à Vegas, j'ai rencontré des agents et ils pourraient bien me signer un contrat pour que je chante dans un des palaces.

— C'est formidable.

— Et tout ça grâce à Reece.

— Je suis content pour toi.

— Et toi, qu'est-ce qui t'amène à Los Angeles ? Je croyais que tout allait si bien à Chicago.

Eh oui, tout allait si bien... sauf que ça n'allait nulle part.

— J'ai fini par décider qu'il fallait que je tente ma chance comme acteur. Tu sais que c'est ce que j'ai toujours eu envie de faire.

— C'est l'endroit pour ça. Peut-être que Reece pourra être ton imprésario aussi.

Bien sûr. Toute la famille en paquet-cadeau.

Quand Reece rentra, Nick et lui se toisèrent avec méfiance. Nick trouva que Reece avait l'air d'un vrai clown avec sa veste de daim à franges, son ridicule chapeau de cow-boy et sa grosse moustache. Absolument pas assez bien pour Cyndra. Il était trop vieux.

Reece fut soulagé de découvrir que Nick était blanc. Toute la journée, son imagination s'était emballée : le frère de Cyndra devenait plus grand et plus noir à mesure que les heures passaient. Il se retrouvait maintenant devant ce petit Blanc maigrelet, et il ne se sentait pas le moins du monde menacé.

— Qu'est-ce que tu fais, Nick ? demanda-t-il, jouant les beaux-frères bienveillants.

— Je dirigeais un bar à Chicago, mais je suis venu ici pour devenir acteur.

Reece ne put se retenir.

— Oui... toi et tous les autres idiots de la ville.

— Pardon ? fit Nick, se maîtrisant parce qu'il ne voulait pas contrarier sa sœur.

— Oh... y a pas d'offense. Je veux dire qu'à Hollywood il arrive tout le temps des jeunes gars qui essaient de réussir. Ils veulent tous être une star.

— Oh, je réussirai, fit Nick avec assurance.

— C'est bien, répondit Reece. Tu vois, avec moi pour la pousser, ta sœur va devenir une grande vedette.

— C'est pour ça que tu l'as épousée ? demanda-t-il innocemment.

— Je l'ai épousée, répondit Reece en le foudroyant du regard, parce que je l'aime.

— C'est bien. Parce que, si jamais quelqu'un fait du mal à ma petite sœur, c'est un homme mort.

Reece avait hâte de se retrouver seul avec Cyndra dans la cuisine.

— Combien de temps va-t-il rester ? demanda-t-il avec agacement.

— Juste cette nuit, dit-elle, sans remarquer sa nervosité. J'essaie de le persuader de rester plus longtemps. Pourquoi n'essaies-tu pas de le convaincre ?

— Certainement, fit-il bien qu'il n'eût pas la moindre intention de le faire.

Plus tôt le frérot ne serait plus dans leurs pattes, mieux ça vaudrait. Le lendemain matin, assis à la table de cuisine, Nick examinait le journal, entourant au crayon les possibilités d'appartements.

— J'aimerais trouver quelque chose au bord de la plage.

— C'est facile, répondit Cyndra. J'ai entendu dire que les loyers sont meilleur marché à Venice. On pourrait aller regarder plus tard dans la journée.

— Bonne idée, fit-il en repliant le journal.

Alors qu'ils traversaient Santa Monica, il lui demanda si elle avait jamais eu des nouvelles de Joey. Elle repoussa en arrière ses longs cheveux noirs.

— J'aimerais bien. Je lui ai écrit plusieurs fois, il ne s'est jamais donné le mal de répondre. La dernière fois que j'ai téléphoné, on m'a dit qu'il avait déménagé sans laisser d'adresse.

— C'est bien de Joey.

Elle hocha la tête d'un air nostalgique.

— Il y a des moments où il me manque. On a partagé tant de choses tous les deux.

Nick éprouvait les mêmes sentiments.

— Oui, c'est vrai..., dit-il en pensant au bon vieux temps où tous les trois avaient affronté le monde tout seuls — faisant du stop, dormant sur des bancs publics, partageant une chambre de motel.

Le premier appartement qu'ils visitèrent était un trou à rat avec des carreaux cassés, une moquette sale et des cafards à peine dissimulés. Sitôt qu'ils furent ressortis, Cyndra s'exclama :

— Pouah, si c'est ça qu'on trouve, je t'assure que tu devrais rester avec nous. Reece n'y verrait pas d'inconvénient. Il t'aime bien.

Mais comment donc ! songea Nick. Comme un rat aime un cobra.

— Tu vas y réfléchir? S'il te plaît?

Il promit de le faire, mais c'était évidemment hors de question. Une soirée avec Reece Webster, c'était une de trop. Le second appartement qu'ils visitèrent était mieux. Malheureusement, le loyer était trop élevé, alors ils continuèrent. Les trois suivants étaient épouvantables. À la sixième tentative, ils tombèrent sur une maison agréable encore qu'un peu délabrée, divisée en studios et qui donnait sur la plage de Venice. La propriétaire — une femme débraillée dans un peignoir orange douteux et des mules avec une bordure de plumes — leur montra un studio qui donnait sur la mer. C'était une grande pièce ensoleillée avec une kitchenette.

— Pas de salle de bains? demanda Nick.

— Vous la partagez avec l'autre appartement du devant, répondit la propriétaire, une cigarette au coin du bec.

— Ah...

— La locataire n'est jamais là : elle voyage tout le temps, alors vous aurez la salle de bains plus ou moins pour vous tout seul.

Il se tourna vers Cyndra.

— Qu'est-ce que tu en penses?

— C'est sûrement mieux que tout ce qu'on a vu jusqu'à maintenant.

— Vous n'êtes pas superstiticux? interrogea la propriétaire en extirpant un brin de tabac d'entre ses dents.

Nick remarqua qu'une de ses mules était trouée.

— Pourquoi? demanda-t-il en essayant de ne pas la regarder.

— Parce qu'il y a un type qui est mort ici la semaine dernière. Il s'est pendu. Elle rattrapa une bretelle de son soutien-gorge. Je suis franche là-dessus : je ne veux pas vous raconter de mensonge. Si vous croyez à ces histoires de karma, peut-être que vous ne voudrez pas habiter ici.

Il secoua la tête.

— Karma? Bah, le loyer me va et c'est sur la plage : je le prends.

Cyndra lui pressa la main.

— Reece et moi on va t'aider à l'arranger. Si on vient tous ici le prochain week-end avec un seau de peinture, on peut en faire quelque chose de formidable.

— Te voilà avec du pain sur la planche. Et vous, dit-il en se tournant vers la propriétaire, vous voilà avec un locataire.

Après avoir versé des arrhes, il ramena Cyndra à Hollywood.

Pendant tout le trajet, elle parla du bon vieux temps, de l'avenir et de sa carrière. Puis elle finit par aborder le sujet.

— As-tu jamais eu des nouvelles de Lauren ? Tu te rappelles... cette fille que tu aimais bien au lycée ?

Comme s'il risquait d'oublier. Elle était folle, non ? *Jamais* il n'oublierait Lauren.

— Non. Je pense qu'elle m'a laissé tomber, répondit-il en prenant un ton dégagé. Je lui ai écrit plusieurs fois... elle n'a jamais répondu.

— Elle a dû épouser ce grand crétin à qui elle était fiancée, dit Cyndra en ouvrant la vitre. Comment s'appelait-il déjà... Strick ?

— Stock.

— Oh oui, Stock. Elle se mit à rire. Quel abruti ! Oh, tu te rappelles ce réveillon du nouvel an où il t'a cassé le nez ?

— L'ordure !

— Et puis, quelques semaines plus tard, c'est toi qui lui as flanqué une rossée.

— C'était le bon temps, dit-il.

— Est-ce que tu voudrais jamais retourner là-bas ?

— Et toi ? répliqua-t-il.

Elle hésita.

— Seulement si j'étais une vedette. Une vraiment grande vedette. J'arriverais en ville pour une visite dans une superbe limousine et je leur montrerais à tous qui j'étais... à tous autant qu'ils sont. Elle s'échauffait. Je porterais un de ces grands manteaux de renard comme Diana Ross et une sorte de robe pailletée bien moulante. Et j'aurais tout un chargement de cadeaux pour Aretha Mae et Harlan.

— Il te manque ? demanda Nick en s'arrêtant à un feu rouge.

Elle avait une expression nostalgique.

— Il y a des fois où j'ai mauvaise conscience de l'avoir laissé... je me sens un peu coupable.

— Oui, je sais ce que tu veux dire. Mais on n'aurait pas pu l'emmener.

— Je sais.

— Bah, peut-être qu'on va réussir tous les deux et qu'on pourra retourner là-bas ensemble. Qu'est-ce que tu en dis ?

Elle acquiesça avec enthousiasme.

— Oh oui ! Et on leur montrera, à ces imbéciles.

Comme il la déposait devant son appartement, ils tombèrent sur Annie Broderick qui montait dans sa voiture.

— Je vois que vous vous êtes retrouvés, dit Annie. C'est vraiment votre frère ?

Cyndra acquiesça avec ravissement en se cramponnant à son bras.

— Absolument. Vous ne l'avez pas cru ?

— Vous n'êtes pas exactement de la même couleur.

— On a le même père, mais pas la même mère, expliqua tranquillement Cyndra.

— Je ne faisais que veiller sur vos intérêts, dit Annie en passant sa main dans ses courts cheveux roux. Je ne voulais pas voir un inconnu pénétrer dans votre appartement.

— Vous avez rudement bien veillé sur ses intérêts, fit Nick. J'ai failli être obligé de dormir dans ma voiture.

— Au moins, vous avez une voiture. Vous avez de la chance.

— Merci, Annie, s'empressa de dire Cyndra... pour calmer le jeu.

— Elle a un problème ? demanda Nick, sitôt qu'elle fut partie.

— C'est dur d'être une fille seule à Los Angeles.

— Pas de petit ami ?

— Elle ne pense qu'à sa carrière.

— Qu'est-ce qu'elle fait au juste ? L'autre soir, elle a parlé d'aller à un cours.

Cyndra prit un air amusé.

— Qu'est-ce que tu crois qu'elle fait ? Qu'est-ce que tu crois que tout le monde fait à Los Angeles ? Elle est actrice, bien sûr.

— Alors... comment s'inscrit-on à ce cours dont elle parle ? Il faut payer ?

— Je ne sais pas... je n'y suis jamais allée. Parles-en à Annie.

— Peut-être bien.

Quelques semaines plus tard, Nick s'était installé dans le train-train de la ville. Il avait son travail à Prestige Limousines. Il avait son appartement sur la plage. Il avait même commencé à faire un peu de culture physique et à avoir une alimentation plus saine, et il appelait Cyndra au téléphone tous les deux ou trois jours.

Elle ne pensait qu'aux contrats que Reece allait signer pour elle. Nick ne faisait pas confiance à ce type. Il vous sentait le combinard gros comme une maison : il en avait assez vu chez Q.J. pour reconnaître à cent mètres ce mélange de charme doucereux et de foutaises. Mais... ça n'était pas ses oignons, Cyndra paraissait contente. Un jour, il lui demanda le numéro de téléphone d'Annie Broderick.

— Pourquoi ? Tu comptes l'inviter à dîner ? demanda Cyndra.

Il n'y avait pas pensé, mais ça n'était pas une si mauvaise idée s'il voulait en savoir plus sur son cours d'art dramatique. Et puis il avait envie de faire l'amour. Oh, ça oui ! Évidemment, Annie Broderick n'était pas son type habituel, elle était trop petite, avec un air trop gamine, mais elle avait un corps sensationnel, et ça faisait trop longtemps qu'il n'avait pas eu de compagnie féminine. Même DeVille commençait à lui manquer. Cyndra lui donna le numéro d'Annie. Il attendit un jour et appela.

— J'aimerais vous inviter à déjeuner, dit-il, s'attendant à un oui immédiat.

— Pourquoi ? demanda-t-elle, méfiante.

Oh non, il allait devoir se donner du mal.

— Parce que j'ai un peu l'impression que nous nous sommes quittés sur un malentendu et je n'ai pas beaucoup d'amis ici.

Elle garda le silence. Il était prêt à faire quelques efforts, mais pas à ce point-là.

— Hé... il ne faut pas en faire un plat. Vous voulez qu'on déjeune ou pas ?

Elle n'était pas exactement débordante d'enthousiasme.

— Peut-être.

Elle ne se rendait donc pas compte que c'était Nick Angelo qui appelait ? « Peut-être. » Qu'est-ce que ça voulait dire ?

— Eh bien... est-ce que vous pouvez venir à l'endroit où je travaille ?

— Dites-moi où ?

— À Beauté du Corps, à Santa Monica.

— Vous vous fichez de moi ? Qu'est-ce que c'est que ça, Beauté du Corps ?

— C'est un club de gymnastique.

Prestige Limousines. Beauté du Corps. On pouvait dire qu'à Los Angeles on avait le sens de la formule.

— D'accord, fit-il.

— Je fais une pause à midi.

— Je serai là.

Beauté du Corps était dans un grand immeuble blanc de Santa Monica. L'endroit grouillait de gens en shorts, en maillots, en collants, dans toutes les tenues de gymnastique possibles.

— Est-ce que je peux vous aider ? demanda une blonde juchée

derrière le bureau de réception, ses seins agressifs protégés par un T-shirt blanc de Beauté du Corps.

— Je cherche Annie Broderick, dit-il en admirant sa devanture.

Elle surprit son regard, ses longs faux cils battirent un instant et elle sourit.

— Oh... vous devez être Nick.

Il fut étonné qu'Annie eût mentionné son nom : peut-être, après tout, le trouvait-elle plus sympathique qu'elle ne l'avait laissé entendre.

— Elle est là ?

— Elle se change. Elle sera là dans une minute. Le sourire de la fille s'épanouit. Il paraît que vous êtes nouveau en ville ?

— Un peu.

— Comment avez-vous rencontré Annie ?

— Elle habite le même immeuble que ma sœur, dit-il, observant qu'elle ne portait pas de soutien-gorge.

— Hmmm..., fit-elle en le couvant d'un regard avide. C'est dommage que je n'y habite pas.

Il sentait qu'il avait fait une touche ; c'était par trop visible.

— Et vous, comment vous appelez-vous ? demanda-t-il, jouant le jeu.

Annie interrompit leur flirt en surgissant devant la réception.

— Allons-y, dit-elle d'un ton vif, en lui prenant le bras et en l'entraînant dehors.

— Où est-ce qu'on va ? demanda-t-il.

Il la trouvait saine, radieuse et plutôt séduisante... même si elle n'était pas son type.

— Il y a un restaurant diététique juste en face. Avez-vous jamais essayé un hamburger à la dinde ?

— C'est comme un hamburger, mais sans le goût ?

Elle sourit.

— Venez... vous allez adorer ça.

— Vous croyez ?

— Mais oui, dit-elle d'un ton ferme.

Ils traversèrent la rue, entrèrent au restaurant et s'assirent à une table près de la vitre. Annie commanda aussitôt deux hamburgers diététiques.

— Dinde, soja et assaisonnement. Vous verrez, c'est délicieux, lui assura-t-elle.

— Je salive déjà !

— Vous êtes drôle.

Ils échangèrent un sourire.

— Alors comme ça, dit-il, vous travaillez dans un club de gymnastique, vous mangez de la cuisine diététique et vous faites des longueurs de piscine. Vous vous entraînez pour quoi... les jeux Olympiques ?

Elle pianota sur la table.

— Je ne sais pas si je vous l'ai dit, mais en vérité je suis comédienne. C'est pour ça que je dois rester en bonne forme.

— Ça ne suffit pas d'être une bonne actrice ?

— Les producteurs s'attendent à ce que vous ayez le corps de Raquel Welsh.

— Au cas où vous auriez à tourner une scène de nu, hein ?

— Peut-être.

— Vous le feriez ?

— Si ça s'intégrait à l'histoire.

Il éclata de rire.

— Allons donc, c'est comme si je disais que je lis *Playboy* pour les articles de fond.

Elle ne put s'empêcher de rire aussi. La serveuse leur apporta leurs hamburgers à la dinde, que Nick considéra avec méfiance.

— Allez-y, goûtez, l'encouragea Annie.

— Est-ce que je peux avoir du ketchup ?

— Vous pouvez avoir tout ce que vous voulez.

— Tout ? fit-il d'un ton taquin.

— Dans les limites du raisonnable, répondit-elle en faisant signe à la serveuse.

— Susie, apportez-nous deux verres de grand P et une bouteille de ketchup.

— Vous venez ici tout le temps ?

— C'est commode... Elle s'interrompit un moment. Vous savez, Nick, je suis désolée si je vous ai semblé un peu tendue la première fois que nous nous sommes rencontrés, mais je ne savais pas du tout qui vous étiez. Et ça me semblait un peu bizarre... vous comprenez, Cyndra étant... Elle hésita, puis lâcha le mot : Noire.

— Oui... je vois ce que vous voulez dire.

La serveuse apporta le ketchup et deux grands verres d'un liquide brun foncé. Il leva le verre à la lumière.

— Qu'est-ce que c'est que ça ?

— Du pur jus de pomme. Pas de conservateur. Buvez... vous allez aimer ça.

— Il va vraiment falloir que je m'habitue à vous !

— Vous en aurez peut-être l'occasion, dit-elle nonchalamment.

Touchait-il enfin au but?

— Cyndra m'a dit que vous suiviez un cours d'art dramatique, dit-il en arrosant son hamburger de ketchup.

— C'est exact.

Il prit une bouchée... ça n'était pas si mauvais.

— Comment vous êtes-vous mise à tout ça?

Elle but une gorgée de jus de pomme.

— Si on ne travaille pas, il faut étudier : c'est important de continuer à apprendre.

— De quel genre de cours s'agit-il?

Ses yeux brillaient d'enthousiasme.

— C'est un atelier d'acteurs. Nous faisons toutes sortes de choses intéressantes. Des scènes de pièces de théâtre et de films. De l'improvisation. Pas mal d'acteurs qui travaillent viennent là.

— Ah oui? dit-il en buvant à son tour. Ça a l'air intéressant.

— Ça l'est.

Il examina son joli minois.

— Avez-vous jamais eu un rôle? Dans un film ou à la télévision?

Elle semblait ravie qu'il eût posé la question.

— En fait, j'ai fait trois films publicitaires.

Il était impressionné.

— Alors, vous devez avoir un agent?

— Comment se fait-il, Nick, que vous me posiez toutes ces questions?

Il décida de se confier à elle.

— Pourquoi, à votre avis? Écoutez, j'avais un bon travail à Chicago : je gérais un bar. J'étais le roi dans mon petit royaume. Mais depuis le lycée, j'ai toujours eu envie d'être acteur.

— Vous ne pouvez pas faire ça comme ça. Il faut être bon.

— Oh, dit-il calmement, je suis bon.

— Je suis heureuse de l'entendre, parce qu'une chose dont on a besoin, c'est de confiance en soi. Ça aide quand vous essuyez des refus vingt fois par jour.

Il n'avait pas l'intention d'essuyer des refus. Une fois qu'il aurait franchi la porte — quelle que soit la porte —, il ferait une telle impression qu'on ne le laisserait jamais repartir.

— J'aimerais aller au cours avec vous. Je pourrais m'asseoir au fond et regarder.

— Je ne vois pas pourquoi vous ne le feriez pas. Vous avez le droit d'assister à deux cours en observateur, après ça il faut payer. Enfin, si Miss Byron vous accepte.

— Qui est Miss Byron ?

— Joy Byron, le meilleur professeur d'art dramatique de la ville.

Si elle était la meilleure, c'était elle qu'il lui fallait.

— Quand est-ce que je peux venir ?

— Ce soir, ça vous va ?

— Non, le soir, c'est exclu. J'ai ce job de chauffeur pour une boîte de voitures de maître.

— J'ai un ami qui a vendu un script à un producteur en le conduisant à Santa Barbara.

— Vraiment ?

— Ça peut arriver. Il faut savoir exactement qui vous avez dans la voiture et vous lancer. C'est ce que dit mon ami. En tout cas, ça a marché pour lui. Sa théorie, c'est que, si un type peut se permettre de louer une limousine, il doit être quelqu'un.

Il se souvint de Luigi et de ses sévères observations.

— J'ai l'ordre strict de ne pas parler aux clients.

— Vous n'avez pas l'air d'un homme qui obéit aux ordres.

Elle avait raison. Il était temps pour lui de découvrir qui il conduisait, et d'en tirer quelque chose.

— Je vais vous confier un petit secret à propos de Los Angeles, lui dit Annie, son regard brillant croisant le sien. Ça fait trois ans que je suis ici et, si vous avez un moyen d'établir un contact, allez-y. Ne vous laissez arrêter par rien.

Il se pencha et lui prit la main, qui était étonnamment petite et douce.

— Merci, j'apprécie les bons conseils.

Ils terminèrent leur déjeuner et, au moment où ils se séparaient, elle lui proposa de venir au cours avec elle le samedi suivant.

— Ça me paraît bien, dit-il. Je passerai vous prendre.

— D'accord. Je vous attends à quatre heures.

Ce soir-là, quand Luigi lui assigna une fois de plus Mr. Evans, il n'était pas particulièrement excité. Cet Evans ne le mènerait nulle part, il ne fallait pas compter sur lui pour des contacts. Cela se révéla être comme la première fois. Le même visage maussade, le même porte-documents sous son bras, la même absence de pourboire. Nick avait bien envie de dire à Luigi qu'il ne voulait plus le conduire. Il avait parlé aux autres chauffeurs et découvert que la plupart des clients donnaient des pourboires en plus du pourcentage ajouté à la facture. Pas de chance que ça arrive avec ce pignouf.

— Cet Evans, c'est vraiment un pingre, déplora-t-il devant Luigi en ramenant la limousine. Fais-moi plaisir et trouve-moi un autre client pour changer.

— Qu'est-ce que j'entends? fit Luigi, les yeux hors de la tête. Mr. Manfred te trouve du travail par bonté d'âme, et voilà maintenant que tu ouvres ta grande gueule pour me dire qui tu veux et qui tu ne veux pas conduire.

— J'ai le droit d'avoir une opinion.

— Tu as le droit de me lécher les bottes si je te dis de le faire.

— Je crois que je vais laisser passer cette alléchante proposition.

Luigi lui fit un bras d'honneur.

— Fous-moi le camp, minable.

Le lendemain soir, quand il se présenta à son travail, Luigi l'accueillit avec un ricanement.

— Mr. Manfred veut te voir.

— À propos de quoi?

— Est-ce que j'ai l'air d'un bureau d'informations?

Manny Manfred l'accueillit, l'air plus gros que jamais. Ça ne semblait pas possible, mais n'aurait-il pas pris encore une dizaine de kilos?

—Comment ça va, Nick?

Surprise : le gros poussah se souvenait de son nom.

— O.K., fit-il prudemment.

— Et la comédie? Pas encore d'auditions?

— Je m'en occupe.

— C'est ce qu'il faut faire, dit Manny en plongeant la main dans un bol de cacahuètes et en s'en fourrant une poignée dans une bouche rose étonnamment petite.

Nick remarqua qu'il portait une Rolex : la lourde montre en or brillait à la lumière.

— J'ai parlé à Q.J, fit Manny en mâchonnant.

— Ah oui?

— Il t'aime bien.

— Je sais.

— Il te fait confiance.

— J'espère bien. J'ai travaillé pour lui près de quatre ans.

Manny recracha une cacahuète rance. Elle vint faire une grosse tache grasse sur son genou. Il s'épousseta nonchalamment.

— La loyauté et la confiance... voilà des choses qu'on ne peut pas acheter.

— C'est vrai.

Nick attendait le discours qui s'annonçait.

— Alors..., fit Manny, qui ne le déçut pas. J'ai une proposition à te faire.

— Ah oui ?

— Tu m'as l'air d'un garçon astucieux.

Fichtre ! Des compliments ! Du poussah en personne !

Je suis impressionné.

— Je me débrouille, dit-il avec prudence.

— Voilà ce que j'aime entendre, fit Manny, rayonnant. Sitôt que Luigi m'a dit que tu te plaignais, j'ai compris que ça ne te suffisait pas de rester assis au volant d'une voiture à conduire un riche abruti quand tu sais que tu vaux mieux que lui.

— C'est mon boulot.

— Alors j'ai une idée pour toi.

— C'est régulier ?

— Ça t'inquiète ?

— Si vous m'en parliez ?

43

Lauren était sortie plusieurs fois avec Jimmy Cassady — à quatre reprises, pour être exact —, les deux dernières se terminant par un chaste baiser sur le front devant sa porte. Ils en étaient maintenant à leur cinquième sortie et elle savait que, ce soir, il en attendait davantage. Non pas qu'il fût allé jusqu'à le dire — il n'était pas aussi direct —, mais elle avait repéré de petits signes ici et là et, après un dîner tranquille dans un romantique restaurant italien, il héla un taxi et, au lieu de donner au chauffeur l'adresse de Lauren, il donna la sienne.

— Je voudrais vous faire entendre le dernier album de Joni Mitchell, dit-il en la prenant par la taille.

— J'adorerais, répondit-elle.

Alors, Lauren Roberts, qu'est-ce que tu vas faire ?

Je ne sais pas.

Tu ferais mieux de te décider.

Je ne peux pas.

Pourquoi ?

Bonne question. Pourquoi ne pouvait-elle pas se décider ?

La réponse jaillit soudain.

Parce que j'aime toujours Nick Angelo.

— Vous êtes bien silencieuse, ce soir, dit Jimmy en lui prenant la main. Quelque chose que j'ai dit ?

Elle frissonna, essayant de chasser de son esprit le souvenir de Nick.

— Non. Je suis fatiguée. J'ai eu une dure journée.

— Trop fatiguée pour écouter Joni Mitchell ?

Il posait une question avec sa bouche et une autre avec ses yeux.

— Rien ne me plairait davantage, répondit-elle, tandis que des voix continuaient à crier dans sa tête.

Tout ce qu'il veut, c'est coucher avec toi vite fait : c'est toujours ce qu'ils veulent.

On croirait entendre ta mère.

— Nous sommes arrivés, dit-il en réglant la course et en aidant Lauren à descendre du taxi.

Elle le suivit dans l'ascenseur, non sans une certaine appréhension. Jimmy Cassady avait pourtant l'air d'un type vraiment bien.

Bien sûr, ils sont tous comme ça jusqu'à ce qu'ils aient obtenu ce qu'ils veulent, et puis ils vous laissent tomber, ils vous plaquent, ils vous abandonnent enceinte. Ils vous abandonnent... vous abandonnent... vous abandonnent...

— À quoi pensez-vous ? demanda-t-il en lui pressant la main.

— À rien, dit-elle en essayant de chasser Nick de son esprit et de se concentrer sur Jimmy.

Que savait-elle de lui ? Pas grand-chose. Il lui avait dit qu'il était arrivé à New York voilà sept ans, venant du Missouri, et qu'il avait commencé comme assistant photographe pour s'installer à son compte quatre ans plus tard. Depuis ces trois dernières années, grâce à ses images toujours en noir et blanc, on le considérait comme un des photographes les plus inventifs de New York.

En bavardant avec quelques-unes des filles, elle n'avait rien découvert sur sa vie personnelle. En général, les mannequins étaient intarissables sur chaque photographe avec qui elles avaient travaillé — y compris sur les détails pittoresques, sur les préférences sexuelles et le nombre de fois par nuit où ils aimaient faire l'amour. Mais, sur Jimmy, rien — à part Nature, qui avait travaillé une fois avec lui et puis avait annoncé en ouvrant de grands yeux :

— Eh bien, il doit être pédé ! Parce qu'il ne m'a même pas sauté dessus !

Après leur quatrième rendez-vous, quand il l'avait déposée devant son appartement en lui donnant seulement un baiser, elle avait pensé que peut-être Nature avait raison. Mais ce soir, elle savait pertinemment que ce n'était pas le cas, il avait cette lueur au fond des yeux et elle comprenait qu'il était décidé à sauter le pas.

Son appartement n'avait rien d'un appartement : c'était un loft divisé en compartiments par des murs en stuc d'un mètre quatre-vingts qui s'arrêtaient bien avant le plafond très haut. Le mobilier, réduit au minimum, était résolument moderne : tout était noir, blanc ou en acier inoxydable. Sévère, comme ses photos.

— Cet endroit est étonnant, s'exclama-t-elle en se promenant partout et en notant chaque détail. C'est vous qui l'avez décoré ?

Il se mit à rire.

— Aucun décorateur professionnel ne pourrait trouver ça. D'ailleurs, il s'avère que j'aime bien.

— Moi aussi, dit-elle en poursuivant ses explorations. Mais il faut le reconnaître : c'est résolument différent.

— C'est bien pourquoi je l'aime, dit-il en la suivant dans la petite cuisine en acier inoxydable. Il s'approcha d'elle. C'est pourquoi vous me plaisez, ajouta-t-il, la coinçant soudain contre l'acier froid de la porte du réfrigérateur et l'embrassant sur la bouche.

Pas de préliminaires. Pas de « Vous voulez un verre ? » ou bien : « Je peux vous faire visiter ? » Il ne se donna même pas la peine de prendre l'album de Joni Mitchell dont il avait parlé toute la soirée. Rien que ce baiser. Énergique et sensuel. Pas du tout comme son habituel petit baiser de bonsoir. C'était du vrai, du solide.

Elle essaya de reprendre son souffle, mais il n'arrêtait pas. Un moment, elle résista, le corps crispé, ne le laissant pas s'approcher trop près. Il insista et lentement elle sentit qu'elle commençait à réagir — une chaleur qui envahissait tout son corps, une vague de désir si longtemps réprimé qu'elle la prit par surprise, l'empêchant de résister. Au bout de quelques minutes, les mains de Jimmy descendirent jusqu'à ses seins, touchant, palpant, caressant. Elle protesta sans conviction.

— Jimmy... je ne sais pas...

— Moi, si, dit-il, ses mains se glissant par l'échancrure de son corsage, glissant vers le dos et dégrafant son soutien-gorge.

Et pendant tout ce temps, il gardait les lèvres sur les siennes, sa langue insistante lui explorant la bouche, la chaleur de son haleine enveloppant son visage. Elle renversa la tête en arrière et capitula tandis qu'il lui dénudait la poitrine et que ses lèvres glissaient lentement jusqu'aux pointes de ses seins. Il les réunit doucement l'un contre l'autre, les léchant tous les deux en même temps. Puis ses mains descendirent lentement le long de son dos, tirant sur la fermeture à glissière de sa robe, qui tomba sur le sol. Elle ferma les yeux, essayant de ne pas penser à Nick, essayant de l'oublier une fois pour toutes. Tout cela se passait si vite, et pourtant elle se sentait impuissante à l'arrêter.

— Tu sens si bon, murmura-t-il.

Ça n'avait plus d'importance, plus rien ne comptait. Elle avait atteint le point de non-retour, il pouvait faire ce qu'il voulait. Il la prit dans ses bras et la porta jusqu'à la chambre, la déposant doucement au milieu de son grand lit au matelas gonflé d'eau. Elle se renversa en arrière, se laissant aller complètement. Il n'y avait plus de choix, elle avait été trop longtemps seule. Et Nick Angelo ne reviendrait jamais.

— Je vais me marier, annonça Lauren en serrant les poings.

Samm leva les yeux d'un contrat qu'elle étudiait et repoussa sur son front ses grandes lunettes à monture d'écaille.

— Qu'est-ce que tu as dit ?

— Je vais me marier, répéta-t-elle, comme si ça n'était pas une grande nouvelle.

Elle avait maintenant toute l'attention de Samm.

— Ça n'est pas possible ! fit-elle en posant ses lunettes sur son bureau.

— Mais si, réussit à dire Lauren, l'air bien plus calme qu'elle ne l'était.

Samm prit un de ses longs cigarillos.

— Et puis-je demander avec qui ?

— Avec Jimmy Cassady.

— *Mon* Jimmy Cassady ?

Samm était très possessive envers tous les photographes qui travaillaient avec ses filles : elle avait l'impression que chacun d'eux lui appartenait.

Lauren acquiesça de la tête.

— Je crois que oui.

Samm resta un moment silencieuse tout en digérant cette nouvelle inattendue. Puis elle dit :

— Est-ce que ça n'est pas un peu soudain ?

Lauren se sentait comme une collégienne debout devant la directrice. Pourquoi s'infligeait-elle cette épreuve ? Elle ne devait aucune explication à Samm.

— Nous nous voyons depuis six semaines, dit-elle.

Et nous couchons ensemble depuis trois, avait-elle envie d'ajouter, mais elle n'en fit rien. Sa vie sexuelle ne regardait qu'elle. Samm prit un stylo en or et se mit à tapoter sur le dessus laqué de son bureau.

— Six semaines, ça ne fait pas bien longtemps pour connaître quelqu'un.

— Assez longtemps pour moi, répondit-elle, estimant qu'elle n'avait vraiment pas besoin d'un sermon de Samm.

— Tu ne crois pas..., commença Samm.

— Vos félicitations, ce serait gentil, lança Lauren, brisant ainsi définitivement son image de « bonne petite Lauren ».

Et elle ajouta dans le même souffle :

— Oh, et je vous donne deux semaines de préavis : Jimmy veut que je travaille avec lui.

Samm était trop avisée pour ajouter un mot. Lauren était manifestement sous l'influence de Jimmy Cassady et rien de ce qu'elle dirait ne changerait quoi que ce soit. Ah, les hommes ! Ils lui avaient causé plus de problèmes au long des années qu'on ne pouvait le croire. D'habitude, c'étaient les mannequins qui se faisaient harponner par un séduisant play-boy ou un prétendu imprésario beau parleur. Mais elle ne s'attendait pas à voir Lauren se faire embarquer comme ça. Samm était peut-être sceptique, mais les filles de l'agence trouvèrent que c'était sensationnel. Pia semblait particulièrement ravie pour elle. Et, quand Nature apprit la nouvelle, elle passa exprès au bureau en criant :

— C'est sensas ! Alors, comme ça, il n'est pas pédé finalement !

On pouvait compter sur Nature pour avoir le mot qu'il fallait. Dès l'instant où ils avaient commencé à coucher ensemble, Jimmy s'était mis à parler mariage. Il voulait l'épouser tout de suite.

— À quoi bon attendre ? avait-il demandé.

L'intérêt d'attendre, c'est de décider si nous faisons ou non une erreur.

Samm avait raison : six semaines, ça n'était pas beaucoup pour connaître quelqu'un. Mais plus elle voyait Jimmy, plus elle le trouvait spécial et assurément différent des autres hommes qu'elle avait rencontrés à New York.

Malgré tout, elle avait commencé par dire non.

— Pourquoi? insista Jimmy.

Elle n'arrivait pas à trouver une bonne raison.

Il avait persévéré jusqu'au moment où elle avait fini par changer d'avis. Jimmy était séduisant, sérieux dans son travail, c'était un bon amant et il avait l'air d'être sincèrement attaché à elle. D'ailleurs, elle était emportée par l'excitation du désir qu'elle sentait chez lui. Et puis l'idée d'appartenir à quelqu'un et d'être en sécurité était trop tentante pour qu'elle résiste longtemps. Elle n'était pas vraiment amoureuse de lui. Mais peut-être que cela viendrait avec le temps.

Dès l'instant où elle eut dit oui, tous deux convinrent qu'ils devraient faire ça le plus vite possible. Dans un moment d'égarement, elle avait songé à téléphoner à son oncle et à sa tante de Philadelphie, et puis elle s'était ravisée. Pourquoi donc mettre Brad au courant? D'ailleurs, Jimmy et elle voulaient une cérémonie aussi simple que possible.

— Et ta famille? avait-elle demandé.

— Nous avons perdu tout contact, avait-il répondu d'un ton vague.

— Comment ça se fait?

Il avait haussé un sourcil.

— Est-ce que je te pose des questions, moi?

Ah, les âmes sœurs... Pia annonça qu'elle allait inviter toutes les copines pour qu'elles fassent leurs cadeaux à Lauren, mais elle se heurta vite à l'opposition de Nature qui décida qu'un enterrement de sa vie de jeune fille dans les règles serait beaucoup mieux.

— Tu le mérites, annonça Nature avec entrain. Tu te donnes tant de mal à t'occuper de nous toutes, maintenant c'est notre tour de faire quelque chose pour toi.

Lauren, au fond, regrettait d'en avoir parlé. Ç'aurait peut-être été mieux s'ils s'étaient mariés discrètement sans faire d'histoire. Trop tard maintenant, Nature avait des projets. Lauren protesta, mais Nature, comme d'habitude, ne voulut rien entendre.

— Sois chez moi samedi prochain à six heures. Et ne t'attends pas à rentrer chez toi avant trois heures du matin. Et encore, si tu as de la chance!

Inutile de vouloir lutter contre Nature : elle était comme un de ces énormes camions. Le plus sûr, c'était de monter à bord et d'apprécier le voyage.

A mesure que les jours passaient, Lauren se rendait compte que ç'allait être un déchirement de partir de chez Samm : elle s'était fait tant de bonnes amies là-bas. Mais Jimmy lui assurait que ce serait amusant pour elle de l'aider dans son studio, et ça ne semblait pas une si mauvaise idée. En attendant, il y avait tant à faire. Il fallut passer des examens médicaux, remplir des papiers, et pour finir elle s'en alla courir les magasins avec Pia, à la recherche de la tenue parfaite que Samm voulait absolument lui offrir.

Le soir prévu pour la réception, elle était fourbue. Nature était en pleine forme, hurlant et vociférant. Elle avait retenu pour la nuit un convoi de limousines et, derrière le cortège, elle surprit tout le monde en faisant venir six motards en blouson de cuir chevauchant leur Harley.

— C'est pas mal d'avoir une escorte, déclara Nature avec un clin d'œil complice vers le convoi de motards. Des muscles et du cuir noir : mon cocktail préféré !

Ils commencèrent par aller dans un restaurant italien où chacun offrit son cadeau à Lauren. Elle parvint à faire bonne figure, ouvrant les paquets l'un après l'autre et s'exclamant consciencieusement que chaque cadeau était exactement ce dont elle avait envie. Nature lui offrit un énorme vibromasseur noir qui fit beaucoup rire autour de la table.

Quand elle en eut fini avec les cadeaux, l'un des plus beaux motards fit son entrée dans le restaurant, pressa le bouton d'un magnétophone et entreprit de faire un époustouflant numéro de strip-tease sur l'air de « Satisfaction » des Stones. Ce n'était qu'une mise en jambes, car de là tout le monde s'entassa dans les limos et en route pour une boîte de strip-tease masculine.

Lauren regardait avec fascination les danseurs de la boîte s'exhiber fièrement sous les regards d'un public avide. Elle avait hâte de sortir de là. Nature, elle, était dans son élément : elle poussait des cris, elle battait des mains en criant aux garçons de se mettre à poil, glissant des billets de dix dollars dans leurs slips mini, ne perdant rien du spectacle. Enfin on la raccompagna jusqu'à son appartement. Elle s'écroula avec gratitude dans son lit. Pour elle, la soirée avait été un cauchemar : quelque chose comme un bizutage. Pourtant... elles avaient voulu bien faire et elle avait de la chance d'avoir des amies qui l'aimaient bien.

Le lendemain, elle abandonna son appartement et déménagea

toutes ses affaires chez Jimmy. Ce soir-là, ils dînèrent aux chandelles et firent l'amour. Pour la première fois depuis son départ de Bosewell, Lauren avait le sentiment d'avoir enfin trouvé sa place et elle savait qu'elle avait bien fait de prendre la décision d'épouser Jimmy. Elle s'endormit dans ses bras, heureuse et satisfaite. La veille du mariage, Pia passa la prendre et l'emmena chez elle.

— Tu ne peux pas rester avec ton futur mari la nuit d'avant le mariage, lui dit-elle sévèrement. Ça porte malheur.

Le lendemain matin, Nature déboula dans l'appartement de Pia, prenant aussitôt les choses en main.

— Tiens, dit-elle en ôtant de son doigt un gros saphir. Tu vas porter ça. C'est à la fois emprunté, bleu et tout neuf. Maintenant, ce qu'il faut te trouver, c'est quelque chose de vieux.

Pia exhiba une paire de ravissantes boucles d'oreilles.

— Elles étaient à mon arrière-grand-mère, dit-elle en les lui tendant. Ça me ferait plaisir si tu les mettais.

Lauren passa le tailleur de satin couleur huître que Samm lui avait offert, puis elle mit les boucles d'oreilles de Pia et la bague de Nature.

Celle-ci l'examina d'un œil critique.

— Tu devrais me laisser te coiffer.

— J'aime bien ma coiffure.

— Eh oui, bien nette et pas un cheveu qui dépasse, répondit Nature. Pas comme moi, ajouta-t-elle en faisant bouffer ses boucles blondes.

— Lauren, murmura Pia. Tu es superbe.

Elles partirent dans une interminable limousine blanche — choisie par Nature.

— Ferme les yeux et imagine que tu es une vedette du rock, gloussa-t-elle.

Lorsqu'elles arrivèrent à la mairie, Lauren avait l'estomac noué. Le chauffeur l'aida à descendre de voiture et elle fit son entrée dans l'édifice, flanquée de ses deux amies. Elles tombèrent sur Samm devant l'ascenseur.

— Comment te sens-tu ? demanda Samm, toujours aussi chic dans un tailleur Chanel écarlate.

— Nerveuse, répondit-elle.

— Ça ne se voit pas. Tu es ravissante.

— Merci.

La gorge sèche, elle serrait son bouquet d'orchidées blanches en souhaitant que tout ça soit rapidement terminé. Pia et Nature la firent entrer dans une salle voisine pour attendre l'arrivée du fiancé. Jimmy venait seul. Quand elle lui avait demandé qui était son garçon d'honneur, il avait répondu qu'il n'en voulait pas.

— Je voyage en solo, lui avait-il dit.

Elle n'y voyait pas d'inconvénient. C'était peut-être pour ça qu'ils s'entendaient si bien. Elle n'arrivait pas à rester en place. Elle se leva, arpentant nerveusement la petite salle, les pensées se bousculant dans son esprit. Quelques minutes semblaient une éternité. Nature ne cessait de consulter sa montre.

— Il est fichtrement en retard, finit-elle par dire d'un ton exaspéré.

— C'est peut-être la circulation, dit Pia en lui lançant un regard réprobateur.

— Tu parles, circulation ou pas, il est à la bourre. Ça ne se fait pas d'être en retard à son propre mariage.

Au bout d'un quart d'heure, Pia quitta discrètement la pièce, trouva un téléphone et appela l'appartement de Jimmy. Pas de réponse. Nature la coinça dans le couloir.

— Qu'est-ce qui se passe, bon Dieu ? Où est-il passé, ce salopard ?

Pia secoua la tête.

— Je n'en ai aucune idée.

— Va attendre en bas, lui dit Nature, pendant que j'occupe Lauren.

Vingt minutes passèrent encore et Jimmy n'était toujours pas là. Pia entraîna Samm dans le couloir et Nature vint les rejoindre pour tenir une conférence.

— On dirait qu'il l'a laissée tomber, dit Nature. C'est drôlement moche !

— Est-ce que quelqu'un a appelé chez lui ? demanda Samm.

— Oui, j'ai téléphoné, dit Pia. Ça ne répond pas.

Samm secoua la tête, elle avait toujours eu un pressentiment à propos de Jimmy Cassady.

— Qu'est-ce qu'on va faire ? demanda Pia.

— Qu'il aille se faire voir ! dit Nature. Ah, les hommes ! Tous pareils : des bons à rien.

Quand une heure se fut écoulée, il était évident que Jimmy ne viendrait pas. Lauren accueillit la nouvelle avec stoïcisme, même si cela lui brisait le cœur. Pia, Nature et Samm la raccompagnèrent jusqu'à l'appartement de Jimmy. Il y avait une note collée à la porte du réfrigérateur.

Désolé ! Un magazine m'a envoyé en Afrique. Serai de retour dans
quelques mois. Tu peux rester dans l'appartement jusqu'à ce que tu aies
trouvé quelque chose.

Lauren relut deux fois le mot avant de le tendre aux autres.
— Le salaud ! s'exclama Nature en le parcourant rapidement.
— Oh, mon Dieu, dit Pia.
Samm fut plus diserte.
— Le triste enfant de salaud ! Je n'ai jamais eu confiance en lui.
Lauren se sentait vidée. Encore un échec. Ça n'avait pas
d'importance. Rien n'avait d'importance. Mais il y avait une
chose qu'elle savait : plus jamais elle ne ferait confiance à un
homme. Plus jamais. De cela, elle était certaine.

44

La proposition était la suivante : Manny voulait qu'il conduise
la limo de l'autre côté de la frontière jusqu'à Tijuana, au
Mexique, qu'il prenne un passager au Tijuana Sunset Hotel et
qu'il le ramène aux États-Unis. Ça semblait assez simple.
— C'cst tout ? demanda Nick avec méfiance.
— Pas sorcier, hein ? fit Manny en se carrant dans son énorme
fauteuil, ses doubles mentons tremblotant.
— Bien sûr, répondit-il. Ça dépend de ce que transporte le
passager.
— Disons que ça n'est pas tes oignons, dit Manny en se
frictionnant le menton. Comme ça, tu n'es au courant de rien.
Nick songea qu'il ne confierait pas une religieuse à Manny,
mais il flairait là une occasion de se faire de l'argent et, comme son
magot de Chicago s'épuisait rapidement, il poursuivit ses investi-
gations.
— Combien ?
Manny lui lança un clin d'œil complice.
— Plus que ce que tu gagnes maintenant.
— Écoutez, dit-il, je ne sais pas ce que je dois rapporter, mais
je ne passe pas la frontière pour moins de deux briques.
— Ça fait beaucoup d'argent.
— Pour moi, ça fait beaucoup de risques.
— D'accord, d'accord, acquiesça Manny à contrecœur.

Le gros poussah avait accepté trop facilement. Nick regretta aussitôt de n'avoir pas demandé davantage.

— C'est prévu pour quand ? demanda-t-il.

— Dans le courant de la semaine prochaine. On est en train de régler les détails.

— Qui est le passager ?

— Une collégienne.

— Une collégienne ?

— Oui. Ça te dérange ?

Nick savait qu'il s'aventurait en terrain dangereux. Les activités de Manny n'étaient certainement pas légales. Avait-il vraiment envie de se mouiller ?

Oui... pour deux briques, il était vraiment prêt à se mouiller.

— Il faut que je te présente à quelqu'un, dit Manny.

— Qui ça ?

— Une nana spéciale, alors ne va pas te faire des idées.

Oh ? Comme s'il allait s'attaquer à une pépée qui avait quoi que ce soit à voir avec Manny. Aucun risque. Manny pressa un bouton et la porte s'ouvrit.

— Dis bonjour à Suga, dit Manny, la présentant comme si c'était la reine d'Angleterre. Suga et moi... ça fait cinq ans qu'on est ensemble. Mariés depuis deux, ajouta-t-il fièrement. Heureux comme des rois.

Suga avait vingt-trois ans, en paraissait seize et se comportait comme si elle en avait douze. Sa tenue préférée était une combinaison de caoutchouc noir qui arrivait jusqu'en haut de ses cuisses potelées, et qu'elle portait avec des bottes blanches à lacets, et tout ce qu'elle arrivait à accrocher sur sa personne de faux bijoux en or sans s'écrouler sous le poids. Elle était petite, avec du monde au balcon, elle avait une chair rosée et ses cheveux sillonnés de mèches décolorées en blond lui pendaient jusqu'aux épaules avec deux centimètres et demi de racines noires. Elle fumait à la chaîne, mâchonnait du chewing-gum et se rongeait les ongles. Plantée auprès de son mari, elle contemplait Nick d'un air maussade. Elle avait de petits yeux porcins beaucoup trop maquillés et de petites lèvres plissées dans un ricanement perpétuel.

— Suga est une pépée qui a de la classe, dit Manny, parlant d'elle comme si elle n'était pas là. Elle m'aide pour un tas de choses.

Eh oui ! songea Nick, j'en suis sûr.

— Je me suis dit qu'il fallait que vous fassiez connaissance tous les deux, poursuivit Manny en palpant la cuisse de sa femme, parce que c'est Suga que tu vas chercher à Tijuana.

Seigneur, dans quoi s'embarquait-il ?

— Vous me disiez que c'était une collégienne.

— Ne t'en fais pas : elle sera habillée comme une collégienne.

— Vous vous payez ma tête ?

Suga intervint, d'une voix grinçante.

— Va te faire voir, dit-elle, mastiquant comme une vache en colère.

Le voyage s'annonçait bien.

Le cours théâtral de Joy Byron se tenait dans un entrepôt vide du mauvais côté de Wilshire Boulevard. Joy Byron était une Anglaise d'un certain âge, avec une voix qui faisait penser à une scie à métaux. Elle portait une longue robe à fleurs sur un corps osseux et trimbalait un parasol, ce qui lui donnait un peu l'air de la Folle de Chaillot. Nick ne l'aurait avoué à personne, mais il était extrêmement nerveux.

— Alors... qu'est-ce que je fais ? demanda-t-il en essayant d'avoir un air détaché.

— Rien, dit Annie. Tu n'es qu'un observateur. Détends-toi.

— Bon, bon, fit-il en se demandant pourquoi il s'imposait ça.

Elle lui prit la main.

— Viens, je vais te présenter.

À contrecœur, il se laissa traîner à travers la salle.

— Miss Byron, dit Annie, je vous présente un de mes amis. Est-ce qu'il peut assister au cours ?

Joy Byron se tourna pour le toiser de la tête aux pieds.

— Et quel est votre nom, jeune homme ? demanda-t-elle d'un ton impérieux.

— Nick, murmura-t-il.

— Avons-nous un nom de famille ?

— Nick Angelo.

— Laissez tomber le « o ». Elle eut un geste théâtral. « Nick Angel », je vois très bien ça sur les affiches.

— Ah oui ?

— Mais bien sûr.

Elle se tourna pour parler à un autre élève et Annie l'entraîna.

— Elle t'aime bien.

— Comment le sais-tu ?

— Je le sens.

Il sourit.

— Eh, ma foi, je ne suis pas n'importe qui.

— C'est ce que j'aime chez toi, Nick... ta modestie. Viens, on va s'asseoir là-bas.

Du regard il parcourut le grand hangar poussiéreux. Il y avait une bande de types en T-shirt et en jean qui faisaient de leur mieux pour imiter Brando, et un tas de jolies filles qui avaient l'air de se prendre bien trop au sérieux. Des acteurs. Tout comme lui. Quand tout le monde fut installé, Joy Byron se planta devant l'assistance et s'adressa à ses élèves.

— Aujourd'hui, nous allons parler de motivation, annonça-t-elle. Long silence. Quand je travaillais avec Olivier, Gielgud, en fait avec *tous* les grands comédiens anglais, une de leurs premières pensées avant d'entrer en scène, c'était la motivation, la motivation, quelle *est* exactement ma motivation.

Nick sentait que ça n'allait pas être la même chose que les cours d'art dramatique de Betty Harris, là-bas à Bosewell. Et il avait raison. Joy Byron adorait discourir devant ses élèves, parlant abondamment de sa brillante carrière en Angleterre.

— Elle était une grande vedette là-bas ? chuchota-t-il à Annie.

Annie acquiesça de la tête, les yeux brillants.

— C'est un merveilleux professeur.

— Comment se fait-il qu'elle ait abandonné la scène ?

— Je ne sais pas.

Au milieu du cours, Joy fit venir deux de ses élèves au premier rang et leur expliqua comment improviser une scène pour exprimer la colère. Nick observa attentivement les deux jeunes comédiens au travail. Ils étaient bons. Mais lui était meilleur.

Quand ils eurent fini, Joy se leva de nouveau, débita une longue et sévère critique, puis invita la classe à commenter. Certains des élèves avaient hâte de mettre les deux comédiens en pièces, alors que quelques autres tenaient des propos très flatteurs.

— Il faut prendre le bon avec le mauvais, murmura Annie. Chacun a son mot à dire. Crois-moi, ça peut être brutal ici.

Il n'arrivait pas à décider s'il allait se laisser embarquer dans ce foutoir. Jouer à Bosewell était une chose, mais ici, c'était Hollywood, et qui avait besoin de critiques ? À la sortie, Joy Byron l'arrêta, posant sur son bras une fine main veinée de bleu.

— Vous avez le physique, mon garçon, dit-elle de sa voix rocailleuse de Britannique.

— Ah oui ? répondit-il prudemment.

— Tout à fait. Je le reconnais toujours. Vous avez le physique.

Il prit une profonde inspiration, inhalant son parfum de rose fanée mêlé à des relents de naphtaline.

— Ah oui, eh bien... euh... ravi de l'apprendre.

Elle fixa sur lui ses yeux larmoyants.

— À votre prochain passage, vous me jouerez quelque chose.

— Je ne me suis pas encore inscrit.

— Ah oui, mais j'accepte parfois des élèves à titre gracieux. Nous verrons. La prochaine fois, soyez prêt.

— Qu'est-ce qu'elle a dit ? voulut savoir Annie, sitôt qu'ils furent dehors.

Quand il lui raconta, elle était vraiment excitée.

— Mon Dieu, tu n'as même pas dit une réplique et tu lui as déjà fait bonne impression.

— Peut-être que je l'excite, lança-t-il.

Cela n'amusa pas Annie.

— Ça n'est pas drôle. Joy Byron est une vraie professionnelle.

Il lui prit le bras.

— Tiens, il y a quelque chose que je voulais te demander... est-ce que tu as un type dans ta vie ?

— Pourquoi ? demanda-t-elle d'un ton méfiant.

— Je pensais que tu pourrais me donner un coup de main. Par exemple, si tu n'as pas de petit ami, tu pourrais venir chez moi samedi soir.

Il y eut un long silence avant qu'elle répondît.

— Nick, hésita-t-elle, je ne cherche pas à me lier à qui que ce soit.

— Hé, qu'est-ce qui parle de ça ? Tout ce que je veux, c'est que tu me donnes la réplique. Il faut bien que je prépare quelque chose, non !

— Oh, fit-elle, gênée d'avoir mal compris. Avec plaisir.

Le samedi soir, la propriétaire de Nick avait son habituelle réception de week-end. Sans se soucier des pique-assiettes qui traînaient dehors, il entraîna Annie jusqu'à son appartement. L'immeuble sentait la marijuana à tomber.

— Ne respire pas trop fort, dit-il en plaisantant. Une bouffée et tu es dans les vapes pour le reste de la semaine.

Elle s'approcha des grandes baies donnant sur la plage.

— Comment as-tu trouvé cet endroit ?

— Cyndra m'a aidé.

— Jolie vue.

— Oui, j'ai eu du bol.

La stéréo de la propriétaire jouant du reggae à plein tube les projeta presque par la fenêtre.

— Ça, expliqua-t-il, c'est l'inconvénient. Elle reçoit tous les samedis. Il faut être dans l'ambiance. Il ouvrit son réfrigérateur et en inspecta le contenu. Tu veux boire quelque chose ? J'ai de la limonade ou du Coca. Choisis.

— Les deux sont mauvais pour toi, dit Annie. Je prendrai un verre d'eau.

— Tu ne fais jamais *rien* qui soit mauvais pour toi ? la taquina-t-il en cherchant un verre.

— Pas si je peux m'en dispenser, dit-elle d'un ton digne.

Il trouva son précieux exemplaire dédicacé du *Tramway* et le feuilleta jusqu'à une scène qu'il aimait particulièrement. Il tendit le livre à Annie.

— Si je donnais à Joy une scène de ça ?

— Hmmm ! Elle feuilleta les pages. Tu voudrais le faire avec moi ? demanda-t-elle en s'installant sur le canapé.

— Est-ce que je veux faire *quoi* ? répliqua-t-il, la taquinant toujours.

Ses joues s'empourprèrent.

— Nick, sois sérieux.

Il se précipita sur elle, sachant qu'il ne devrait pas.

— Mais je suis sérieux, dit-il en passant un bras autour de ses épaules et en l'attirant vers lui.

Elle était vulnérable et nerveuse quand il commença à l'embrasser. Elle essaya faiblement de le repousser.

— Détends-toi, dit-il doucement, sentant bien qu'il la tenait. Il faut quand même s'amuser un peu dans la vie, ajouta-t-il en posant les lèvres sur les siennes.

Juste au moment où les choses commençaient à bien tourner, ils furent interrompus par un coup violent frappé à la porte. Annie sauta sur l'occasion pour se dégager de son étreinte et se remettre debout d'un air coupable.

— Laisse, fit-il, c'est probablement quelqu'un qui cherche les toilettes.

— Tu ferais mieux de voir qui c'est, dit-elle, enchantée de cette interruption.

— Seigneur, juste au moment où on commençait à être bien, hein ? fit-il, se dirigeant vers la porte et l'ouvrant toute grande.

Apparut DeVille une valise à la main.

— Salut, mon chou, dit-elle. Me voilà.

45

Pia voulait héberger Lauren, mais Nature déclara que celle-ci serait mieux chez elle. Peu importait à Lauren où elle allait : la trahison de Jimmy l'avait laissée assommée. Cela n'avait pas d'importance, rien n'avait plus d'importance. Elle fourra ses affaires dans une valise et alla s'installer sans discuter dans l'immense appartement blanc de Nature. Nature était ravie. Elle conduisit Lauren jusqu'à la chambre d'ami en annonçant fièrement :

— C'est là que descend ma mère. Ça te plaira. C'est si douillet.

Lauren décida que c'était un bon endroit pour se cacher. Peut-être allait-elle rester là pour toujours : qu'avait-elle à faire du monde réel ? Nature cria à son assistante d'annuler tous ses rendez-vous pour le reste de la semaine.

— Tu ne peux pas faire ça, protesta Lauren. Tu as la séance de photos pour *Vogue* et celle avec Antonio pour *Harper's*.

— Je fais ce qui me plaît, répliqua Nature d'un ton sec. Je ne suis pas une machine à travailler. Je comprends par quoi tu passes : à vrai dire, ça m'est arrivé une fois.

— Qu'est-ce qui t'est arrivé ?

— Bien sûr, en ce temps-là j'étais jeune et innocente — ha, ha ! Nature se lança sur le lit, prête à bavarder. Il y avait ce mec que je voyais avant d'être mannequin : formidable. Je travaillais dans un salon de coiffure et ce type passait tout le temps me voir. Il avait l'air si gentil. Et sexy... je ne te dis que ça. Bref, la vérité c'est qu'il m'a laissée tomber comme une vieille chaussette. Il a filé avec ma meilleure amie et l'a épousée. Je parie qu'il le regrette aujourd'hui : c'était une grosse vieille vache et moi je suis une star... enfin dans mon genre. Je ne lui ai jamais pardonné.

— Je ne savais pas, murmura Lauren avec compassion.

— Je ne vais pas le crier sur les toits, non ? Après ça, on m'a découverte et embarquée dans un avion pour New York. Je n'ai jamais regardé en arrière. Bien sûr, ma mère n'était pas aux anges, mais moi, si. C'est formidable de quitter sa famille. Où est donc la tienne, au fait ?

— Je n'ai plus personne, dit Lauren, qui en faisait l'aveu pour la première fois. Mon père et ma mère sont morts tous les deux.

— Oh, je suis désolée, mon chou !

— Tu ne pouvais pas savoir.

Nature se releva d'un bond.

— Écoute, tu peux rester ici aussi longtemps que tu voudras.

Et c'est exactement ce qu'elle fit. Pendant deux semaines, elle se terra dans la chambre d'ami, blottie sous des couvertures à regarder la télévision jour et nuit, jusqu'au moment où Pia vint la voir un jour, entra dans la chambre en trombe et déclara :

— Bon, ça suffit. Il est temps de te remettre au travail. Samm dit que ta place t'attend.

Elle secoua la tête.

— Non. J'ai trop de mauvais souvenirs.

— On ne peut pas la forcer, dit Nature en entrant à son tour.

— Ça ne l'avancera sûrement pas de rester ici à ne rien faire, répliqua Pia, qui n'appréciait pas l'intervention de Nature.

Lauren prit la parole : après tout c'était d'elle qu'elles discutaient.

— Pia a raison. Il est temps que je me trouve un appartement et un autre travail.

— Ça n'est pas si facile, dit Pia. Si tu es futée, tu vas revenir chez Samm.

— Ça y est ! s'écria Nature. J'ai trouvé !

— Quoi ? demanda Lauren.

— C'est pour *moi* que tu vas travailler. Tu vas être ma nouvelle assistante. Ce sera bien plus marrant que d'être assise dans un bureau à décrocher toute la journée ce fichu téléphone.

— Je ne sais pas, dit-elle d'un ton hésitant.

Nature était lancée.

— Comme ça, tu n'as pas besoin de déménager. Ce sera chouette d'avoir ici en permanence quelqu'un à qui parler quand je rentre à la maison.

— Oui, très chouette, intervint Pia. Ne fais pas ça, Lauren. Tu seras de service vingt-quatre heures par jour.

— Et alors ? fit Nature, ses grands yeux bleus lançant des éclairs.

Lauren haussa les épaules, elle n'avait pas d'autre idée.

— Pourquoi pas ?

Pia soupira.

— Tu le regretteras.

— Non, absolument pas, riposta Nature.

La cause était entendue.

Lauren se disait parfois que c'était la meilleure décision qu'elle avait prise et parfois elle estimait que c'était la pire. Travailler pour Nature emplissait ses journées et habiter le même appartement emplissait ses nuits. Si elle avait cru qu'elle n'avait pas de liberté quand elle travaillait chez Samm, elle n'en avait certainement aucune à travailler pour Nature, même si — il fallait bien le reconnaître — ça n'était jamais monotone.

Nature ne menait pas une vie ennuyeuse. En qualité d'assistante, elle comptait sur Lauren pour tout faire depuis aller chercher les vêtements chez le teinturier jusqu'à arroser les plantes. Elle ne tarda pas à déléguer à la domestique les tâches qu'elle n'avait pas envie de faire et se concentra à organiser autant que possible la vie de Nature — ce qui n'était pas facile, car Nature était une vraie gitane et cela faisait des années qu'elle s'épanouissait dans le chaos.

— Tu es fantastique ! lui dit un jour Nature. Comment est-ce que je me suis débrouillée sans toi ?

— Je me pose la question, répondit-elle sèchement, en se demandant si c'était son lot dans l'existence : être la fille dont personne ne pouvait se passer.

Nature avait des aspirations de comédienne.

— Je ne peux pas être mannequin toute la vie, lui confia-t-elle. Il faut que je saute sur toutes les occasions qui se présentent.

— Tu as vingt-deux ans, fit remarquer Lauren. Tu as le temps.

— Je n'aurai pas cet air-là longtemps. Une fois que les rides commencent à apparaître et que ça se ramollit un peu ici et là, c'est fini.

— Tu es folle, dit Lauren. Tu as encore vingt ans à être formidable.

Nature secoua la tête.

— Vingt ans ? Tu plaisantes ! Avec toutes ces petites de seize ans qui rôdent derrière moi, qui sont sur mes talons, qui veulent ce que moi j'ai. Cette vie de mannequin, ça n'est pas facile.

Lauren se rendit compte que c'était vrai : le métier de mannequin était dur et la plupart des filles qui réussissaient se donnaient beaucoup de mal pour se maintenir au sommet. Nature ne se permettait jamais de prendre un kilo. Tous les jours — même si elle devait se lever très tôt — elle faisait une bonne heure de culture physique, jusqu'à la limite de ses forces.

Emerson Burn rentrait d'une tournée mondiale. Nature lut cela dans le journal et concocta aussitôt un plan. Elle demanda à Lauren de téléphoner chez lui.

— Dis-lui que je veux donner un dîner en son honneur.

— Quand ça ?

— Le soir qui lui plaira. Maintenant qu'il a laissé tomber cette idiote de Selina, j'ai ma chance.

Lauren appela et parla à son assistant, qui lui répondit brutalement que Mr. Burn n'avait pas un soir de libre.

Elle attendit vingt-quatre heures et rappela en disant qu'elle était Candice Bergen. Cette fois, on lui passa Emerson.

Emerson Burn au téléphone avait l'air d'une version masculine de Nature.

— 'llô ?

— Emerson Burn ? demanda Lauren, pour être bien sûre.

— Candy Bergen ?

— Non, c'est Lauren Roberts, l'assistante de Nature. Elle aimerait vous inviter à dîner la semaine prochaine.

Il paraissait déçu.

— Je croyais que c'était Candice Bergen.

— Votre secrétaire a dû s'embrouiller dans les communications.

— Bon... dîner avec Nature. C'est d'accord.

— Quel soir ?

— Mardi, huit heures. Mais seulement si c'est elle qui fait la cuisine.

Lauren s'étrangla de rire. Nature au fourneau : elle était bonne, celle-là.

— Vous avez des plats préférés ?

— Je pense bien. Dites-lui que je veux du rosbif, du Yorkshire pudding et des patates sautées.

Quand Lauren donna ces précisions à Nature, celle-ci s'affola.

— Oh, mon Dieu ! comme si je savais faire la cuisine. Et toi ?

— Ne t'inquiète pas, nous prendrons un traiteur.

— Mais je ne veux pas de traiteur, gémit Nature. Il faut que ça ait l'air d'un repas préparé à la maison. Écoute... trouves-toi une école de cuisine et apprends. Ensuite, je dirai que c'est moi qui l'ai préparé. Qu'est-ce que tu en dis ?

Lauren éclata de rire.

— C'est une solution.

Et voilà comment elle se trouva suivre des cours de cuisine pour apprendre à préparer un rosbif et du Yorkshire pudding. Elle apprit vite.

Le soir du dîner, elle prépara le repas, donna des instructions précises sur la façon de le servir, puis se retira dans sa chambre au fond de l'appartement. À trois heures du matin, elle s'éveilla, sortit sans bruit de sa chambre pour éteindre les lumières du living-room et découvrit Nature et Emerson endormis sur le tapis en peau d'ours blanc, nus et dans les bras l'un de l'autre.

Un moment, elle resta parfaitement immobile à les regarder. Puis elle eut vraiment l'impression d'être une intruse et regagna en hâte sa chambre, ferma la porte et essaya de dormir. Impossible. Elle savait que le moment était venu de bouger. Fini de se cacher derrière Nature. Il fallait se remettre à vivre.

46

Le matin du voyage à Tijuana, Nick s'éveilla à sept heures. Ce n'était pas son style de se lever de bonne heure, mais aujourd'hui il était nerveux et n'arrivait pas à dormir. DeVille était allongée paisiblement auprès de lui. DeVille avec ses cheveux roux et son corps superbe à la peau laiteuse. Il ne lui avait pas demandé de venir, mais elle était arrivée quand même et, puisqu'elle était plantée sur le pas de sa porte, il l'avait fait entrer. Il avait essayé de donner des explications à Annie, qui prétendit que ça n'avait aucune importance, saisit son sac et sortit de son appartement comme si elle avait une fusée au derrière.

Il ne savait pas très bien si elle lui en voulait ou pas. Sans doute que oui. Les femmes étaient comme ça : exagérément sensibles. Pendant deux jours, il s'était perdu dans le sexe. C'était si bon que ça ne devrait pas être permis — surtout avec DeVille qui savait tout ce qu'il aimait et qui s'assurait qu'il était l'homme le plus heureux du quartier.

— Je peux me trouver un appartement si tu veux, avait-elle proposé, sans vraiment le penser.

— C'est une bonne idée, avait-il répondu, ne le pensant pas vraiment non plus, et ils étaient retombés au lit.

Ça faisait maintenant cinq jours qu'elle était chez lui et il savait que le moment était venu pour elle de partir, seulement, il n'était pas encore arrivé à en parler. Je le ferai demain, se dit-il. Je lui donnerai cinquante dollars et je la mettrai doucement dehors en lui racontant que vivre ensemble n'était pas une bonne idée à cause de sa carrière à lui.

Quelle carrière ?

La carrière qu'il allait faire, maintenant que Joy Byron l'avait vu jouer et lui avait trouvé un agent — qui, à son tour, allait lui procurer son premier engagement de comédien professionnel. Confiance, il fallait avoir confiance, et il en débordait.

À huit heures, il était allé courir sur la plage, avait englouti un petit déjeuner diététique à base de son et de banane et s'était mentalement préparé à son premier coup de fil de la journée : il avait appelé Annie.

— Écoute, avait-il dit. Tu te souviens que j'étais censé préparer une scène pour Joy Byron ?

— Oui ? fit-elle de sa voix *qu'est-ce que tu veux que ça me fiche ?*

— T'avais promis de me donner un coup de main. Je n'ai pas eu beaucoup de temps cette semaine...

— J'imagine, fit-elle en l'interrompant.

— J'ai trouvé la scène que je veux jouer. Je me suis dit que je pourrais passer demain et que tu me donnerais la réplique.

— Demain, je travaille, dit-elle fraîchement.

— J'aimerais vraiment répéter avant de la donner à Joy, dit-il, espérant la convaincre.

— Miss Byron, corrigea-t-elle. Personne ne l'appelle Joy.

— Alors, Annie, tu veux bien me donner la réplique ?

— J'ai dit ça ?

Le moment était venu de mettre le charme à plein tube, ce qui n'était pas si facile au téléphone : il s'en tirait mieux de vive voix.

— Tu m'en veux ?

— Je devrais ?

— Je ne sais pas... Un bref silence. Oh, tu sais... quand DeVille est apparue sur le pas de ma porte... c'est une ancienne amie de Chicago qui a débarqué en ville et qui ne savait pas où descendre. Elle va bientôt s'installer ailleurs.

— Il jeta un coup d'œil à DeVille — toujours endormie dans son lit.

DeVille ne semblait pas disposée à emménager où que ce soit. Il y eut un long silence gêné que finit par rompre Annie.

— Tiens, dit-elle, je suis tombée sur Cyndra hier. Elle aimerait bien avoir de tes nouvelles.

— Je comptais justement l'appeler.

— Qu'est-ce que tu attends ? C'est quand même ta sœur.

— Je l'appellerai demain. Aujourd'hui, je vais au Mexique.

— Au Mexique ?

— Oui, j'ai un passager à aller prendre. Quelqu'un m'envoie chercher son rejeton qui sort de pension.

— De pension... au Mexique?

— Tu crois que je l'invente?

— Je ne sais jamais très bien ce que tu inventes et ce qui est la vérité.

Il changea de sujet.

— Alors... est-ce que je peux te voir demain?

Il y eut un autre long silence avant qu'elle finisse par dire :

— Bon, d'accord. Passe vers cinq heures, on ira au cours ensemble.

— J'y serai, fit-il et il raccrocha.

Dès qu'il aurait empoché les deux briques, il allait faire ses adieux à Manny. Un voyage suffisait. Bientôt, il jouerait la comédie et il n'aurait plus besoin de ces combines. Manny lui avait dit d'aller acheter une livrée de chauffeur. Il l'avait fait à contrecœur. Seigneur! Il n'y avait rien de pire que de se mettre en uniforme et d'avoir l'impression d'être le laquais de quelqu'un. La livrée était accrochée dans sa penderie. Il la prit, l'examina, la remit en place et retourna se coucher.

DeVille grogna dans son sommeil tandis qu'il se blottissait derrière elle, en lui faisant comprendre qu'il était réveillé. Demain, il faudrait vraiment lui dire de s'en aller. Alors, autant tirer le meilleur parti de cette dernière occasion.

— J'ai fini par avoir des nouvelles de ton frère, observa Annie en s'enduisant les jambes d'huile solaire.

— Qu'est-ce qu'il trafique? demanda Cyndra en se tournant dans sa chaise longue auprès de la piscine. Je n'arrête pas de l'appeler... il n'est jamais chez lui.

— C'est parce que sa petite amie est arrivée de Chicago.

Cyndra se redressa sur son siège.

— Quelle petite amie?

— Une grande fille, le genre girl de music-hall, avec de longs cheveux roux.

— Jalouse?

— Qui ça, *moi*?

— Allons, Annie. Je sais que tu l'aimes bien.

— Ma foi... je dois reconnaître que j'ai cru un moment qu'il pourrait y avoir quelque chose entre nous, mais c'était avant que je découvre qu'il était le don Juan des acteurs sans travail.

Cyndra hocha la tête d'un air entendu.

— Nick a toujours été comme ça. Déjà, au lycée, il pouvait avoir toutes les filles qu'il voulait.

— Tu aurais dû me prévenir.

— Je ne pensais pas que tu comptais t'enticher de lui.

— C'est quand même toi qui lui as donné mon numéro de téléphone.

— J'avais l'impression que vous pourriez bien vous entendre tous les deux.

— Écoute, la dernière chose dont j'ai besoin dans ma vie, c'est d'un type qui ne pense qu'à tomber toutes les filles.

Cyndra éclata de rire.

— D'accord, d'accord, pigé. Elle leva les yeux en voyant Reece émerger de leur appartement, arborant un short en madras criard, avec plusieurs lourdes chaînes en or pendues autour du cou.

Annie l'accueillit avec ironie.

— Salut, Reece. Encore une rude journée de travail ?

— Tu n'as pas l'air de t'esquinter la santé à proprement parler, dit-il en lui lançant un regard mauvais avant de s'installer sur la chaise longue auprès de Cyndra.

— Reece aime travailler son bronzage, s'empressa de dire Cyndra.

— Tu n'as pas d'explications à lui donner, riposta Reece.

— Je ne donnais aucune explication.

Annie se leva précipitamment avant qu'ils ne se lancent dans une nouvelle scène. Ces temps-ci, elle entendait pas mal de vociférations provenant de leur appartement.

— Qu'est-ce qui se passe avec cet enregistrement que tu étais censée faire ? demanda-t-elle, pour changer de sujet.

— Ces choses-là, ça prend du temps, dit Cyndra.

Annie se leva et s'étira.

— Sans doute que oui. À plus tard, les enfants.

Luigi réussit à ignorer Nick quand celui-ci arriva pour prendre la voiture. Nick en fit autant et se dirigea vers le bureau de Manny.

— La livrée te va bien, fit Manny en le toisant de la tête aux pieds. Maintenant, je veux être sûr que tu as bien compris. Tu passes la frontière, tu prends Suga à l'hôtel et tu reviens direct à Los Angeles. Si on t'arrête à la frontière, tu ne sais rien. On t'a engagé pour aller chercher une pensionnaire. Il tira sur son cigare. Qui est-ce qui t'a engagé ?

— Les Limousines Princesse, répondit Nick, récitant son texte.

— C'est ça... pas question de Prestige. Tu as l'adresse que je t'ai donnée.

— Tout est paré.

— Luigi a mis de nouvelles plaques sur la bagnole ?

— Elles y sont.

— Bon, tout est prêt.

Hé oui. Dès l'instant où je ne me fais pas piquer.

Qu'est-ce qu'il rapportait ? Il espérait que ça n'était pas de la drogue. Il plaisantait ou quoi ? Bien sûr que c'était de la drogue. Qu'est-ce que ça pouvait être d'autre ?

Pendant le trajet jusqu'à San Diego, il écouta une cassette des Rolling Stones après l'autre, faisant la route en un temps record. Il était en avance sur l'horaire, alors il laissa la voiture dans un parking et alla tuer le temps en regardant un moment un film de Burt Reynolds. Après ça, direct pour Tijuana. Une fois là-bas, il se gara devant l'hôtel et parcourut le hall en cherchant des yeux Suga.

Il ne la voyait pas. Allons bon ! Manny avait pourtant dit qu'elle l'attendrait dehors. Au moment où il allait s'approcher de la réception, une apparition surgit derrière lui et lui tapa sur le bras. C'était Suga, qui paraissait douze ans. Pas de maquillage, les cheveux en nattes, une casquette de collégienne sur la tête et en uniforme, elle avait l'air d'un garçon manqué boudeur.

Tu es aveugle ? lui siffla-t-elle. Ça fait une éternité que je suis plantée là.

— Il sursauta : la transformation était remarquable.

— Prends ma valise, bon Dieu, ordonna-t-elle en sortant.

Il la suivit, portant la valise qui pesait une tonne. Tu devrais peut-être l'ouvrir avant de passer la frontière pour en vérifier le contenu. Qu'est-ce qu'il en savait ? Peut-être qu'il trimbalait un cadavre ; elle était assez lourde pour ça. Suga était plantée auprès de la limo, tapant du pied d'un air impatient. Il ouvrit le coffre, chargea la valise, puis se mit au volant.

— Magne-toi, couina Suga en sautant à l'arrière. J'ai horreur de ces voyages : j'en fais dans ma culotte.

— Combien de fois as-tu fait ce trajet ? demanda-t-il en démarrant.

— Trop souvent, répondit-elle en mâchonnant son chewing-gum.

Ils roulèrent un moment en silence, puis il ne put se retenir plus longtemps.

— Qu'est-ce qu'il y a dans la valise?

— Est-ce que Manny t'a dit que tu pouvais poser des questions? répliqua-t-elle. Si tu te contentais de conduire... tu gagnes ton fric... alors qu'est-ce que ça te fout?

Il pilotait la grosse voiture dans les rues encombrées. Il commençait à être nerveux. Deux briques, c'était une chose, mais ça ne valait pas le coup de se faire piquer. C'est vrai, deux mille dollars, c'était beaucoup de pognon, se dit-il. Il lui faudrait deux mois de vrai boulot à Prestige Limousines pour gagner une somme pareille — surtout avec des clients comme ce pignouf d'Evans. Mais en cet instant, comme il roulait vers la frontière, Mr. Evans lui semblait un passager de rêve. Suga n'aimait pas ses cassettes des Rolling Stones.

— Arrête-moi ces beuglements, gémit-elle. J'ai horreur de Mick Jagger.

Il ne voyait aucune raison d'écouter ses ordres.

— On ne t'a jamais dit de la fermer?

— Oh? fit-elle d'un ton narquois. Parce que c'est toi qui vas me le dire? Ça me ferait mal.

— Combien d'années il a de plus que toi, Manny?

— Occupe-toi de tes oignons.

— Pourquoi l'as-tu épousé?

— Va te faire voir.

Autant pour la conversation avec la petite miss Charme. Il y avait une longue file de voitures à la frontière. La nuit commençait à tomber et il était de plus en plus nerveux. Installée à l'arrière, Suga, parfaitement calme, mâchait son chewing-gum. Il s'imaginait maintenant que la valise était bourrée de cocaïne. S'il était pris, on le collerait en taule pour cinquante ans. Plus jamais. Plus jamais ça. Le temps qu'ils arrivent devant le douanier, il transpirait à grosses gouttes. Le douanier se pencha et regarda par la vitre.

— Avez-vous des fruits, des légumes ou des plantes? demanda-t-il en inspectant l'arrière de la voiture.

— Non, rien qu'une délinquante juvénile que je livre à ses parents, dit Nick d'un ton badin.

Seigneur, c'est vrai qu'il avait l'air tranquille!

Passez, dit le douanier en s'éloignant.

Passez? Ça voulait dire qu'ils pouvaient s'en aller?

Apparemment oui. Il remonta sa vitre et démarra.

— Plus vite ! insista Suga de l'arrière.

— Il faut que je m'arrête pour pisser.

— Non ! clama-t-elle. Éloignons-nous de cette fichue frontière.

Quand ils arrivèrent à San Diego, il était sur un petit nuage. C'était si facile, vraiment rien. Bon sang, il pourrait faire ce trajet là deux fois par jour s'il le fallait. Il jeta un coup d'œil dans le rétroviseur. Suga était en train de s'extirper de son uniforme de collégienne pour passer une minijupe et un chandail moulant.

— Dis donc, fit-il. Tu peux me le dire maintenant. Qu'est-ce qu'il y a dans la valise ?

— Deux cent cinquante mille jolis petits dollars, dit-elle nonchalamment. Tu veux qu'on les prenne et qu'on file ensemble, Nick ?

— Tu plaisantes ?

Elle tira sur sa jupe.

— Est-ce que je ferais ça ?

— Alors, ça n'était pas de la drogue ?

— Tu crois que je voudrais toucher à la drogue ? dit-elle, indignée. Ce qu'il me faut, c'est me trouver un type qui ait assez de cran pour se barrer avec le fric. Manny se lancerait après nous, mais on aurait le pognon, pas vrai ? On pourrait se volatiliser.

Deux cent cinquante mille dollars ! Ça alors ! Et s'il la lâchait, *elle*, et s'il filait tout seul ?

Il y songea un instant. Mais rien qu'un instant. Il n'avait aucune envie de passer le reste de ses jours à fuir Manny Manfred.

— Alors ? lui lança Suga. Tu as les tripes ou pas ?

La petite garce le mettait à l'épreuve pour pouvoir le dénoncer à Manny.

— Si tu la fermais, dit-il.

— Pauvre cloche, marmonna-t-elle. Je parlais sérieusement, tu sais.

Il ne sut jamais si elle le faisait marcher ou pas car, sitôt qu'ils furent rentrés au garage, elle sauta à bas de la voiture et disparut.

Luigi ouvrit le coffre, prit la valise et l'apporta dans le bureau de Manny.

— Quand est-ce que je suis payé ? demanda Nick en lui emboîtant le pas.

— T'inquiète. On sera là demain, dit Luigi.

J'ai fait une erreur. J'aurais dû toucher le fric avant. Maintenant, ils vont me rouler.

— J'ai fait le trajet, j'ai pris le risque. Je veux mon argent.

— Plus tard, lui lança Luigi par-dessus son épaule.

Il le suivit jusque dans le bureau de Manny, où Luigi déposa la valise.

— Je veux mon argent, répéta-t-il.

— Mais oui, Nick, bien sûr, dit Manny, exhibant une épaisse liasse et comptant quelques billets de cent dollars. Tiens, tu as fait du bon travail.

Il ne se fiait pas à ce poussah. Planté devant son bureau, il compta les billets.

— Il n'y a que mille dollars là, fit-il.

— Parfaitement, répondit Manny en prenant une poignée de cacahuètes. Mille pour le premier voyage. Deux briques pour le second.

— Non. On s'était mis d'accord : deux briques pour ce voyage-ci.

— Je vais te dire ce que je vais faire, proposa Manny, magnanime, en mastiquant ses cacahuètes. Je vais couper la poire en deux. Tu touches quinze cents pour ce voyage-ci et deux briques et demie pour le suivant. Qu'est-ce que tu en dis ?

Nick était furieux.

— À qui est-ce que vous croyez avoir affaire ?

Manny durcit le ton.

— À un petit abruti qui a de la chance d'avoir du travail.

— Je veux mes deux mille dollars, Manny, ou bien vous le regretterez.

Les petits yeux porcins de Manny se fixèrent sur lui.

— Je le regretterai ? Tu me menaces ?

— Je sais ce qu'il y a dans la valise.

— Comment le sais-tu ?

Suga était peut-être casse-pieds, mais il n'allait pas la dénoncer.

— Vous me les donnez, mes deux briques ?

Manny fut secoué d'un grand rire.

— Tu es un brave gosse. Q.J. me l'avait dit. Il compta dix autres billets et les lui tendit. Tu peux travailler pour moi quand tu veux.

Mais comment donc ! Empochant l'argent, il sortit du bureau.

— À demain, lui lança Luigi. Mr. Evans rentre. Neuf heures du soir. Ne sois pas en retard.

Mr. Evans pouvait aller se faire voir. Prestige Limousines pouvait aller se faire voir. Il avait ses deux briques : c'était la dernière fois qu'ils le voyaient.

47

— Tu ne peux pas partir, cria Nature.

— Il le faut, dit Lauren.

— Mais pourquoi ? demanda Nature d'un ton irrité.

Elle avait tellement l'habitude qu'on n'en fasse qu'à sa tête qu'elle ne comprenait pas le mot non.

Nature vivait une grand histoire d'amour avec Emerson Burn. Cela ne se passait pas dans le calme — encore une raison pour laquelle Lauren avait décidé de déménager. Leurs scènes tapageuses étaient légendaires. Pis encore, leurs réconciliations passionnées. Elle essaya vaillamment de s'expliquer.

— J'ai l'impression de vivre dans ton ombre. Il est temps que je remette ma vie sur ses rails.

Nature fit la moue.

— On s'amuse bien, tu ne trouves pas ?

— Oui, mais ça ne me suffit pas.

À contrecœur, Nature reconnut sa défaite.

— Qu'est-ce que tu vas faire ? Recommencer à travailler pour Samm ?

Elle secoua la tête.

— Je pensais créer ma propre affaire — une sorte de... tu sais, comme un S.O.S. Service.

— S.O.S. Service ? Qu'est-ce que c'est que ça ? demanda Nature, pliée en deux par le rire.

— Quelqu'un qui fait tout. Je vais me louer et les gens me paieront à l'heure. Je peux même à l'occasion travailler pour toi.

— C'est gentil.

— D'ailleurs, j'en ai parlé à Pia, et elle va quitter Samm.

Nature haussa un sourcil sceptique.

— Pia s'en aller ? Samm va en avoir une attaque.

Il n'était pas dans les intentions de Lauren de se confier à Nature, mais maintenant elle ne pouvait plus s'arrêter.

— Nous avons déjà envisagé de monter une affaire ensemble. Nous nous appellerions Au Secours Service.

Nature hocha la tête.

— Ça me paraît une bonne idée, mais seulement si je peux te récupérer n'importe quand.

— Paie mon tarif horaire, fit Lauren en souriant, et je suis tout à toi !

Au Secours Service fut un succès foudroyant. La nouvelle se répandit vite et Lauren et Pia se trouvèrent inondées de clients. À telle enseigne qu'au bout des trois premiers mois elles durent engager deux aides. C'était une existence frénétique. Un jour, Lauren se trouvait à arroser les plantes d'appartement dans un duplex de Park Avenue et, le lendemain, elle organisait un fantastique souper pour trente personnes au sommet de l'Empire State Building !

Pia avait rencontré un homme dont elle était folle. Il s'appelait Howard Liberty, et c'était un des directeurs de Liberty and Charles, une des agences de publicité les plus prestigieuses de New York. Howard était petit, roux et d'un caractère agréable. Il plut tout de suite à Lauren.

— Tant mieux, parce que nous parlons mariage, avoua Pia, tout excitée.

La liaison de Nature avec Emerson Burn poursuivait son cours erratique. De temps en temps, il faisait appel à Au Secours Service, mais Lauren veillait toujours à ce que ce fût Pia qui traitât avec lui. Elle ne se sentait jamais à l'aise en sa présence. De temps en temps, quelqu'un essayait de la caser, même si tout le monde savait qu'elle n'était pas prête pour une relation nouvelle. Elle avait dressé un mur autour de sa vie affective, et il était bien en place. Elle consacrait toute son énergie à monter une affaire prospère.

— Qu'est-ce que tu vas faire, demanda Nature, rester célibataire ?

— Je n'ai pas besoin de sauter d'un lit dans un autre pour être heureuse, répondit-elle calmement. Je bâtis une affaire.

— Tu es vraiment bizarre, fit Nature en secouant la tête. Pas question que moi, je me passe de sexe.

Tiens donc !

Pia et Howard fixèrent la date de leur mariage.

— J'espère que ça ne veut pas dire que tu vas laisser tomber l'affaire, dit Lauren.

— Pas question ! répondit Pia avec énergie. Je ne compte certainement pas rester à tricoter à la maison et à faire des bébés.

— Bon ! fit Lauren, soulagée.

Un lundi matin, Nature appela à six heures. Lauren, tirée de son sommeil, chercha le téléphone à tâtons.

— C'est moi! hurla Nature. Je suis à Vegas. Figure-toi que je me suis fait épingler.

— Épingler?

— Je me suis mariée : Emerson et moi, on a fini par se décider.

— Oh non! murmura Lauren.

— Comment ça : « Oh non »? Accroche les drapeaux. Je suis Mrs. Emerson Burn, rien moins!

Lauren ne pouvait imaginer un couple plus mal assorti. Ils étaient tous les deux bien trop inconstants, ils allaient se massacrer. Elle se redressa dans son lit.

— Pourquoi as-tu fait ça?

— Oh, c'est charmant, dit Nature. Tu es la première personne que j'appelle, et tout ce que j'ai c'est une réaction négative. On s'aime, Lauren. On s'aime!

— Est-ce que la presse est au courant?

— Pas encore.

— Quand les journalistes vont le découvrir, tu vas être débordée.

— Emerson appelle son imprésario. Je pense qu'ils vont arranger une conférence de presse. Est-ce que tu peux prendre l'avion pour être ici avec moi? Je paierai tes frais.

— Tu n'as pas besoin de payer. Si tu as besoin de moi, je suis là.

— Nous reprenons l'avion pour Los Angeles cet après-midi. Emerson est comme un fou devant les tables de jeu : on ne peut plus le tenir. Il faut que je l'emmène d'ici vite fait. Je vais te dire : pourquoi est-ce qu'on ne se retrouve pas à sa maison de Los Angeles demain? Oh, et peux-tu me rendre un grand service?

— Dis-moi.

— Appelle Samm pour la prévenir. Si je lui téléphone, elle va hurler dans l'apparcil.

Samm accueillit la nouvelle avec stoïcisme. Ce n'était pas la première fois qu'une de ses filles avait filé pour épouser une vedette du rock, et ce ne serait pas la dernière.

Pia n'était pas emballée quand Lauren lui annonça qu'elle partait pour Los Angeles.

— Tu sais que je me marie la semaine prochaine. J'ai besoin de toi ici, dit-elle.

— Je serai rentrée, lui assura Lauren. Tous les arrangements sont pris, tout ira parfaitement. Et je te promets que je serai ici.

— Mais pourquoi as-tu besoin d'y aller? protesta Pia.

— Parce que Nature est mon amie, dit Lauren.

— Ah ! s'exclama Pia. Nature t'aime bien parce que tu fais des choses pour elle.

On pouvait toujours compter sur le cynisme de Pia.

— Merci beaucoup.

Pia soupira.

— Qu'est-ce que tu vas faire ? Rester assise auprès de la piscine en les regardant s'engueuler pendant que moi, je m'occupe de l'affaire toute seule ?

— Allons, Pia, dit-elle d'un ton persuasif. Je ne suis jamais allée à Los Angeles. Je ne resterai que quelques jours.

Le temps qu'elle eût organisé son départ, le mariage de Nature avec Emerson était dans tous les médias. Nature avait eu beau dire qu'il n'y avait pas de journalistes présents, des photographies du couple commencèrent à être publiées partout Nature en minirobe blanche, donnant tendrement à Emerson un morceau de gâteau de mariage. Emerson en cuir noir, avec sa crinière qui lui tombait plus bas que les épaules. Nature souriant. Emerson faisant la tête. Ils avaient l'air heureux. Ils avaient l'air camés. Dans l'avion d'American Airlines, Lauren examinait le *New York Post*. Une photo de Nature et d'Emerson occupait presque toute la première page.

— Les vedettes du rock ! ricana une femme aux cheveux bleus assise à côté d'elle. Tous des dégénérés, vous savez.

Lauren ignora la femme et ferma les yeux. Elle était en route pour Los Angeles. C'était loin de Bosewell. Quand elle débarqua de l'avion, elle eut l'impression d'être une star de cinéma. Un chauffeur noir en livrée l'accueillit à l'arrivée et l'accompagna jusqu'au tapis roulant des bagages, où elle désigna son unique petite valise.

Il eut l'air surpris.

— C'est tout ?

— C'est tout, répondit-elle, certaine qu'il devait être déçu d'avoir à accueillir une nullité comme elle.

Mais il l'escorta quand même jusqu'à la limo, l'air plein d'entrain. À Los Angeles, tout lui parut plus grand et plus beau. Le ciel était plus bleu, les arbres plus verts et la limousine dans laquelle elle s'installa était plus longue et plus luxueuse que n'importe quelle voiture de maître qu'elle ait jamais vue. Elle était blanche avec des vitres teintées et à l'intérieur des petites lumières ici et là sur les côtés.

— Vous n'êtes jamais venue à Los Angeles ? demanda le chauffeur tandis qu'ils s'engageaient sur l'autoroute.

— Jamais, répondit-elle en se carrant dans la luxueuse banquette de cuir.

— C'est quelque chose, dit-il en la regardant dans le rétroviseur. Ça fait dix ans maintenant que je suis ici. Je suis venu de Chicago. Je m'appelle Tucker.

— Et vous vous plaisez mieux ici ? demanda-t-elle par politesse.

— À Los Angeles, la vie est facile.

— Vous travaillez pour Emerson Burn depuis combien de temps ?

— Six mois. C'est un brave type. Quelquefois, je fais des voyages avec lui.

— Je pense que son mariage vous a surpris.

Tucker éclata de rire.

— Avec les gens du rock, *rien* ne me surprend.

Emerson habitait une propriété dans les collines de Bel Air. Un garde fit signe à Tucker de passer et les grandes grilles se refermèrent derrière eux, tandis que la voiture montait une longue allée en lacet. Au sommet de la colline se trouvait la plus grande maison que Lauren eût jamais vue. Sitôt que la limousine se fut arrêtée devant le perron, Nature se précipita dehors, vêtue d'un bikini à pois rouges.

— Te voilà ! cria-t-elle, toute joyeuse. Pas trop tôt. Elles s'étreignirent chaleureusement. Entre donc, dit Nature en lui faisant franchir la lourde porte. Bienvenue dans notre humble demeure.

La maison était un palais. De hauts plafonds voûtés, des toiles de maîtres aux murs et un lourd mobilier capitonné.

— Bien sûr, ça n'est pas exactement mon goût, mais je ne tarderai pas à lui faire changer tout ça, fit Nature d'un ton détaché, entraînant Lauren par un vestibule au plafond en dôme vers la piscine derrière.

— Ça n'a pas l'air d'être son goût non plus, observa Lauren, qui remarquait tout.

— C'est un décorateur pédé qui a fait ça, dit Nature d'un ton détaché. Il voulait sans doute le séduire. L'idée la fit rire. Viens féliciter le jeune marié.

Emerson Burn était étendu sur une chaise longue auprès d'une énorme piscine bleue, n'ayant pour tout vêtement qu'un minuscule maillot noir.

Son abondante crinière était rassemblée en une queue-de-cheval émergeant d'une casquette de base-ball noire. D'énormes lunettes de soleil lui masquaient les yeux. De chaque côté du fauteuil, il y avait une petite table. Sur l'une, un téléphone, un grand pichet de jus de pomme, deux bouteilles de vodka et quelques verres. Sur l'autre s'entassaient des scripts. Nature arriva en sautillant.

— Tu te souviens de Lauren, n'est-ce pas, chéri ?

Emerson ôta ses lunettes et la contempla de ses yeux gris au regard rêveur. Lauren le dévisagea, se demandant s'il mettait du rimmel sur ses longs cils recourbés.

— Euh... félicitations, murmura-t-elle.

— Merci, dit-il en remettant ses lunettes et en levant le menton pour mieux se faire bronzer le cou.

— Viens avec moi, fit Nature en riant. Je vais te faire faire le grand tour.

Quand Nature lui eut fait visiter l'énorme demeure, Lauren était épuisée.

— Est-ce que je peux prendre une douche ? demanda-t-elle, suppliante.

— Oui, et fais un somme aussi parce que, ce soir, on va faire la fête !

— Je ne suis pas venue ici pour faire la fête, protesta-t-elle. Je suis venue t'aider.

— Je n'ai pas besoin d'aide, mon chou : Emerson a cent mille personnes qui travaillent pour lui. J'ai bien le droit d'avoir une amie en visite, non ? Bon Dieu, je viens de me marier. Elle s'arrêta devant un miroir du vestibule, attirée par son propre reflet. Hmmm... je grossis, observa-t-elle en pinçant sa taille de guêpe.

— Mais non, absolument pas, dit Lauren d'un ton ferme. Comment peux-tu dire ça ?

— Ça vient sournoisement, mon chou, répondit Nature en s'inspectant d'un air soucieux. Oh, au fait, qu'est-ce qu'a dit Samm ?

— Elle n'était pas à proprement parler ravie.

— Je me doute que cette vieille peau ne l'était pas. Est-ce que tu lui as dit d'annuler tous mes rendez-vous pour le mois prochain ?

— Non, je pensais que nous en discuterions d'abord.

— Il n'y a rien à discuter.

— Ça n'est pas parce que tu es mariée que tu dois abandonner ta carrière.

— Qui parle de l'abandonner ? Mais je ne vais pas me démolir la santé à travailler vingt-quatre heures sur vingt-quatre quand je peux être avec Em. Elle baissa la voix pour prendre un ton

316

confidentiel. Tu sais, on ne peut pas lui faire confiance. Tu n'as pas idée de ce qui se passe pendant ces tournées. Les stars du rock ont des idiotes de petites groupies qui leur grimpent dessus comme des champignons. Je m'en vais voyager avec lui, protéger mes intérêts.

— Tu ne vas pas être très populaire si tu annules tes rendez-vous.

— Ça n'est pas un concours de popularité, répliqua Nature, ouvrant toute grande une porte et conduisant Lauren dans une vaste pièce ensoleillée qui donnait sur la piscine. Voilà ta chambre.

— Oh, mon Dieu! Elle est plus grande que mon appartement!

— En Californie, annonça Nature, tout est plus grand et plus beau. Tu vas vite t'y habituer. Combien de temps peux-tu rester?

— Trois jours.

— Il faut que tu restes au moins une semaine.

— Je ne peux pas laisser tomber Pia.

— Elle se débrouillera.

— Trois jours, Nature.

— Quatre.

— Bon. D'accord.

Nature eut un sourire entendu.

— D'ici là, tu me supplieras de rester plus longtemps. Allonge-toi un peu : on te réveillera à six heures.

Lauren prit une douche dans la salle de bains de marbre, puis s'écroula au milieu de l'énorme lit. En quelques minutes, elle était endormie. Quand elle s'éveilla, c'était la fin de l'après-midi. Elle s'approcha de la fenêtre et regarda Emerson Burn dans la piscine. Il faisait des longueurs comme si sa vie en dépendait.

Sa première réception à Hollywood. Tout le monde était sur son trente et un. La villa, propriété d'un magnat du disque, était plus grande et plus somptueuse que celle d'Emerson Burn. Il y avait des domestiques partout.

— Viens voir par là, fit Nature en donnant à Lauren un coup de coude dans les côtes. C'est Jack Nicholson, non? Tu veux que je te présente?

— Non, fit Lauren, horrifiée à cette idée.

Nature se mit à rire.

— Quand tu es avec moi, tu peux rencontrer qui tu veux. Qui est-ce qui te tente?

— Ce qui me tente, c'est de m'asseoir dans un coin toute seule.

— Tu t'amuses, non ?

— Tu connais ma conception de l'amusement. Je préfère regarder.

— C'est vicieux, ça !

— Sois gentille... va jouer avec ton mari. Je suis parfaitement heureuse comme ça.

Nature se laissa vite convaincre.

— D'accord. Je passerai te voir tout à l'heure.

En regardant autour d'elle, Lauren n'arrivait pas à se faire à l'idée qu'il y avait plus de serveurs que d'invités. Elle demanda un verre d'eau gazeuse à l'un d'eux, se trouva un coin tranquille, essayant de se souvenir de tout ce qu'elle voyait pour pouvoir le raconter à Pia. Il y avait là non seulement Jack Nicholson, mais elle reconnut un tas d'autres visages célèbres. Un Burt Reynolds souriant, une Angie Dickinson somptueuse, un Rod Stewart paradant, un Gregory Peck extrêmement digne.

La petite fille qu'il y avait en elle disait : *J'aurais dû apporter mon carnet d'autographes.*

La grande fille disait : *Je n'ai pas envie de rester ici. Laissez-moi partir !*

Tous les gens s'embrassaient, mais jamais leurs lèvres ne touchaient la peau. Les conversations semblaient superficielles. Les femmes portaient des bijoux comme elle n'en avait jamais vu.

Nature était dans son élément. Lauren la regardait papillonner d'un invité à l'autre. Emerson ne la suivait pas : il restait assis au bar et tout le monde venait lui rendre hommage. Lauren trouva très facile de se mêler au paysage. Bien qu'à un moment elle eût été la plus jolie fille de Bosewell, elle n'impressionnait certainement personne à Hollywood. Elle n'essayait d'ailleurs pas. En fait, comme d'habitude, elle ne s'était pas mise en valeur : cheveux sévèrement tirés en chignon, pas de maquillage et une toilette simple qui se fondait dans le décor. Nature avait parfois des crises de rage en voyant sa façon de s'habiller et Pia lui faisait des sermons en affirmant qu'elle ne tirait pas d'elle-même le meilleur parti.

— Je suis parfaitement contente comme je suis, leur avait-elle répondu à toutes les deux.

À minuit, elle serait bien partie, mais Nature était toujours déchaînée et Emerson ne donnait aucun signe de vouloir bouger. La maison avait sa propre discothèque — une salle aux murs en miroirs avec des flashes lumineux en guise d'éclairage, un sol dallé de granit noir et un disc-jockey à l'air ravagé. Lauren réussit à attraper Nature au moment où elle passait auprès d'elle pour aller danser.

— Je m'endors, murmura-t-elle. Ça t'ennuie si je pars ?

— Ne t'inquiète pas, lui cria Nature. On ne va pas tarder à s'en aller.

— Peut-être que je peux prendre la voiture et te la renvoyer ?

— Fais comme tu veux, répondit Nature d'un ton vague en poursuivant son chemin.

Tucker était dehors à bavarder avec un groupe de chauffeurs.

— Ils ne sont pas prêts, annonça Lauren, mais moi, si.

Tucker acquiesça.

— J'amène la voiture.

Assise au fond de la luxueuse limo, elle ferma les yeux pendant tout le trajet de retour jusqu'à la maison d'Emerson. Quand elle arriva, elle avait hâte de s'effondrer dans son lit. Peu avant l'aube, elle fut réveillée par des éclats de voix : Nature et Emerson avaient une scène. À part ça, quoi de neuf ?

48

Les quelques mois suivants passèrent rapidement. Nick avait son appartement, un peu d'argent qui lui restait du voyage à Tijuana et les cours de Joy Byron pour l'occuper. Joy Byron s'était révélée être le professeur de ses rêves. Elle ne critiquait pas, elle instruisait, observant avec soin chaque mouvement qu'il faisait. Les autres élèves étaient toujours prêts à démolir la façon de jouer des autres. Qu'ils aillent se faire voir ! Dès l'instant que Joy le trouvait bon, c'était tout ce qui comptait.

— J'ai décidé de te donner des cours supplémentaires, annonça Joy un jour, le regard de ses yeux larmoyants balayant la salle.

— Est-ce que j'en ai les moyens ? demanda-t-il, à moitié en plaisantant.

— Sans doute que non, répondit-elle d'un ton sec. Mais tu me rembourseras... un jour.

Il fut bientôt un visiteur régulier de sa maison un peu délabrée sur les collines de Hollywood et, dans son living-room poussiéreux, il en vint à faire tout ce qui lui plaisait. Joy Byron avait des rayonnages où s'entassaient toutes les pièces jamais jouées ; c'était mieux que d'aller à la bibliothèque. Elle le laissait suivre son goût : elle lui donnait la réplique, elle lui prodiguait des conseils pertinents sur sa diction, ses attitudes, son maquillage, sur le meilleur éclairage et les angles de caméra les plus flatteurs.

— Ces renseignements sont précieux. Toi, mon cher garçon, tu vas devenir un grand.

Elle ne l'intimidait pas.

— Oh... je le sais, répliqua-t-il insolemment.

— Bon, dit-elle, nullement démontée par son arrogance. La confiance, c'est tout.

Quand elle lui sauta dessus, il fut pris au dépourvu : cette femme devait avoir au moins soixante-cinq ans. Il s'inventa précipitamment une fiancée, un amour sincère, qui l'attendait patiemment dans sa ville natale. Joy ne le crut pas, mais elle battit quand même en retraite, déclarant qu'elle avait une foule d'amants et qu'elle n'avait certainement pas besoin de types dans son genre. Il se demanda si cela n'allait pas changer quelque chose à leurs relations étudiant-professeur. Ce ne fut pas le cas. Annie n'était pas contente. Les seules fois où elle le voyait, c'était au cours, et elle avait affecté d'ignorer sa présence.

— Qu'est-ce qui se passe ? demanda-t-il un jour. Tu me traites comme un moins que rien.

— Tu t'es servi de moi, dit-elle, sa colère réprimée se déversant soudain. Tout ce que tu voulais, c'était que je te présente à Joy, et maintenant que tu es son chouchou, plus personne n'entend parler de toi. Je n'aime pas qu'on m'utilise, Nick.

— Hé... quel mal y a-t-il à ce que je tire le maximum de la situation ?

Annie ne se laissait pas apaiser.

— Tu lui fais de la lèche.

Il ne mit pas longtemps à comprendre que la plupart des autres élèves réagissaient de la même façon. Eh bien, qu'ils aillent se faire voir ! Si ça ne leur plaisait pas, c'était leur problème. Il avait bien l'intention d'apprendre tout ce qu'il avait besoin de savoir. Joy annonça qu'elle allait monter *Sur les quais* avec des élèves de son cours. Elle donna naturellement à Nick le rôle convoité de Marlon Brando. Ça n'arrangea pas ses affaires avec le reste de la classe, qui lui en voulut encore davantage. Joy jusqu'alors lui avait conseillé de ne pas chercher d'agent ni d'imprésario.

— Beaucoup de gens importants viennent à mes cours, lui avait-elle expliqué. Je te trouverai l'agent qu'il te faut. Suis mes conseils, mon cher garçon, et ça marchera.

C'était parfait pour lui : il n'avait aucune envie d'aller tirer les sonnettes dans les bureaux des agents pour se faire éconduire partout. DeVille habitait toujours chez lui : il n'avait pas réussi à la faire bouger. Ça ne le gênait pas ; ça voulait dire qu'il n'avait pas à chercher ailleurs de compagnie féminine : elle était toujours prête et disponible. De temps en temps, il la priait de lui donner la réplique. Elle n'était pas si mauvaise et elle lui annonça bientôt qu'elle allait peut-être l'accompagner au cours. Ça, il n'en avait pas besoin. Il avait déjà assez de problèmes : il imaginait sans mal ce qui se passerait s'il faisait son entrée avec DeVille à son bras.

Quant à Manny Manfred et à Prestige Limousines, il ne les avait jamais revus. Dès l'instant qu'il avait assez d'argent, qui avait besoin de travailler pour gagner sa vie ? Cyndra l'avait appelé pour se plaindre de ne jamais le voir.

— Je m'en vais à Vegas, annonça-t-elle, pleine d'enthousiasme. Reece m'a trouvé un engagement pour chanter dans un des meilleurs hôtels. Tu viendras m'écouter ?

Il lui avait assuré que oui, mais il n'en avait pas encore trouvé le temps. Il était trop occupé à préparer son prochain rôle. Entre les répétitions, il continuait à passer le plus clair de son temps chez Joy. Le soir d'avant le grand événement, elle s'attaqua à lui avec plus d'énergie que jamais.

— Je porte chance aux gens, Nick, annonça-t-elle d'un ton théâtral, sa main osseuse rôdant dangereusement près de la cuisse du jeune homme.

— Ah oui ? dit-il d'un ton réservé, battant en retraite comme d'habitude.

Elle vrillait ses yeux larmoyants sur les siens.

— Si je te citais quelques-uns des hommes avec qui j'ai couché, des gens célèbres... des gens puissants. Ils affirment tous que j'apporte quelque chose... quelque chose de spécial dans leur existence.

Entre-temps, il sentait partout sur lui les mains de Joy. Il savait qu'il n'y arriverait jamais avec elle et, pourtant, il ne pouvait pas prendre le risque de se l'aliéner.

— Joy, vous êtes une femme très séduisante, dit-il précipitamment, tout en se dégageant de sa main envahissante, mais, je vous l'ai dit, j'ai cette fiancée, et nous nous sommes promis de ne jamais nous tromper mutuellement.

Joy marmonna quelque chose de terrible et le flanqua dehors. Il rentra chez lui en espérant qu'il n'avait pas fait une bêtise.

Fichtre, non ! il faut quand même avoir des principes.

Quand il arriva, DeVille était assise dans un fauteuil en face de la porte. Auprès d'elle, deux valises.

— Tu vas quelque part ? demanda-t-il en jetant sa veste sur un canapé.

Elle eut un sourire un peu penaud.

— Je finis par déménager. Tu te souviens, on en a discuté il y a deux mois ?

Il ouvrit le réfrigérateur et en inspecta le maigre contenu. DeVille n'était pas une maîtresse de maison rêvée.

— Je ne t'ai pas demandé de partir, dit-il en prenant une boîte de bière.

Elle repoussa en arrière ses cheveux roux.

— Je sais, Nick, mais ça fait assez longtemps que je suis là.

— Quel est ton prochain arrêt ?

Elle baissa les yeux, un peu comme si elle n'osait pas le lui dire :

— Eh bien, j'ai rencontré un type.

C'est drôle, mais il n'était absolument pas jaloux.

— Ah oui ? Quel type ?

— Un producteur.

Il ouvrit la boîte.

— Un *vrai* producteur ou un producteur bidon ?

— Il m'a demandé de venir vivre avec lui.

— Comment se fait-il que tu ne m'aies jamais parlé de lui ?

— Ça ne me paraissait pas nécessaire.

Nick n'avait pas l'habitude qu'on le plaque, mais, après tout... il n'allait quand même pas la supplier de rester. Si elle voulait se faire escroquer par un prétendu producteur, c'était son problème. Cette nuit-là, il dormit d'un sommeil agité. Il avait le pressentiment qu'à partir du lendemain tout allait être différent.

— Viens par ici, chérie, dit Reece en tapotant la place libre auprès de lui.

Cyndra hésita : elle n'avait aucunement l'intention de s'asseoir avec Reece à la petite table ronde dans le casino bourré de monde. Le soir précédent, elle était venue le rejoindre avec deux prétendus « amis ». À peine s'était-elle assise qu'il s'était levé et qu'il avait disparu pendant plus d'une heure. Les types avaient commencé à lancer des remarques suggestives et à essayer de la peloter. Elle les avait rapidement remis à leur place. Quand Reece revint, il était furieux :

— C'étaient des gens importants, lui dit-il. Vraiment importants. Qu'est-ce qui t'a pris ? Tu es plus bête que tu en as l'air ?

Elle avait reçu ses paroles comme une claque. Comment osait-il lui parler comme ça : il ne l'avait jamais fait. Mais, depuis qu'ils étaient à Vegas, il avait changé, et pas en mieux. D'abord, il y avait le problème de l'hôtel où elle devait chanter. Reece lui avait assuré que ça allait être un des grands palaces.

— Lequel ? avait-elle demandé, imaginant qu'elle allait faire ses débuts au Sands ou au Desert Inn.

— C'est une surprise, avait-il dit d'un ton mystérieux, en évitant son regard.

Drôle de surprise. Une boîte moche pleine de putes et de maquereaux avec juste un pianiste pour l'accompagner, un Portoricain à l'air renfrogné qui parlait à peine anglais et qui était, en général, à moitié ivre.

— Qu'est-ce qui s'est passé ? avait-elle demandé, furieuse.

— Il faut que tu aies plus d'expérience avant qu'on tente le grand coup, expliqua Reece. Ça n'est pas un mauvais début, mon chou.

Reece était beau parleur. D'abord, il y avait eu l'enregistrement qui n'avait jamais eu lieu. Maintenant, Vegas et ce bastringue. Cyndra se dit qu'elle ne pouvait pas lui en vouloir : au moins, il essayait. Mais il lui avait fait de si belles promesses et voilà où ça la menait !

Quand ils regagnèrent leur chambre de motel, elle avait refusé de lui parler. Maintenant, il était assis dans le public comme si rien ne s'était passé, en s'attendant à ce qu'elle le rejoigne. Eh bien, qu'il aille se faire voir, qu'il réfléchisse un peu. Elle plissa les yeux et inspecta la table. Au moins, il était seul. Hmmm... il voulait sans doute s'excuser. Bah... elle allait peut-être lui donner une nouvelle chance.

Nick était très excité de jouer devant un public. C'était une sensation qu'il n'avait encore jamais éprouvée. C'était formidable : qu'on lui donne sa dose régulière d'applaudissements, et il serait un homme heureux. Joy rôdait dans les coulisses, l'encourageant, le critiquant, lui chuchotant des conseils à l'oreille chaque fois qu'il sortait de scène. Fais ceci. Fais cela. Plus de gestes. Utilise ta voix.

Allez vous faire voir, ma petite dame, je plane ! Je n'ai pas besoin de votre aide.

Et le public était ravi. Le public l'adorait ! Marlon, laisse la place : Nick Angelo est là, et bien là ! À la fin de la représentation, il était en feu, l'adrénaline courant dans ses veines comme de l'héroïne pure. Joy était enchantée. Elle arborait un grand sourire, surtout quand la moitié des spectateurs vint s'entasser derrière le rideau pour le féliciter. Il aurait voulu savoir qui était important et qui ne l'était pas, afin de ne pas gaspiller son charme inutilement. Il chercha du regard Joy pour qu'elle le guide. Elle était assaillie de gens.

— Pas mal, dit Annie sans conviction en passant avec un groupe. On va au Hameau, sur Sunset. Tu veux nous rejoindre ?

Le Hameau, une boîte de hamburgers, n'était pas exactement ce qu'il avait à l'esprit pour fêter son triomphe. Et puis Annie commençait à l'agacer. Pourquoi ne pouvait-elle pas lui dire qu'il était fantastique, qu'est-ce que ça voulait dire son « pas mal » ? Elle avait vraiment le chic pour vous mettre le moral à plat.

— Peut-être, murmura-t-il. *Si rien de mieux ne se présente.*

Joy lui fit signe.

— Nick, viens par ici : je veux te présenter à quelqu'un.

Le quelqu'un se révéla être Ardmore Castle — un agent à la petite semaine dont on connaissait les penchants pour les acteurs jeunes et beaux.

— Bonjour, Nick.

Ardmore avait le regard inquiet, des bajoues et un air avide. Il avait passé cinquante ans. Joy s'éloigna. Nick hocha la tête, parcourant l'assistance du regard. La réputation d'Ardmore Castle le précédait. Peut-être Joy s'était-elle dit que, si *elle* ne pouvait pas l'avoir, alors Ardmore avait sa chance.

L'agent le couva d'un regard lubrique.

— J'ai beaucoup aimé votre jeu.

— Euh... merci.

— Très macho.

— Oui, mais ma foi, c'est écrit comme ça.

— Vous y avez mis quelque chose de spécial.

Nouveau coup d'œil langoureux. Seigneur ! Où était donc Joy quand il avait besoin d'elle ? Ardmore s'éclaircit la voix.

— Peut-être voudriez-vous venir nous rejoindre chez moi plus tard. J'ai quelques amis qui doivent passer.

— Oh... ce serait avec plaisir, mais je dois retrouver quelqu'un.

— Amenez-le, dit hardiment Ardmore.

— C'est une elle, répliqua-t-il aussitôt.

Ardmore comprit qu'il se faisait éconduire. Il pinça les lèvres.

— Comme vous voudrez.

— C'est bien mon intention.

— Très audacieux. Pour un inconnu.

Joy fonça sur lui, accompagnée d'une femme entre deux âges au visage en lame de couteau, vêtue d'un pantalon noir et d'une veste à rayures. La femme passa devant Ardmore comme s'il n'existait pas.

— Bonjour, Frances, ma chérie, dit Ardmore, bien résolu à ce qu'on reconnût sa présence.

Elle lui souffla au visage la fumée de sa cigarette, en faisant dans sa direction un petit signe de tête à peine perceptible. Joy saisit le bras de Nick dans un geste possessif.

— Mon petit Nick, voici Frances Cavendish, la directrice de casting.

Elle dit « directrice de casting » d'un ton lourd de signification. Il comprit le message. Frances ne s'embarrassait pas de plaisanteries. C'était une femme à la mâchoire énergique avec un air *je ne fais pas de prisonnier*. Elle parlait très vite et ne tournait pas autour du pot.

— Mon bureau. Demain. Midi, dit-elle en tendant une carte de visite. J'aurai peut-être quelque chose pour vous.

D'un geste vif, Joy prit la carte de la main de Nick.

— Nous y serons, Frances, dit-elle avec un adorable sourire.

— Pas besoin de vous, Joy. Je suis certaine que Nick peut marcher et parler tout seul.

Est-ce que c'était une petite scène? Il avait la désagréable impression d'être une pièce de viande sur un étal de boucher que les chiens reniflaient avant de décider qui aurait la chance d'attaquer le morceau. Ardmore exprima sa désapprobation.

— Il vous faut absolument un agent, dit-il. Quelqu'un qui protégera vos intérêts.

— Oui, dit Frances d'un ton sec. Quelqu'un qui vous laissera garder votre pantalon.

Nick respira profondément, reprit la carte de Cavendish des mains de Joy et murmura :

— Je m'en vais.

— Où vas-tu? demanda Joy en agitant les mains.

— Prendre un peu l'air. A bientôt.

Et sans laisser à personne le temps de protester, il disparut.

49

Nature assuma le rôle de guide, ayant décidé que Lauren devait voir tout ce qui en valait la peine à Los Angeles.

— Est-ce qu'on peut souffler un peu ? supplia Lauren, après avoir visité Disneyland, Universal City et la Montagne Magique, tout cela dans la même journée.

Nature parut surprise.

— Pourquoi ? Tu n'es ici que pour quelques jours : il faut faire tout ce qu'on peut. D'ailleurs, moi-même je ne suis jamais allée dans aucun de ces endroits. C'est formidable !

Pendant qu'elles exploraient la ville, Emerson restait allongé au bord de la piscine à parfaire son bronzage et à lire des scripts.

— Il cherche un film où nous pourrions tourner ensemble, lui confia Nature.

Mais comment donc, se dit Lauren. Chaque jour vers midi, les membres de l'entourage de la star arrivaient à la maison et restaient là jusqu'à ce qu'il fiche tout le monde dehors, générale-ment pas avant deux ou trois heures du matin. Ils riaient de ses plaisanteries, lui assuraient qu'on n'avait jamais vu mieux depuis Elvis et s'en allaient jouer les pique-assiettes dans toute la maison.

La meute était menée par son imprésario, Sidney Fishbourne, — un type efflanqué d'une quarantaine d'années avec des cheveux noirs frisés qui lui tombaient jusqu'aux épaules. Sidney était généralement accompagné d'April — une rousse mariée de trente ans qu'il présentait comme son assistante, que tout le monde savait être sa maîtresse. Le reste de l'entourage compre-nait le créateur des costumes d'Emerson, son maquilleur, son coiffeur et son agent de publicité personnel. Le groupe passait le plus clair de son temps à discuter de l'image d'Emerson pour sa prochaine tournée mondiale.

— Il faut que tu sois plus déchaîné, insista Sidney. Tu casses quelques guitares, tu lances des trucs à travers la scène, tu fais hurler les filles.

— Pas question, lui dit Emerson d'un ton ferme. Je ne vais pas refaire toutes ces âneries des années soixante.

— Il devrait s'intéresser à une grande cause, conseilla son agent de publicité en égrenant un chapelet bouddhiste. Peut-être quelque chose qui ait à voir avec l'énergie nucléaire ou l'environnement.

— Ce qui compte, c'est le costume, insista le dessinateur. Fini, le cuir noir. Je pense à des complets-veston.

— Ça fait vieux jeu, lança Sidney. Il faut commencer à attirer un public plus jeune.

Le créateur de costumes insistait.

— La sophistication, c'est tout à fait dans le vent.

— On s'en fiche, déclara tout net Emerson.

Et la discussion sur les costumes de scène s'arrêta là. Nature se plaignit à Lauren : elle avait l'impression qu'on ne s'occupait pas d'elle.

— On ne parle jamais que de lui. Et moi ? Je suis connue aussi.

— Tu as épousé une star du rock, observa Lauren. Son principal intérêt est manifestement d'être lui-même, surtout avec une tournée mondiale qui se prépare.

— Ça n'est pas que je sois jalouse ni rien de tout ça, poursuivit Nature. Mais je ne suis quand même pas la première andouille venue. Je mérite un peu plus d'attentions, tu ne trouves pas ?

— Ça dépend, dit Lauren avec prudence. Est-ce que tu as vraiment envie des attentions de cette bande de lèche-bottes ?

Nature éclata de rire.

— Comme toujours, tu as raison. On se fiche pas mal d'eux.

— Ce que, par contre, tu devrais faire, c'est te remettre au travail. Tu n'es pas le genre à rester assise aux pieds d'Emerson. Montre-lui que tu es indépendante : c'est pour ça qu'il t'a épousée, n'est-ce pas ?

— Hmmm..., fit Nature, pas totalement convaincue. Je ne sais pas.

— Eh bien, moi, je sais, dit Lauren avec énergie. Ne renonce *jamais* à tout pour un homme.

Il ne fallut pas longtemps à Nature et à Emerson pour se trouver lancés dans une autre de leurs fameuses scènes. Celle-ci fut déclenchée par April qui remarqua innocemment qu'elle avait vu Selina, la grande rivale de Nature, à la télévision où elle discutait de son premier rôle au cinéma.

— Ah ! fit Nature d'un ton venimeux. Qu'est-ce qu'elle peut jouer : l'idiote de l'année ?

Ils étaient tous installés dans la salle à manger à picorer un assortiment de salades et de corbeilles de fruits. Emerson avait décidé de perdre quelques kilos, ce qui voulait dire qu'on ne servait pas de vrai repas

— Allons, trésor, fit doucement Emerson. Selina ne t'a jamais rien fait.

Il n'en fallait pas plus à Nature. Elle explosa — une vraie crise de jalousie — en insultant tout le monde.

— On a ses vapeurs ? ricana Emerson, furieux qu'elle fasse une scène devant tout le monde.

— Va te faire voir ! hurla Nature en prenant son assiette de salade du chef et en la lui lançant au visage. Retourne donc chez Selina si c'est elle qui te fait vraiment envie !

Et là-dessus, elle sortit à grands pas de la pièce. Lauren était gênée pour eux deux : Emerson, avec de petits bouts de salade couverts de vinaigrette qui lui collaient au visage et aux cheveux, et Nature, qui avait fait devant tout le monde une scène ridicule. Emerson promena sur son entourage un regard mauvais.

— Fichez-moi le camp, ordonna-t-il. Le spectacle est terminé pour aujourd'hui.

Docilement, ils s'éclipsèrent tous. Lauren s'apprêtait à les suivre.

— Tu n'as pas besoin de partir, lui lança Emerson.

Elle fit semblant de ne pas entendre et monta précipitamment dans sa chambre, où elle appela la compagnie aérienne et retint une place sur un vol pour New York le lendemain matin. Elle avait tenu sa promesse, elle était restée quatre jours. C'était plus que suffisant. Dans le courant de l'après-midi, elle s'aventura jusqu'à la piscine. Elle avait vu Emerson partir dans la limo et Nature n'était pas revenue après sa sortie du déjeuner. Être allongée au soleil sans personne alentour était merveilleusement paisible. Pas de musique rock assourdissante. Pas de Nature qui vociférait. Pas de courtisans à tenir des propos stupides. Elle ferma les yeux et laissa aller ses pensées : elle se rappelait Bosewell et ses parents, Meg, Stock, toute la bande. Et enfin Nick.

Oh, mon Dieu ! elle ne voulait pas penser à Nick. Elle essayait autant que possible de l'oublier : ça n'était pas la peine de revivre des souvenirs si doux-amers et si pénibles. Nick Angelo, avec ses cheveux noirs, ses yeux verts et son sourire de tueur. Nick, à qui elle s'était donnée si totalement. Nick, qui avait filé sans même lui dire au revoir, en la laissant seule et enceinte.

Elle ouvrit les yeux, se forçant à ne plus penser à lui. Elle aperçut Emerson planté devant elle, à califourchon sur l'extrémité de sa chaise longue.

— Qu'est-ce que tu fais ? demanda-t-elle stupéfaite.

— Je te regarde, répondit-il.

Et elle sentit son haleine lourde d'alcool. Elle tenta de bouger les jambes pour se remettre dans la position assise, mais ce n'était pas possible : il la bloquait complètement.

Du calme, se dit-elle. *Garde le contrôle de la situation et il ne t'arrivera rien.*

— Est-ce que Nature est rentrée? demanda-t-elle, en s'efforçant de prendre un ton détaché tout en remettant rapidement le haut de son maillot.

— Je veux que tu me donnes un baiser, annonça Emerson en oscillant comme un homme ivre, un vrai.

Elle entendait une voix qui criait dans sa tête : *Ne réagis pas! Ne panique pas! Du calme!*

Il y eut un long silence. Ils ne bougeaient ni l'un ni l'autre. Elle remarqua les petits poils noirs drus qu'il avait à l'intérieur des cuisses.

— Emerson, ne t'avise pas de rien faire que tu regretteras plus tard, murmura-t-elle en essayant de garder un ton calme.

— Qui dit que je le regretterai? répliqua-t-il d'une voix pâteuse.

Où étaient les domestiques? Et Tucker? Si elle criait, allaient-ils entendre? Et viendraient-ils? Dire que cette idiote de Nature l'avait mise dans cette situation. Elle se souvint de Bosewell, de Primo et de ce jour fatal voilà cinq ans.

Je crois que j'ai tué un homme.

Non. C'est la tornade qui l'a tué.

Elle ne saurait jamais la vérité. Son esprit se mit à fonctionner rapidement. Elle dressait un plan d'action. Si elle lui décochait un brusque coup de genou dans le bas-ventre, elle aurait sans doute alors le temps de s'enfuir. Mais s'enfuir où? Assurément, s'il n'y avait personne dans la maison, elle allait se mettre dans une position encore plus vulnérable.

Emerson glissa les doigts dans la ceinture de son slip de bain et commença à tirer dessus. Parfait! Sitôt que le slip serait descendu assez bas, il serait immobilisé et ce serait à elle de jouer. Elle fit encore une tentative pour le mettre en garde.

— Ne fais pas ça, Emerson. Je t'en prie. Tu es ivre. Tu n'as pas les idées claires.

Il parut surpris.

— Allons, Lauren, tu sais bien que tu en meurs d'envie depuis que tu es arrivée ici.

Ils évoluaient comme deux partenaires maladroits dans un ballet. Il abaissa son slip. Elle leva le genou. Il tomba sur le côté en jurant. Elle se mit debout et partit en courant vers la maison. Le temps de compter jusqu'à trois et il était derrière elle, expédiant son slip de bain à trois mètres et continuant tout nu. Elle traversa à toutes jambes la terrasse de marbre, n'osant se risquer à jeter un coup d'œil derrière elle, car elle savait qu'il était tout près. Il la rattrapa sur les marches du perron, la poussa par-derrière, et tous deux s'écroulèrent sur le sol.

— Je t'ai eue! cria-t-il d'un ton triomphant, comme si c'était un jeu, lui bloquant les bras derrière la tête et se jetant sur elle. Maintenant, tu vas voir ce que c'est qu'un homme, fit-il d'une voix rauque, en prenant d'une main ses deux bras tandis que de l'autre il s'efforçait de la débarrasser du haut de son maillot.

— Tu n'as pas assez de filles comme ça? haleta-t-elle en tournant la tête. De filles qui ont envie d'être avec toi. Comprends-moi, Emerson... moi, je n'en ai aucune envie.

— Crois-moi, bébé. Tu vas avoir une telle envie de moi que tu me supplieras à genoux, dit-il en lui arrachant son maillot qu'il fit rouler jusqu'à sa taille et en lui saisissant les seins. Tu m'entends? À genoux.

— Espèce d'enfant de salaud! hurla-t-elle, perdant soudain tout contrôle. Est-ce que tu vas me laisser tranquille?

Si elle avait eu un couteau, elle l'aurait frappé, tout comme elle avait poignardé Primo. Maintenant, il s'amusait vraiment. Il était presque arrivé à ses fins, et elle ne voyait aucun moyen de s'échapper.

— Quel caractère! fit-il d'un ton railleur. Il ne faut pas dire de gros mots. Maman ne serait pas contente.

Elle sentit qu'il allait la prendre de force. Elle était au fond du désespoir. Tout d'un coup une voix retentit.

— Bougre de salaud, espèce d'ordure! C'étaient les hurlements bien reconnaissables de Nature. Espèce de menteur, saloperie de porc!

Emerson perdit tout entrain. Lauren profita de l'occasion et réussit à échapper à Emerson, remontant son maillot et refoulant des larmes de colère.

— Quant à toi..., fit Nature en se tournant vers elle, ses yeux bleus flamboyants. Je croyais que tu étais une amie. Mais tu es comme les autres: tu ne peux pas t'empêcher de te jeter sur mon homme.

— Attends une minute...

— Fiche le camp de chez moi! cria Nature, les joues rouges de colère. Je ne veux plus jamais te parler.

Emerson éclata de rire. Il n'avait aucune intention de venir à sa rescousse. Quel couple! se dit Lauren. En vérité, ils se méritaient l'un l'autre. Elle entra en courant dans la maison sans regarder derrière elle.

50

— Vous êtes normal? demanda Frances Cavendish, comme si c'était la question la plus naturelle du monde.

— Vous voulez que je retire mon pantalon pour vous le prouver? riposta Nick, nullement prêt à se laisser embarrassé par cette femme.

Frances se renversa en arrière derrière son bureau et ajusta ses lunettes à la monture piquetée de diamants qui dissimulaient ses yeux au regard dur comme du silex.

— Allez-y, fit-elle en le mettant au défi.

— Ne me poussez pas, lança-t-il, essayant toujours de la comprendre.

Frances se mit à rire — un gros rire paillard.

— Il a de la repartie, ce petit. J'aime ça.

Il n'aimait pas ses airs protecteurs.

— Le petit est un sacrément bon acteur. Ce que j'attends de vous, c'est un engagement.

Frances le toisait froidement en tirant sur sa cigarette.

— Quelle est votre expérience professionnelle?

— J'ai fait pas mal de choses, murmura-t-il.

À voir l'expression de Frances, elle ne le croyait pas.

— Avez-vous un C.V.? Une cassette? Des photos?

— Euh...

Il s'arrêta. Elle n'allait rien faire pour lui. Il s'était déplacé jusqu'à son beau bureau pour rien. Frances Cavendish, directrice de casting. Elle devait bien savoir qu'il n'avait pas d'expérience. Cette vieille peau aimait sans doute humilier les gens. Frances continua à tirer sur sa cigarette en le regardant du coin de l'œil.

— Vous couchez avec Joy Byron?

— Hé, attendez une minute...

— Non. C'est vous qui allez attendre une minute, dit-elle

sèchement. Vous débarquez ici avec votre jean moulant et vos airs de dur en espérant quoi exactement ?

— C'est vous qui m'avez demandé de venir, répliqua-t-il.

— Ah oui ?

Elle ôta ses lunettes et l'étudia plus attentivement. Il sentit le regard de Frances pénétrer sous ses vêtements. Elle avait envie de lui. Toutes les mêmes. Et s'il n'avait pas cédé à Joy — qui, du moins, le traitait comme un être humain —, il n'allait certainement pas céder à celle-là. Il se retourna et se dirigea vers la porte. Inutile de traîner davantage ici.

D'une voix forte et impérieuse, Frances l'arrêta sur le seuil.

— Je vous envoie à une audition.

Il la regarda.

— Ah oui ?

— C'est un petit rôle, mais juteux.

— J'ai tout le jus qu'il faut.

— Je n'en doute pas, dit-elle froidement en remettant ses lunettes. Voici mes conditions.

— C'est quoi ? demanda-t-il avec méfiance.

— Suivez mon conseil et débarrassez-vous de Joy : elle va être pendue à vous comme un bloc de ciment. Oh oui, et évitez aussi des agents comme Ardmore Castle. Si vous obtenez le rôle, je vous recommanderai un bon agent pour s'occuper de vous.

Il se crut obligé de défendre Joy : après tout, elle avait été bonne avec lui.

— Joy est un merveilleux professeur.

Frances n'était pas de cet avis.

— Joy est une vieille peau qui vit dans le passé. Laissez-la tomber maintenant, Nick, avant qu'il soit trop tard.

— Vous êtes dure.

— Je suis franche : une qualité presque impossible à rencontrer dans cette ville.

Il se demandait ce qu'elle voulait. Puis il décida qu'il n'avait rien à perdre à poser la question.

— Alors... euh... qu'est-ce que je dois faire pour vous ?

— M'accompagner de temps en temps le soir. Quand j'ai besoin de vous. Trouvez-vous un smoking : vous avez déjà l'allure... Elle marqua un temps, inhala profondément, de la fumée de cigarette lui sortant lentement des narines. Votre devoir de cavalier s'arrête à la porte. Ce qui est plus qu'on ne peut en dire de Joy ou d'Ardmore. Est-ce que nous sommes d'accord ?

C'était vraiment une vieille peau, mais elle ne mâchait pas ses mots.

— Quel est le rôle ?

— Une crapule à la petite semaine avec un cœur d'artichaut. Ça n'est pas un grand rôle, mais on le remarque. Je vous envoie voir le metteur en scène et les producteurs. S'ils vous questionnent sur votre expérience théâtrale, mentez. Dites que vous avez fait du répertoire, du off-Broadway et des films publicitaires. S'ils demandent des photos, adressez-les-moi. Je vais prendre rendez-vous pour vous faire photographier dans le courant de cette semaine. Vous me rembourserez quand vous aurez touché votre premier chèque.

Il n'arrivait pas à la comprendre.

— Pourquoi faites-vous tout ça ?

— Parce que, quand vous serez arrivé, vous serez mon débiteur. J'aime ça. Donnez-moi votre numéro de téléphone. Je vous appellerai demain et je vous dirai leur réaction.

Il était plein d'appréhension.

— Vous voulez dire que je vais passer une audition maintenant ?

Elle écrasa sa cigarette dans un cendrier plein, et en prit aussitôt une autre.

— À moins que vous ne préfériez attendre un jour ou deux.

Il n'hésita pas.

— Oh non... je suis prêt.

— C'est exactement ce que je pensais.

— Tu vas faire ce que je te dis, ou bien tu vas te trouver le bec dans l'eau !

Ainsi s'cxprima Rcccc. Cyndra sentit un frisson de frayeur la parcourir. Ce n'était plus l'homme qu'elle avait épousé. Le cowboy détendu avec ses belles promesses. C'était quelqu'un d'autre : un étranger.

— Tu ferais mieux de me laisser tranquille, sinon je m'en vais, dit-elle sèchement.

Il lui administra une gifle qui la prit au dépourvu.

— Mets-toi bien ça dans la tête : tu es ma femme, dit-il d'un ton violent. *Ma femme*, tu comprends ? Je t'ai épousée : ça veut dire que tu m'appartiens et que tu vas faire ce que je te demande.

Elle porta la main à son visage tout rougi par la gifle.

— Je n'appartiens à *personne* ! cria-t-elle.

— C'est là où tu te trompes, répliqua-t-il. Et si tu ne me crois pas, peut-être que tu croiras ceci.

À son horreur, il tira un pistolet de sa ceinture et le braqua dans sa direction.

Elle recula dans un coin de leur chambre du motel, les yeux agrandis de frayeur.

— Reece... Reece, qu'est-ce que tu fais ?

— À ton avis ? répondit-il.

— Où est-ce que tu as trouvé ce pistolet ?

Il arpentait la pièce.

— Je l'ai toujours eu. On ne sait jamais quand ça peut servir. Un homme doit toujours se protéger.

Elle prit une profonde inspiration et s'efforça de garder son calme

— Range ça... Range ça tout de suite.

— Tu m'écoutes maintenant, hein ? fit-il avec un sourire narquois, très content de lui. Alors peut-être que tu pourrais écouter un peu aussi mes amis au lieu de me faire passer pour un con.

Elle avait la bouche sèche, elle n'arrivait pas à croire ce qui se passait. En quelques minutes, sa vie s'était écroulée. Est-ce que ça ne suffisait pas qu'elle ait dû s'échapper de Bosewell ? Est-ce qu'il fallait fuir cet homme-là aussi ?

— Écoute-moi bien, petite garce, dit Reece. Je t'ai trouvée pratiquement clocharde à New York, maintenant tu chantes à Vegas, alors n'oublie jamais que c'est *moi* qui t'ai amenée ici. Et si je te demande d'être gentille avec mes copains, alors tu obéiras. Compris ?

Tout en parlant, il agitait son pistolet.

— Oui, Reece, murmura-t-elle.

— Plus fort, ordonna-t-il.

— *Oui.*

— Eh bien, voilà ! Il remit le pistolet dans sa ceinture. Il se peut que demain soir j'aie deux types qui viennent à notre table après le spectacle, et tu seras gentille avec eux, mon chou. Tu feras ce que je te dirai.

Elle acquiesça d'un air vague. Plus tard, quand il fut endormi, elle songea à quitter sans bruit la chambre et à filer. Mais où pourrait-elle aller ? Si elle s'enfuyait, elle savait que Reece la poursuivrait. Avec un sentiment de profond désespoir, elle comprit qu'il n'y avait pas de solution. Une fois de plus, elle était prise au piège.

Nick fit exactement ce que Frances lui avait conseillé. Il mentit. Quand on l'interrogea sur son expérience, il inventa une compagnie ambulante de répertoire dans laquelle il avait joué, puis cita des films publicitaires et quelques pièces off-Broadway. En fait, il mentit assez bien.

Il y avait deux producteurs dans le bureau : un homme grand et nerveux, assis au fond de la pièce, et une femme entre deux âges avec des jambes superbes qu'elle n'arrêtait pas de croiser et de décroiser. Le metteur en scène était un Italo-Américain, petit, le teint basané et une crinière de cheveux bruns et gras.

Nick les jaugea d'un coup d'œil. Trois parfaits abrutis. Très bien. Il n'avait pas le trac : même si l'assistante du casting l'agaçait vraiment. Quand elle lui donnait la réplique, c'était lamentable. Malgré cela, les trois abrutis avaient l'air de le trouver bon : en fait, ils lui firent lire la scène deux fois.

Quand il était arrivé, la réceptionniste lui avait tendu quelques pages de dialogue. Il avait eu une demi-heure pour les étudier. Il avait eu une demi-heure aussi pour examiner les autres comédiens qui attendaient. Une vraie foire aux bestiaux : on percevait, on sentait la concurrence.

Il se souvint des paroles de Frances : « Une crapule à la petite semaine avec un cœur d'artichaut » — et c'est ce qu'il était devenu. Non pas Nick Angelo, un comédien en quête de rôles, mais une crapule à la petite semaine avec un cœur d'artichaut. Jolie description ! Il termina sa seconde lecture et attendit leurs réactions.

— Ravi de vous avoir vu, Nick, dit le metteur en scène en le raccompagnant comme s'ils étaient de vieux amis.

— Merci, dit la productrice en croisant de nouveau les jambes tout en le regardant d'un air songeur.

Le grand type ne dit rien. Nick n'avait pas eu le temps d'y réfléchir qu'il était déjà dehors.

Il s'arrêta à la réception et demanda à la fille :

— Dans combien de temps est-ce que j'aurai des nouvelles ?

Elle parut amusée.

— C'est nouveau pour vous ?

— Non... enfin, oui, si on veut. Je suis nouveau en ville. Je... je travaillais à Chicago et New York.

— Oh, vous avez fait du théâtre à New York, dit-elle légèrement impressionnée. Ne vous en faites pas, vous allez vite comprendre comment ça se passe. Quelquefois ces auditions se poursuivent pendant des mois. Ils vous voient, vous leur plaisez, et puis ils voient cinquante autres types. Après ça, peut-être qu'ils vont vous rappeler. On ne sait jamais.

— Alors on attend longtemps ?

Elle haussa les épaules.

— Faites-vous une raison. Cette ville, c'est vraiment une vaste foutaise.

C'était son dialogue qu'elle utilisait ! Il se demanda si elle écoutait jamais les conversations des producteurs une fois les comédiens repartis.

— Dites donc, comment vous appelez-vous ? demanda-t-il, essayant de la jouer amicale. Et quand voulez-vous qu'on dîne ensemble ?

— Marilyn, répondit-elle, toujours souriante. Marilyn et *mariée*, ajouta-t-elle en levant la main pour exhiber une alliance. Mais merci quand même de me l'avoir proposé.

Revenu au parking, il songea à retourner au bureau de Frances pour lui faire son rapport. Non. Son instinct lui dit qu'il devrait attendre de ses nouvelles. Mais il était tout excité après l'audition et il ne se voyait pas assis dans un fauteuil à attendre la sonnerie du téléphone. Il décida de rendre visite à Annie. Elle passait l'aspirateur quand il arriva et ne parut pas folle d'enthousiasme de le voir.

— Oh, voici notre grande vedette, dit-elle en continuant à aspirer.

Il débrancha l'appareil.

— Mais qu'est-ce qui te prend ?

Elle poussa un soupir.

— Combien de fois avons-nous déjà eu cette conversation ? Tiens, hier soir... Pourquoi n'es-tu pas venu nous rejoindre au Hameau ? Qu'est-ce que tu as fait, tu es parti avec Ardmore Castle ?

— Tu me traites de pédé, Annie ? fit-il d'un ton indigné.

— Je ne te traite de rien du tout, mais tu... Elle secoua la tête. Oh, je ne sais pas, Nick. Tu m'embrouilles les idées.

— Je suis rentré chez moi... seul.

— C'est bien.

— J'ai rencontré cette directrice de casting : Frances Cavendish. Je l'ai déposée, je l'ai vue aujourd'hui et elle m'a envoyé à une audition.

— Quelle audition ?

— Un petit rôle dans un film.
— Tu l'as décroché?
— Je ne sais pas.
— Tu as lu une scène?
Il eut un grand sourire.
— J'ai été formidable!
— Toujours modeste.
— Écoute, si ça n'est pas moi qui chante mes louanges, qui va le faire?
Elle poussa l'aspirateur dans un placard et referma la porte.
— Tu viens au cours de Joy demain soir?
Il marchait de long en large dans le petit appartement.
— Je me disais que je pourrais prendre la voiture et aller à Vegas, pour voir Cyndra. Ça me casse les pieds de rester assis là à attendre un coup de fil qui m'annoncera que je n'ai pas eu le rôle. C'est dur.
— Personne n'a jamais dit que c'était facile.
— Qu'est-ce que tu crois? Est-ce que je devrais aller à Vegas?
— Cyndra serait ravie de te voir.
— En voiture, ça prend combien de temps?
— Cinq, six heures, je ne sais pas trop.
— Tu veux venir?
Elle secoua la tête, mais il sentit qu'elle était tentée.
— Allons, vis un peu dangereusement. Fourre quelques affaires dans un sac. Ça va être marrant, dit-il d'un ton encourageant.
Annie commença à énumérer toute une liste d'excuses. Nick les démolit l'une après l'autre. Une heure plus tard, ils étaient sur la route.

51

De retour à New York, Lauren ne voulait pas parler de son voyage à Los Angeles.
— Qu'est-ce qui s'est passé? demanda Pia, anxieuse de savoir.
— Rien, répondit-elle précipitamment. Absolument rien.
— Pourquoi ne me dis-tu pas quelque chose? protesta Pia. Et comment se fait-il que, si Nature appelle, tu ne veuilles pas lui parler? Il a bien dû se passer *quelque chose*.

Lauren n'avait qu'un désir, c'était oublier Los Angeles et, avec cette idée en tête, elle se remit avec acharnement au travail. Dans ses moments de loisir — qui étaient rares — elle commença à suivre un cours d'autodéfense, un autre de français et aussi un cours de grande cuisine. Ces activités ne lui laissaient absolument pas de temps pour une vie mondaine et, si quelqu'un essayait de l'inviter, il obtenait un « non, merci » résolu.

Peu après son retour, elle assista au mariage de Pia et de Howard. Oliver, l'oncle de Howard, les accueillit dans sa propriété de Hampton. Oliver Liberty était un des fondateurs de l'agence Liberty and Charles. C'était un homme distingué, d'une cinquantaine d'années, avec un grand sens de l'humour — tout l'opposé de sa femme, Opal, une blonde à l'esprit vide qu'il avait épousée à la suite d'un ruineux divorce d'avec sa première femme, après trente et un ans de mariage.

Ce fut une cérémonie superbe. Lauren rêvait à ce que ç'aurait pu être si les choses avaient été différentes avec Jimmy. Elle laissa même ses pensées revenir à Nick. Cela faisait tant d'années... mais quand elle songeait à lui, ça faisait toujours mal, et elle mit brutalement un terme à ces rêveries. Après le dîner, Oliver Liberty vint s'asseoir auprès d'elle.

— Il paraît que Pia et vous êtes en train de monter une véritable entreprise, dit-il sans quitter du regard sa voyante épouse, qui se trémoussait sur la piste de danse dans une robe rouge trop serrée.

— Nous nous débrouillons, répondit-elle, ajoutant avec un sourire : Je suis certaine que vous avez hâte de nous envoyer tous vos clients.

Il hocha la tête.

— Toujours tournée vers l'avenir. C'est ce que j'aime : une femme intelligente.

Si c'était ce qu'il aimait, comment avait-il pu épouser cette blonde qui, à en croire Pia, avait un Q.I. de zéro !

— Alors... est-ce que nous aurons vos clients ?

Il sourit.

— Je suis certain, Lauren, que vous avez toujours exactement ce que vous voulez.

Peu après que Pia eut déménagé, les appels commencèrent. Le premier, à deux heures du matin. Lauren tâtonna pour trouver le téléphone, et marmonna un « allô » pâteux.

— Je veux te parler, dit une voix familière.

Elle sut tout de suite que c'était Emerson Burn. Un moment,

elle retint son souffle avant de reposer doucement le combiné. Il rappela quelques secondes plus tard.

— Ne me raccroche pas au nez, gémit-il. Ça n'est pas gentil.

— Qu'est-ce que tu veux ? demanda-t-elle, stupéfaite de son toupet.

— Il est temps qu'on se voie, dit-il avec assurance.

— Tu es fou ? fit-elle en s'asseyant dans son lit.

— Ça me paraît tout à fait normal.

— Tu as oublié ce qui s'est passé à Los Angeles ?

— Il ne s'est rien passé.

— C'est parce que Nature est rentrée.

— Pourquoi est-ce que tu es si coincée ? Bon, je t'ai fait des avances. Et alors ? La plupart des filles donneraient leur sein gauche pour que je leur saute dessus.

— Je n'en crois pas mes oreilles ! Tu as essayé de me violer, et la seule raison qui t'en a empêché, c'est parce que ta femme est rentrée. Ta *femme*... Tu te souviens d'elle ? Elle était ma meilleure amie : maintenant, à cause de toi, elle ne m'adresse plus la parole. Tu sais ce que tu es : un pauvre type !

Et elle raccrocha. Immédiatement, la sonnerie retentit de nouveau. Elle décrocha le combiné et l'enfouit sous son oreiller.

Le lendemain, on lui livra trois douzaines de roses, avec un mot sur lequel on pouvait lire : *Pardon ! E.* Elle déposa les fleurs dans un hôpital voisin. Quelques jours plus tard, alors qu'elle déjeunait avec Samm, elle demanda en passant des nouvelles de Nature.

— Vous êtes brouillées toutes les deux ? interrogea Samm en haussant élégamment un sourcil tout en picorant sa salade de tomates.

— Vous savez mieux que personne comment est Nature, répondit-elle prudemment en buvant une gorgée d'eau.

— C'est vrai. Cette fille peut être absolument impossible. Je ne sais pas ce qu'elle voit dans cette star du rock mitée, qui a toujours l'air d'avoir besoin d'une douche — de plusieurs, en fait. Ses pantalons de cuir lui collent au corps comme du ruban adhésif.

— Alors ils sont toujours ensemble ?

— Pour autant que deux ego aussi monumentaux peuvent l'être, dit Samm sèchement. Tu sais quand même qu'elle a raconté des horreurs sur toi dans tout New York.

Lauren soupira : il ne lui manquait plus que ça.

— Ah oui ?

— À ta place, je ne m'inquiéterais pas : personne ne la prend au sérieux.

Emerson rappela la semaine suivante.

— Tu as changé d'avis ? demanda-t-il nonchalamment, comme s'ils bavardaient tous les jours.

— À propos de quoi ?

— À propos de se voir.

Ce type avait vraiment son moi en surmultiplié.

— J'ai une nouvelle pour toi, répliqua-t-elle sèchement. Tu as fini par tomber sur la seule personne qui n'ait pas envie de sortir avec toi.

Il n'allait pas se laisser démonter.

— Si tu t'inquiètes à propos de Nature, elle est à Los Angeles.

— Je croyais qu'à chaque voyage elle t'accompagnait pour te tenir la main.

— Oh non ! je ne veux pas la voir qui traîne derrière moi, tu penses ! Ça n'est pas bon pour mon image. Viens donc, on fera quelques boîtes, on se donnera du bon temps.

— Tu sais quoi, Emerson ?

— Quoi donc, bébé ?

— Cesse de m'appeler.

Il semblait inconcevable qu'Emerson Burn eût décidé de la poursuivre de ses assiduités. Croyait-il vraiment qu'un quasi-viol était le prélude idéal à une relation romantique ? Trois mois après son mariage, Pia annonça qu'elle était enceinte.

— Howard et moi en avons discuté, et nous voulons que tu sois marraine.

— Avec plaisir, répondit Lauren, songeant que Pia avait bien de la chance d'être mariée à l'homme qu'elle aimait *et* d'être enceinte.

Au Secours Service marchait si bien qu'elles finirent par louer de vrais bureaux. Pia décida de continuer jusqu'à un mois avant la naissance du bébé.

— Je ne suis pas le genre à rester à la maison, expliqua-t-elle.

Elles employaient maintenant six personnes, ce qui donnait à Lauren le luxe de choisir les commandes dont elle avait envie de se charger. Depuis qu'elle avait suivi son cours de cuisine, les petits dîners étaient devenus son point fort. Elle adorait préparer des plats incroyables, et puis cela l'occupait presque tous les soirs — ce qui l'arrangeait.

Parfois, quand elle était couchée, une vague d'intolérable esseulement déferlait sur elle. Mais elle avait décidé qu'il valait mieux être seule que d'avoir une nouvelle fois le cœur brisé. Maintenant que Pia avait quitté l'appartement qu'elles partageaient, Lauren décida de le redécorer. Ce n'était pas l'endroit le plus luxueux du monde, mais c'était confortable et douillet, et elle s'y plaisait bien. Pendant les week-ends, elle n'aimait rien tant que flâner sur la Huitième Avenue, à explorer les boutiques d'antiquaires et à trouver des occasions rares.

Un samedi après-midi où elle allait de Park à Madison Avenue, elle remarqua une longue limousine blanche qui avançait lentement derrière elle le long du trottoir. Elle hâta le pas, mais la limousine la suivit et, quand elle s'arrêta au coin d'une rue, la portière de la voiture s'ouvrit toute grande et Emerson Burn bondit sur le trottoir. Il la prit par le bras et la fit pivoter vers lui.

— Tu m'évites, dit-il d'un ton accusateur.

Était-il si bête qu'il croyait vraiment qu'elle allait de nouveau lui parler ?

— Qu'est-ce qu'il y a maintenant ? fit-elle en essayant de dégager son bras.

Il resserra son emprise.

— Monte dans la voiture et je te le dirai.

— Oublie ça.

— Je n'oublie pas, chérie, dit-il d'une voix forte. C'est bien ce qui m'embête.

Deux filles le repérèrent et restèrent pétrifiées comme si elles venaient de voir Dieu en personne. Le garde du corps d'Emerson sauta hors de la voiture.

— C'est le moment de filer, Em, dit-il.

Emerson ne l'écouta pas. Les filles, se tenant par le bras, s'apprêtaient à donner l'assaut.

— Tu es injuste avec moi, gémit Emerson sans la lâcher. Laisse-moi t'expliquer. J'étais ivre. J'avais un problème.

— Écoute maintenant..., commença-t-elle.

Les filles passèrent à l'action : elles se précipitèrent vers lui d'un air décidé. Le garde du corps les vit arriver. Emerson aussi.

— Oh, bon sang ! s'exclama-t-il. Voilà les ennuis qui commencent.

Lauren sentit un choc au creux de son dos et se trouva brutalement bousculée tandis qu'une des filles fonçait sur Emerson.

— Je suis folle de tout ce que vous faites ! hurla la fille, hystérique, en tirant sur sa veste. Je vous aime ! Vraiment, *vraiment* je vous aime !

Avant que Lauren ait eu le temps de réfléchir, le garde du

corps fourra Emerson dans la limo, la poussant en même temps derrière lui. La voiture démarra immédiatement.

— Eh bien, jubila Emerson, voilà qui règle le problème. Tu es coincée, ma chérie, et tu ne peux absolument rien y faire.

52

— Je n'ai encore jamais fait ça, dit Annie en lançant à Nick un regard en coulisse.

Il se mit à rire.

— On croirait qu'on va cambrioler une banque !

— Tu sais ce que je veux dire. Partir comme ça, c'est... Au fond, je trouve ça plutôt drôle.

— Eh bien, voilà ! tu commences à apprendre.

Ils roulaient depuis plusieurs heures. Le trajet était long et ennuyeux, mais la perspective de voir pour la première fois Las Vegas les excitait tous les deux.

— Dis donc, combien d'argent as-tu sur toi ? demanda-t-il, se rendant compte qu'il n'avait rien prévu.

— Une cinquantaine de dollars. Pourquoi ?

— Parce qu'on va les claquer, voilà.

— Oh non, pas mon argent, fit-elle avec indignation.

En souriant, il engagea la vieille Chevrolet dans une bretelle de sortie.

— Allons, Annie, il faut bien prendre des risques dans la vie.

— C'est l'argent de mon loyer, protesta-t-elle.

— Comme ça, on le doublera. Qu'est-ce que tu dis de ça ?

Elle se tourna vers lui.

— Tu sais, Nick, tu es vraiment bizarre.

— Ah, voilà maintenant que je suis bizarre. Où veux-tu en venir ?

— Est-ce que je peux être franche avec toi ? demanda-t-elle.

— Tu peux être ce que tu veux, répondit-il en s'arrêtant dans une station-service.

— Eh bien, on dirait qu'il y a des moments où tu vas me baratiner, et puis d'autres où tu te conduis comme si tu étais mon frère.

Allons bon ! Il ne lui manquait plus que de voir Annie

s'enticher de lui. Mais, à la réflexion, pourquoi pas ? DeVille était partie et il en avait assez de cette succession d'aventures sans lendemain.

— Tu t'intéresses à moi ou pas ? interrogea-t-elle carrément.

Il hésita un moment.

— C'est une proposition ? fit-il d'un ton léger, en abaissant sa vitre.

— Je... j'ai besoin de savoir.

— Écoute, je suis ici avec toi, on va à Vegas.

— C'est ça, ton idée d'un engagement ?

Engagement ! Ce seul mot lui donnait des cauchemars. Qu'est-ce qu'elles avaient donc à toujours parler d'engagement ? Pourquoi ne pouvaient-elles pas prendre la vie au jour le jour ? Le pompiste passa la tête par la portière, ce qui évita à Nick de répondre.

— Qu'est-ce que ce sera ? demanda le vieil homme en grattant sa barbe grisonnante.

— Le plein, fit Nick. Et vérifiez l'huile et l'eau pendant que vous y êtes.

— Alors ? insista Annie, qui ne voulait pas le lâcher.

Il prit son temps avant de répondre :

— Nous faisons un voyage, dit-il avec prudence. Pourquoi ne pas prendre les choses comme elles viennent et peut-être qu'on finira par savoir où on en est.

Reece Webster, assis au petit bar du casino dans une atmosphère enfumée, regardait Cyndra chanter. Elle était bonne. Vraiment bonne. Alors comment se faisait-il qu'elle n'arrivait à rien ? Les maisons de disques n'avaient pas aimé le contrat qu'il avait proposé, et les grands hôtels avaient déclaré qu'elle manquait d'expérience. De l'expérience, bon sang ! Il lui en donnait de l'expérience, et quel remerciement avait-il en retour ? Strictement rien. Cyndra n'appréciait pas tout ce qu'il faisait pour elle.

Bah, à quoi s'attendait-il ? Les femmes étaient toujours prêtes à prendre, et Cyndra n'était pas une exception. Il espérait ne pas avoir perdu son temps en l'épousant. Il était tellement sûr qu'elle allait lui apporter la grande vie — et tout ce qu'il faisait maintenant, c'était régler les factures. L'argent qu'elle gagnait au casino ne couvrait même pas ses frais à lui. Vous parlez d'un placement ! Il avait investi deux ans en leçons de chant et de maintien, et ça ne rapportait pas un sou !

Son regard parcourut la salle. Plusieurs hommes observaient Cyndra avec, sur leur visage, cette expression qui ne trompait pas. Reece la connaissait bien. C'était le regard *toi, je te ferais bien un brin de causette.* Il examina sa robe de scène. Pas assez sexy. Il fallait un décolleté plus profond, et peut-être une jupe fendue. Elle avait des seins superbes et de longues jambes. Il fallait en tirer parti. Ça devrait rapporter, tout ça.

Cyndra commençait à lui rappeler sa première femme. Il avait traîné cette garce comme un boulet, et tout ce qu'elle avait été capable de faire, c'était de lui piquer tout ce qu'il avait. Voilà que Cyndra tombait dans la même catégorie, et il était temps de faire quelque chose pour rentrer dans ses fonds. L'autre soir, il avait entendu deux types discuter pendant que Cyndra était en scène.

— Je lui dirais bien deux mots, à celle-là, avait dit l'un d'eux.

— Ouais, au moins deux ! avait répondu l'autre.

Reece s'était approché.

— Vous voulez rencontrer la petite ? avait-il proposé. Parce que, si c'est le cas, je suis l'homme qui peut vous arranger ça.

Les deux types avaient acquiescé avec empressement, alors Reece avait conclu un marché. Le problème, c'était qu'il avait oublié d'en parler à Cyndra et que, quand il l'avait fait s'asseoir avec les deux mecs et qu'ils avaient commencé à lui faire du gringue, elle les avait insultés tous les deux. Ils n'étaient vraiment pas contents — et qui pouvait le leur reprocher ? À sa grande consternation, il avait dû leur rendre leur argent.

Quel mal y avait-il à se faire quelques extra en tapinant un peu ? Mais ça n'était pas commode de convaincre Cyndra. Sauf qu'aujourd'hui il s'était imposé : il lui avait fichu une frousse du diable. C'est ça qu'il fallait aux femmes : un peu de peur dans leur existence. Il fallait qu'elles sachent qui était le patron.

Sirotant son whisky de malt, il repérait les amateurs éventuels. Il finit par concentrer son attention sur un robuste gaillard assis tout seul à une table d'angle et qui regardait Cyndra comme s'il venait de découvrir les bonbons pour la première fois. C'était un homme entre deux âges au teint coloré. Une chemise hawaïenne aux couleurs vives et des sandales aux pieds annonçaient le touriste. Reece s'approcha d'un pas nonchalant.

— Comment va ? fit-il en repoussant en arrière son chapeau de cow-boy.

L'homme leva les yeux.

— Je vous connais ?

— Non, fit Reece, mais j'ai bien l'impression que ça vous ferait plaisir.

— Fichez-moi la paix, pédé, dit l'homme, son visage rougissant davantage encore.

— Vous m'avez mal compris, protesta Reece. Ça n'est pas mon truc. Je suis juste venu ici pour vous rendre un service.

— Quel service ? demanda l'homme avec méfiance.

Reece désigna de la main Cyndra.

— Vous voyez la petite debout là-bas ? C'est à elle que je pensais pour vous, mais tout ce que ça me rapporte, c'est des insultes... alors on n'a plus rien à se dire.

Il tourna les talons.

— Attendez une minute, fit l'homme.

Reece s'arrêta.

— Ça vous intéresse ou pas ?

L'homme jeta autour de lui des regards furtifs.

— Ça m'intéresse, fit-il en baissant la voix. Combien ça me coûtera ?

— Vous avez gagné ou vous avez perdu ? Parce que, si vous avez perdu, vous n'avez pas les moyens de vous offrir cette petite.

— J'ai gagné au craps.

— Alors, vous êtes un sacré veinard, parce qu'elle va vous coûter deux cent cinquante dollars.

L'homme s'humecta les lèvres et réfléchit rapidement. Sa femme aux chairs molles digérait là-haut son gain aux machines à sous. Son morveux de fils courait les filles. C'était l'occasion d'une vie, et il ne voulait pas la manquer. Mais deux cent cinquante billets, c'était beaucoup de fric : pour cet argent-là, il pourrait s'acheter une seconde télévision.

— Je... je ne sais pas, fit-il d'un ton hésitant.

— Vous ne savez pas, répéta Reece, comme s'il n'en croyait pas ses oreilles. Vous avez l'occasion de vous offrir un morceau pareil et *vous ne savez pas ?*

La sueur perlait sur le cou épais de l'homme.

— Elle est bien ? demanda-t-il d'une voix rauque. Elle en vaut la peine ?

Reece renversa encore plus en arrière son chapeau de cow-boy.

— Vous vous fichez de moi ? Est-ce que la spécialité du Kentucky, ça n'est pas le poulet frit ? Est-ce qu'une Cadillac, ça n'est pas le summum du confort ? Mon vieux, cette petite-là, c'est le mieux que vous aurez jamais eu.

Ils approchèrent de Las Vegas, étincelant comme un joyau perdu au milieu du désert. Il faisait nuit et ils roulaient depuis des heures sans voir aucune lumière. Voilà qu'au loin ils apercevaient la ville qui s'étendait devant eux, et c'était un spectacle étonnant.

— C'est incroyable! fit Annie, un peu haletante.

Nick eut un grand sourire.

— Je te le disais : il faut sortir un peu. À quoi bon rester assise toute la journée sur tes fesses à attendre... je ne sais pas quoi? Il la regarda d'un air interrogateur. Qu'est-ce que tu attends, au fait, Annie?

Elle haussa les épaules.

— Je travaille dur, je vais au cours... un de ces jours, j'aurai ma chance.

— Oui, c'est ce qu'on croit tous.

Il gara la voiture sur le bas-côté et prit Annie par les épaules.

— Je suis content que tu sois venue.

— Moi aussi.

Ils restèrent un moment silencieux à contempler le mirage devant eux : c'est du moins ce que ça semblait être au milieu du désert. Ce fut lui qui finit par rompre le silence.

— Je ne t'ai jamais posé la question : où est ta famille?

— En Floride, où j'ai grandi. Voilà trois ans que je suis partie et que j'ai pris le car pour venir à Los Angeles. Elle se blottit contre lui. Et toi? Cyndra ne m'a jamais parlé de votre famille. Où sont vos parents? Tu n'as pas d'autre frère ni sœur?

Il s'écarta sous prétexte de prendre une cigarette.

— Pas d'histoire triste, dit-il en en retirant une du paquet. Cyndra et moi... on a le même père, un vrai charmeur. Aucun de nous ne l'a vu depuis des années.

— Tu ne lui parles pas?

— Pas question.

— C'est dommage. La famille, c'est vraiment tout ce qu'on a.

— Ouais, eh bien, tu n'as pas rencontré la mienne, lança-t-il.

— Et ta mère?

Il craqua une allumette et l'approcha de sa cigarette.

— Elle est morte quand j'avais seize ans. En me laissant.

— Elle ne t'a pas laissé, Nick, dit Annie d'une voix douce. On ne choisit pas à proprement parler de mourir.

Il n'avait pas besoin de déterrer d'autres souvenirs; c'était assez pénible comme ça.

— Hé, si on parlait d'autre chose ? Admirons ce qu'on a devant nous. Regarde-moi cette vue !

— C'est beau, murmura-t-elle.

— Oui, fit-il en démarrant. Allons nous en payer un morceau.

— Je te présente mon ami, dit Reece.

Cyndra fit un signe de tête, en évitant de regarder l'homme à la chemise hawaïenne.

— Mon *excellent* ami, précisa Reece, au cas où elle n'aurait pas compris.

— Euh, euh, fit-elle d'une voix morne.

L'homme donna un coup de coude à Reece.

— Quand est-ce qu'on s'en va d'ici ? demanda-t-il, la sueur perlant sur son front. Ça n'est pas bon pour moi qu'on me voie avec vous deux. Où va-t-on d'ailleurs ?

— Pas loin, répondit Reece d'un ton rassurant.

— Vous n'êtes pas comme ces escrocs que j'ai vus à la télé ? demanda l'homme avec inquiétude. Ils vous entraînent dans une chambre avec une fille, vous piquent votre argent et vous cassent la figure.

Reece remonta encore son chapeau.

— Est-ce que j'ai l'air d'un escroc ? dit-il avec une moue méprisante. Est-ce qu'elle a l'air d'une fille à faire ça ? Ne vous inquiétez pas, mon vieux. Vous allez vivre le rêve de votre existence.

Cyndra entendait des bribes de conversation. Elle savait ce que Reece attendait, il avait été très clair là-dessus, mais elle n'arrivait toujours pas à y croire.

— Bon, mon chou, fit Reece d'un ton amical. Partons pour que ce charmant gentleman et toi puissiez faire mieux connaissance.

— Je te préviens, murmura-t-elle juste assez fort pour qu'il l'entende. Je ne marche pas.

La main de Reece descendit jusqu'à sa ceinture.

— Sois coopérative, mon chou. Je te l'ai dit ce matin : ça fait trop longtemps que je te traîne, il est temps que tu me donnes quelque chose en retour.

Ils sortirent tous les trois du casino sur le parking, où l'air humide de la nuit les enveloppa comme un nuage. Elle se demandait ce que Reece allait faire quand elle refuserait d'aller plus avant. Il lui ferait sans doute sauter la cervelle : il était assez dingue pour ça. Mais, au fond, il ne resterait pas dans la chambre à les regarder et, une fois qu'il serait sorti, elle expliquerait au type la position dans laquelle elle était — elle ferait appel à ses bons sentiments. Il avait l'air d'un bon père de famille, même s'il n'en avait pas l'odeur. Il puait la bière. Elle frissonna : ça lui rappelait Primo. Ils retournèrent au motel dans la Cadillac rose de Reece. Lorsqu'ils arrivèrent là-bas, l'homme transpirait encore plus abondamment.

— Prenez mon numéro de voiture, proposa Reece, sentant que cet imbécile pourrait battre en retraite à tout moment. Ça vous rassurera.

— Non, non, j'ai confiance en vous, dit l'homme, bien que ce ne fût pas le cas. Mais comment est-ce que je vais rentrer ?

— Je vais rester dans les parages, dit Reece. Sifflez quand vous serez prêt, et je vous raccompagnerai en voiture.

Cyndra descendit de la Cadillac et resta plantée là, très raide.

— Bouge ton joli cul, mon chou, et va dans la chambre, dit Reece d'un ton cajoleur. Et n'oublie pas de laisser la porte ouverte pour notre ami.

Il attendit qu'elle eût disparu, puis claqua des doigts comme si le moment était venu de passer aux affaires sérieuses.

— Il me faut du liquide, dit-il. Pas de liquide, pas de nana.

Le mot « nana » parut exciter l'homme. Fébrilement, il compta plusieurs grosses coupures. Reece recompta. Quand il fut satisfait, il dit :

— Chambre huit, près de la piscine. Puis il lui fit un clin d'œil. Faites le double looping pour moi, mon vieux, c'est offert par la maison.

Quand Cyndra arriva dans leur chambre, elle songea à mettre le verrou. Mais elle savait que ça ne marcherait pas : si elle ne laissait pas l'homme entrer, Reece n'aurait qu'à défoncer la porte. Elle était jolie, elle était jeune, elle avait du talent : pourquoi sa carrière n'avait-elle pas démarré ? Si ç'avait été le cas, tout irait bien. Reece faisait ça pour la punir. *Et si je divorçais ?* lui chuchota à l'oreille une petite voix. *Et si je m'en allais pendant que je le peux encore ?* Mais elle savait que c'était sans espoir, il ne la laisserait jamais partir à moins qu'elle ne lui rembourse chaque sou qu'il avait dépensé pour elle. On frappa à la porte. Avalant avec difficulté sa salive, elle lissa sa robe, s'approcha et ouvrit. L'homme débHoula dans la chambre, sa chemise hawaïenne lui collant à la peau.

— Ne traînons pas, balbutia-t-il. Je suis presque prêt... alors allons-y vite.

— Je vais te servir un verre, dit-elle, cherchant à gagner du temps. Il y a un distributeur de Coca dans le couloir et nous avons du scotch ou de la vodka. Qu'est-ce que ce sera ?

— Rien, dit-il en tripotant déjà la boucle de sa ceinture.

Elle remarqua qu'il avait une alliance.

— Ta femme sait que tu fais ça ? demanda-t-elle brusquement.

Il s'arrêta net.

— Qu'est-ce que ma femme a à voir là-dedans ?

— Je... je me demandais, c'est tout.

Il inspecta la pièce, puis son regard s'arrêta sur le lit.

— Fais ça à la papa, annonça-t-il. Si tu t'allongeais et que tu te déshabilles ?

— Ce n'est pas mon style, répondit-elle aussitôt, continuant à gagner du temps.

— Je n'ai pas toute la nuit, dit-il en jetant un coup d'œil à sa montre.

— Si tu préfères, laisser tomber..., risqua-t-elle.

À ces mots, il sursauta.

— J'ai payé une sacrée somme pour toi.

— Combien ?

— Qu'est-ce que ça peut te faire ?

Sa réponse la mit en fureur.

— C'est *avec* moi que tu es censé coucher, non ?

Il tendit la main, pinçant son bout de sein gauche à travers la robe.

— Je n'ai pas l'habitude des femmes qui parlent mal.

Elle s'effondra. Elle n'était pas une prostituée et elle n'allait pas faire semblant. Si Reece voulait lui brûler la cervelle, eh bien, qu'il le fasse.

— Il y a erreur, fit-elle d'une voix sourde.

Il commençait à avoir les yeux qui lui sortaient de la tête.

— Quelle erreur ?

De la même voix neutre, elle poursuivit :

— Je ne fais pas ce genre de chose.

— Mais on m'avait dit...

— Je me fiche de ce qu'on t'a dit. Referme ta ceinture et fiche le camp d'ici. Retourne auprès de ta femme.

Brusquement, il éclata en sanglots.

— Je savais que je n'aurais pas dû venir ici, sanglota-t-il. Je savais que c'était mal.

Cyndra fut prise au dépourvu : elle s'attendait à une réaction violente, pas à ça.

— Écoute, le rassura-t-elle, pleine de compassion. Je vais demander à Reece de te reconduire au casino. Il n'a pas besoin de savoir que rien ne s'est passé.

L'homme sanglotait toujours.

— On va lui dire que c'était formidable. Comme ça, on s'en tirera tous les deux avec les honneurs : toi tu auras l'air d'un véritable étalon, et moi, je ne prendrai pas de baffe. Elle commença à le piloter doucement vers la porte. Tu verras, ça va marcher. On va...

Dans un soudain accès de colère, il repoussa le bras de Cyndra et lança d'une voix étranglée :

— Et mon argent ?

— Là, je ne peux rien pour toi.

— J'ai versé du fric. Je veux qu'on me le rende.

— Il faudra que tu demandes à Reece et, si tu lui demandes, il va comprendre ce qui est arrivé.

L'homme semblait avoir surmonté sa crise de larmes. Maintenant il était tout rouge et furieux.

— Je veux mon argent, s'obstina-t-il.

— Je t'ai dit... je ne l'ai pas.

— Alors, tu ferais mieux de le trouver, sale petite garce.

— Il a un pistolet, murmura-t-elle d'une voix sans timbre. Il pourrait nous faire sauter la cervelle à tous les deux. Pourquoi ne veux-tu pas être gentil et partir discrètement ?

— C'est un coup monté, dit l'homme d'un ton amer. J'ai vu des gens comme vous à la télé, tu n'avais absolument pas l'intention de t'exécuter.

— Écoute, mon vieux, c'est toi qui commences à geindre comme un bébé.

— Sale pute noire... si je ne récupère pas mon fric, je veux en avoir pour mon argent.

À la grande surprise de Cyndra, il l'empoigna. Elle sentit des lèvres humides baver sur son cou. Elle le repoussa, mais il revint à l'assaut. Soudain, elle crut se retrouver chez les Browning à Bosewell, et lui c'était Mr. Browning, qui l'empoignait, qui la forçait à faire des choses. Tous les mauvais souvenirs déferlèrent sur elle.

— Je... ne veux pas... faire... ça, hurla-t-elle en se débattant.

— Il faudra bien à moins que je récupère mon argent, dit-il en lui pétrissant brutalement les seins.

Est-ce que les gens ne s'intéressaient qu'à l'argent ? Les paroles de Mr. Browning flottaient dans l'air : *Sale petite putain noire... petite garce...* Elle entendait sa voix, ses insultes. C'était comme si ça s'était passé la veille. Ils basculèrent sur le lit et les hurlements de Cyndra prirent de l'ampleur. Quelqu'un frappa à la cloison en criant :

— Silence !

La porte s'ouvrit toute grande et Reece fit son entrée.

— Bon sang, qu'est-ce qui se passe ici ? interrogea-t-il, ses petits yeux fixés sur Cyndra d'un air accusateur.

— Il... il... a cherché à m'attaquer, fit-elle, haletante.

— Petite ordure, murmura l'homme. Cette garce n'a rien voulu faire.

— Je vous ai laissés tous les deux prendre du bon temps, dit Reece d'un ton patient, en tapotant de la pointe de sa botte le tapis élimé. Et tout ce que vous faites, c'est vous engueuler. Bien sûr qu'elle va vous faire toutes les douceurs que vous voulez. Il lança à Cyndra un regard lourd de menaces. Il faut t'y mettre, mon chou, ou tu sais ce qui va se passer.

— Va te faire voir, Reece, cracha-t-elle. Tu ne peux pas me traiter comme ça.

La main de Reece rôdait autour de sa ceinture.

— Ah, je ne peux pas ?

L'homme décida que le moment était venu de retourner dans sa chambre d'hôtel retrouver sa femme aux chairs flasques.

— Je veux mon argent, dit-il, dans une dernière tentative pour réclamer son dû.

— On ne rembourse pas, fit Reece.

— Tu n'avais pas le droit de me faire ça, dit Cyndra, le visage ruisselant de larmes. Je vais divorcer, voilà ce que je vais faire.

Reece gardait un calme inquiétant.

— Mon chou, tu vas faire ce que je te dis.

— Et si je reprenais mon argent et que je m'en aille, proposa l'homme, qui n'aimait pas la tournure que prenaient les événements.

— Fermez-la et ne vous mêlez pas de ça, fit Reece sans même le regarder.

C'était entre Cyndra et lui que ça se passait, et il fallait qu'elle comprenne.

— Peut-être que je devrais appeler la police, menaça l'homme. Vous m'avez volé.

Reece se redressa, écartant le pan de sa veste pour bien montrer le pistolet passé à sa ceinture.

— Vous n'allez rien faire du tout, mon vieux.

— Oh, mon Dieu! gémit l'homme, pâlissant à vue d'œil. Ah, doux Jésus!

Reece se retourna vers Cyndra.

— Déshabille-toi. Si j'entends encore un cri venant de cette chambre, tu sais très bien ce qui arrivera.

L'homme se glissait lentement vers la porte. Cyndra dévisagea Reece. Elle sentait monter en elle une rage sourde.

— Tu sais, Reece : tu n'es qu'un maquereau, dit-elle en crachant les mots. En fait, c'est tout ce que tu sais faire : maquereauter. Quel effet ça fait d'être le maquereau de l'année? Le maquereau du siècle? Elle haussait le ton. Quel effet de savoir qu'ON NE SAIT RIEN FAIRE D'AUTRE?

L'occupant de la chambre voisine se remit à marteler le mur à coups de poing.

— Tu me traites de quoi? cria Reece. Et toi, qu'est-ce que tu es? Une pute, mon chou. Une simple pute.

— Oh, pas du tout, mon cher! Tu ne comprends pas? Je ne suis pas une pute!

Elle se leva d'un bond, furieuse.

Prenant le pistolet qu'il avait à la ceinture, Reece le brandit sous le nez de Cyndra.

— Ne me menace pas, hurla-t-elle. Tu n'as pas le droit de contrôler ma vie. Tu n'as pas le droit de me contrôler moi.

Elle se précipita sur lui pour s'emparer du pistolet.

L'homme arriva à la porte, la sueur ruisselant sur son visage. Ils étaient dingues, ces deux-là. Et lui l'était tout autant d'être venu ici. Tandis que Cyndra et Reece luttaient pour s'emparer de l'arme, sa main se referma sur la poignée de la porte. Mais elle était si dégoulinante de sueur qu'il n'arrivait pas à la tourner. Et puis un coup de feu retentit. Un seul. La balle ricocha sur le mur et toucha l'homme à la nuque. Il s'effondra sur le sol sans un son. Il y eut un long moment d'un silence pétrifié.

— Oh, bon sang, fit Reece, affolé. Regarde ce que tu as fait, petite garce : tu as descendu cet imbécile. Tu l'as tué, pauvre idiote. Tu l'as bel et bien tué!

53

— Je ne suis pas si mauvais que tu le crois, déclara Emerson.

— Comment sais-tu ce que je crois ? répliqua Lauren en se glissant sur la banquette de cuir aussi loin de lui qu'elle le pouvait.

— Ça n'est pas très difficile à comprendre.

— Eh bien, Emerson, tâche de comprendre ceci : j'aimerais descendre de cette voiture, et j'aimerais en descendre maintenant.

Il haussa les épaules.

— Bon, je veux bien le reconnaître. J'étais camé jusqu'aux trous de nez et je t'en ai fait voir de toutes les couleurs. Alors je suis désolé. Je te revaudrai ça.

Elle secoua la tête.

— Qu'est-ce qu'il faut pour que tu comprennes que je ne veux rien avoir à faire avec toi ?

Il se mit à rire.

— C'est ce que j'aime chez toi. Tu n'es pas comme les autres. Tu arrives même à aligner deux mots.

— Nature aussi, riposta-t-elle.

— Essaie un peu de vivre avec Nature, dit-il d'un ton sinistre. C'est un vrai cauchemar. D'ailleurs, on s'est séparés... elle ne te l'a pas dit ?

Lauren se pencha et tapa sur la vitre en verre fumé qui les séparait du chauffeur.

— Qu'est-ce que tu fais ? demanda-t-il en se renversant en arrière et en allongeant ses longues jambes gainées de cuir.

— Je demande à ton chauffeur d'arrêter la voiture.

Il eut un air amusé.

— Je croyais te l'avoir dit : tu es ma prisonnière.

— C'est un enlèvement.

Il haussa les épaules.

— Alors, fais-moi arrêter.

Elle se cala contre la banquette, en essayant de réfléchir à ce qu'elle allait faire. Malgré tout, on ne pouvait nier que c'était un personnage très charismatique et, si elle voulait regarder les choses en face, c'est vrai qu'elle était attirée par lui, malgré tout ce qui s'était passé. D'ailleurs, qu'avait-elle à perdre ? Exactement rien. De toute façon, Nature ne lui adressait plus la parole.

— Bon, fit-elle avec un soupir las.

— Bon quoi ?

— Je viens déjeuner avec toi. Impressionne-moi. Éblouis-moi par ton charme. Montre-moi aussi que tu es vraiment comme tout le monde.

Il éclata de rire.

— Bébé, ça fait vingt ans que je ne suis plus comme tout le monde.

— Fais un effort.

— Pour toi... n'importe quoi.

Il l'emmena dans un petit restaurant italien de la 3ᵉ Rue. Le patron jovial les installa à une table au fond, traitant Emerson comme un roi. Son garde du corps resta dans la salle principale, surveillant le trottoir, à l'affût de tout problème.

— Champagne, caviar, qu'est-ce que ce sera ? demanda Emerson en rejetant sa crinière en arrière.

Elle regarda sa montre.

— Il est trois heures de l'après-midi.

— Et alors ?

— Alors, je vais prendre une petite salade verte et des pastas. Ensuite, il faudra que je parte. D'ailleurs, dans ce restaurant, il n'y a certainement ni champagne ni caviar.

— Tu veux parier ? Je peux obtenir tout ce que je veux, quand je veux, assura-t-il.

— Et si tu ne peux pas l'avoir, tu le prends. C'est l'histoire de votre vie, n'est-ce pas, Mr. Burn ?

— Qu'est-ce qui te prend de m'appeler Mr. Burn ?

— Je te manifeste un peu de respect. Tu devrais essayer de temps en temps avec les autres.

Il se pencha en la regardant droit dans les yeux.

— Tu es belle, tu sais ? Tu as quelque chose qui me fait vraiment de l'effet.

Elle répondit d'un ton sarcastique :

— On peut dire que tu sais tourner le madrigal.

Ça n'avait pas l'air de le gêner.

— C'est mon éducation, dit-il gaiement.

— Où était-ce ?

— Elephant and Castle. Une sorte de Brooklyn avec l'accent cockney.

— Toi et Nature, vous avez beaucoup en commun, y compris une patrie.

Il eut un rire moqueur.

— Moi et Nature, on n'a strictement rien en commun.

— Tu l'as quand même épousée.

— Tu parles. J'avais la gueule de bois à ce moment-là.

— C'est toujours ton excuse ?

— Oh, maintenant tu vas me faire le topo, *tu bois trop*.

— Je me fiche vraiment de ce que tu fais.

— Tu as tort.

— De faire quoi ?

— De t'en fiche. Dès le premier instant où je t'ai vue, j'ai su qu'il y avait quelque chose entre nous. Tu étais comme une petite souris qui courait dans tous les sens à organiser cette soirée pour Samm dans mon appartement... tu te rappelles ? Je t'ai tout de suite remarquée, parce que tu paraissais différente : c'est ce qui me plaît chez toi.

— Je vais te dire ce qui te plaît chez moi : c'est le fait que tu ne peux pas m'avoir, alors que tu as tellement l'habitude d'avoir chaque fille qui respire. C'est la seule chose que tu aimes chez moi.

— Tu te trompes.

— Je ne crois pas.

— Pourquoi ne pas essayer ?

— Comment ça ?

— Couche avec moi et vois si je suis encore là demain.

— Très drôle.

— Content de t'avoir fait rire.

Après le déjeuner, il décida qu'il devait acheter des livres, alors ils s'arrêtèrent chez Doubleday, sur la Cinquième Avenue. Deux minutes après qu'il eut mis le pied par terre, la nouvelle se répandait dans la rue, et il était assailli. Il saisit Lauren par la main et la ramena en courant jusqu'à la limo. À peine étaient-ils installés que la voiture démarra.

— À la maison. Chez moi, dit-elle hors d'haleine.

— Entendu, répondit-il. Je passe te prendre à dix heures.

— À dix heures, je dors.

— Ce soir, c'est différent. Habille-toi et sois prête à faire la bringue.

— Je n'ai pas dit que j'allais sortir avec toi.

— Tu n'as pas dit non. N'oublie pas, j'aurais pu te garder prisonnière pour le reste de la journée, mais je te laisse partir. Maintenant, tu me dois quelque chose.

— Absolument rien.

— Est-ce qu'il faut toujours que tu aies le dernier mot ?

— Oui.

Rentrée chez elle, elle se trouva incapable de se calmer. C'était fou. Emerson Burn était une star du rock dilettante. Elle ne voulait rien avoir affaire avec lui. Était-ce bien vrai ?

Comment se fait-il que tu aies déjeuné avec lui, Lauren Roberts ?

Et pourquoi pas ?

Tu le trouves séduisant ?

Oui, en fait, oui.

Le téléphone sonna et elle décrocha, s'apprêtant à annoncer à Emerson qu'elle n'allait certainement pas sortir avec lui ce soir, ni d'ailleurs aucun autre soir.

— Salut, fit Pia d'un ton joyeux. Qu'est-ce que tu fais ?

— Je viens de rentrer. Pourquoi ?

— Howard et moi, on veut t'emmener dîner.

— Tu as une drôle de voix.

— Qu'est-ce qu'elle a, ma voix ?

— Chaque fois que tu as ce ton-là, il y a toujours un célibataire que tu estimes parfait pour moi.

— Absolument pas, fit Pia avec indignation. En fait, nous dînons avec l'oncle de Howard, et nous nous sommes dit que ce serait bien si tu voulais faire la quatrième.

— Où est sa femme ?

— Dans leur maison de Hampton.

— Hmmm...

— Lauren, nous parlons du vieil oncle marié de Howard : je ne pense pas qu'il risque de te sauter dessus.

— C'est un homme, non ?

— Oh, je t'en prie !

— Bon, je vais venir.

Pia était si habituée à s'entendre répondre non que ce fut une surprise.

— Nous passerons te prendre à huit heures, s'empressa-t-elle de dire avant que Lauren eût changé d'avis.

Hmmm... dîner avec l'oncle de Howard. Au moins, ça la ferait sortir et, quand Emerson arriverait et constaterait qu'il n'y avait personne à la maison, peut-être comprendrait-il et la laisserait-il tranquille. Ou peut-être que non.

54

Elle ne savait pas depuis combien de temps elle était assise sans bouger, elle savait seulement que Reece était parti en la plantant là. Avec un cadavre allongé sur le sol.

— Ce n'est pas moi qui lui ai tiré dessus, c'est toi ! avait-elle hurlé à Reece quand c'était arrivé, tremblant de tout son corps.

— Oh, non, non, non, bébé, je ne vais pas trinquer pour toi ce coup-ci, avait dit Reece en fourrant ses affaires dans une valise avant de se précipiter vers la porte.

— Tu... ne peux pas... me... laisser, gémit-elle, les mots lui collant à la gorge

— Regarde bien, mon chou, avait-il dit en lui lançant le pistolet.

Et là-dessus, il avait disparu.

Elle avait d'abord songé à appeler la police. En fait, elle n'aurait pas été surprise de voir les flics surgir, car les occupants de la chambre voisine avaient dû entendre le coup de feu.

Mais il ne s'était rien passé. Absolument rien. Elle était donc restée sur le lit, trop affolée pour bouger, sachant qu'elle aurait dû suivre Reece et filer. Mais comment aurait-elle pu ? C'était lui qui avait la voiture et tout leur argent : elle se retrouvait sans rien. Elle était donc assise au beau milieu du lit, les larmes ruisselant sur ses joues, et elle serrait contre elle le pistolet — sa seule protection. Sa vie était finie et elle n'y pouvait rien.

— C'est exactement comme je l'ai vu à la télévision ! s'exclama Annie. Regarde toutes ces lumières !

— Oui, reconnut Nick en s'arrêtant dans le parking d'un hôtel de la périphérie, c'est vraiment quelque chose.

— Où va-t-on ? demanda-t-elle. Est-ce qu'on ne devrait pas d'abord trouver Cyndra ?

— Pour commencer, nous allons jouer. C'est ce qu'on est censé faire à Vegas.

— Nick...

— Essaie de te détendre, Annie, dit-il d'un ton moqueur. Aujourd'hui, c'est le moment de prendre des risques. Vas-y à fond : on ne sait jamais, ça va peut-être t'amuser.

Il descendit de la voiture, la prit par la main et, traversant en courant le parking, ils s'engouffrèrent dans le hall de l'hôtel.

Un sourire s'épanouit sur le visage de Nick lorsqu'il aperçut les rangées de machines à sous.

— Tu sais, j'ai toujours eu envie de faire ça.

Il chercha de la monnaie dans sa poche, et y pêcha quelques pièces de vingt-cinq cents.

— Vas-y, choisis-en une... On va gagner gros !

— Tu crois ?

— Je te parie tout ce que tu veux !

Deux heures d'affilée, ils jouèrent, pour se retrouver avec dix dollars de gain. À ce moment-là, Nick était pris par la fièvre du jeu, il était tout prêt à continuer, mais Annie en avait assez.

— Nous ferions mieux de trouver Cyndra. Il est une heure du matin. Qu'est-ce qu'ils vont dire si nous leur tombons dessus au milieu de la nuit ?

— Ça leur sera égal. Demain soir, on écoutera Cyndra, et puis on rentrera à Los Angeles.

— Je ne peux pas lâcher mon travail encore demain, protesta Annie.

— Tu appelleras pour dire que tu es malade. Ça n'est pas un drame.

Elle soupira.

— Tu veux me rendre aussi insouciante que toi.

— Eh bien... ça ne peut être qu'une amélioration, non ?

— Merci beaucoup !

Suivant les indications qu'on leur avait données, ils se rendirent au motel où étaient descendus Cyndra et Reece. Ce n'était pas l'établissement le plus somptueux du monde : juste quelques chambres réparties autour d'une petite piscine.

— Je parie qu'ils dorment, fit Annie d'un ton accusateur. Je t'avais bien dit que nous aurions dû venir plus tôt.

— Je te parie que non, répliqua-t-il, plein d'assurance. Personne ne dort à Vegas.

Ils garèrent la voiture, trouvèrent la chambre et frappèrent à plusieurs reprises, sans obtenir de réponse.

— Il ne faudrait pas que ça devienne une habitude, grommela-t-il. Il va falloir que je force la serrure... Pas de problème.

— Tu ne peux pas faire ça, fit Annie, affolée.

— Mais si... et voilà le travail, dit-il, après quelques passes magiques sur la serrure, en poussant la porte.

La première chose qu'ils virent, ce fut Cyndra assise au milieu du lit, un pistolet à la main. La seconde, ce fut le corps affalé sur le sol derrière la porte.

— Oh, mon Dieu! fit Annie, le souffle coupé.

Cyndra les dévisageait, l'œil vide, tandis que Nick s'approchait d'elle avec douceur.

— Du calme, dit-il en parlant très vite. Calme-toi, là... Il lui prit doucement le pistolet de la main. Qu'est-ce qui s'est passé?

Elle se prit le visage à deux mains et éclata en sanglots.

— Oh, Nick... Nick...

Il la prit dans ses bras en la berçant.

— Allons, bébé, tu peux me le dire.

Lentement, entre deux sanglots, elle raconta son histoire.

— Reece voulait que je... que je couche avec ce type. Il l'a amené dans notre chambre... et puis... et puis le type a réclamé son argent parce que je ne voulais pas et... et... Reece a sorti son pistolet... on se battait... et... le coup est parti. C'était un accident, Nick, je te jure.

— Où est Reece?

— Il a filé.

— En te laissant comme ça?

— Qu'est-ce qui va se passer, Nick? Personne ne me croira. Les flics ne vont pas comprendre.

Cyndra avait raison. Elle n'avait pas une chance. Il s'approcha du cadavre, contemplant ce corps immobile, espérant que tout ça était une horrible erreur et que l'homme allait se mettre à respirer, à bouger, à faire quelque chose. Mais non.

— Je vais appeler la police, dit Annie, pâle et tremblante.

— Non, dit-il aussitôt. Ça ne se présente pas bien. Il se retourna vers sa sœur. Tu es bien sûre que tu ne le connaissais pas?

Elle secoua la tête.

— Reece l'a trouvé au casino. Je ne l'avais jamais vu.

— Il n'y a donc aucun lien entre vous deux?

— Non, à moins qu'on ne nous ait vus partir ensemble.

Il se pencha, cherchant à tâtons le portefeuille dans la poche de l'homme. Il était en imitation cuir et contenait cinq cents dollars, deux ou trois cartes de crédit et un permis de conduire au nom de George Baer.

— On va l'enlever d'ici vite fait, murmura-t-il en réfléchissant tout haut. Oui, voilà ce qu'on va faire.

Annie protesta.

— Non. Ce qu'il faut faire, c'est appeler la police.

— Cesse de parler tout le temps des flics, dit-il en la foudroyant du regard. Cyndra est dans le pétrin, il faut qu'on l'aide.

— Je ne peux pas être complice, fit Annie, pincée.

— C'est un service que je te demande.

— C'est un trop grand service.

Il la fixa de ses yeux verts.

— J'en vaux la peine, non ?

— Je..., fit-elle d'un ton hésitant. Je ne sais pas.

— Fais-le pour moi, Annie, dit-il d'un ton convaincant. Personne ne doit savoir ce qui s'est passé ici ce soir.

— Moi, je le saurai, lança-t-elle. Et je ne peux pas le supporter.

Annie commençait à l'énerver. Si elle ne voulait pas coopérer, qu'elle aille se faire voir.

— Si c'est comme ça que tu le sens, tu ferais mieux d'aller faire un tour.

— Tu ne comprends pas, dit-elle, ses yeux s'emplissant de larmes. C'est mal ce qu'on va faire là.

— Cyndra est ma sœur, elle a besoin de moi, alors casse-toi.

— Je ne pars pas, dit Annie avec obstination.

— Si tu restes, tu nous aides, et ça fait de toi une complice.

— Qu'est-ce que tu vas faire ?

— Je vais régler ça, d'accord ? répondit-il.

Il en avait par-dessus la tête de ses questions. Il persuada Cyndra de se lever du lit et lui dit de faire sa valise. Puis il ôta la couverture et entreprit de rouler dedans le corps de l'homme. Ce n'était pas facile. Il y avait du sang partout et le regard accusateur d'Annie était vrillé sur lui à chaque geste qu'il faisait. Il était baigné de sueur ; il avait la bouche sèche et le cœur battant. Bon sang ! Il ne savait même pas s'il avait raison de faire ça, mais s'il voulait tirer Cyndra de ce pétrin, il ne voyait pas d'autre alternative. Il finit d'enrouler le corps dans la couverture. Il fallait ensuite l'enlever de cette minable chambre d'hôtel et le fourrer dans le coffre de la voiture.

— Nick, j'ai vraiment peur, fit Cyndra en se cramponnant à son bras.

— Il n'y a pas de quoi, dit-il en manifestant plus d'assurance qu'il n'en éprouvait. C'est presque réglé. Je vais emmener le corps dans le désert et l'enterrer. Vous deux, vous allez rester ici jusqu'à ce que je revienne.

— Non, fit-elle. Je ne peux pas te laisser faire ça tout seul. Je viens avec toi.

— Si tu y vas, moi aussi, déclara Annie.

Elles commençaient toutes les deux à lui taper sur les nerfs, mais c'était probablement plus sûr de les emmener.

— O.K., O.K., dit-il à regret.

Il sortit et inspecta les lieux. Quand il eut la certitude qu'il n'y avait personne dans les parages, il recula la voiture aussi près de la porte que possible. Puis, toujours l'œil aux aguets, il tira le cadavre hors de la chambre et réussit à le fourrer dans le coffre.

Quand ils démarrèrent, ils avaient tous les nerfs à vif.

— On la joue calme, annonça-t-il en essayant de les rassurer toutes les deux. Si on se fait arrêter pour une raison ou une autre, vous restez tranquilles comme Baptiste, d'accord ?

Il roula prudemment en ville, traversant les rues avec leurs enseignes de néon criardes, jusqu'au moment où ils atteignirent les faubourgs moins animés et finalement le désert. Il roula ensuite encore une demi-heure. Puis il s'arrêta sur le côté de la route, tira le corps du coffre, le traîna sur le sable pendant ce qui lui parut une éternité, puis entreprit de creuser avec ses mains une tombe. Mais elle n'était guère profonde. Quand il eut terminé, il roula en boule la couverture tachée de sang et la rapporta jusqu'à la voiture.

— On va enterrer ça ailleurs, annonça-t-il en la jetant dans le coffre. Qu'il n'y ait aucun rapport entre le corps et la chambre d'hôtel.

— Et le pistolet ? demanda Cyndra avec inquiétude.

— Je m'en débarrasserai sur la route en rentrant à Los Angeles

— Quel cauchemar ! fit Annie en secouant la tête. Je regrette de vous avoir jamais rencontrés tous les deux.

— Eh bien, mon ange, c'est fait, et maintenant tu es dans le coup, alors boucle-la, dit-il brutalement.

Il n'était pas d'humeur à écouter ses doléances. Quelques minutes plus tard, ils reprenaient la route. Direction Los Angeles.

55

— J'ai fait une erreur, dit Oliver Liberty.

— Je vous demande pardon ? fit Lauren.

Ils étaient assis dans un club très sélect de New York, à boire leur cognac à petites gorgées tandis que Pia et Howard s'étreignaient sur la petite piste de danse. La salle aux lambris de bois sombre retentissait des accents de Frank Sinatra chantant « My Way ». Oliver tirait sur un cigare long et mince, qui convenait assez bien à ses traits aquilins.

— J'ai dit que j'avais fait une erreur, répéta-t-il.

— A propos de quoi ? demanda-t-elle poliment.

— Quand ma femme m'a quitté, j'étais furieux. Cela faisait plus de trente ans que nous étions ensemble et puis, un beau jour, elle a décidé qu'elle en avait assez. Du jour au lendemain elle est devenue une féministe acharnée et, tout d'un coup, j'étais l'ennemi.

— C'est désagréable.

— C'est le moins qu'on puisse dire, ma chère.

— Alors vous avez rencontré Opal...

— Et j'ai commis la stupidité de l'épouser.

Lauren n'était pas sûre d'avoir envie d'entendre tout cela. Être assise dans une boîte de nuit à écouter l'oncle de Howard lui raconter tous les détails de son mariage raté n'était pas l'idée qu'elle se faisait d'une soirée de rêve. Mais quand même, elle avait passé de bons moments. Ils étaient allés dans un restaurant français très cher, avaient discuté de tout, de la politique jusqu'à la dernière mode et, même s'il n'était plus un gamin, il ne manquait assurément pas de charme.

— Êtes-vous sûr que vous devriez me raconter tout cela ? demanda-t-elle.

— Je peux vous parler, dit-il en hochant la tête. Il y a chez vous une certaine qualité.

— Laquelle ? demanda-t-elle d'un ton léger.

— Quelque chose dans votre regard. Une vraie compréhension. Et n'oublions pas non plus que vous êtes une très jolie femme.

Décidément, c'était sa semaine de compliments.

— Je suis flattée, dit-elle, mais je ne suis pas psychiatre.

— Je n'ai pas dit que vous l'étiez, répondit-il et, désignant la piste de danse : Nous y allons ?

— D'accord.

Il éteignit son cigare, la prit par la main et l'entraîna sur la piste encombrée. Un moment, il la tint à une distance convenable, puis, sans crier gare, l'attira contre lui.

— J'ai déjà parlé à mes avocats, dit-il.

— De quoi ? demanda-t-elle en humant son eau de toilette.

— D'un divorce.

— Pourquoi me dites-vous ça ?

— Parce que c'est facile de vous parler et que j'ai envie de vous revoir. Enfin, si vous ne voyez pas d'inconvénient à être dans la compagnie d'un homme plus âgé.

Il sourit en disant cela, comme pour atténuer le poids de ses propos.

Elle songeait à répliquer : *Je n'ai pas du tout l'intention de tomber amoureuse*, mais cela lui parut présomptueux de dire ça, alors elle se contenta de murmurer :

— J'aimerais bien.

— Moi aussi, répondit-il. Qu'est-ce que vous diriez de demain soir ?

Devant la boîte, le chauffeur japonais d'Oliver et la Rolls noire étincelante attendaient patiemment.

— Pas mal, hein ? chuchota Pia en montant derrière, tandis qu'Oliver et Howard discutaient affaires sur le trottoir. Il te plaît ?

— Il est marié, répondit Lauren sur le même ton. Cesse d'essayer de me caser.

— Oh, mais il va divorcer.

— Pia, il pourrait être mon père, peut-être même mon grand-père.

— Et alors ?

— Sois gentille, cesse de jouer les marieuses.

Ils déposèrent d'abord Howard et Pia, puis la Rolls continua jusqu'à l'appartement de Lauren. Elle repéra dans la rue la limousine d'Emerson garée devant son immeuble. Elle n'était vraiment pas d'humeur à subir une autre confrontation. Se tournant vers Oliver, elle dit :

— Vous avez une chambre d'ami ?

Il la regarda d'un air interrogateur.

— Une chambre d'ami ?

— Il y a quelqu'un que je veux éviter et, euh... il me semble que, si je rentrais avec vous, ça m'éviterait un problème.

— Mais certainement, dit-il, trop heureux.

Situé dans un vieil immeuble imposant qui dominait Central Park, l'appartement d'Oliver était somptueux. Haut de plafond, des pièces immenses et cette vue incroyable. Il l'emmena dans le living-room et lui proposa un verre.

Elle secoua la tête.

— Il faut que je travaille demain. Ça vous ennuierait si je passais tout de suite dans ma chambre ?

— Pas du tout, dit-il en l'entraînant par un vaste couloir

jusqu'à une chambre d'ami. Est-ce que je peux vous donner quelque chose pour dormir ?

— Peut-être une vieille chemise.

— Je reviens tout de suite.

Elle explora la pièce décorée avec goût, manifestement conçue par une femme, assurément pas son épouse actuelle. Peut-être une décoratrice ? Prenant un cadre d'argent, elle examina la photo d'un Oliver plus jeune avec quelqu'un qui devait être sa première femme. Ils formaient un beau couple. Oliver revint et lui tendit une brosse à dents dans son étui en plastique, un tube de dentifrice, une chemise de soie et une brosse à cheveux.

— Vous êtes parée ? demanda-t-il en souriant.

Elle lui rendit son sourire.

— Merci, j'ai tout ce qu'il me faut : vous avez déjà dû faire ça.

— Non, Lauren, répondit-il d'un ton sérieux. Je puis vous assurer que non. Il hésita sur le pas de la porte. Dites-moi, ma chère, exactement *qui* évitez-vous ?

Elle secoua la tête.

— Personne d'important.

Le lendemain matin, à huit heures et demie, elle était habillée et prête à partir. Une gouvernante l'accueillit dans le vestibule.

— Mr. Liberty est déjà parti. Il m'a chargée de vous dire que son chauffeur est en bas pour vous conduire où vous souhaitez.

Elle éprouva un petit frisson de déception : elle avait espéré le voir, mais apparemment il était plus lève-tôt qu'elle. Elle demanda au chauffeur de la ramener à son appartement où elle se changea rapidement. Pas de message d'Emerson. Elle se sentit soulagée — mais avait-elle raison ? Tout cela était trop déconcertant, elle n'arrivait pas à y voir clair. Au bureau, Pia la bombarda de questions.

— Qu'est-ce que tu penses de lui ? Je t'ai dit qu'il demandait le divorce, n'est-ce pas ? Hmmm, il est vraiment séduisant, tu ne trouves pas ?

Lauren secoua la tête.

— Cesse de vouloir me caser à tout prix.

— Je n'essaie pas de te caser, j'essaie de te trouver un mari ! Un jour, tu seras vieille et fripée... et alors ?

— Je suis sûre que je serai très heureuse, merci.

Pia fit la grimace.

— Tu sais, Lauren... tu es vraiment un cas désespéré. Oh, au fait, Emerson Burn t'a appelée trois fois ce matin. Qu'est-ce qu'il veut, celui-là ?

— Si je le savais, je te le dirais.

— Tu es sûre ?

— Tout à fait.

— Tu n'as pas besoin d'une star du rock, Lauren. C'est Oliver qu'il te faut. Il est stable, riche et fou de toi.

— Je le dirai à sa femme.

— Ex-femme.

— Pas encore.

— Plus tôt que tu ne le penses.

— Ah oui ?

— Parfaitement.

56

De retour à Los Angeles, Nick trouva deux messages de Frances Cavendish. Était-ce bon signe ? Mauvais signe ? Il n'en savait rien. Il avait ramené Cyndra et Annie chez lui, car il s'était dit que c'était plus prudent pour le moment, mais elles commençaient à l'agacer sérieusement. Cyndra errait comme dans une brume et Annie lui reprochait vivement de pas l'avoir déposée chez elle.

— Il faut d'abord qu'on mette nos récits au point, déclara-t-il. Je vais rappeler Frances Cavendish, ensuite nous discuterons.

Annie le foudroya du regard. Il l'ignora.

— Où étiez-vous ? dit Frances d'un ton agacé.

— Je n'étais pas en ville.

— À l'avenir, laissez un numéro où je puisse vous joindre.

Allons bon, pour qui se prenait-elle ?

— Mais oui, madame, s'excusa-t-il en réprimant une réplique plus cinglante.

— Ils vous aiment bien, mon garçon, dit-elle d'un ton plus calme. Ils vous aiment beaucoup.

— Ça veut dire quoi ? demanda-t-il, méfiant.

— Ils veulent vous revoir. En fait, ils vont peut-être vous faire faire un bout d'essai.

— C'est bon ou c'est mauvais ?

Elle parut exaspérée.

— Depuis combien de temps êtes-vous dans ce métier, Nick ?

Un bout d'essai, ça leur coûte de l'argent : s'ils sont prêts à payer, bien sûr que c'est bon.

— Quand est-ce qu'il faut que je fasse ça ?

— Aujourd'hui. Soyez à mon bureau à dix heures.

Elle raccrocha sans lui laisser le temps de répondre.

Ma foi, pourquoi pas ? Elle savait qu'il y serait. Après tout, il était comédien, et quand une directrice de casting vous dit : Allez-y, on n'a qu'à y aller. Annie s'était plantée près de la porte.

— Je veux rentrer chez moi, déclara-t-elle tout net. Je veux rentrer chez moi maintenant.

— O.K., O.K. Mais Cyndra reste ici. Et toi, écoute bien. Si Reece se manifeste, tu ne sais rien. Tu n'es jamais allée à Vegas, tu as passé les dernières vingt-quatre heures avec une copine. Pigé ?

— Oui.

— Et ne t'avise pas de donner des coups de fil que tu pourrais regretter. Ce qui s'est passé à Vegas... c'est de l'histoire ancienne.

— C'est toi qui le dis, fit-elle d'une voix tendue.

— Qu'est-ce que ça signifie ?

— C'est la première fois de ma vie que j'ai à enterrer un cadavre.

— Je t'ai dit de ne plus y penser, Annie. Ça n'est jamais arrivé.

— Peut-être que *toi* tu peux le prétendre. Pas moi.

— Bon. Je vais te raccompagner.

Il jeta un coup d'œil à sa sœur. Assise auprès de la porte, elle regardait dehors dans le vide.

— Cyndra, tu restes ici. Ne réponds pas au téléphone ni si on sonne. Je reviendrai le plus tôt possible.

Elle acquiesça d'un air morne. Annie n'ouvrit pas la bouche pendant tout le trajet. Elle était vraiment assommante, mais il n'y pouvait rien.

— Je t'appellerai plus tard, promit-il en la déposant devant chez elle.

Elle entra dans l'immeuble sans avoir dit un mot. Il sentait qu'elle allait leur causer des difficultés.

Il avait une touche avec la productrice. Elle avait ce regard affamé qui ne trompait pas. Le grand type, par contre, le détestait. Sans doute une tapette honteuse avec des désirs qu'il réprimait. Le metteur en scène, lui, cherchait à plaire à tout le monde.

— Je ne pense que ce soit la peine de lui faire faire un bout d'essai, déclara la femme. Qu'en dis-tu, Joël?

Le grand gaillard haussa les épaules.

— Comme tu veux.

— Moi, dit le metteur en scène, ça me va comme ça.

Nick, assis dans le bureau, les écoutait parler de lui comme s'il n'était pas là.

— Est-ce qu'on lui fait encore lire un texte? demanda un des gens du casting.

— Pas nécessaire, fit la femme en tapant impatiemment du pied par terre.

— Ça va être une véritable histoire d'amour avec la caméra, dit le metteur en scène en passant une main dans ses cheveux bruns et gras. Il a le regard.

— J'aimerais voir son corps, insista la femme en croisant les jambes, dans un crissement de bas de soie.

Il n'en était pas sûr, mais il avait cru apercevoir un affriolant porte-jarretelles.

— Ça vous ennuierait d'ôter votre chemise? demanda un des types du casting.

Où était donc Frances quand il avait besoin d'elle? Personne ne l'avait prévenu qu'il devrait faire un numéro de strip-tease.

— Il y a une scène dans le film où vous êtes au lit avec la petite amie du héros, expliqua le metteur en scène. Pas question que vous soyez plus beau garçon que la vedette.

Ils éclatèrent tous de rire. Il se leva et, gêné, ôta sa chemise.

— Parfait, dit la femme.

— Ça n'est pas une concurrence, confirma le metteur en scène.

— On vous appellera, dit le grand type.

Il était content de sortir de là. Une fois dehors, il resta assis dans sa voiture en essayant de revivre les événements des dernières vingt-quatre heures. Il avait enterré un cadavre dans le désert du Nevada et ça le rendait complice d'un meurtre. Seigneur! Peut-être qu'Annie avait raison. Peut-être qu'ils auraient dû appeler la police et laisser Cyndra s'expliquer. Mais non. Elle n'aurait pas eu une chance.

La productrice sortit de l'immeuble et monta dans une Mercedes sport couleur crème. Elle portait de grandes lunettes de soleil et avait un sourire un peu moqueur. Nick avait trouvé désagréable d'ôter sa chemise là-haut: c'était humiliant. Il était comédien, pas strip-teaseur. La femme démarra et il la suivit un moment. Sa Mercedes s'engagea sur Sunset. Il s'arrêta à sa hauteur à un feu rouge et dit :

— Salut.

Elle le regarda comme si elle ne l'avait jamais vu de sa vie.

— Nick Angel, se présenta-t-il, abandonnant le « o » comme Joy lui avait conseillé.

— On se connaît ? fit-elle en ajustant ses lunettes.

La garce ! Quand le feu passa au vert, Nick démarra en trombe et rentra droit chez lui. Cyndra avait disparu. Décidément, ça n'était pas son jour. Sa propriétaire se faisait dorer au soleil près de la piscine.

— Vous avez deux jours de retard pour le loyer, lui rappela-t-elle, tandis qu'il passait en courant.

— Vous l'aurez.

— Ça vaudrait mieux, sinon vous êtes dehors.

L'argent était un problème. Il avait presque entièrement claqué le magot de Tijuana et il n'avait rien en vue. S'il payait son loyer, il se retrouverait pratiquement sans le sou.

— Vous avez vu ma sœur s'en aller ?

— Votre sœur ? ricana la propriétaire. Non, je n'ai pas vu votre *sœur*.

Il remonta dans sa voiture et fila chez Annie.

— Nous allons au commissariat, annonça Annie.

Elle était habillée et prête à l'action. Cyndra se tenait silencieusement à son côté.

Il était arrivé à temps : elles avaient déjà presque franchi la porte.

— Vous ne pouvez pas faire ça, dit-il.

— Oh, mais si, nous pouvons.

Il s'adressa à Cyndra.

— Je t'ai tirée de là : va trouver les flics maintenant et c'est moi qui vais écoper. Ne te fais pas d'illusions, on sera tous dans le pétrin. C'est ce que tu veux ?

— Je ne sais pas..., fit-elle d'un ton hésitant. Annie dit que c'est ce qu'il faut faire, sinon, ce sera toujours suspendu au-dessus de notre tête.

— Mon œil ! Tu ne comprends donc pas ? dit-il avec colère en se tournant vers Annie. C'est trop tard. On est là-dedans ensemble et on ferait mieux d'apprendre à se faire confiance entre nous, alors cesse de nous casser les pieds avec cette histoire de flics. Je ne peux pas supporter l'idée que, chaque fois que je quitte la maison, tu es prête à aller tout leur raconter.

— Mais..., commença Annie.

— Mais rien... Tu recommences et je te promets que je vais...

— Tu vas faire quoi ? demanda-t-elle d'un ton de défi.

Il avait failli lever le bras sur elle. Il avait envie de cogner — comme Primo, comme son père. Oh, mon Dieu ! Il n'allait pas devenir comme lui. Il s'affala dans un fauteuil.

— Ne nous fais pas ça, Annie. N'y pense plus.

Les yeux de la jeune femme s'emplirent de larmes.

— J'essaie.

— Essaie encore.

Elle acquiesça d'un hochement de tête. Ils étaient en sûreté — pour l'instant — mais qui pouvait dire qu'elle n'allait pas un jour tout raconter ? Annie était dangereuse. Mais il avait une solution, et plus tôt il l'appliquerait, mieux ça vaudrait.

57

Exit Emerson. Entrée en scène d'Oliver. On n'avait jamais auparavant fait la cour à Lauren, et elle trouva cela étrangement séduisant. Oliver lui envoyait des fleurs tous les jours, lui téléphonait sans faute à midi, la consultait toujours avant de faire des projets et ne s'était même pas encore risqué à un baiser d'adieu le soir. Après trois semaines de ce régime raffiné, elle commençait à se demander ce qui clochait chez elle.

— Il t'adore ! lui confia Pia, juchée sur le bord de son bureau. Il l'a dit à Howard.

— C'est gentil, répondit Lauren, occupée à ranger une pile de papiers.

— Cesse d'avoir l'air aussi décontractée, dit Pia, qui avait du mal à cacher son exaspération. Qu'est-ce que toi, tu penses de lui ?

— C'est un homme tout à fait charmant.

— Tu ne t'engages vraiment pas.

— Mais qu'est-ce que tu veux que je dise ?

— As-tu couché avec lui ?

— Pia... si je l'avais fait, tu serais la dernière à le savoir.

— Pourquoi ?

— Parce que, depuis que tu es une femme mariée, tu es devenue une vraie pipelette.

Les yeux de Pia étincelaient.

— Est-ce qu'il est sensationnel au lit ? Les hommes plus âgés sont censés avoir une technique fantastique.

— Je ne pourrais pas te dire.

— Qu'est-ce que tu attends ?

Bonne question. Qu'est-ce qu'elle attendait en effet ? En fait, elle attendait qu'Oliver prenne l'initiative. Cela l'intriguait qu'il n'ait toujours rien tenté. Que pouvait-elle bien avoir qui n'allait pas ? Est-ce qu'elle ne l'inspirait pas ? Il était temps de le savoir.

Cette semaine-là, ils allèrent à la première d'un spectacle de Broadway et à la soirée qui suivit. Oliver semblait connaître tout le monde : la comédienne qui tenait le premier rôle, une kyrielle de gens de la société new-yorkaise, un sénateur connu et sa petite amie, un mannequin non moins célèbre. Lauren se dit qu'il connaissait même sans doute Emerson Burn — ce fou d'Emerson qui avait fait irruption dans sa vie et qui en avait disparu tout aussi rapidement. Tant mieux, d'ailleurs, car il ne pouvait amener que des ennuis. Elle avait lu quelque part qu'il était parti pour une tournée mondiale.

Sur le trajet du retour, ils discutèrent de la soirée. Oliver aimait lui donner des renseignements sur tout le monde : il avait toujours des anecdotes intéressantes et n'hésitait pas à les raconter. À l'entendre, la vedette de la comédie musicale était lesbienne, le sénateur portait des bas résilles rouges au lit, le mannequin ne couchait qu'avec des hommes qui pesaient plus de dix millions de dollars.

— Comment savez-vous tout cela ? demanda-t-elle.

— Je suis dans la publicité. C'est mon métier de tout savoir.

— Alors, qui va être le nouveau mannequin Marcella ? Il paraît qu'ils veulent Nature, mais qu'elle demande trop d'argent.

Oliver se rembrunit : il avait horreur quand quelqu'un savait quelque chose avant lui.

— Qui vous a raconté ça ?

— Samm.

— Si elle valait ce prix-là, je leur conseillerais de payer ce qu'elle demande.

— Vous trouvez qu'elle ne le vaut pas ?

— Trop de couvertures en trop peu de temps, dit-il brutalement. Son visage est devenu trop familier.

— C'est vous qui avez le budget ?

— Ça restera entre nous ?

— Non. Je vais passer une petite annonce dans le *New York Times*.

— Très amusant, Lauren.

— Alors ? insista-t-elle. C'est vous qui avez le budget ?

— Pas encore, mais ça va venir.

— Vraiment ?

— Ils viennent demain voir ce que nous avons à leur proposer.

— Et qu'est-ce que vous avez à proposer ?

— Une surprise.

Elle sourit.

— J'adore les surprises.

— Tant mieux.

La voiture s'arrêta devant l'immeuble de Lauren. Elle ne le lui avait jamais encore proposé, mais le moment lui parut opportun.

— Voudriez-vous monter prendre un verre, Oliver ?

Il secoua la tête.

— Je n'ai pas voulu vous ennuyer avec ça plus tôt, mais ma charmante épouse a engagé des détectives pour me suivre. Elle estime apparemment qu'elle obtiendra une pension alimentaire plus substantielle si elle peut prouver que je couche ici et là.

— Je vous ai proposé un verre, rien d'autre.

— Ma chère, moi, je le sais. Mais je ne voudrais jamais vous mettre dans une situation compromettante.

Et prévenant avec ça. Il était vraiment l'homme parfait.

— Demain soir... je passerai vous prendre à huit heures, annonça-t-il.

— Impossible, j'organise un dîner chez des gens.

— Faites-le faire par quelqu'un d'autre ?

— Non.

— Pourquoi ?

Elle détestait quand il essayait de lui dire ce qu'elle devait faire.

— Parce que j'ai envie de le faire moi-même.

Il s'apprêtait à répliquer, puis changea d'avis. Lauren avait cet air décidé : il savait que mieux valait ne pas discuter.

58

Les événements se précipitaient.

— Tu as le rôle, lui annonça Frances au téléphone. Le tournage commence dans deux semaines. J'ai pris rendez-vous pour toi avec un agent de mes amies : elle réglera tous les détails. Et je t'ai arrangé une séance de photos avec une autre amie à moi. C'est gratuit : tu n'as que les tirages à payer.

— Oh, Frances... c'est formidable. Je...

Frances avait un débit rapide.

— Samedi soir. Tu seras mon cavalier de service. Tu m'emmènes à une soirée de cinéma : mets un costume.

Il allait dire quelque chose, mais elle l'interrompit de nouveau.

— Je te passe mon assistante, elle te donnera tous les détails. Oh, Nick, n'oublie pas qui t'a mis le pied à l'étrier.

— Frances, je..., mais elle n'était déjà plus là.

Il avait un rôle dans un film. Il allait avoir un agent. Il allait devenir une star ! Les choses prenaient résolument bonne tournure. Son nouvel agent était une petite femme entre deux âges du nom de Meena Caron. Elle avait des cheveux bruns coupés court et de grosses lunettes qui lui donnaient un air sérieux. Elle faisait partie d'une grosse maison, ce qui était rassurant.

— Deux jours de travail, dit-elle, allant droit au fait. Vous tournerez à New York. Ils vous feront venir la veille par avion — classe éco. Il n'y a que ceux qui sont au-dessus du titre qui voyagent en première.

— Qu'est-ce que ça veut dire ?

— Au-dessus du titre ?

— Oui.

Elle le regarda d'un air interrogateur.

— Vous êtes vraiment nouveau dans le métier, n'est-ce pas ?

— Il faut bien apprendre à un moment, dit-il avec entrain.

Meena tapota sur son bureau avec un stylo Cartier en argent.

— Ce sont les stars qui ont leur nom au-dessus du titre. La star de votre film, c'est Charlie Geary. Il est jeune, prêt à tout bouffer et un vrai casse-pieds. Évitez-le : il fera de son mieux pour vous faire virer. Et n'essayez pas de coucher avec la vedette féminine : c'est le privilège de Charlie.

Ah oui ?

— Qui est-ce ?

— Carlyle Mann. Très jolie. Complètement dingue.

— Je n'ai jamais eu de goût pour les dingues.

Meena ne sourit même pas.

— Dès que vous aurez vos photos, apportez-les. Ils vont tourner un pilote à N.B.C., pour lequel vous pourriez faire l'affaire. Vous savez jouer la comédie, n'est-ce pas ?

— Frances ne m'aurait pas envoyé à vous si ça n'était pas le cas.

Meena se leva : elle en avait fini avec lui.

— Frances a ses raisons de faire les choses. Vous êtes beau garçon. Je suis sûre qu'elle vous emmène dans les soirées.

Il ne répondit pas. Ça ne la regardait pas. Peut-être qu'il aurait dû choisir Ardmore Castle au lieu de ce SS en jupons. La photographe avec qui Frances lui avait pris rendez-vous était une grande femme dégingandée qui travaillait vite en criant des instructions à son assistante harassée. Frances n'avait donc jamais affaire à des hommes ? Elle tournait autour de lui comme une bête de proie.

— Cessez donc de faire tant d'efforts, lui répétait-elle. Bon sang, essayez d'avoir l'air naturel. Abandonnez-moi cet air boudeur, ça fait tellement bidon.

Il la trouva odieuse aussi. Il était habitué à voir les femmes se pâmer devant lui. L'agent et la photographe n'avaient vraiment pas l'air prêtes à lui tomber dans les bras. Après la séance de photos, il se dit qu'il devrait rentrer chez lui pour voir où en était Cyndra. Mais d'un autre côté, Joy se demandait sans doute où il avait disparu et il ne voulait pas la mettre en colère. Bon Dieu, c'était vraiment de la corde raide sans filet. Entouré de femmes, et pas une qu'il pût mettre dans son lit. Joy l'accueillit fraîchement. Il lui parla du film.

— Un petit rôle, dit-elle en fronçant le nez d'un air écœuré. Tu aurais dû attendre de trouver mieux.

— C'est toujours ça. Mon premier rôle professionnel.

— Un film minable. Un metteur en scène minable.

Pourquoi ne pouvait-elle pas être contente au lieu de tout critiquer ?

— Il faut bien commencer, dit-il, refusant de se laisser abattre.

— Ah ! ricana-t-elle.

Il lui parla de Meena Caron.

— Du second choix.

— Elle travaille dans une grosse agence, fit-il remarquer.

— Tu vas être perdu là-dedans. Tu aurais dû signer avec Ardmore.

— Je n'aime pas Ardmore.

Elle plissa les yeux.

— Qui a dit qu'il fallait aimer les gens ? Ce qui compte, c'est ce qu'ils peuvent faire pour toi.

Peut-être que oui. Peut-être que non. Mais, pour le moment, Joy le déprimait, alors il s'empressa de quitter son bureau et passa voir Annie au club de gymnastique. Là aussi, accueil plutôt frais.

— Mon film se tourne à New York, dit-il. Peut-être que Cyndra peut habiter chez toi pendant que je suis absent.

— *Ton* film, fit-elle d'un ton railleur.

Il en avait par-dessus la tête de son attitude.

— Parfaitement. *Mon* film. Deux jours de travail : c'est plus que tu n'en fais.

Elle eut l'air vexé.

— Merci, Nick. Merci de me rappeler que je n'arrive pas à trouver de travail. De me rappeler que, chaque fois que je me présente, tout ce qu'ils veulent c'est une blonde d'un mètre quatre-vingts avec de gros seins.

Il fit de son mieux pour la calmer.

— Deux jours, Annie. Je ne peux pas la laisser seule.

— Pourquoi pas ? fit-elle amèrement. Je suis là pour faire tout ce que tu veux. N'est-ce pas ?

Cyndra se remettait lentement et essayait de réfléchir. Après tout, ce n'était pas sa faute, ce n'était pas elle qui avait abattu ce type, mais Reece. C'était *son* pistolet à lui, *sa* responsabilité.

Salaud de Reece Webster. Il avait disparu. Volatilisé. Bon débarras.

— Je retourne à mon appartement, annonça-t-elle à Nick.

— Tu ne peux pas faire ça, dit-il en essayant de la raisonner.

Cyndra était entêtée comme une mule.

— Pourquoi pas ? riposta-t-elle.

— Parce que tu n'es pas prête.

Elle soupira, passant une main dans ses longs cheveux noirs.

— Cesse de t'inquiéter pour moi, Nick. Je n'irai pas trouver les flics, pas plus qu'Annie.

— Et qu'est-ce que tu feras si Reece revient ?

— Il ne reviendra pas.

— Tu ne peux pas en être sûre.

— Écoute... s'il rapplique, je lui dirai que le type s'est relevé et qu'il a filé.

Elle était stupide ou quoi ?

— L'homme était mort, Cyndra, tout ce qu'il y a de plus mort.

— Reece ne le sait pas. Il a détalé si rapidement qu'il ne sait rien de rien. Va tourner ton film, c'est un coup de chance pour toi. Ce serait bien si l'un de nous au moins s'en tirait.

Il ne pouvait pas dire le contraire.

Frances avait l'art de circuler. Elle connaissait tout le monde et tout le monde la connaissait. Nick traînait derrière, se sentant mal à l'aise dans son costume de location. Il était dans une somptueuse demeure, comme il n'en avait jamais vu. À côté, la maison des Browning à Bosewell avait l'air d'une masure.

Frances demanda un verre et l'obligea à le tenir. Elle ne se donnait même pas la peine de le présenter ; personne, d'ailleurs, ne semblait avoir envie de le rencontrer, les gens le regardaient comme s'il n'existait pas. À mesure que la soirée avançait, son exaspération montait. Il se sentait invisible, sans importance : ce n'était pas un sentiment qu'il aimait. C'était un dîner placé et il n'était pas à côté de Frances. Il se trouva coincé entre une grosse femme en robe de cocktail rouge et un vieil homme vêtu d'un smoking mal coupé. Il n'avait pas besoin d'être un génie pour deviner qu'il était à la plus mauvaise table. La grosse femme parlait à une blonde piquante assise à sa droite. Le vieil homme en smoking sirotait son whisky d'un air morose.

Frances était à l'autre bout de la pièce, à une table où abondaient les visages familiers. Tout le monde autour d'elle riait et discutait. Comment avait-il pu se laisser coincer dans ce genre de situation ? Pour essayer d'engager la conversation, il demanda à son voisin ce qu'il faisait.

— Je suis dans la banque, répondit-il froidement.

— Vous travaillez dans une banque ou vous en avez une ? dit-il d'un ton désinvolte.

L'homme ne trouva pas ça drôle. Au bout d'un moment, Nick se leva et sortit sur la terrasse pour aller jusqu'au bar. Deux serveurs fumaient en cachette.

— Quelqu'un sait qui donne cette soirée ? demanda-t-il.

— Un patron de studio, dit un des serveurs.

— Voilà sa fille, fit l'autre serveur avec un geste vers le jardin où une jeune blonde s'abandonnait dans les bras d'un type aux cheveux longs.

Ceux-là au moins se distrayaient tout seuls.

— Allons, murmura-t-il, il y en a qui s'amusent.

Il attendit une éternité avant que Frances fût prête à se laisser raccompagner. Il s'installa au volant de sa vieille Mercedes et emballa le moteur.

— Tu t'es amusé? demanda-t-elle en tirant sur sa cigarette.

Elle plaisantait ou quoi?

Il fixa la route devant lui.

— Je me suis ennuyé à périr.

Elle s'en moquait éperdument.

— Vraiment?

— Ces gens-là ne veulent pas vous connaître si on n'est pas important.

— C'est ça, Hollywood, mon cher, dit-elle d'un ton détaché. Tu verras, quand tu seras célèbre, ils seront tous à tes pieds.

Ses paroles lui plurent. Avec un coup d'œil interrogateur, il insinua :

— Vous croyez que je vais être célèbre, Frances?

Elle lui souffla au visage la fumée de sa cigarette et le considéra de ses yeux gris au regard impitoyable.

— Oui, Nick. En fait, je pense que tu vas être très, très célèbre.

59

— J'ai fini par obtenir mon divorce, annonça Oliver au téléphone. Ce soir, nous fêtons cela.

Lauren était en plein travail. Le téléphone coincé sous le menton, elle griffonnait sur un bloc.

— Comment est-ce arrivé si vite? demanda-t-elle.

— Nous avons fait un marché. Mon ex-femme adore les marchés.

Elle dessina un cercle et l'enferma dans un carré.

— Félicitations, Oliver.

— Merci, ma chère.

— Où allons-nous?

— Nous ne sortons pas. Mon chauffeur viendra vous prendre à

sept heures... Il marqua un léger temps. Oh, Lauren... prenez une brosse à dents.

Était-ce sa façon de lui dire qu'ils allaient enfin consommer leur relation ? Ça n'était guère romantique, mais Oliver était un homme qui allait droit au but. Elle rentra chez elle de bonne heure, se lava les cheveux, s'attarda dans son bain, se passa sur la peau une crème parfumée et songea à la soirée qui l'attendait. Elle aimait bien Oliver : il était distrayant. Il avait du panache et du style ; il s'habillait admirablement ; au restaurant, il avait toujours la meilleure table. C'était un bon danseur, il était charmant et spirituel.

Mais je ne l'aime pas.

Et alors ? Qui, à ton avis, va accourir dans ta vie ? Il ne reste plus de Prince Charmant.

Mais je ne l'aime pas.

Sois réaliste. C'est l'homme qu'il te faut.

Il pourrait être mon grand-père.

Peu importe !

Elle s'habilla avec soin, pensant toujours à ce qui allait se passer. Elle avait eu dans sa vie trois hommes. Nick — qui l'avait mise enceinte et l'avait laissée tomber. Brad — son affreux cousin. Et Jimmy — qui avait filé le jour prévu pour leur mariage. Joli trio.

Sauf que Nick était spécial.

Foutaises. Nick Angelo n'était rien d'autre qu'un perdant.

Je l'aimais.

Mais non, tu ne l'aimais pas.

Je l'aime toujours.

Ça alors !

L'appartement d'Oliver était empli d'orchidées blanches, la musique de son pianiste de jazz préféré — Errol Garner — emplissait les pièces, l'éclairage était tamisé et Oliver d'excellente humeur. Il l'accueillit avec des compliments et une coupe de champagne tandis que le maître d'hôtel servait sur un plateau de fines tranches de toasts tartinées de caviar.

— Je n'aime pas le caviar, dit-elle en fronçant le nez.

Oliver eut l'air amusé.

— C'est un goût qui s'acquiert. Acquérez-le, ma chère. Vous ne tarderez pas à adorer ça.

Ils dînèrent dans la salle à manger, aux chandelles, Errol

Garner ayant cédé la place à la voix d'Ella Fitzgerald. Lauren picorait sa nourriture et but deux verres de vin, en se demandant si elle devait vraiment l'encourager.

Un peu tard, Lauren Roberts. Ça fait trois mois que tu l'encourages. Pourquoi t'arrêter maintenant?

Après le dîner, il congédia les domestiques et l'emmena dans la bibliothèque aux lambris de bois sombre, où ils s'assirent devant un feu de bois à boire leur cognac.

— En général, je ne bois pas..., commença-t-elle.

— Je sais, dit-il sans la laisser terminer sa phrase, et, lui prenant le verre qu'elle tenait à la main, il se pencha pour l'embrasser.

Ce n'était pas leur premier baiser, mais c'était assurément le plus intense. Elle était heureuse d'avoir bu du champagne, du vin et maintenant un peu de cognac. Mon Dieu, qu'elle était nerveuse! Il l'embrassa longuement avant de proposer qu'ils passent dans la chambre à coucher.

Son aventure avec Jimmy remontait à plus d'un an. Depuis lors, elle n'avait pas d'homme dans sa vie et, pourtant, elle ne ressentait pas cet incroyable déferlement d'excitation. Au contraire, elle se sentait pleine d'appréhension, comme si elle allait s'embarquer pour un voyage qu'elle regretterait peut-être.

La chambre était pleine de roses rouges, dont le parfum entêtant flottait dans l'air. Oliver lui caressa la joue.

— Voulez-vous vous déshabiller dans la salle de bains? Il y a là un peignoir pour vous.

Elle n'avait pas prévu de se déshabiller elle-même, mais c'était apparemment ce qu'il attendait. Refermant la porte de la salle de bains, elle se contempla dans le miroir. La petite Lauren Roberts. La prude du lycée. Sur le point de s'embarquer dans une aventure avec un homme plus âgé que son père. Oh, mon Dieu! Elle évoqua un instant le souvenir de Phil Roberts, ce triste jour à Bosewell. Son père avec cette femme. Son père et cette petite traînée. Et puis elle revit Primo, la lorgnant de son air égaré. Elle croyait sentir sa panse gonflée de bière la pousser contre la cloison et entendre son rire gras résonner dans sa tête.

Tu l'as tué, Lauren.

Je ne suis pas sûre...

Oh si, Lauren, tu l'as bel et bien tué.

Elle ôta ses vêtements et passa le peignoir de soie qu'Oliver avait eu la prévenance de préparer. Le tissu était doux et sensuel. Elle s'en drapa comme pour se protéger. Il attendait sous les couvertures, les lumières éteintes. Une unique bougie éclairait la pièce. Le parfum des roses était envahissant. Debout auprès du lit, elle fit glisser le peignoir de ses épaules et le laissa tomber sur le tapis.

— Vous êtes si belle, murmura Oliver en soulevant les couvertures.

Elle plongea. Lentement, il se mit à effleurer son corps nu. Sans hâte apparente. Il semblait content de la toucher et de la caresser, jusqu'au moment où elle éprouva l'envie d'en avoir davantage. Elle tendit une main hésitante sous le drap, fut surprise et déçue de voir qu'Oliver ne semblait pas particulièrement excité.

— Ne vous inquiétez pas, murmura-t-il. Allongez-vous, ma chérie. Avant toute autre chose, je veux vous donner du plaisir.

Sa tête commença à descendre le long du corps de Lauren, sa langue s'attardant sur ses seins et sur son ventre, puis descendant plus bas. Elle sursauta : elle n'avait jamais connu cela.

Bientôt, elle sentit une petite vague de plaisir la traverser. Elle partait du bout de ses pieds et parcourait tout le corps. Lauren se mit à gémir doucement. Oliver continuait à la couvrir de baisers passionnés jusqu'au moment où un long spasme la secoua en même temps qu'un interminable cri d'extase. Oliver refit surface, un sourire éclairant son visage.

— Je ne vois pas de meilleur moment pour vous le demander... Il marqua un temps. Ma belle Lauren, voulez-vous me faire l'honneur de devenir ma femme ?

— Fais-moi voir la bague, dit Pia pour la centième fois.

Du moins Lauren avait-elle l'impression que c'était la centième fois. Elle tendit la main pour faire admirer à Pia l'émeraude de quatre carats entourée d'une couronne de petits diamants.

— Magnifique ! soupira Pia.

Lauren tapota le ventre de plus en plus rond de son amie.

— Magnifique ! fit-elle avec envie.

— Sérieusement, Lauren, je suis si heureuse pour toi.

Quand j'aurai trente ans, il en aura près de soixante-dix, songea Lauren. *Quand j'en aurai cinquante, il sera mort.*

— Il est d'accord pour que tu continues à travailler ? interrogea Pia.

— À peu près aussi d'accord que Howard en ce qui te concerne.

— C'est encourageant. Howard me supplie tous les jours d'arrêter.

Lauren avait l'air perplexe.

— Pourquoi donc les hommes se sentent-ils toujours si menacés par des femmes qui travaillent ?

— Parce que ça veut dire que nous avons notre argent à nous, déclara Pia. Et avec notre propre argent vient l'indépendance. Samm en est un vivant exemple.

— Samm est une vieille fille solitaire.

— Mais superbe. Et elle n'a à laver les chaussettes de personne.

— Pia, tu as une femme de chambre.

Pia se mit à rire.

— Je plaisante. J'adore laver les chaussettes de Howard !

Lauren savait que c'était une chose qu'elle n'aurait jamais à faire. De toute évidence, Oliver n'avait pas l'intention de changer son style de vie. Il était bien installé dans l'existence, c'était un homme d'habitudes. Il avait sa gouvernante, deux femmes de chambre, un maître d'hôtel quand il recevait et son fidèle chauffeur japonais. Au bureau, il avait une cohorte d'assistantes qui l'adoraient.

Ils comptaient se marier aux Bahamas, où Oliver avait un compte en banque et une maison.

— Tu vas adorer, lui avait-il assuré. C'est très paisible et les gens sont délicieux.

La date fixée était dans six semaines, deux mois après leur première rencontre dans sa chambre.

Depuis ce soir-là, rien n'avait changé. Oliver se consacrait totalement au plaisir de Lauren et, quand elle essayait de renverser les rôles, il avait toujours la même réponse.

— Donne-moi la joie de te rendre heureuse maintenant : quand nous serons mariés, ce sera différent.

Elle ne discutait pas, elle n'était pas pressée. Après tout, c'était lui qu'elle épousait : elle avait le reste de ses jours pour faire de lui l'homme le plus heureux du monde.

60

Travailler sur un film était pour Nick une nouvelle expérience et il comprit tout de suite qu'il allait adorer ça. Dès son arrivée à New York, il avait été accueilli à l'aéroport par une voiture avec un chauffeur — pas une limo, une simple conduite intérieure, mais ça valait sûrement mieux que prendre le métro. On l'avait installé dans un petit hôtel près de Times Square, où se trouvait le plus gros de l'équipe et, à son arrivée, il avait trouvé une feuille dactylographiée lui donnant ses instructions pour le lendemain. En attendant, il devait voir Waldo, le responsable des costumes pour les hommes. Ils passèrent l'après-midi à faire des courses dans le Village. En fait, il aurait pu utiliser ses vêtements à lui : ils finirent par acheter un jean moulant, une chemise noire et un blouson de cuir.

— Est-ce que je garderai les vêtements ? fit-il en riant. Ils iront très bien dans ma penderie.

— Seulement si c'est dans ton contrat, répondit Waldo en s'affairant sur le blouson de cuir.

— C'est mon agent qui a négocié le contrat.

— Alors, c'est sans doute trop tard. Waldo recula et l'examina. Tu n'as qu'à les voler, dit-il d'un ton malicieux. On ne s'en apercevra jamais.

— Voilà un bon conseil ! fit Nick en riant.

— Je suis étonné que tu aies décroché ce rôle, observa Waldo en se mordillant les lèvres.

— Comment ça ?

— Notre macho de jeune star ne va pas être ravi quand il te verra.

— Oh, tu parles de Charlie ?

— Tu le connais ?

— Non, je ne l'ai jamais rencontré, mais on va bien s'entendre.

— N'en sois pas si sûr.

— Allons, Waldo, crois-moi... je m'entends avec tout le monde.

Comme il se trompait ! Charlie Geary était le salaud annoncé à l'extérieur. Ancienne vedette de télévision, Charlie avait fait une brillante irruption au cinéma avec deux films qui avaient très bien marché. Plus petit que Nick, il avait un visage de bébé, une crinière de cheveux rouquins et un regrettable penchant pour la cocaïne. Dès l'instant où il aperçut Nick, il tomba sur le dos du metteur en scène.

— Qu'est-ce qui t'a pris de l'engager ? C'est *moi* qui suis censé être la vedette de ce film.

— Il fallait bien avoir quelqu'un d'à peu près présentable, répondit le metteur en scène. Dans le film, il est au lit avec ta petite amie — il faut bien qu'on comprenne pourquoi elle fait ça.

L'air mauvais, Charlie reprit :

— Qu'est-ce que tu veux que ça me fasse ? Vire-le.

— Trop tard, dit le metteur en scène.

— Tu ne vas pas t'amuser à me seriner qu'il est trop tard, répliqua Charlie, les yeux exorbités. Parce que je t'ai dit qu'il n'est jamais trop tard pour que moi, je me barre.

Le metteur en scène conféra avec ses producteurs. Les producteurs, qui en avaient assez de Charlie Geary et de son moi monstrueux, déclarèrent qu'ils ne viraient personne. Leur première scène ensemble se déroulait dans un bar. Charlie Geary était à une table avec ses copains et Nick devait entrer au milieu de la séquence, échanger quelques insultes avec Charlie et sortir du champ.

Bien que Charlie n'eût que quelques répliques, il réussissait à les louper à chaque fois. Le metteur en scène n'arrêtait pas de dire « coupez » et de faire une nouvelle prise. Nick connaissait son texte par cœur. Il adorait être sur le plateau, il en aimait l'atmosphère familiale, la façon dont on s'affairait autour de lui. Et puis c'était vraiment formidable d'être devant une caméra.

Tires-en le maximum. Tu n'es ici que pour deux jours.

À cause de Charlie, le tournage de la scène prit toute la journée, et on finit par dépasser le temps prévu. Le metteur en scène était furieux, les producteurs davantage encore d'avoir à payer des heures de nuit.

Waldo prit Nick à part.

— Tu ferais mieux de prévoir un jour de plus ici, dit-il. Ils n'en arriveront jamais d'ici demain à ta scène avec Carlysle.

— Oh... je suis ici pour aussi longtemps qu'on veut de moi, répondit Nick. Je pourrais vraiment m'habituer à tout ça.

De retour à son hôtel, il essaya d'appeler Joey.

— Joey n'habite plus ici depuis un an, dit une voix de femme. C'est moi qui ai repris l'appartement.

— Avez-vous une idée de l'endroit où il est ?

— Oui, j'ai un numéro quelque part.

— Pouvez-vous le trouver?

Elle n'avait pas l'air enthousiaste.

— Je ne sais pas.

Il passa la persuasion en surmultiplié.

— Je vous serais très reconnaissant.

— Vous êtes ici en visite ou quoi?

— Je tourne un film.

Sa voix s'anima.

— Oh, vous êtes acteur?

— Tout juste.

— Eh bien, euh... vous êtes ici tout seul?

— Trouvez-moi le numéro et on bavardera.

La voix de la femme se fit plus chaleureuse.

— Pourquoi ne passez-vous pas, je vous le donnerai personnellement?

— Parce que j'ai besoin de l'appeler maintenant.

— J'aime bien les acteurs.

Oh, bon sang! pourquoi se trouvait-il toujours empêtré avec des maniaques?

— Alors je vous enverrai une photo dédicacée. Soyez un ange et donnez-moi le numéro.

Elle finit par céder et il appela Joey. Une femme complètement beurrée répondit.

— Joey est là? demanda-t-il.

— Qui le demande?

— Un vieil ami.

— Il vous doit de l'argent?

— Non, je vous ai dit : je suis un vieil ami.

Elle ricana.

— Bien sûr, c'est tout le temps la même histoire. Toujours un vieux copain, et il se retrouve tabassé. Je vous l'ai dit, mon bon monsieur, il n'est pas là.

— Dites-lui que c'est Nick — Nick Angelo. D'accord?

— Attendez une minute. Elle le laissa un moment au téléphone, puis reprit l'appareil et lui donna l'adresse d'une boîte. Vous trouverez Joey là-bas.

Une vraie partie de cache-cache! La boîte était minable. Des photos de nus exposées à l'extérieur annonçaient SEPT BEAUTÉS — NU INTÉGRAL. Un videur indien, affalé sur un fauteuil de toile, se curait le nez. Il en coûtait dix dollars pour entrer. À l'intérieur une serveuse aux seins nus plutôt tombants fonça sur lui et lui offrit de la part de la maison une coupe de champagne et le choix d'une hôtesse pour lui tenir compagnie. Il déclina les deux propositions.

— Je cherche Joey.

Elle perdit tout intérêt pour lui et du doigt désigna le bar. Il s'approcha. Ce n'était pas difficile de trouver Joey : il était le seul client. Nick lui tapa sur l'épaule.

— Joey ?

Joey se retourna.

— Qu'est-ce que... Seigneur ! Nick ?

— Oui, c'est moi.

Joey faillit tomber du tabouret de bar. Ils s'étreignirent maladroitement en se souriant.

— Comment ça va, mon vieux ? demanda Nick en se disant que Joey n'avait pas l'air bien du tout.

Il était pâle et décharné, avec des cernes sous les yeux et un tic qui lui secouait le visage.

— Ne me dis rien... tu n'as pas l'air brillant.

Joey eut un pâle sourire.

— Merci. C'est chouette de te voir. Il tira sur sa cigarette. Comment se fait-il que tu sois ici ? On m'avait dit que tu habitais Los Angeles.

— Tu ne vas pas me croire : je tourne dans un film.

— Un film, hein ? Tu as fini par devenir acteur.

— Eh oui, je suis resté un moment à Chicago, et puis je me suis installé à Los Angeles, j'ai trouvé un agent ; je suis allé passer une audition, et j'ai eu du bol. Ça n'est qu'un petit rôle, mais au moins je travaille.

Joey claqua des doigts en direction de la fille derrière le bar. Elle s'approcha en se dandinant, n'ayant pour tout vêtement qu'une minijupe pailletée et de longs faux cils.

— Sers une bière à mon ami vedette de cinéma — et pas de flotte dedans.

— Comme tu veux, Joey, dit-elle en lorgnant Nick. Vedette de cinéma, hein ? Dans quoi avez-vous tourné ?

— Peu importe, dit Joey en l'éconduisant.

La fille s'éloigna et Joey, d'un geste large, montra la boîte minable.

— Ça a de la classe, hein ? C'est mon lieu de travail. Je passe entre les strip-teaseuses... je fais un malheur avec mon numéro de comique, comme j'ai toujours voulu.

Oui, et à te voir, tu ne fais pas que ça.

— C'est formidable, Joey.

— Pas de foutaises entre nous. Cette boîte, ça n'est vraiment pas grand-chose. J'ai un boulot merdique dans une boîte merdique, mais maintenant je m'y suis fait. Il écrasa sa cigarette pour en prendre aussitôt une autre. Alors, dit-il en frottant ses yeux injectés de sang. Qu'est-ce que devient Cyndra ? Tu l'as vue ?

— Elle a épousé ce Reece Webster — qui s'est d'ailleurs révélé être l'ordure du siècle. Il a disparu de la circulation.

— Qu'est-ce qu'elle fait ?

— Elle chantait dans un hôtel de Vegas. Pas la gloire, mais elle va s'en tirer.

— On a un peu perdu le contact.

— On dirait que tu as perdu le contact avec tout le monde.

Joey eut un rire amer.

— C'est toujours comme ça, hein ?

— Tu n'es jamais revenu à Bosewell ? interrogea Nick.

— Non. Et toi ?

— Non.

— Je pense qu'une fois partis on n'avait pas de raisons d'y retourner.

La barmaid aux seins nus lui apporta sa bière dans un verre fêlé.

— À la vôtre, dit-elle en tendant la main pour se faire payer.

— Mets ça sur ma note, fit Joey, irrité.

— Ta note, elle est déjà salée.

— J'ai dit : mets ça sur ma note, répliqua-t-il d'un ton mauvais.

Elle battit en retraite.

— On dirait qu'une coupure te ferait du bien, fit Nick. Si tu prenais l'avion avec moi pour Los Angeles et que tu restes là un moment ?

— Oh oui... et que je lâche mon boulot ?

— Ce ne sont pas les boîtes qui manquent là-bas.

— Je n'ai pas les moyens de prendre le risque.

— Pourquoi ? Tu as une vie si formidable ici ?

— Non. Je vis avec cette fille.

— Quelqu'un de spécial ?

— Si je te le disais, tu ne me croirais pas.

— Essaie toujours.

— Elle fait le trottoir.

— D'accord, je te crois.

Ils se mirent à rire tous les deux.

— Sérieusement, c'est la tapineuse classique avec un cœur

d'or. Je l'ai rencontrée à une soirée. Elle aime bien m'avoir avec elle. J'aime bien être avec elle. Elle paie le loyer et je lui donne ce que je peux. Ça ne marche pas mal.

— Hé, Joey, cria une blonde un peu soufflée. Grouille... c'est à toi.

Joey haussa les épaules et éteignit sa cigarette.

— Ma patronne. Charmante créature. Reste un peu, Nick, regarde mon numéro.

— J'aimerais bien, mais je commence tôt demain matin. Pourquoi ne viens-tu pas sur le tournage ? Tiens, je vais te donner l'adresse.

Il griffonna quelques indications sur un bout de papier et le lui tendit.

— Passe donc demain, et on discutera de ton voyage à Los Angeles.

— Oui, peut-être.

De retour à l'hôtel, il appela Cyndra.

— Tout va bien ?

— Très bien.

— Pas de nouvelles de Reece ?

— Non.

— Annie est calmée ?

— Je t'ai dit, Nick, tout va bien. Cesse de t'inquiéter.

Il s'éclaircit la voix, s'apprêtant à lui annoncer la grande nouvelle.

— Devine qui j'ai vu hier soir ?

— Qui ça ?

— Joey.

Un long silence.

— Comment va-t-il ? finit-elle par demander.

— Ça n'est pas la grande forme. J'essaie de le persuader de rentrer avec moi à Los Angeles.

— Ne compte pas sur moi. J'en ai marre des hommes.

— Écoute... tous les trois on en a vu de dures ensemble. Ce serait gentil que tu sois là, non ?

Elle répondit un tout petit peu trop vite.

— Je t'ai dit, Nick, ne le ramène pas à cause de moi. Ça ne m'intéresse pas.

— J'ai compris.

Elle changea de sujet.

— Comment ça a marché aujourd'hui le tournage ?

— Un rêve.

— Comment est Charlie Geary ?

— Perpétuellement camé.

— C'est vrai ?

— Je ne te raconterais pas d'histoires.

— Tu sais, Nick, j'ai réfléchi. Demain, je vais contacter la compagnie de disques avec laquelle Reece discutait et je vais voir si ces gens-là s'intéressent toujours à moi.

— Ça me paraît une bonne idée.

— Tu crois ?

— Qu'est-ce que tu as à perdre ?

— C'est ce que je me dis, fit-elle, heureuse d'avoir son approbation.

— Je t'appellerai demain. Fais attention à toi, sœurette.

— Au revoir, Nick.

Nick tomba sur Charlie Geary de bonne heure le lendemain matin dans la cabine de maquillage. Charlie n'était pas beau à voir. Le grand acteur avait l'air d'une loque, pire que Joey.

— Mes enfants, quelle nuit j'ai passée ! s'exclama Charlie. J'ai beau me dire que je suis l'infatigable... quand même, j'avais cctte petite dévoreuse qui en redemandait tout le temps.

— Oh, Charlie, ferme-la, dit la maquilleuse d'un ton las.

— Ça n'est pas *toi* qui vas me dire de la fermer, ma jolie. Si tu veux rester sur ce film, tu me feras des gâteries si je te le demande.

Nick s'assit dans l'autre fauteuil. Charlie s'étira et émit un rot dans sa direction.

— Alors... où sont-ils allés te pêcher ?

— J'étais ici et là, fit Nick.

— Ah oui ? dit Charlie en bâillant. Ça ne se voyait pas dans ton jeu. Tu as vraiment cafouillé hier... J'ai horreur de travailler avec des amateurs.

Nick n'allait pas s'en laisser conter par cet abruti.

— Tu as la mémoire courte : ça n'est pas moi qui ai cafouillé, c'est toi.

— Laisse tomber, murmura la maquilleuse. Il n'en vaut pas la peine.

— Qu'est-ce que tu as dit, toi, l'idiote ? demanda Charlie en tombant presque de son fauteuil.

— Pourquoi tu ne lui fiches pas la paix ? demanda Nick.

— Et pourquoi tu ne vas pas te faire voir ?

Heureusement un assistant entra, pour convoquer Charlie sur le plateau. Il se leva de son fauteuil, chancelant sur ses pieds, et se dirigea en tanguant vers la porte.

— Il est camé jusqu'aux trous de nez, dit la maquilleuse.

— Sans blague, répondit Nick.

Plus tard, sur le plateau, c'était toujours la même chose avec Charlie : il ne savait pas son texte, il oubliait ses répliques. Un vrai gâchis. Nick remarqua les deux producteurs en grande discussion dans un coin. La femme portait un tailleur rouge vif, ses longues jambes moulées dans un collant de la même couleur avec des chaussures à talons très hauts. Le grand type avait un air perpétuellement sinistre pendant que le metteur en scène, frénétique, s'agitait dans tous les sens.

Après la pause du déjeuner, Charlie ne réapparut pas. L'assistante du metteur en scène déclara qu'elle n'arrivait pas à le faire sortir de sa caravane. En délégation, les deux producteurs et le metteur en scène s'élancèrent pour l'escorter personnellement jusqu'au plateau. Ils revinrent sans Charlie.

— Je vais te dire, Nick, annonça le metteur en scène. On va filmer des gros plans. Charlie n'est pas dans son assiette : il ne pourra peut-être pas terminer la scène cet après-midi.

Nick avait beau ne pas y connaître grand-chose en production, il se rendait compte que le tournage ne s'annonçait pas bien. Mais, après tout, il ne se plaignait pas : pourquoi ne pas tourner les gros plans ? Joey ne vint pas non plus, alors à la fin de la journée Nick l'appela. Cette fois ce fut Joey qui décrocha lui-même le téléphone.

— Où étais-tu ? demanda Nick.

— En conférence.

— Tu n'aurais pas pu venir après ?

— Hé, mon vieux, où est le problème ? fit Joey d'un ton hargneux. On ne se voit pas pendant quelques années — tu reviens dans ma vie et je suis censé sauter de joie ?

— Laisse tomber. À bientôt.

— Allons, Nick, ne te vexe pas. Je serai là demain. Pour l'instant, j'ai pas mal de choses en tête.

— Je ne peux pas t'aider ?

— Non. Rien que des petits problèmes.

— À demain.

— Entendu.

Nick se remit à l'étude de son script. Le lendemain, il avait sa grande scène avec Carlysle Mann, et il ne tenait pas à la louper.

Ce tournage, ça lui plaisait bien. Il s'endormit, les mains serrées sur le script.

Le lendemain matin, il était installé au maquillage à sept heures, aussi calme qu'il en était capable, quand l'assistante du metteur en scène entra, très agitée.

— Ils ont besoin de te voir tout de suite, fit-elle.

— Qui a besoin de me voir ? demanda-t-il avec calme.

— Les producteurs.

— Ah oui ?

Allons bon. Ça y est. Charlie Geary a eu ce qu'il voulait, et je vais me faire virer.

— J'ai presque fini, dit la maquilleuse en lui tartinant du fond de teint sur le cou.

Eh oui, ma jolie, comme tu dis.

— Il y a une crise, dit l'assistante. Ils ont besoin de lui tout de suite.

— Il vaut mieux que je te laisse y aller, fit la maquilleuse.

Il se leva de son fauteuil et suivit l'assistante, répétant silencieusement dans sa tête les objections qu'il allait soulever. Mais peu importait ce qu'il allait dire, il était viré et il le savait.

61

Lauren était frénétique : il semblait tout d'un coup y avoir tant à faire avant son départ pour les Bahamas. Pia n'était pas d'une grande aide — enceinte de sept mois, elle déambulait comme un canard, le visage souriant, arrivant tard et partant tôt. Lauren ne le lui reprochait pas, mais ça lui laissait quand même sur les épaules presque toutes les responsabilités de l'affaire.

— Je regrette que Howard et moi ne venions pas avec vous, dit Pia, avec un soupir, s'attendant manifestement à entendre Lauren dire : « Au fond, pourquoi ne venez-vous pas ? »

Mais elle était bien décidée à ce qu'il y eût juste elle et Oliver, personne d'autre. Elle avait connu l'expérience d'un mariage où tout le monde était là à attendre et où le marié n'était même pas venu, et elle ne tenait pas à recommencer.

— Qui va s'occuper du bureau pendant que je suis absente ? demanda-t-elle, inquiète.

— Moi, fit Pia.

— Tu n'es presque plus jamais là.

— Ne t'en fais pas. Je serai là tout le temps pendant que tu seras absente.

Lauren savait que l'affaire ne survivait qu'à cause de la touche personnelle qu'elle y mettait. Elle s'était acquis une si bonne réputation, surtout avec les dîners qu'elle préparait. Ces temps-ci, Pia ne s'occupait que du côté financier. Elle avait encore un dîner à organiser avant de partir pour les Bahamas. C'était chez Quentin et Jessie George. Quentin était le rédacteur en chef de *Satisfaction*, le magazine d'avant-garde du moment, et Jessie vivait dans un tourbillon de mondanités. Lauren avait déjà préparé des dîners pour eux, et ç'avait toujours été une expérience plaisante. Les George réunissaient un groupe éclectique d'invités, mélangeant les politiciens et les gens de la mode, les milieux du rock'n roll et du cinéma. Jessie était un merveilleux personnage — une femme d'âge indéterminé, pas jolie au sens conventionnel du terme, mais pleine de charme.

Le soir qui précéda le dîner, Lauren alla les voir dans leur vieil immeuble pour régler les derniers détails. Jessie avait entendu parler de son mariage imminent et exposa aussitôt ses doléances.

— J'imagine que nous allons vous perdre, déplora-t-elle. Vous ne voudrez plus faire ce genre de chose.

— Je n'ai pas dit ça, protesta Lauren.

— Ah, mais Oliver ne vous laissera jamais !

— Oliver ne va pas contrôler ce que je fais ou ce que je ne fais pas.

Jessie hocha la tête d'un air entendu.

— Ma chérie, quand vous serez mariée, vous verrez.

— Jessie, quand je serai mariée, je ne verrai rien du tout. Je continuerai à faire exactement ce qui me plaît.

— Hmmm, fit Jessie. C'est ce que je pensais quand j'ai épousé Quentin, et regardez-moi maintenant.

— Il me semble que vous avez une vie formidable.

— Il y a des gens qui le diraient. Jessie agita ses bras chargés de bracelets. Maintenant, passons aux choses sérieuses. J'ai une idée extraordinaire pour les hors-d'œuvre : imaginez des boules de melon remplies de caviar. Est-ce que ça ne vous paraît pas divin ?

Oliver s'occupait beaucoup de la campagne de la femme Marcella. Marcella était une firme de produits de beauté qui connaissait un immense succès en Italie et qui s'apprêtait à prendre une large part du marché américain. Ses dirigeants entendaient rivaliser avec Revlon et Estée Lauder. Maintenant que l'agence d'Oliver avait décroché le budget, on était en quête du mannequin idéal. Jusqu'à maintenant, on avait photographié au moins trente candidates.

Lauren regardait les photos et les cassettes vidéo avec Oliver. Il était extrêmement critique : celle-ci faisait trop pin-up ; celle-ci était trop âgée, celle-là trop jeune et ainsi de suite.

— Tu en demandes trop, disait-elle. J'en vois au moins sept ou huit qui seraient formidables.

— Non, dit-il en secouant la tête. Aucune d'elles n'a ce qu'il me faut. La femme Marcella doit avoir une qualité particulière qui touche le public, quelque chose qui pousse les autres à dire : « Je veux lui ressembler exactement — et si je porte un maquillage Marcella, je peux y arriver. » Il doit y avoir chez elle une certaine banalité combinée avec ce petit plus magique.

— Je ne vois pas du tout où tu veux en venir.

— C'est une qualité. Grace Kelly l'avait. Marilyn ne l'avait pas. Ingrid Bergman l'avait.

— Qui est Ingrid Bergman ?

— Peu importe. Il la dévisagea longuement. Toi, tu l'as.

— J'ai quoi ?

— La qualité dont je parle.

— C'est bien ou c'est mal ?

— Si tu étais en piste pour être la femme Marcella, ce serait bien.

Elle s'approcha de son bureau et prit une pomme dans un compotier.

— Heureusement, Oliver, ce n'est pas le cas.

Il plissa le front en la regardant intensément.

— Mais ça pourrait l'être.

— Tu plaisantes.

— Non. Pas du tout.

Elle éclata de rire.

— Oliver, je ne suis pas mannequin, et je ne veux pas être mannequin. Je suis parfaitement heureuse de faire ce que je fais, alors, s'il te plaît, oublie ça.

— Veux-tu faire quelque chose pour moi avant notre départ ?

Elle soupira.

— Quoi donc ?

— Veux-tu laisser mes gens organiser une séance de photos avec toi ?

Elle mordit dans sa pomme.

— Dis-moi, pourquoi ferais-je une chose pareille ?

— Parce que ce serait très utile si je pouvais leur montrer exactement le genre de femme que je cherche.

Elle se laissa tomber dans un fauteuil.

— Tu es drôle.

— Alors fais-moi plaisir.

— Je n'ai pas le temps.

— Est-ce que j'en demande beaucoup, Lauren ? Ça ne te plairait pas de te faire coiffer, maquiller, et de porter de belles toilettes ? Ça pourrait être amusant.

— C'est peut-être ta conception de l'amusement, mais, crois-moi, j'ai des choses plus intéressantes à faire.

— Je t'en prie, Lauren... pour moi. Comme cadeau de mariage. Pense à ce que ça va te faire économiser.

— Oliver...

— Oui ?

Elle faiblissait.

— Enfin, dès l'instant que tu me promets de ne pas prendre ça au sérieux.

— C'est juré.

Se prêter au caprice d'Oliver se révéla plus agréable qu'elle ne l'avait pensé. Pénétrer dans un studio et s'abandonner complètement aux mains de professionnels était une expérience intéressante. Pia trouva l'idée formidable et insista pour l'accompagner. Elles riaient comme deux collégiennes tandis que la maquilleuse et le coiffeur étaient au travail.

— Au moins, tu auras des photos incroyables à montrer à tes petits-enfants, dit Pia, juchée derrière elle sur un haut tabouret.

— Quels petits-enfants ? s'exclama Lauren. J'ai même pas encore d'enfants... ne nous laissons pas emporter.

— Mais tu vas bien en avoir, n'est-ce pas ? demanda Pia. J'ai besoin d'un compagnon de jeu pour le mien, ajouta-t-elle en tapotant son gros ventre.

— Je pense que oui, reconnut Lauren. Mais laisse-moi d'abord le temps de profiter de mon mariage.

— Vous êtes superbe, ma chérie, dit le coiffeur anglais, dont l'accent cockney lui rappelait Emerson. Il faut me rehausser un peu cette couleur et vous avez terriblement besoin d'une coupe. À part ça, vous êtes parfaite.

— J'ai toujours eu les cheveux longs, fit-elle, affolée.

— Oui, mais ça pend par là, n'est-ce pas ? Laissez-moi arranger ça... laissez-moi faire.

— N'en coupez pas trop, dit-elle, quand il se mit à agiter ses ciseaux.

— Faites-moi confiance, chérie, c'est vous qui allez me remercier.

Elle ferma les yeux en espérant qu'il savait ce qu'il faisait. Ensuite, ce fut le maquilleur. Il arriva avec une pince à épiler et commença à s'escrimer sur ses sourcils, commentant sans aménité la forme de son visage.

— Je n'aime pas être trop maquillée, dit-elle.

— Moi non plus, dit-il d'un ton acerbe. Ce qu'il faut ici, c'est donner l'illusion qu'il n'y a aucun maquillage tout en créant le visage le plus incroyable.

Ils la transformèrent donc. Lauren Roberts, la belle d'une petite ville de province, devint Lauren, le visage du moment. Le coiffeur avait ajouté de subtiles traces claires dans ses cheveux châtains et la coupe leur avait donné plus de corps, si bien que, tout en pendant encore jusqu'à ses épaules, sa chevelure était plus gonflée. Le maquilleur avait travaillé sur son visage avec une palette de couleurs naturelles, jouant avec les bruns et les beiges, faisant admirablement ressortir ses yeux.

— Mon Dieu ! s'exclama Pia. Tu es fantastique !

— Oh, merci, fit Lauren en plaisantant. J'étais si moche avant ?

— Tu sais ce que je veux dire. Tu as toujours été jolie mais, mon Dieu, maintenant, tu es absolument renversante !

Ensuite, ce fut le tour du photographe. Antonio travaillait vite. Il savait exactement ce qu'il voulait et, bien que Lauren ne se fût jamais trouvée encore devant un objectif, elle prit sans peine les poses qu'il fallait, tant elle avait souvent regardé Nature. C'était très amusant. On jouait de la musique classique, elle portait des robes de grand couturier. Quand tout fut terminé, elle avoua à Pia qu'en fait tout cela lui avait bien plu.

— Je comprends, fit Pia en secouant la tête avec stupéfaction. Tu as vraiment l'air incroyable.

— Tu ne pourrais pas cesser un peu. Dieu sait de quoi je devais avoir l'air avant.

— J'ai hâte de voir les photos, déclara Pia.

— Et moi hâte de me débarrasser de ce maquillage.

Oliver lui demanda plus tard si elle avait aimé la séance de photos.

— C'était bien, fit-elle en riant. Mais je ne recommencerai jamais. Tu n'as pu réussir à me persuader qu'une fois.

Le lendemain matin, ce fut une autre sorte de frénésie. Elle alla de bonne heure au marché accompagnée par deux des collégiennes qui lui servaient d'assistantes. Elles choisirent des fruits et des légumes frais, puis s'arrêtèrent pour acheter des fleurs. Jessie et Quentin étaient des gens très particuliers et elle les aimait comme ça.

— Invitez Oliver au dîner, insista Jessie, quand elle arriva chez elle.

— Pas question, protesta-t-elle. Je ne veux pas le voir assis là pendant que je travaille.

— Mais j'adore Oliver... il est si drôle, fit Jessie. Demandez-lui au moins de passer vous prendre.

Elle appela Oliver à son bureau.

— Est-ce que tu veux passer plus tard me prendre au dîner chez les George ?

— Avec plaisir, dit-il.

— C'est Jessie qui a insisté. Tu la connais bien ?

— Nous avons eu jadis une liaison torride.

Elle faillit le croire.

— Oliver... c'est vrai ?

Il éclata de rire.

— Non, ma chère. Je ne suis pas l'homme d'une liaison torride.

— Tu as bien failli me faire marcher.

— Ah, fit-il. Attends jusqu'à notre lune de miel.

À partir de quatre heures, elle réquisitionna la cuisine des George. C'était le genre de cuisine qu'elle aimait, vaste et spacieuse, avec tous les accessoires modernes. Le menu qu'elle avait prévu était un des préférés de Jessie : une vichyssoise suivie d'un sauté de poulet avec une purée de pommes de terre à la crème, des carottes sautées, des épinards à la crème, le tout accompagné d'une bonne salade.

— J'adore quand vous servez ce genre de plats, lui dit Jessie. Les gens se sentent à l'aise et détendus et, quand ils sont dans cette humeur-là, la conversation est vraiment brillante. Oh, mon Dieu ! Lauren, qu'est-ce que je vais faire quand Oliver va vous empêcher de faire tout ça ?

— Je garderai l'agence, dit-elle. Je continuerai à faire de temps en temps la cuisine.

— On parie que non ? suggéra Jessie.

Lauren sourit.

— Seulement si c'est du liquide.

Un peu plus tard, Oliver l'appela chez les George.

— Tu te souviens que tu disais l'autre jour que tu adorais les surprises ?

— J'ai dit ça ?

— Oui. Eh bien, j'ai une surprise pour toi.

— Qu'est-ce que c'est ?

— Si je te le disais, ce ne serait pas une surprise. Je te l'apporterai quand je passerai tout à l'heure.

— Est-ce que ça a quatre pattes ? demanda-t-elle, se souvenant d'avoir récemment exprimé son envie d'avoir un chiot.

— Un peu de patience, ma chère. Je te le montrerai plus tard.

62

Carlysle Mann était d'une beauté incroyable. Elle avait un de ces visages de gravure, avec une peau d'albâtre, d'immenses yeux bleus, un nez retroussé et un charmant petit menton. Elle était menue, avec des cheveux blonds de bébé dont les boucles encadraient son visage, et un corps parfait. Pour la première fois de sa vie, Nick se sentit intimidé devant quelqu'un. Il l'avait vue dans deux ou trois films, mais la rencontrer en chair et en os, c'était autre chose.

— Bonjour, fit-il, presque timidement.

— Félicitations, répondit-elle, ses jolis yeux bleus fixés sur les siens. C'est vraiment un coup de chance pour vous.

C'est vrai que les félicitations étaient de mise. Il n'avait pas été viré. Au lieu de cela, il avait eu la chance de sa vie. Tandis qu'on expédiait Charlie Geary dans une clinique de désintoxication, lui, Nick Angelo — pardon, Nick Angel —, s'était vu offrir une occasion formidable. On lui avait proposé le premier rôle masculin du film, et c'était un rôle sur lequel on pouvait bâtir une carrière : celui d'un jeune voyou qui s'amende, trouve le véritable amour et finit en héros.

— Vous avez le physique, avait dit la productrice, croisant et décroisant ses longues jambes.

Oui, j'ai le physique, d'accord. Un physique que vous n'avez même pas reconnu quand je me suis arrêté auprès de votre voiture à Los Angeles.

— On te donne cette chance, avait dit le metteur en scène, dans l'espoir que tu seras à la hauteur.

— Nous avons parlé à votre agent, avait ajouté le producteur. Vous voudrez sans doute lui passer un coup de fil.

Lui passer un coup de fil! Bonté divine! Il n'arrivait pas à croire que ça arrivait pour de vrai : Charlie était viré et lui engagé.

— Je peux le faire, avait-il balbutié, j'ai étudié le script : je peux m'en tirer.

— C'est exactement pourquoi on vous donne cette occasion, avait dit la femme.

La vérité, c'est qu'ils n'avaient pas beaucoup le choix. Charlie Geary était h.s. et ils n'avaient pas les moyens d'arrêter la production en attendant de négocier avec une autre vedette. Ils étaient prêts à prendre un risque avec Nick.

Les quelques jours suivants furent une période de folie. Son principal souci, c'était Cyndra et Annie. Pouvait-il en conscience les laisser toutes seules à Los Angeles? Pourraient-elles s'en tirer sans lui? Ou bien Annie allait-elle se précipiter chez les flics et tout gâcher? C'était un risque qu'il fallait prendre. Il les appela toutes les deux. Annie, comme d'habitude, avait l'air maussade. Elle ne manifesta même aucun enthousiasme quand il lui raconta son coup de chance.

— Je vais te dire une chose, proposa-t-il. Donne-moi quelques jours, et puis peut-être que tu peux prendre l'avion pour venir passer un week-end à New York. Je m'occuperai de ton billet et de ta chambre. J'ai parlé à mon agent, je gagne du fric.

— Non, dit-elle fraîchement, je ne crois pas.

— Allons, insista-t-il. Tu as envie de voir New York, non? Tu n'es jamais venue ici.

— Je te le dirais.

Cyndra était sincèrement excitée.

— Tu vas être sensationnel, Nick, lui assura-t-elle.

— Je ferai de mon mieux. Je ne peux pas faire plus.

Son agent s'était montré réaliste comme il convenait.

— C'est une excellente occasion pour toi de leur montrer comme tu es bon. Bien sûr, tu as encore très peu d'expérience. Il se peut que ça ne marche pas : ne place pas tes espoirs trop haut.

— Comment se fait-il qu'ils se soient rabattus sur moi ? demanda-t-il.

Elle lui dit la vérité.

— Ce n'est pas un film à gros budget. S'ils attendent de trouver un nom pour remplacer Charlie, ça va les retarder et leur coûter de l'argent, ce qu'ils ne peuvent pas se permettre. Tu es là et, à leurs yeux, tu es capable de tenir le rôle. Le nom de Carlysle portera le film. Et, Nick, souviens-toi de ce que je t'ai dit. Ne couche pas avec elle : ça gâtera ton jeu.

— Vous m'aviez dit avant de ne pas le faire parce que ça créerait des histoires avec Charlie Geary. Maintenant, il n'est plus là.

— Nick, tu es nouveau dans ce métier... *Ne touche pas à cette fille*.

Frances exprima les mêmes sentiments

— Économise tout ce que tu as. Coucher, ça prend du temps et de l'énergie. Garde tout pour jouer ton rôle.

Dès l'instant où il eut fait la connaissance de Carlysle, il sut exactement où allait passer son énergie. Ils s'entendirent tout de suite à merveille. Il apprit quel avait été son passé. Elle était une vedette depuis l'âge de huit ans, elle en avait maintenant vingt-deux, elle venait de divorcer d'avec un batteur de rock et ne songeait qu'à sa carrière. Elle avait une mère qui l'accompagnait généralement sur les tournages, mais pour l'instant elle n'était pas encore arrivée à New York.

— Attends de voir la mère, le prévint Waldo. Cette femme est un cauchemar ambulant.

— Pourquoi me dis-tu ça à moi ? demanda-t-il.

— Parce qu'on sait tous ce qui va se passer entre vous deux, répondit Waldo avec un gloussement malicieux.

Après le second jour de tournage, Carlysle l'invita à sortir avec elle.

— Il faut que j'aille à ce dîner demain soir, dit-elle. Ma mère devait m'accompagner, mais puisqu'elle n'est pas arrivée... tu veux m'emmener ?

Elle le dévisagea de ses grands yeux bleus et il n'allait quand même pas dire non.

— Oui, bien sûr. On ira directement après le tournage ?

— Non, il faudra que je passe d'abord chez moi me changer. Passe me prendre à mon appartement.

— Je croyais que tu habitais Los Angeles.

— Oui, j'ai une maison là-bas et un appartement ici.

Fichtre ! Cette fille avait vraiment tout.

— À quelle heure ? demanda-t-il.

— Le dîner est à sept heures et demie, mais on ne passera probablement pas à table avant neuf heures. Passe me prendre à huit heures et demie et nous ferons une entrée tardive.

— Bon, qu'est-ce que je mets ?

Elle sourit.

— Ce que tu veux. Je suis sûre que tu es parfait avec n'importe quoi.

Cyndra était bien décidée à ce que l'incident de Vegas n'entraînât pas sa chute. Elle avait fait un tel chemin qu'elle n'allait pas se laisser couler par une histoire comme ça. C'était regrettable, mais ça appartenait au passé : tout comme Mr. Browning, son avortement et toutes les autres épreuves désagréables qu'elle avait connues. Annie, d'un autre côté, ne cessait d'insister pour faire quelque chose. Si Nick le savait, il allait piquer une crise.

— Tu ferais mieux de la boucler, la prévint Cyndra. Parce que le seul résultat que tu puisses obtenir, c'est de nous mettre tous dans le pétrin.

— Au début, lui rappela Annie, tu étais d'accord avec moi.

— J'étais bouleversée. Je n'avais pas les idées claires. Comprends-moi, Annie, Nick a raison, c'est *notre* secret, et si aucun de nous ne l'ouvre, ça restera comme ça.

— Comment peux-tu oublier ce qui s'est passé ? demanda Annie. Ce pauvre homme... et sa famille ? Tu n'y penses pas ?

— Cesse de me parler de ce pauvre homme, dit Cyndra, furieuse. Il était dans une chambre de motel avec moi, non ? Il croyait que j'étais une pute. Tu aurais dû entendre la façon dont il m'a traitée.

— Il ne méritait quand même pas de mourir pour ça.

— Annie, c'est un accident. Reece ne l'a pas abattu de sang-froid, c'est une de ces histoires comme il en arrive. Comme quand tu prends un avion, tu ne t'attends pas à ce qu'il s'écrase. Quand tu vas faire une balade en voiture, tu ne t'attends pas à être réduite en bouillie. Ça arrive, ces choses-là.

— Je trouve quand même...

— Tu veux la fermer ! dit Cyndra, finissant par perdre patience. Boucle-la, Annie.

Elle rangea son appartement et fourra toutes les affaires de Reece dans deux valises qu'elle glissa dans un placard près de la porte d'entrée. Nick avait proposé que, puisqu'il allait être à New

York au moins six semaines, elle devrait quitter son appartement et s'installer dans le sien. Comme elle n'avait pas d'argent, cela lui parut une excellente idée. Il lui avait aussi laissé sa voiture de location, si bien qu'au moins elle était motorisée.

En fouillant dans les papiers de Reece, elle trouva le nom du producteur à qui il avait eu affaire aux disques Reno. Marik Lee. Elle lui téléphona.

— Où est votre imprésario? demanda Marik Lee, sur ses gardes.

— Vous parlez de Reece Webster?

— C'est ça.

— Il n'est plus mon imprésario.

— Bon, fit-il.

— Comment ça, bon?

— Passez me voir et nous en discuterons.

Elle ne se le fit pas dire deux fois. Une heure plus tard, elle était dans le bureau de Marik Lee, vêtue d'une robe rouge moulante qui mettait sa silhouette en valeur et faisait ressortir l'éclat de sa peau. Ses cheveux, noirs et brillants, lui tombaient presque jusqu'à la taille.

En la voyant entrer, Marik Lee avala sa salive.

— C'est vous Cyndra? dit-il en se levant.

Elle acquiesça, le toisant du regard. C'était un Noir, un peu gros et avec un visage un peu ingrat, mais il avait de beaux yeux et un grand sourire chaleureux.

— Pourquoi avez-vous l'air si surpris? demanda-t-elle en s'asseyant dans un fauteuil en face de son bureau et en croisant les jambes.

Son regard s'attarda un instant.

— Je ne me doutais que vous étiez si... si jolie.

— Merci, dit-elle d'un ton réservé, en acceptant le compliment.

— Maintenant, poursuivit-il, dites-moi. Ce type auquel vous étiez accrochée... ce, euh, Reece Webster. Il n'est plus du tout dans le tableau?

— Non, répondit-elle, plus du tout.

— De vous à moi, ça n'était pas un cadeau. Nous n'aimons pas ce genre de situation.

— Quelle situation?

— Vous savez... il parlait de vous comme si vous étiez une pièce de viande, comme si vous feriez tout ce qu'il voulait.

Nous attendons de nos clients qu'ils soient capables de s'exprimer eux-mêmes.

Elle se redressa dans son fauteuil.

— Oh, je peux très bien m'exprimer moi-même.

Il la regarda d'un air approbateur.

— Oui, je vois ça.

Elle songea à Nick à New York, sur le point d'avoir la chance de sa vie. Elle ne comptait pas jouer la petite sœur, à la traîne de son frère. Elle avait vraiment l'intention de réussir aussi bien que lui.

— Mr. Lee...

— Appelez-moi Marik.

— Marik. Dites-moi la vérité : croyez-vous que les disques Reno et moi avons un avenir ensemble, ou bien est-ce que je perds mon temps ?

Nick était dans la caravane du costumier à essayer différentes tenues.

— Ils sont très contents des rushes, lui confia Waldo.

— Des rushes ? fit-il en remontant la fermeture à glissière de son jean noir moulant.

— Oh, Nick, je t'en prie ! Tu sais bien de quoi je parle ? Les rushes, ce sont les scènes tournées la veille. C'est mon ami qui est le projectionniste : j'ai un rapport complet.

Nick était enchanté.

— Alors ils me trouvent bien ?

— Ça, oui. Pourquoi crois-tu qu'on t'a engagé à la place de Charlie ? Un coup d'œil à tes gros plans, et ils se sont rendu compte qu'avec toi ils avaient quelque chose. D'après mon ami, la caméra t'adore. Il lui tendit des bottes de cow-boy. Essaie ça, veux-tu ?

Nick saisit les bottes et s'assit.

— Ma foi, j'ai toujours su que je pourrais faire ça, dit-il en enfilant la botte gauche.

— Ça, tu peux le faire. Mais, bien sûr, on n'est jamais sûr. Tu peux avoir le talent qu'il faut mais le public peut quand même ne pas t'aimer.

— Pas de danger, dit-il avec assurance. Je mets tout ce que j'ai dans ce rôle. Le public va réagir. Tu verras... il va réagir vachement.

— J'en suis certain, assura Waldo en choisissant un blouson

en tissu de jean sur le portemanteau. Qu'est-ce que nous mettons ce soir pour sortir la petite miss Madame ?

Il enfila l'autre botte et se leva.

— Comment se fait-il que mon rendez-vous avec Carlysle soit de notoriété publique ?

— C'est un plateau de cinéma ici, Nick. On n'a pas de vie privée.

— Merveilleux !

— Fais attention avec la petite. Elle a l'air d'un ange, mais fais gaffe.

Il eut un grand sourire.

— Hé, Waldo, ça va peut-être te faire un choc, mais quand il s'agit des femmes, je sais me débrouiller.

— Les comédiennes ne sont pas des femmes, murmura Waldo. Oh, mon Dieu, non !

Nick éclata de rire.

— Tu es quelqu'un, tu sais ?

— Je t'aurais prévenu, fit Waldo d'un ton pincé. Personne ne peut dire que tu n'auras pas été prévenu.

— Merci, mais je pense que je vais courir ma chance.

Waldo leva les yeux au ciel.

— Salut, dit Carlysle, l'accueillant sur le pas de la porte, vêtue seulement d'un sourire de bienvenue et d'une minuscule serviette de bain enroulée autour d'elle comme un sarong.

— Euh... salut, dit-il en restant sur le seuil.

— Entre donc, fit-elle. Comme tu peux le voir, je ne suis pas tout à fait prête.

Oh, ça, il pouvait le voir !

Elle l'emmena dans un confortable living-room et lui désigna un petit bar.

— Prépare-toi un verre. Ça ne va pas être long... je te promets.

— Prends ton temps, dit-il en inspectant les lieux.

— Oh ! la la !

Sa serviette avait glissé et elle s'empressa de la remonter, mais non sans qu'il eût entrevu les pointes roses de ses seins.

Elle s'aperçut qu'il regardait et se mit à rire, ouvrant plus grands ses yeux bleus.

— Est-ce que ça n'est pas stupide la façon dont nous essayons tous de nous cacher ? Est-ce que ce ne serait pas mieux de se promener sans rien sur soi ? Après tout, on n'est pas né tout habillé, n'est-ce pas ?

— D'accord pour moi, dit-il en ouvrant le réfrigérateur derrière le bar et en y prenant une bière.

— Bon, fit Carlysle en laissant tomber la serviette.

Nick fut aussitôt excité.

— Et si tu enlevais tes vêtements aussi ? dit-elle avec un petit sourire innocent.

— Eh...

— Tu n'es pas timide, non ? fit-elle d'un ton taquin.

Non, bébé, je ne suis pas timide, mais j'ai l'habitude de prendre l'initiative, et ça n'est pas pareil.

Il se débarrassa de sa veste et commença à déboutonner sa chemise.

Carlysle n'avait pas de patience. Elle se précipita vers lui et, avant qu'il ait pu comprendre ce qui lui arrivait, il se retrouva nu comme un ver tandis que Carlysle le caressait d'une main experte...

— Ah, Seigneur ! gémit-il. Que c'est...

— Oui ? fit-elle, sans bouger.

— Rudement... rudement bon.

— Bon ? Tu veux dire sensationnel ?

— Ça aussi. Viens un peu, dit-il en tendant les bras vers elle.

Elle lui échappa d'un bond.

— Plus tard, dit-elle d'une voix de petite fille. Il faut qu'on s'habille. Ça ne serait pas bien d'arriver en retard à la soirée, n'est-ce pas ?

63

Tous les invités étaient arrivés, on avait servi les hors-d'œuvre et Lauren commença son compte à rebours personnel pour le dîner. Ses deux assistantes, Hilary et Karen, la connaissaient bien et prévenaient chacune de ses demandes. À vrai dire, elle les avait si bien formées qu'elles pourraient probablement se débrouiller toutes seules. Ce qui était une bonne chose car, quand Oliver et elle seraient mariés, elle devrait passer ses pouvoirs. Oliver lui avait déjà annoncé qu'il voulait qu'elle l'accompagne dans ses voyages, et pourquoi pas ? Elle mourait d'envie de voir l'Europe. Il prenait chaque année six semaines de vacances, sillonnant l'Italie, la France et l'Angleterre. Au Secours Service n'aurait qu'à se passer d'elle pendant quelques semaines.

Jessie déboula dans la cuisine.

— Presque prêt, dit-elle, rayonnante dans son sévère tailleur de velours très masculin. Le melon et le caviar ont fait un malheur.

— Nous sommes prêtes quand vous voudrez, dit Lauren en réglant le feu sous les carottes sautées.

— C'est spectaculaire ! s'exclama Jessie.

Une des choses que Lauren aimait bien dans les dîners qu'elle organisait pour les George, c'était leur enthousiasme sans bornes. Quentin était exactement comme sa femme. Tous deux aimaient la vie, et c'était contagieux.

— Qui est là ce soir ? demanda Lauren à Hilary, qui s'était occupée de servir les hors-d'œuvre.

Hilary récita une liste de célébrités — parmi lesquels un politicien noir controversé, un couturier d'avant-garde, un célèbre joueur de football et deux vedettes de cinéma. On pouvait dire que Jessie aimait mélanger les genres. Lauren décida qu'Oliver serait content quand il passerait. Il adorait frayer avec les gens connus. Pas elle. Avec un peu de chance, elle n'aurait pas à sortir de la cuisine de toute la soirée.

— Ça t'a plu ? gloussa Carlysle en se cramponnant à son bras à l'arrière de la limo. Est-ce que ça n'était pas le mieux, le fin du fin que tu aies jamais connu ?

— Le mieux, dit-il avec un sourire nonchalant.

Elle lui pressa le bras.

— Ne me mens pas, ou bien il va falloir que je recommence... là, dans la voiture.

Il se mit à rire.

— Mais comment donc !

Les yeux bleus de Carlysle pétillaient.

— Tu crois que je ne le ferais pas ?

— Je suis sûr que si.

— Ça te tente ? demanda-t-elle en lui caressant la nuque.

Il pressa un bouton et le verre fumé qui les séparait du chauffeur remonta...

Nick eut l'impression de vivre une véritable explosion.

Elle eut un rire triomphant.

— Je sais y faire, hein ?

— Formidable.

— La plus formidable ?

Qu'est-ce qu'elle avait, cette fille ? Tout ce qui l'intéressait, c'était qu'on lui dise à quel point elle était formidable.

— Oui, fit-il en cherchant à l'embrasser encore. Mais elle lui donna une tape sur la main.

— Nous sommes arrivés, dit-elle. Tu n'as pas remarqué que la voiture s'était arrêtée.

— Mon cœur, soupira-t-il. Je n'ai remarqué que toi.

Il avait dit ce qu'il fallait. Carlysle rayonnait comme une chatte qui vient d'engloutir une jatte de crème. Souriants, ils descendirent de voiture et entrèrent dans la maison.

On servit la vichyssoise. Les invités étaient ravis. Dans la cuisine, Lauren se concentrait sur la purée de pommes de terre, s'assurant qu'il y avait bien le mélange idoine de crème, de beurre et de lait. La cuisine pour elle était une thérapie. Elle aimait vraiment créer un plat et regarder les assiettes vides revenir dans la cuisine.

— Carlysle Mann vient d'arriver, annonça Hilary. Elle est si jolie.

— Tu es jolie aussi, répliqua Lauren. Tout autant qu'une vedette de cinéma.

— Penses-tu !

— Mais si.

— Elle a une peau fantastique, fit Hilary d'un ton envieux.

— À propos de peau... Tu as vu le type qui est avec elle ? demanda Karen.

— Il est mignon, dirent-elles toutes les deux en éclatant de rire à l'unisson. Très, très mignon.

Oh, songea Lauren, être de nouveau jeune. Hilary et Karen avaient les yeux si brillants et pleins de vie. Elle n'avait que six ans de plus qu'elles, mais elle avait parfois l'impression d'être une vieille dame rangée.

— Allons, les filles, un peu de concentration, dit-elle.

La main de Carlysle se mit à remonter sur la cuisse de Nick. Bon sang ! devant tous ces gens. Et des gens importants. Il jeta un

404

coup d'œil autour de la table, n'arrivant pas à croire qu'il était assis parmi eux.

— Hé, chuchota-t-il, arrête.

— Pourquoi ? riposta-t-elle sur le même ton.

— On va nous voir.

— Et alors ? répondit-elle.

— Et alors ? Tu sais que tu es folle ?

Elle se pencha tout près et lui mordilla le lobe de l'oreille. Là-dessus, Jessie se tourna vers elle.

— Alors, ma petite Carlysle, comment va ton nouveau film ?

— Nous venons de commencer, dit Carlysle, renonçant à ses projets scabreux. Je pense que tu as appris la nouvelle pour Charlie ? Il a une sorte de... de virus.

— Oh, je suis désolée. Il est à l'hôpital ?

— Pas exactement. Enfin, oui... je pense qu'on pourrait dire ça.

— J'ai toujours trouvé que vous faisiez tous les deux un couple si adorable, poursuivit Jessie.

— Euh... merci.

Jessie se détourna pour parler à l'homme politique assis à sa droite.

Nick donna un coup de coude à Carlysle.

— Je ne savais pas que toi et Charlie vous étiez un couple.

— Pas du tout, fit-elle sèchement.

— Alors pourquoi a-t-elle dit ça ?

— Nous sommes quelquefois sortis ensemble... je n'appelle pas ça être un couple.

C'était vraiment un numéro, cette fille.

Oliver arriva au dessert.

— Le dîner était tout simplement divin, lui annonça Jessie. Vous épousez la meilleure cuisinière du monde.

Oliver semblait amusé.

— Je n'épouse pas Lauren pour ses talents de cuisinière, ma chère Jessie.

— Bien sûr que non.

Il passa la tête par la porte de la cuisine. Lauren s'affairait à présenter les desserts. Elle avait fait cuire deux tartes Tatin et tout un plateau de macarons.

— Tu es occupée, dit-il.

— Très drôle.

— Jessie veut que tu viennes nous rejoindre.

— Ça n'est pas possible. D'ailleurs, je ne suis pas habillée.

— Tu es plus belle que n'importe laquelle des invitées.

— Quel beau parleur tu fais, Oliver !

— C'est précisément pourquoi j'en suis arrivé là où je suis aujourd'hui.

Elle versa de la crème fouettée dans une jatte en cristal.

— Oliver, s'il te plaît... j'essaie de mettre tout ça au point.

Il hocha la tête d'un air compréhensif.

— Très bien, je vais aller m'asseoir et attendre patiemment. Quand tu seras prête, je te raccompagnerai.

Et sa surprise ? Toute la soirée, elle s'était attendue à voir un chiot, mais c'était vrai qu'il ne pouvait quand même pas l'amener chez les George. Peut-être attendait-il à la maison.

Tout le monde s'extasia sur les délicieux desserts. Jessie avait installé Oliver entre Quentin et une brune piquante qui travaillait dans l'édition. Soudain elle se leva et frappa avec son couteau sa coupe de champagne.

— Écoutez-moi, tout le monde, j'ai un communiqué à faire, fit-elle en promenant autour de la table un regard rayonnant.

Nick sentit la main de Carlysle lui caresser le genou sous la table. Cette fille était vraiment folle.

— Je sais que vous avez tous apprécié l'excellente cuisine de ce soir, et je vais faire venir notre chef pour que vous puissiez la remercier personnellement. Vous pouvez aussi la féliciter car elle et Oliver Liberty sont fiancés. Vous connaissez tous Oliver, mais je ne pense que vous ayez rencontré sa charmante fiancée. Jessie fit signe à un serveur. Faites venir Lauren, dit-elle.

Dans la cuisine, Lauren était horrifiée.

— Je ne vais pas y aller, dit-elle en battant en retraite dans un coin. Qu'est-ce qu'elle s'imagine... que c'est un spectacle ?

Karen la poussa doucement.

— Il faut que tu y ailles, elle attend.

— Oh non ! gémit Lauren.

— Oh si, firent Karen et Hilary en chœur, savourant chaque instant de la scène.

Elles adoraient travailler pour Lauren et elles étaient ravies de voir ses mérites reconnus. À contrecœur, elle se laissa pousser vers le seuil de la salle à manger. S'il y avait une chose qu'elle avait en horreur, c'était d'être le centre de l'attention générale.

— Ah, Lauren, ma chérie, vous voilà. Jessie leva sa flûte de champagne. À vous.

Les invités éclatèrent en applaudissements enthousiastes.

Elle se sentait complètement idiote. Des yeux elle parcourut la table, pour voir qui était là. Elle regarda une fois, deux fois : elle n'en croyait pas ses yeux. Nick Angelo. *Son* Nick était bel et bien à ce dîner.

Non, ça n'était pas possible. Mais si.

Elle regarda encore. Il était plus âgé, plus beau que jamais, plus mince. Ses yeux étaient toujours de ce vert profond et intense. Et ses cheveux d'un noir incroyable. Oh, mon Dieu! Elle aurait voulu mourir. Heureusement, il ne l'avait pas vue. Il ne s'intéressait qu'à la fille assise à côté de lui qui se trouvait être Carlysle Mann, la vedette de cinéma. Désespérément, Lauren essaya de retrouver son souffle, son calme.

Avance lentement. File avant qu'il te repère. Fiche le camp d'ici!

Comme elle tournait les talons pour fuir précipitamment, il leva les yeux et leurs regards se croisèrent. Il était aussi stupéfait qu'elle. Ils se contemplèrent, incrédules, puis elle détourna les yeux et regagna en hâte la cuisine. Sans hésiter, elle empoigna son sac et son manteau et se dirigea en courant vers la porte de service.

— Où vas-tu? demanda Hilary, abasourdie.

— Je ne me sens pas bien. Il faut que je sorte d'ici. Dis à Oliver que j'ai dû partir.

— L'une de nous devrait venir avec toi, insista Hilary.

— Non... il faut que je parte maintenant, déclara-t-elle, ouvrant toute grande la porte et se précipitant sur le palier avant que personne ait pu l'arrêter.

— Qu'est-ce qui se passe? demanda Carlysle. Qu'est-ce que tu as?

Il était devenu tout pâle.

— Rien, dit-il en s'écartant.

— Comment ça, rien? fit-elle, lui jetant un regard noir.

Il se leva.

— Excuse-moi, il faut que j'aille aux toilettes.

— Je vais venir avec toi. Tu serais surpris de ce qu'on peut faire dans des toilettes.

— Carlysle, rien de ta part ne peut me surprendre. Reste ici. Je reviens.

Dans le vestibule à côté de la salle à manger, il sauta sur un serveur qui passait.

— Comment va-t-on à la cuisine ?

— Par ici, monsieur. Je peux vous apporter quelque chose ?

— Non, ça va bien, dit-il en se précipitant.

Elle n'était plus là. Il arrêta une jolie fille en tablier à rayures.

— Où est Lauren ?

— Elle est partie, répondit Hilary, très intriguée par ce garçon au regard intense. Elle ne se sentait pas bien.

— Où est-ce que je peux la contacter ?

— Vous avez besoin d'organiser une soirée ? Nous avons un service très complet. Tenez, laissez-moi vous donner une de nos cartes.

Elle lui en tendit une et il la contempla longuement.

Au milieu du bristol était imprimé AU SECOURS SERVICE, avec une adresse et un numéro de téléphone. De chaque côté, deux noms soigneusement calligraphiés : Lauren Roberts et Pia Liberty.

— Vous pouvez nous contacter n'importe quand, dit Hilary, regrettant qu'il ne flirte pas un peu avec elle. Aux heures de bureau, bien sûr.

— Oh, je n'y manquerai pas, fit Nick en empochant la carte. Vous pouvez y compter.

64

Le couple enlacé sur le lit s'étreignait furieusement puis tout s'apaisa dans une série de longs gémissements.

— Oh, bébé, c'était sensationnel ! fit Marik.

Cyndra roula sur le côté, étonnée de sa propre audace et en même temps étrangement grisée. Cela ne faisait qu'une semaine que Marik était dans sa vie et elle le tenait déjà sous sa coupe.

— C'était bon pour toi aussi, bébé ? demanda-t-il en prenant une cigarette.

— Tu sais bien, répondit-elle, trouvant aussitôt les mots qu'il fallait. Tu es un merveilleux amant, Marik. Le meilleur.

Ils étaient allés dîner dans un petit restaurant italien, après un après-midi passé au studio où elle avait fini par faire un enregistrement. Marik avait bien aimé ce qu'il entendait. Une fois le travail au studio terminé, il avait dit :

— On va aller fêter ça parce que, quand le grand patron entendra ta voix, on va te faire un contrat à vie !

Elle était ravie.

— Tu crois ?

— Oui, mon petit. Je crois.

Cyndra aimait bien Marik, il semblait plutôt gentil. Mais, plus que cela, elle voulait quelque chose de lui et elle commençait à découvrir que, quand on voulait quelque chose, il fallait offrir une prime en retour. La seule façon pour elle était de le mettre dans son lit où elle savait qu'elle avait quelque talent.

— Tu aimes vraiment ma voix ? répéta-t-elle, ayant envie de l'entendre répéter ses compliments.

— Hé, bébé, combien de fois faudra-t-il que je te le dise ? Tu as une sonorité fantastique ! Il faut encore un peu de travail ici et là, mais rien que je ne puisse arranger quand tu enregistreras ton premier quarante-cinq tours.

Toute sa vie, elle avait attendu d'entendre ces mots-là dans la bouche de quelqu'un de qualifié. Elle s'approcha et vint se frotter contre lui.

— Qu'est-ce qui se passe ensuite ?

— Tout ce que tu veux, dit-il en tirant sur sa cigarette avec un sourire radieux.

— Je veux un contrat.

— Bébé, en ce qui me concerne, c'est comme si tu l'avais.

— Je veux commencer à gagner de l'argent.

— Je suis l'homme qu'il te faut pour ça.

— Et j'ai besoin d'un endroit où habiter. J'ai quitté mon appartement. Pour l'instant j'habite chez mon frère.

— Oh, fichtre, ça ne va pas fort, hein ?

— J'ai dû quitter Reece. Maintenant, je compte prendre un nouveau départ.

— Ne t'inquiète pas, bébé. Quand le grand patron entendra ta voix et te regardera, en route vers les étoiles.

— C'est exactement ce que je voulais entendre.

Marik tint parole. Moins d'une semaine plus tard, elle était installée dans un nouvel appartement, elle avait signé un contrat avec les disques Reno et fini par rencontrer le grand patron. Il s'appelait Gordon D. Hayworth, et c'était un Noir d'une quarantaine d'années à l'air costaud.

Gordon D. Hayworth était bel homme, il était aussi marié. La première chose que Cyndra remarqua, ce fut la photo de famille sur son bureau. Une très belle femme. Et deux jeunes enfants. La famille américaine parfaite.

— Vous avez une voix, lui dit-il. Ce n'est pas qu'elle soit forte : elle est plutôt expressive et sexy. Mais j'aime ça.

— Ah oui ? demanda-t-elle en ouvrant de grands yeux.

— Oui, répondit-il. Nous allons vous trouver un bon titre à enregistrer et voir ce qui se passe.

— Vraiment ?

Il la regarda intensément.

— C'est ce que vous voulez, Cyndra, n'est-ce pas ?

— C'est ce que j'ai toujours voulu depuis que je suis petite fille.

— Vous avez dû être une ravissante petite fille, dit-il en souriant.

Elle se demanda s'il l'aurait trouvée mignonne quand Mr. Browning la violait, quand elle allait se faire avorter et dans tous les autres mauvais moments qu'elle avait connus.

— Oui, j'étais très mignonne, répondit-elle en souriant.

— Je suis content que vous veniez chez nous, Cyndra, dit-il en se levant et en contournant son bureau pour lui donner sur l'épaule une petite tape paternelle.

— Je suis contente aussi.

— Nous allons beaucoup nous voir.

J'espère bien, se dit-elle.

Il souriait toujours en la raccompagnant jusqu'à la porte. Elle sortit de son bureau et se rendit compte que, pour la première fois de sa vie, elle venait de rencontrer un homme dont elle savait qu'elle pourrait tomber amoureuse.

— Je vais à New York voir Nick, annonça Annie.

— C'est une bonne idée, répondit Cyndra. Ça va te faire une coupure.

Annie avait un air soucieux.

— Je vais être franche avec toi. Je m'en vais là-bas pour lui dire que je ne peux pas me taire plus longtemps.

Cyndra pivota vers elle, ses yeux lançant des éclairs.

— Non, Annie. Combien de fois faut-il que je te le dise ? Ça n'est pas seulement à Nick que tu vas faire du mal, c'est à moi. Au moment où ma carrière est sur le point de décoller, il ne faut pas que tu fasses ça.

— Je dois le faire, répéta Annie avec obstination. Je ne peux pas supporter de vivre avec ce secret.

— Va te faire voir ! s'exclama Cyndra. Je nierai tout. Laisse-les donc aller chercher le corps. Tu auras l'air d'une idiote parce que je nierai tout. Tu ne vas pas me faire tomber, ma fille, alors n'essaie pas. Je leur dirai que tu es folle... que tu as toujours été folle.

— Tu pourras dire ce qui te plaît, lança Annie en évitant son regard. Mais, à mon retour, je vais trouver la police.

Dès qu'elle fut seule, Cyndra appela Nick.

— Annie va faire tout péter, annonça-t-elle. Il vaudrait mieux que tu te prépares à trouver une solution.

— Je sais ce que j'ai à faire, fit-il.

— Tant mieux, parce que sans ça on est cuit tous les deux.

65

— Qu'est-ce qui s'est passé ? dit Oliver, planté sur le pas de la porte et essayant de dissimuler sa colère.

— Je ne me sentais pas bien. Il fallait que je parte de là.

Il tapait du pied d'un air impatient.

— Je peux entrer ?

Elle n'était pas d'humeur à discuter avec lui.

— Oliver, je ne me sens toujours pas très bien.

Passant devant elle, il entra dans le living-room.

— Pourquoi ne m'as-tu rien dit ? J'aurais pu te raccompagner, j'avais ma voiture en bas.

Elle le suivit.

— J'avais besoin d'air. J'ai fait la moitié du trajet à pied jusqu'à la maison.

Il la regarda comme s'il n'en croyait pas ses oreilles.

— Tu m'as planté là et tu es rentrée à pied ? Tu m'as laissé comme un idiot, Lauren.

— Non, pas du tout, fit-elle, refusant de reconnaître qu'elle avait peut-être tort. Personne n'a su que j'étais partie.

— Je suis sûr du contraire.

— Je t'en prie, Oliver, je ne suis pas d'humeur à discuter. Je te l'ai dit, je ne me sens pas bien.

— Tu veux que j'appelle un médecin ?

— Non, ça va aller. C'était simplement l'énervement de préparer ce dîner, et puis il faisait si chaud dans leur cuisine et je... Elle poussa un soupir. Oliver, tu n'as jamais la sensation que tu es sur le point d'exploser.

— Non, riposta-t-il d'un ton irrité. Et si ça m'arrivait, je te le dirais.

— Merci, dit-elle d'une voix éteinte.

— Quelquefois, Lauren, je ne te comprends pas.

C'était bien normal. Peut-être devrait-elle l'éclairer avant que ce soit trop tard.

— Il y a plein de choses sur moi que tu ne connais pas. Peut-être devrions-nous réfléchir un peu à cette histoire de mariage.

Maintenant il était vraiment agacé.

— Je n'ai pas besoin d'y réfléchir, et toi non plus.

— Si je te parlais de mon passé, tu pourrais changer d'avis.

— Oh, tu vas me raconter maintenant que tu as un passé caché, c'est ça ?

— Ça n'a pas toujours été exactement « La Petite Maison dans la prairie ».

— Écoute, ma chérie, chacun a ses secrets. Je n'éprouve aucun besoin d'écouter les tiens. Je t'aime, ça me suffit.

Elle était décidée à se faire entendre, que cela lui plût ou non.

— Quand mes parents sont morts, je suis allée vivre à Philadelphie avec mon oncle et ma tante. J'ai eu une aventure avec mon cousin.

— Et je suis censé en être bouleversé ?

— Ensuite je suis partie pour New York, j'ai fait la connaissance d'un photographe du nom de Jimmy et j'ai couché avec lui.

Oliver se rembrunit. Tout cela ne l'amusait pas.

— Lauren, quel âge as-tu ?

— Vingt-quatre ans.

— Tu as vingt-quatre ans et tu as eu des aventures avec deux hommes. Tu ne serais pas normale si ça n'avait pas été le cas. Son ton se radoucit. Tu sais, ma chérie, je n'imaginais quand même pas que tu étais vierge.

— Il y a eu quelqu'un d'autre. Quelqu'un que j'ai connu quand j'étais très jeune.

— Qui ça ? demanda-t-il avec patience.

— Un garçon du lycée.

— Et alors ?

— Oh, rien... Inutile de lui parler de Nick. Je t'en prie, Oliver, j'ai vraiment besoin d'être seule. Nous bavarderons demain. Rentre chez toi.

— J'allais te donner ta surprise, dit-il, refusant de bouger.

— Donne-la-moi demain.

Sa bouche se crispa.

— Très bien, fit-il, manifestement mécontent. Repose-toi bien.

Il lui posa un baiser distrait sur la joue et sortit. Sitôt qu'il fut parti, elle se mit à arpenter nerveusement son appartement. Mon Dieu ! Elle ne savait plus où elle en était. Elle ne savait que faire ni que penser. Jamais elle n'aurait imaginé tomber sur Nick. Pour elle, il était à jamais sorti de sa vie. Et pourtant il était bien là, assis à ce dîner avec cette petite Carlysle, et tout ce qu'elle avait jamais éprouvé pour lui revenait déferler sur elle. Elle l'avait tant aimé, elle aurait donné sa vie pour lui. Le revoir l'avait profondément troublée. Les souvenirs qu'elle avait de lui étaient si vivaces. Et il lui avait paru si beau, si formidable, si fantastique.

Sois réaliste. Nick Angelo appartient à ton passé.

Pas forcément.

Mais si.

L'avait-il vue ? L'avait-il reconnue ? Leurs regards ne s'étaient croisés qu'un instant et pourtant... elle était certaine qu'il l'avait reconnue. Si seulement elle pouvait en parler à quelqu'un, mais elle n'avait personne à qui se confier. Qui comprendrait ce qu'il y avait entre elle et Nick ? On dirait que c'était un amourette d'adolescents, une petite histoire stupide. Mais ce n'était pas le cas. Elle avait vécu pour lui et il l'avait piétinée.

Pourquoi se mettait-elle dans un tel état à propos de Nick Angelo ? C'était un salaud. Il l'avait laissée tomber comme tous les autres. Il avait lancé la mode. Eh bien, elle allait lui montrer. Elle épouserait Oliver Liberty, un homme riche et installé. Et quand elle serait Mrs. Liberty, il ne pourrait plus jamais la toucher. Elle s'éveilla le lendemain matin en souhaitant de toute son âme que ce n'eût été qu'un rêve. Elle se doucha, se brossa les dents, se maquilla, s'habilla et partit pour le bureau. À peine était-elle arrivée que Pia lui mettait le grappin dessus.

— Nick Angelo a appelé, dit-elle. Il tenait absolument à te joindre. Qui est-ce ?

Elle eut l'impression que son estomac se retournait.

— Personne d'important. Mets le message à la corbeille à

413

papier. Sur son bureau, il y avait une douzaine de roses rouges envoyées par Oliver et un mot lui demandant de le retrouver pour déjeuner. Elle savait qu'il devait être inquiet : ils étaient censés partir pour les Bahamas dans deux jours et le comportement qu'elle avait eu la veille au soir l'avait manifestement troublé.

— Euh, Pia... tu peux me rendre un service ? fit-elle en contemplant les roses.

— Oui.

— Si Nick Angelo rappelle, dis-lui que j'ai quitté New York. En fait, tu peux lui dire que je vais me marier prochainement et ne lui donne aucun autre renseignement.

— Qui est-ce ? demanda Pia avec curiosité.

— Oh, c'est juste quelqu'un que j'ai connu voilà longtemps au lycée.

— Il a une voix superbe, dit Pia. Très sexy.

— C'est bien, répondit-elle en espérant que Pia allait parler d'autre chose.

Oliver attendait quand elle arriva au restaurant.

— Tu te sens mieux aujourd'hui ? demanda-t-il, comme toujours plein de sollicitude.

— Beaucoup mieux, merci, dit-elle en se glissant à côté de lui.

— Bon. Parce que j'ai ta surprise.

— Est-ce qu'elle aboie et qu'elle mange beaucoup ?

— Non, ma chère, ce n'est pas un chiot. Tu sais ce que je pense des jeunes chiens. Je ne veux pas les voir pisser sur tous mes tapis d'Orient.

— Alors, Oliver, je suis très déçue.

— Tu ne vas pas l'être, dit-il en prenant une grande enveloppe posée sur la banquette. Regarde, dit-il en la lui tendant.

— Qu'est-ce que c'est ?

— Ouvre-la et tu verras.

Elle ouvrit l'enveloppe et en tira une grande affiche. C'était sa propre image qu'elle était en train de regarder. Au-dessus de la photo, on pouvait lire en gros caractères LA NOUVELLE FEMME MARCELLA !

— Qu'est-ce que c'est que ça ? demanda-t-elle.

— Tu vois bien : c'est ta photo prise à la séance de l'autre jour.

— Je sais, mais pourquoi lit-on : la nouvelle femme Marcella ?

— Parce que, ma chérie, c'est exactement ce que tu vas être.

Carlysle essaya tous ses trucs, mais ce soir-là Nick restait indifférent. Sans qu'elle s'en rendît compte, il était dans un état de choc, car il n'arrivait pas à croire qu'après toutes ces années il était tombé sur Lauren. Il dut se forcer à raccompagner Carlysle chez elle.

— Tu ne montes pas ? demanda-t-elle, comme il l'aidait à descendre de voiture.

— Non, je commence tôt demain, expliqua-t-il.

— Moi aussi, lui fit-elle remarquer. Nous pourrions aller au studio ensemble.

— J'ai la migraine.

— *Toi* tu as la migraine ? lança-t-elle avec un rire hystérique. Est-ce que ça n'est pas *moi* qui suis censée dire ça ?

Elle se remit à lui mordiller l'oreille. Il s'écarta sans douceur.

— Qu'est-ce qui se passe ? interrogea-t-elle. Je croyais qu'on s'entendait bien tous les deux.

— Absolument. Tu n'y es pour rien.

— Mon Dieu, tu te conduis bien drôlement.

Lui se conduisait drôlement ? Avait-elle jamais songé à la façon dont elle se conduisait, elle ?

— Écoute, je te verrai sur le plateau demain.

Elle s'engouffra dans son immeuble sans un regard en arrière. Son chauffeur raccompagna Nick à son hôtel. Il n'arrivait pas à se remettre d'avoir revu Lauren. Qu'est-ce qu'elle faisait donc à New York ? Et qui était ce vieux type à qui elle était fiancée ?

Comment pouvait-elle se fiancer à un homme qui aurait pu être son grand-père ? Et comment se faisait-il qu'elle l'eût évité comme ça ? Elle avait filé comme une fusée. Il avait tant de questions à poser et il avait besoin de réponses. Non pas qu'il lui pardonnerait de ne pas avoir répondu à ses lettres, mais ce serait agréable de savoir pourquoi.

À l'hôtel, il trouva un message d'Annie. Il la rappela.

— J'arrive, annonça-t-elle.

— Oh... c'est formidable, dit-il, songeant que c'était tout sauf ça.

Il ne lui manquait plus qu'Annie.

— J'arriverai demain à quatre heures. Tu viendras me chercher ?

— Je serai sur le plateau. Mais je m'arrangerai pour que quelqu'un soit à l'aéroport.

— Il faut qu'on parle, dit-elle.

Oh, bon Dieu ! Cyndra avait raison, ça sentait le roussi.

Dès le lendemain matin, il appela Au Secours Service. Une voix de femme répondit :

— Pia Liberty. Je peux vous aider.

— Oui, pourriez-vous me passer Lauren ?

— Elle n'est pas encore arrivée.

— J'ai besoin de la contacter, tout de suite.

— Je lui ferai le message.

— Vous pouvez peut-être me donner son numéro personnel.

— Non, je suis désolée.

— Nous sommes de vieux amis.

— J'en suis certaine, mais nous ne donnons jamais les téléphones personnels. Rappelez donc vers dix heures.

Il partit pour le studio. Carlysle l'accueillit en lui faisant la tête : elle n'avait manifestement pas l'habitude qu'on ne se plie pas à ses désirs.

Il étudia son texte, discuta avec le metteur en scène et essaya de s'imprégner de son rôle, mais il avait du mal à se concentrer. Dès qu'il y eut une interruption, il se précipita vers le téléphone.

— Est-ce que Lauren est arrivée ?

— Je suis désolée, vous l'avez manquée. Elle a quitté New York. Elle se marie, vous savez.

— C'est Pia ?

— Vous avez de la mémoire.

— Écoutez, Pia, il faut absolument que je lui parle. C'est très important.

— Je lui ai transmis votre message. Elle va peut-être vous rappeler.

— Vous ne comprenez pas. On se connaît depuis vraiment longtemps.

— Elle a dit qu'elle vous contacterait.

— Elle a dit ça ?

— Oui.

Il raccrocha, très déprimé. Pourquoi la poursuivait-il, au fait ? Elle l'avait laissé tomber. Dire qu'il lui avait écrit une centaine de lettres sans recevoir une seule réponse.

La vérité, s'il voulait bien la regarder en face, c'était que Lauren Roberts n'avait jamais voulu de lui. Pour elle, tout ça n'avait été qu'un jeu. Nick Angelo, le minable qui habitait une caravane, et la jolie petite Lauren Roberts qui s'amusait à ses dépens. Eh bien, qu'elle aille se faire voir ! Qu'elle épouse donc ce riche vieillard ! Qu'est-ce que ça lui faisait ?

Mais au fond de son cœur, ça lui faisait quelque chose. Et, bien qu'il refusât de se l'avouer, la revoir avait réveillé en lui tous les douloureux souvenirs de l'amour qu'il avait jadis eu pour elle. Il aurait voulu que Lauren ne soit plus pour lui que du passé. Mais il savait que ça n'était pas possible.

66

Annie avait son programme, Nick le comprit dès qu'elle arriva sur le plateau, venant directement de l'aéroport. À New York, elle faisait très californienne, avec son hâle, son corps athlétique et ses tenues aux couleurs vives.

— Qui est-ce ? demanda Carlysle, dès l'instant où Annie débarqua sur le plateau.

— Une amie, répondit Nick.

Carlysle eut un petit sourire.

— Je parie qu'elle n'est pas aussi bonne que moi au lit.

Waldo, qui rôdait dans les parages, haussa les sourcils en faisant tut-tut.

— Elle n'est pas ma petite amie, expliqua Nick à Carlysle.

— Tu n'as pas couché avec elle ? interrogea Carlysle.

— Non.

— Mais elle en a envie.

— Pourquoi dis-tu ça ?

— Regarde-la, Nick. Elle se languit après toi comme un bébé qui veut téter le sein de sa mère.

— Personne ne t'a jamais dit que tu avais un sexe dans le cerveau ?

— Quel mal y a-t-il à ça ?

Carlysle avait une qualité : elle ne s'accrochait pas. Peu lui importait avec qui elle couchait, ce qui était aussi bien parce que Nick n'avait pas l'intention de rendre de comptes à qui que ce soit. Il présenta Annie au metteur en scène, ce qui la combla d'aise. Ensuite, elle s'installa dans son fauteuil et regarda le tournage d'une scène de restaurant. Quand ce fut terminé, elle dut bien reconnaître qu'il était bon.

— Merci, dit-il.

— Joy serait fière de toi. Tu n'es pas content que je t'aie emmené à ses cours ?

Était-ce sa façon subtile de lui dire que, si elle ne l'avait pas emmené au cours de Joy Byron, rien de tout cela ne serait arrivé ?

Le tournage se termina peu avant sept heures et ils prirent un taxi pour rentrer à l'hôtel de Nick.

— Je t'ai réservé une chambre. C'est à un étage au-dessus de la mienne. Oh, et ils ont besoin de savoir combien de temps tu comptes rester.

— Ça dépend de toi, rétorqua-t-elle d'une voix coupante.

Allons bon ! Pourquoi ça dépendait-il de lui ?

— Qu'est-ce que tu veux dire ? demanda-t-il.

Elle le regarda droit dans les yeux.

— Combien de temps est-ce que *toi* tu veux que je reste ?

Carlysle avait raison, Annie attendait un geste de sa part et, malheureusement, la seule façon dont il pouvait l'empêcher de tout raconter aux flics, c'était d'en faire sa petite amie.

Ils allèrent dîner dans un restaurant chinois voisin, parlèrent du film, de Los Angeles et du contrat de Cyndra avec sa maison de disques. Puis ils en vinrent à la véritable raison de son voyage à New York.

— J'imagine que Cyndra t'a prévenu, dit-elle en buvant une gorgée de thé. Je suis navrée de te dire ça, Nick... mais c'est devenu pour moi un fardeau trop lourd à porter.

— Oui, fit-il, en se demandant comment il allait s'y prendre avec elle. Je comprends.

Elle parut surprise.

— Ah oui ?

— Je sais comme ce doit être difficile pour toi, Annie. Tu es toute seule, tu n'as personne à qui parler... tu essaies de te faire des relations et les engagements ne sont pas faciles à trouver. Oui, je comprends.

Il continua, parlant de Joy, de son cours et du travail qu'elle faisait au club de gym. Elle était déconcertée. Elle avait cru qu'il allait essayer de la dissuader d'aller trouver la police et elle avait préparé tous ses arguments. Mais non, il était allé résolument dans la direction opposée, et elle était désorientée.

Rentrant à l'hôtel, il passa un bras autour de sa taille, lui prit la main et lui dit comme il la trouvait jolie. Le temps qu'il l'amène jusqu'à sa chambre à lui sous prétexte de répéter la scène du lendemain, elle était prête à se donner. Elle avait un corps superbe, compact et musclé, mais pas vraiment son type : il aimait les femmes aux formes plus voluptueuses. Il fut stupéfait de découvrir qu'elle était vierge.

— Tu dois être la seule vierge qui reste à Hollywood, dit-il en plaisantant tout en s'efforçant de ne pas lui faire mal.

— Ne plaisante pas là-dessus, Nick, fit-elle d'une voix haletante. Je crois que c'est bien d'attendre.

Il la sentit fondre et il entreprit de la rendre très heureuse. Quand ce fut terminé, il savait que le dernier endroit où elle irait, ce serait la police.

Annie resta une semaine. À peine était-elle partie qu'il se remit avec Carlysle dont le seul commentaire fut qu'elle se demandait pourquoi ils n'avaient pas essayé tous les trois ensemble.

— Toi, c'est autre chose, dit-il en secouant la tête.

Avec Annie bien rentrée à Los Angeles, ils se mirent à faire l'amour partout où ils le pouvaient. Leurs scènes d'amour à l'écran étaient brûlantes, surtout quand sous les draps Carlysle lui faisait des choses que personne ne voyait. Il alla voir les rushes et comprit que ça marchait pour lui. Entre Carlysle et lui, ça accrochait bien.

Ils sortaient presque tous les soirs. Carlysle était invitée partout et il y avait toujours une soirée ou une première. Ça l'excitait vraiment de faire l'amour dans les endroits les plus invraisemblables : plus le risque d'être surpris était grand, plus elle aimait ça.

— Tu n'es jamais fatiguée ? demanda-t-il, ne plaisantant qu'à moitié.

— J'ai le reste de ma vie pour être fatiguée. Vis dans l'instant, Nick, on ne sera pas toujours là.

Si elle continuait à ce train-là, elle allait l'user ! La productrice commençait à s'intéresser davantage à lui. Il estimait qu'elle devait avoir une quarantaine d'années, mais elle était remarquablement bien conservée. Elle lui annonça un jour qu'elle avait un scénario qu'elle aimerait lui faire lire et elle l'invita à monter dans sa suite à l'hôtel.

— Je peux venir aussi ? demanda Carlysle.

— Non, dit-il d'un ton ferme.

— Elle veut coucher avec toi, dit Carlysle.

— À t'entendre, toutes les femmes veulent ça de moi.

— Quand ce film va sortir, ce sera le cas. Je te parie ce que tu veux.

Carlysle, comme d'habitude, avait raison. La productrice lui offrit une vodka et s'assit en face de lui, croisant et décroisant ses longues jambes superbes tandis qu'il essayait de lire le script. Elle lui avait déjà annoncé que c'était tout à fait confidentiel et que le texte ne devait pas sortir d'ici. Au bout de vingt pages, elle laissa tomber sa jupe, révélant un porte-jarretelles et des bas noirs. Il se souvint du feu rouge où elle l'avait ignoré et il se surpassa. Après cela, elle lui demanda ce qu'il pensait du scénario.

— Pas mal, dit-il d'un ton assuré. Et vous, vous avez été formidable.

Carlysle réclama des précisions. Elle savoura tous les détails qu'il lui donna et cela ne fit que l'exciter encore plus.

Il appelait Annie tous les deux ou trois jours. Elle avait l'air en bonne forme. Il était soulagé : celle-là au moins, il la contrôlait.

Un jour il reçut un coup de fil affolé de la petite amie de Joey, la tapineuse.

— Ces salauds ont foutu une raclée à Joey, dit-elle. Il est à l'hôpital.

Sitôt le tournage terminé, Nick se précipita pour aller le voir. Joey était dans une salle commune, les jambes couvertes de pansements et le visage tuméfié. Ses yeux n'étaient plus que des fentes et ses lèvres avaient doublé.

— C'est quand même quelque chose, dit Nick d'un ton joyeux. Je ne peux pas te laisser seul une minute. Comment est-ce arrivé ?

— Je me suis trouvé pris dans une bagarre, murmura Joey.

— Avec quoi ? Un quinze tonnes ?

Joey essaya de lever un bras.

— Ne me fais pas rire.

Plus tard, il parla de nouveau à la petite amie de Joey et découvrit la vérité. Joey devait pas mal d'argent parce qu'il s'était habitué à l'héroïne et qu'il n'arrivait pas à s'arrêter.

— Je vais m'occuper de ça, promit Nick.

Il s'en alla trouver Carlysle pour lui emprunter de quoi pouvoir aider Joey.

— Je voudrais le mettre dans une de ces cliniques... pour le désintoxiquer, expliqua-t-il. Ça coûte cher, et je n'ai pas de fric. Ce sera un prêt : je te verserai même un intérêt.

Carlysle s'en moquait éperdument.

— C'est ma mère qui gère tout mon fric, dit-elle, écartant allègrement son problème. Je ne peux pas y toucher.

Tu pourrais si tu le voulais, garce.

Il alla trouver sa productrice. Elle posa des questions. Satisfaite

420

de ses réponses, elle accepta de lui consentir un prêt en échange d'une option pour qu'il tourne dans le prochain film qu'elle produirait.

À Los Angeles, Meena Caron protesta violemment.

— Nick, on me dit partout d'excellentes choses sur toi. Ce serait suicidaire de te ligoter maintenant.

— Il faut que j'aide un copain, expliqua-t-il, et il signa l'option.

Le film n'était pas sorti que la nouvelle se répandait déjà partout : une nouvelle vedette se profilait à l'horizon. Une vedette qui s'appelait Nick Angel.

67

— Lauren Roberts, prenez-vous cet homme, Oliver Liberty, pour époux ?

Elle n'hésita qu'une seconde.

— Oui, fit-elle d'une voix un peu haletante.

— Et vous, Oliver Liberty, prenez-vous cette femme, Lauren Roberts, pour épouse ?

Il se tourna vers elle, les yeux brillants d'orgueil.

— Oui.

Ils étaient sur la terrasse de sa maison des Bahamas, donnant sur une immense plage de sable blanc et un océan plus bleu que jamais. Le décor était idyllique. Lauren portait une simple robe blanche avec des fleurs dans les cheveux. Leurs témoins étaient la gouvernante d'Oliver et son mari, un charmant couple noir qui arborait sans cesse un sourire radieux.

Quand elle dit « oui », Lauren sentit un frisson d'appréhension la parcourir. Elle était en train de donner sa vie à un autre être. Elle s'unissait à Oliver et les choses ne seraient plus jamais les mêmes.

C'est ce que tu veux, n'est-ce pas, Lauren Roberts ?

Non.

En voilà des idées...

Ce que je veux, c'est Nick Angelo.

Oh, bonté divine !

Oliver se pencha pour l'embrasser et elle chassa aussitôt les images de son passé.

Ce soir-là, ils dînèrent tranquillement, rien que tous les deux sur la terrasse dominant la mer.

— Alors, ma chérie, dit-il en lui pressant la main. Comment te sens-tu ?

Elle ne le savait pas très bien.

— Un peu étourdie, je crois.

— Tant mieux, parce que moi, je me sens l'homme le plus chanceux du monde, dit-il, faisant tinter sa flûte à champagne contre la sienne.

Elle but une gorgée et écouta la rumeur apaisante du ressac.

Je suis Mrs. Oliver Liberty.

Il a quarante ans de plus que toi.

Je m'en fiche.

Tu as épousé une image du père.

Ça n'est pas vrai.

Après le dîner, Oliver se retira dans son bureau pour passer quelques coups de fil.

— Ça te donnera un peu de temps pour te détendre, dit-il.

Pourquoi lui faudrait-il du temps pour se détendre le soir de ses noces ? Elle erra dans la maison, et finit par s'installer dans la chambre de maître. C'était une pièce claire et spacieuse, décorée dans des tons terre cuite. De là aussi on avait une vue superbe. Il y avait sur le lit une couverture de dentelle blanche et un entassement de somptueux coussins. Elle se demanda qui était responsable de la décoration, l'épouse numéro un ou l'épouse numéro deux ? Elle décida que c'était la numéro un : on y sentait beaucoup trop de goût pour l'épouse numéro deux.

Dans la salle de bains de grès pâle, elle prit une douche et passa la chemise de nuit d'un blanc diaphane qu'elle avait achetée tout exprès pour sa nuit de noces. Quand elle regagna la chambre, Oliver était allongé sur le lit, en pyjama de soie, et dépouillait une pile de courrier.

— Tu ne t'arrêtes donc jamais ? demanda-t-elle, sa silhouette se découpant sur le seuil.

— Je crois qu'il faut profiter de chaque instant. C'est de la correspondance dont je n'avais pas eu le temps de m'occuper avant mon départ.

Elle s'approcha du lit.

— C'était absolument nécessaire de l'emporter pour notre lune de miel ?

Il avait dû remarquer son ton agacé, car il poussa la pile de lettres de côté.

— Pardonne-moi, dit-il en lui prenant la main. Mais toi, ma chérie, reprit-il en la regardant pour la première fois, tu es absolument ravissante.

Vas-tu me ravir ce soir, Oliver?
Vas-tu me ravir à m'en couper le souffle?

— Merci, murmura-t-elle.

— Viens par ici, dit-il en l'attirant sur le lit.

C'était leur première nuit de vie conjugale et elle voulait qu'elle fût mémorable. Jusque-là leur vie amoureuse n'avait pas beaucoup progressé. Oliver lui répétait sans cesse que, quand ils seraient mariés, les choses seraient différentes, et elle était prête à ce changement. Elle avait besoin d'un homme qui l'emmenât dans un voyage passionné. Seul Nick était parvenu à vraiment la satisfaire et elle s'attendait à retrouver cette même plénitude. Oliver commença à l'embrasser et à la caresser. Elle réagit avec une passion qu'elle lui avait cachée jusqu'alors.

— Oliver, cette nuit doit être mémorable..., murmura-t-elle, exprimant tout haut ses pensées.

— Ne sont-elles pas toujours mémorables? demanda-t-il doucement.

Non, pas du tout. Nous n'avons jamais vraiment fait l'amour. Tu t'es toujours contenté de m'embrasser et de me caresser.

Elle lui fit comprendre ce qu'elle voulait. Comme elle commençait à pencher la tête, il l'arrêta brusquement.

— Qu'est-ce que tu fais?

— Je vais te rendre très heureux.

— Non, Lauren. Je ne veux pas que tu fasses ça.

— Mais tu me le fais tout le temps. À vrai dire, tu ne fais rien d'autre.

— Parce que tu le mérites.

Je le mérite? Qu'est-ce qu'il entend par là?

— Oliver, laisse-moi faire. Tu sais que tu adoreras ça.

— Non, Lauren, pas du tout. Je refuse de te voir dans cette position.

— Je veux seulement te faire plaisir, dit-elle.

— Je sais, ma chérie, mais ça ne me fait pas plaisir. C'est un acte que j'associe avec le sexe qui se vend. C'est avilissant et je ne veux pas te voir faire cela.

Ces paroles la choquèrent. Assurément, quand deux êtres étaient mariés, rien n'était avilissant s'ils désiraient tous les deux la même chose ! Mais si c'était cela qu'il voulait, alors, très bien.

Ils s'embrassèrent et se caressèrent encore. Les mains d'Oliver parcoururent doucement tout son corps. Puis ses baisers commencèrent à descendre sur son ventre.

— Non, Oliver, dit-elle en se déplaçant. Je veux que tu me fasses l'amour comme il faut.

— Mais, ma chérie, j'ai l'impression que ça te plaît beaucoup.

— Ce soir, il faut que ce soit différent, dit-elle, déçue de constater qu'il n'était qu'à demi excité.

— Lauren, ma chérie, dit-il en s'écartant.

— Oui ?

— Je n'ai aucune envie de te décevoir.

— Pourquoi me décevrais-tu ?

— Parce que je n'ai pas vingt-cinq ans.

Elle ne put s'empêcher de prendre un ton sarcastique.

— Oh, vraiment ? Et moi qui croyais que tu les avais.

— Ne te moque pas. Quand j'étais jeune homme, je faisais l'amour toute la nuit. Avec l'âge, je me suis rendu compte qu'il y avait d'autres plaisirs qui pouvaient donner à une femme plus de bonheur que n'importe quoi d'autre.

— Qu'est-ce que tu dis ?

— Je ne suis pas sûr de pouvoir te satisfaire comme tu l'entends.

— Pourquoi ne pas essayer ?

— C'est simplement que... Il hésita. Eh bien, depuis qu'on m'a posé mon stimulateur cardiaque...

— Un stimulateur cardiaque ? fit-elle, affolée.

— Je t'en ai sûrement parlé ? Il y a environ deux ans, j'ai eu une crise de tachycardie, rien de grave. Mes médecins ont décidé qu'un stimulateur cardiaque réglerait le problème.

— Tu ne m'en as jamais parlé, Oliver.

— Ça ne m'a probablement pas paru si important.

— Bien sûr que c'est important. Nous sommes mariés. Je devrais tout savoir sur toi.

— Pourquoi ? Est-ce que cela aurait changé quelque chose ?

— Non...

Les pensées se bousculaient dans son esprit. Un stimulateur cardiaque. Est-ce que cela voulait dire qu'il était malade ? S'ils faisaient l'amour, risquait-il de mourir tout d'un coup ? Oh, mon Dieu, dans quel pétrin s'était-elle mise ?

Il se leva et se dirigea vers la fenêtre.

— Je suis navré, ma chère. Tu as raison, j'aurais dû te le dire.

Elle essaya de lui faciliter les choses.

— Eh bien, tu ne l'as pas fait et maintenant je le sais. Mais nous pouvons quand même faire l'amour, n'est-ce pas?

— Oui.

— Alors reviens te coucher. Je ne suis pas exigeante. Tout ce que je veux, c'est être près de toi.

Ils restèrent dix jours aux Bahamas, et durant ce temps Lauren se rendit compte qu'elle avait épousé un homme qui n'était pas disposé à consommer leur mariage. En vérité, il voulait lui faire l'amour à sa manière ou pas du tout. Même si sa manière était très plaisante, ce n'était quand même pas la même chose que de s'unir avec un autre être.

Et puis Oliver était obsédé par ses affaires. Elle avait pensé qu'une fois loin du bureau il allait pouvoir se détendre. Et elle avait imaginé de longues promenades sur la plage, des bains, de la plongée, peut-être des sorties en bateau. Elle fit tout cela seule, car Oliver passait le plus clair de ses journées au téléphone. De temps en temps, le sujet de la femme Marcella revenait sur le tapis. Quand il en avait parlé pour la première fois, elle avait répondu par un non résolu. Mais il n'était pas homme à accepter un refus. Tous les jours il lui demandait si elle avait changé d'avis.

— Je te l'ai dit, Oliver, je ne suis pas un mannequin, et je n'ai pas envie de le devenir.

— Je comprends, répondait-il. Mais ce n'est pas vraiment un travail de mannequin. Tu seras le porte-parole de Marcella. Tu gagneras aussi beaucoup d'argent, tu deviendras quelqu'un de très connu et tu seras ravie de faire cette campagne.

Elle n'était pas d'accord. L'idée de gagner de l'argent était séduisante, mais elle n'avait aucune envie de devenir connue.

Pia téléphona de New York.

— Alors? Tu vas le faire ou non?

— Non, dit-elle d'un ton ferme.

— Tu gâches vraiment une occasion si tu refuses, dit Pia. Qu'est-ce que tu as à perdre? Oh, au fait, regarde donc le *Daily News* d'hier. Il y a une photo de ce Nick Angel — celui qui t'a appelée. Tu ne m'avais pas dit que c'était un comédien. Et tu ne m'avais certainement pas dit qu'il était aussi beau.

Quand Lauren raccrocha, elle se mit aussitôt à chercher les journaux de New York de la veille. Et en effet, en page cinq du

Daily News, il y avait une photo de Nick avec Carlysle Mann. Elle l'examina, puis lut la légende :

Carlysle Mann, qu'on rencontre souvent avec son nouveau partenaire à l'écran, Nick Angel. Carlysle et Nick tournent Night City *en extérieurs à New York. On dit que Nick crève l'écran, surtout dans les scènes d'amour — et elles sont nombreuses. Mesdames, attention... il pourrait bien être votre nouvelle idole du samedi soir...*

Nick tournait donc un film ! Elle n'arrivait pas à y croire. Nick Angel. Qu'était-il arrivé à Angelo ? Mon Dieu ! Il était devenu un comédien professionnel ! Il avait fait ce dont ils parlaient et rêvaient tous les deux. Elle regarda de nouveau sa photo et fut prise d'une antipathie immédiate pour Carlysle — ce qui était stupide, puisqu'elle ne la connaissait même pas. Puis elle relut la légende trois fois, replia le journal et le fourra dans un tiroir. Dans le courant de la journée, elle alla trouver Oliver qui, comme d'habitude, était au téléphone.

— Raccroche, déclara-t-elle en se plantant devant lui.

Il mit la main sur le microphone.

— Qu'est-ce qu'il y a ?

— Raccroche. Il faut que je te parle.

Il s'excusa auprès de son interlocuteur et raccrocha.

— J'espère que c'est important, dit-il avec agacement.

— Ça l'est.

— Alors ?

— J'accepte.

— Tu acceptes quoi ?

— Je serai la femme Marcella.

Il leva la tête.

— C'est vrai ?

— Oui, Oliver. Et je veux que Samm soit mon agent. Elle négociera mon prix.

Il éclata de rire.

— Elle négociera ton prix ?

— Je suis chère, dit Lauren. Mais, si tu me veux, tu paieras.

De retour à New York, elle retrouva Pia qui s'agitait au point qu'on pouvait se demander si elle n'allait pas d'un moment à l'autre perdre son bébé. Lauren comprit que, si elle devait se lancer dans cette campagne Marcella, alors il était temps de songer sérieusement à Au Secours Service.

— Qu'est-ce que tu veux faire? demanda-t-elle à Pia. Tu attends un bébé, il faut que tu t'occupes de Howard. Nous devrions peut-être fermer la boîte.

— J'aime bien ce travail, dit Pia. Mais je pense que tu as raison. Je n'aurai pas de temps. Et si tu fais la campagne Marcella, tu n'en auras pas beaucoup plus.

C'était triste, mais elles décidèrent que la meilleure chose à faire était de fermer. Lauren alla voir Samm, que la tournure des événements amusait beaucoup.

— Est-ce que tu te rends compte combien de mes mannequins vont vouloir t'arracher les yeux, ma chérie? fit-elle. Elles diront que tu as utilisé ton influence auprès du patron.

— Pas du tout, Samm. C'est lui qui a utilisé *son* influence sur *moi*. Mais je veux un contrat en or, sinon je ne le fais pas.

Samm acquiesça.

— J'aime les contrats en or. Est-ce que tu me donnes la permission d'aller négocier pour toi le contrat du siècle?

Lauren sourit.

— C'est exactement ce que je vous demande.

— Et je peux m'en aller en sifflotant s'ils n'acceptent pas mes conditions?

— Je ne m'attendais pas à vous voir agir autrement.

— Lauren, tu es une fille selon mon cœur.

Oliver rentra ce soir-là en haussant les sourcils.

— Tu es folle? Tu demandes plus d'argent qu'un top model.

— Mon ange, c'était ton idée, pas la mienne. Si Marcella veut que je les représente, alors c'est ça qu'ils devront payer.

Il secoua la tête.

— Je ne savais pas que j'avais épousé une femme d'affaires impitoyable.

— Ça n'est pas moi qui ai demandé à être la femme Marcella, aie la bonté de t'en souvenir.

— J'ai discuté avec mes clients, dit Oliver. Ils ont ma recommandation. Je leur ai fait aussi quelques autres suggestions. La décision finale leur appartient.

— Parfait, dit Lauren. Parce que, que ça marche ou pas, ça m'est égal.

Au fond d'elle-même, ça n'était pas vrai. Au fond d'elle-même, elle savait qu'elle avait envie d'être quelqu'un. Tout comme Nick Angel allait être quelqu'un. Elle ne voulait pas rester à la traîne. Elle voulait être tout aussi célèbre qu'il était destiné à l'être.

68

— Il te faut un attaché de presse, dit Frances.

— Pour quoi faire ? J'ai plein de publicité. Carlysle et moi, on est dans toutes les chroniques.

— Tu as besoin de quelqu'un pour te façonner une image. Pour te donner un profil, un profil bien marqué.

— Laisse tomber. Je n'ai pas l'argent.

— Qu'est-ce que tu as fait de l'argent que tu as touché pour le contrat d'option que tu as si stupidement signé malgré les conseils de Meena ?

Il haussa les épaules.

— J'avais un ami dans le pétrin. Il fallait que je l'aide.

— Comme c'est mignon, dit Frances en tirant sur sa cigarette. Le petit a bon cœur.

— J'ai toujours trouvé que c'était bien d'aider les copains, fit-il en se jetant sur son canapé. Est-ce que ce n'est pas comme ça qu'on doit faire ?

— Tu es quelqu'un de vraiment bien, dit Frances, l'air étonné.

— Alors, j'imagine que tu as un attaché de presse que tu veux me recommander, dit-il en prenant une cigarette, décidant que c'était bien son tour de lui souffler de la fumée au visage.

— Reconnais-le, mes conseils ne sont pas mauvais, répliqua Frances. Tes nouvelles photos sont excellentes et Meena fait du bon travail pour toi. Bien sûr, elle pourrait faire mieux si tu ne t'étais pas lié par ce ridicule contrat d'option.

Il haussa les épaules.

— Qu'est-ce que ça a de ridicule de signer pour un autre film ? Il y a deux mois j'aurais pu être arrêté. Pourquoi toutes ces histoires ?

— Apprends à comprendre ce métier, dit Frances d'un ton sévère. D'après tous les bruits qui courent, quand *Night City* va sortir, tout le monde va te demander. C'est dans ces moments-là qu'il faut agir. Mais comme tu t'es lié pour un autre film, Meena ne peut rien faire pour toi.

— C'est vrai, Frances, mais je ne suis pas complètement idiot. Je ne suis pas obligé de tourner le film tout de suite. Il y a une clause dans ce contrat qui dit que je peux faire quelque chose d'autre si à une certaine date ils ne sont pas prêts à commencer la production.

— Alors, maintenant, tu as décidé d'être ton propre avocat?

— Je voulais justement te parler de ça. Peux-tu me recommander un bon avocat?

— Il y a un cocktail demain soir, dit Frances. Tu vas m'y emmener. Il y aura là plusieurs grands avocats. Tu peux discrètement leur faire passer une audition.

— Je ne sais pas si je peux me libérer demain soir.

Elle le regarda sans aménité.

— Nick, je ne m'attends pas à te voir oublier nos accords si tôt dans nos relations.

— O.K. je m'arrangerai, dit-il.

Il n'était rentré à Los Angeles que la veille, après presque deux mois de tournage à New York et, bien qu'il eût parlé à Annie au téléphone, il ne l'avait pas vue. Il avait promis de l'emmener le lendemain soir pour un dîner de retrouvailles. Maintenant que Frances exigeait sa compagnie, il n'aurait qu'à changer de date.

Frances nota sur un papier le nom et le numéro de téléphone d'une attachée de presse et lui tendit le papier.

— Va la voir, dit-elle.

— Encore une femme?

Frances plissa ses yeux au regard d'acier.

— Et alors? Ça ne te plaît pas de traiter avec des femmes? Crois-moi, mon cher, elles s'occuperont de toi bien mieux que les hommes.

Comme si elle lui disait quelque chose de nouveau.

Marik, avait décidé Cyndra, était vraiment trop gentil. Il la traitait comme une princesse. Au début, elle l'avait attiré dans son lit — ça n'avait pas été trop difficile — pour l'avoir sous sa coupe. Maintenant, elle l'avait amené là où elle voulait et mieux encore car non seulement il allait produire son quarante-cinq tours, mais il était aussi un compagnon attentif et plein de prévenances. L'ennui, c'est qu'elle ne voulait pas de compagnon. Elle était parfaitement heureuse de se débrouiller toute seule. Son mariage avec Reece lui avait suffi comme compagnie pour toute une vie.

Marik voulait lui faire rencontrer sa mère et ses sœurs. Elle refusa jusqu'au moment où elle se trouva à court d'excuses et elle l'accompagna alors par un beau dimanche après-midi. Sa famille vivait dans la Vallée et toutes ces femmes étaient aussi gentilles que Marik. Malheureusement, il était amoureux d'elle. Elle l'aimait bien, mais on ne pouvait pas dire qu'elle était amoureuse de lui.

Avec Gordon Hayworth, c'était autre chose. Chaque fois qu'elle le voyait, elle sentait courir le long de son dos de délicieux petits frissons qui la rendaient folle. Il passa au studio alors qu'elle enregistrait et, à travers la vitre, elle l'aperçut qui parlait à Marik. Elle aurait voulu tout arrêter et se précipiter rien que pour être près de lui. Sans avoir l'air de rien, elle se renseigna. En général, rien n'échappait aux secrétaires, mais Gordon n'était mêlé à aucun scandale. Il était marié à un superbe ancien mannequin et ne faisait jamais la cour à aucune autre femme.

Gordon Hayworth avait une présence et une dignité qu'elle n'avait jamais rencontrées auparavant chez un homme. Et elle avait envie de lui presque autant qu'elle avait envie d'une grande carrière.

Marik était tout excité. La chanson qu'il avait trouvée pour elle s'appelait « Child Baby » et elle était l'œuvre de deux jeunes auteurs pleins d'avenir. Il avait trouvé pour l'accompagner une formation qui complétait admirablement sa voix et l'arrangement était magnifique.

— Les disques Reno sont à cent pour cent derrière toi, bébé, lui dit-il. Quand ce petit disque va passer sur les ondes, les gens vont se rendre compte que tu vas devenir une vedette !

Le week-end suivant, Marik voulut l'emmener à Palm Springs. Elle tenait tellement à ne pas le décevoir, même si elle aurait préféré ne pas y aller. Ils descendirent le vendredi soir dans sa Corvette blanche et allèrent dans un petit hôtel installé au flanc d'une falaise.

— Qu'est-ce qu'il y avait entre toi et ce Reece ? demanda Marik, tout en sortant ses affaires de son sac de voyage.

— Pourquoi ? demanda-t-elle prudemment, en accrochant ses robes.

— Parce que ça m'intéresse. Il disait que vous étiez mariés. Vrai ou faux ?

— Non, nous n'étions pas mariés, s'empressa-t-elle de répondre. Nous avons vécu ensemble un moment. J'étais jeune et stupide : je ne connaissais pas la vie.

Elle n'avait aucune envie de lui dire la vérité. S'il avait su qu'elle était mariée à Reece, cela risquait d'affecter leurs relations d'affaires, sans parler de leur relation tout court. Plus tard, ce soir-là, ils étaient assis dehors dans le jacuzzi bouillonnant à regarder les étoiles.

— Oh, que c'est bon! fit Marik en s'étirant de tout son long.

— Oui, c'est vraiment joli, répondit-elle.

— Non, bébé... c'est toi qui es vraiment jolie.

Elle renversa la tête en arrière, ses longs cheveux traînant dans l'eau tourbillonnante.

— Dis-moi, Marik, depuis combien de temps es-tu avec les disques Reno?

— Ça va faire cinq ans que je travaille pour eux.

— Où étais-tu avant cela?

— J'ai passé pas mal de temps dans deux ou trois grosses compagnies. J'ai été producteur de quelques rudement bons artistes. Et puis Gordon est arrivé pour me proposer le poste. C'était une occasion de faire plus grand et mieux. Il se mit à rire. Gordon m'a littéralement kidnappé.

— Il doit faire ça très bien, dit-elle.

Il posa une main sur sa jambe.

— Oh oui, Gordon a une forte personnalité. Et un drôle de charisme.

— Pourquoi ne me parles-tu pas de lui, il m'a l'air d'un type intéressant.

— Il avait une petite maison de disques à New York, qu'il a vendue pour plein de blé et il est venu s'installer à Los Angeles, il y a une dizaine d'années. Et puis il a fondé Reno, et le reste est l'histoire d'une belle réussite.

— Il est marié? demanda-t-elle, sachant pertinemment qu'il l'était.

— Oui.

— Qui est sa femme?

— C'était un top model, mais elle a arrêté quand ils se sont mariés... Gordon ne voulait pas que sa femme travaille.

— Ils sont heureux?

— Très. Sa main remonta le long de la jambe de Cyndra. Dis donc, bébé... pourquoi toutes ces questions?

— J'aime bien savoir pour qui je travaille.

— Reste avec moi, ma petite, et tu n'auras besoin de rien savoir!

Il ouvrit tout grands ses bras et elle vint se blottir contre sa confortable bedaine. En Californie, les gens pensaient tellement à leur santé qu'elle se demanda si Marik avait jamais songé à fréquenter un gymnase. Il devrait renforcer ses pectoraux, travailler ses abdominaux. Elle ne voulait pas le vexer en lui posant la question.

Il embrassait bien, alors elle se renversa en arrière et se laissa aller. Marik avait promis de faire d'elle une vedette... pourquoi résister ?

Bridget Hale, la nouvelle attachée de presse de Nick, lui rappelait Meena en plus maigre et en moins gaie. Qu'est-ce que c'étaient donc toutes ces femmes... un club ? En tout cas, elle avait l'air de savoir ce qu'elle faisait, elle lui avait déjà organisé deux interviews dans le courant de la semaine — l'une avec une agence de presse pour un article qui serait publié dans tous les États-Unis, et l'autre avec un hebdomadaire populaire. Il avait reçu quelques journalistes sur le plateau et avait trouvé plutôt rigolo de parler de soi.

Bridget lui enseignait les trucs du métier.

— Il faut que nous t'inventions un passé intéressant, dit-elle. Je ne sais pas d'où tu sors et ça ne m'intéresse pas particulièrement. On va partir de zéro.

— Je suis du Middle West, dit-il.

— Non, je ne crois pas. Plutôt quelque chose d'étranger. Ton père était dans la C.I.A. tu as grandi en Chine. Laisse-moi mettre ça au point.

— Tu plaisantes.

— Encore une chose à ne pas oublier : ne leur dis jamais ton âge. Laisse-les deviner. Et, à Hollywood, on adore les loups solitaires. Joue les mystérieux. Tu verras, les gens adorent.

— Comment ça se fait ?

— Parce que, quand tu fais la couverture de *Time*, on n'a pas envie de voir un journaliste venir fouiner dans ta ville natale et parler à tous tes vieux copains. Si on arrive à maintenir le mystère, c'est ce qu'il y a de mieux, n'oublie jamais ça.

— Alors qu'est-ce que je dis au fait quand on me demande ?

— Que tu ne crois pas au passé, seulement à l'avenir.

Il éclata de rire.

— Ça sonne pas mal.

— Frances et Meena pensent beaucoup de bien de toi, dit-elle. Et elles n'ont pas l'éloge facile.

— Elles ne m'ont pas encore vu à l'écran.

— Frances et Meena sont au courant de tout les premières. Si tu es bon dans ce film, alors elles le savent.

Il se disait qu'il devrait aller voir Joy, mais il savait aussi qu'elle critiquerait violemment tout ce qu'il avait fait et il n'était pas d'humeur à écouter ça. S'il était tout prêt à reconnaître qu'elle l'avait aidé en le présentant à Frances, il n'était pas disposé à subir ses commentaires négatifs. Il avait besoin de se sentir bien dans sa peau. Il était enfin sur la bonne voie et l'essentiel était d'en profiter.

Il avait fait sortir Joey de l'hôpital à New York et l'avait mis à l'abri dans une clinique de désintoxication quelque part au milieu des États-Unis. Sitôt que Joey aurait terminé son traitement, Nick s'était arrangé pour le faire rentrer directement à Los Angeles. En attendant, il y avait le problème d'Annie à régler.

Ils dînèrent dans un petit restaurant près de la jetée de Santa Monica, et parlèrent de ce qu'ils avaient fait l'un et l'autre. Vers la fin du dîner, elle se pencha sur la table et le fixa d'un regard pénétrant.

— Nick, est-ce que je vais m'installer chez toi? demanda-t-elle. Ç'est ça que tu prévois?

Il n'avait rien prévu de la sorte, mais c'était manifestement ce qu'elle attendait. Cherchant à gagner du temps, il finit par l'admettre.

— Oh, tu veux dire que tu abandonnerais ton appartement?

Elle acquiesça.

— Si nous devons être ensemble, ça me semble raisonnable. Pourquoi gaspiller de l'argent à payer deux loyers?

La dernière personne avec qui il avait vécu, ç'avait été DeVille. Vers la fin, il se sentait au-delà de la claustrophobie.

— Tu es sûre que c'est ce que tu veux? demanda-t-il, en espérant qu'elle allait dire non, mais en sachant qu'hélas elle dirait oui.

— Tout à fait sûre, dit-elle fermement, tout comme il le craignait.

S'il se dérobait, elle allait recommencer le coup du *je vais voir les flics*. Il ne pouvait pas se permettre de prendre ce risque.

— Si c'est ce que tu veux, tu devrais venir t'installer chez moi.

— Tu es sûr, Nick?

Il lui prit la main et la pressa.

— Oui, évidemment que je suis sûr.

Quel mensonge! Il aimait bien Annie comme amie. Il n'était

pas amoureux d'elle et la dernière chose dont il avait envie, c'était de vivre avec elle.

C'était toujours la même histoire : traîner derrière Frances à une autre soirée du métier. Cependant, il se sentait un peu plus sûr de lui. Il avait eu le premier rôle dans un film et deux ou trois personnes avaient l'air de savoir qui il était, même si le film n'était pas encore sorti. Il se sentit encore plus assuré quand il tomba sur Carlysle. L'excitation, même souvent énervante, de sa présence lui manquait. Il trouva une Carlysle différente de la fille qu'il avait connue à New York. Elle portait une petite robe bien sage avec un col Claudine et arborait un doux sourire angélique.

— Voici ma mère, dit-elle en le présentant à une femme à l'air pas très soigné qui l'ignora pratiquement. Maman, je te présente Nick Angel : il était la vedette avec moi de *Night City*. Tu te souviens ? je t'ai souvent parlé de lui.

— Oh, dit la mère. Alors, c'est vous Nick. Il paraît que vous avez fait du bon travail.

— Je l'espère, fit-il.

Carlysle n'esquissa même pas un geste déplacé dans sa direction. Elle était très différente quand elle était sa mère. Après le cocktail, Frances l'emmena dîner.

— Alors, dit-elle en étudiant le menu, tu as quand même fini par coucher avec elle.

— Avec qui ?

— Carlysle. Tout New York en parlait.

Il eut un grand sourire.

— Je n'avais pas le choix.

— Juste un conseil, dit Frances en buvant une gorgée de whisky. Ne mélange jamais ta carrière et tes affaires de fesses.

— Je m'en souviendrai, Frances, dit-il en essayant de garder son sérieux.

Une semaine plus tard, Annie emménagea. Il était furieux d'avoir à partager sa penderie. Elle était furieuse parce que la salle de bains était au bout du couloir.

— Je vais chercher quelque chose de mieux, promit-il.

Et pourtant, il aimait bien son petit appartement près de la plage. Six semaines plus tard, on l'invita à une projection d'une première copie du film. Annie et Cyndra l'accompagnaient. Il était assis dans la salle, en nage. Il se demandait quel effet ça allait lui faire de se voir sur l'écran. À part quelques rushes, il n'avait encore rien vu du film. Meena, Frances et Bridget se trouvaient dans le public. Leur présence le rendait d'autant plus nerveux. Il salua de la tête ses deux producteurs : la femme ne se fendit même pas d'un sourire. Carlysle était là avec sa mère, l'air bien convenable. Cyndra lui pressa la main.

— Comme c'est excitant ! chuchota-t-elle.

— Oui, presque autant que ton premier disque. Quand est-ce qu'il sort ?

Elle eut un grand sourire.

— Dans deux semaines. C'est à peine si je tiens encore le coup !

— On fêtera ça, dit-il

— Et comment !

Nick aurait voulu voir les choses tourner un peu mieux pour Annie. Elle devait se sentir hors du coup : elle travaillait à son club de gym, elle regardait leurs carrières décoller. Mais jamais la chance ne lui avait souri. Ça ne devait pas être drôle. Quand les lumières s'éteignirent, il s'enfonça dans son fauteuil. C'était à peine s'il osait regarder l'écran. Carlysle était en tête du générique. Lui avait droit à la mention : POUR LA PREMIÈRE FOIS À L'ÉCRAN, NICK ANGEL, DANS LE RÔLE DE PETER.

Seigneur ! C'était bien son nom là-haut sur l'écran. Il avait réalisé son rêve. Mon Dieu, il était une vedette de cinéma ! Le film avait un bon rythme, de la substance, et il était étonnamment bon. À la fin de la projection, il y eut des applaudissements spontanés. Bridget souriait, ce qui était rare. Frances vint le trouver.

— J'aime bien le film, je te trouve bon.

— Déjeuner demain, dit Meena en sortant. Il est temps que tu rencontres la direction de l'agence.

Cyndra était plus enthousiaste que tout le monde.

— Ah, mon Dieu, c'est formidable ! Tu es fantastique, Nick, vraiment fantastique !

Annie se contrôlait davantage. Évidemment. Ça n'était pas son style de s'exciter. Ils allèrent tous les trois dans un restaurant sur le Strip, où ils fêtèrent cela avec des double Margaritas et d'énormes steaks.

Plus tard, quand il se retrouva chez lui seul avec Annie, il avait envie de faire l'amour, mais pas avec elle : elle ne l'excitait pas. Il ne supportait sa compagnie que parce qu'il le fallait : c'était triste. Mais demain était un autre jour et il trouverait bien une solution, enfin, peut-être.

Il resta un long moment éveillé à penser au film, en se

demandant ce qui allait se passer maintenant. Il finit par s'endormir, un sourire illuminant son visage.

69

Lorenzo Marcella était la quintessence de l'Italien. Grand, admirablement habillé, c'était un bel homme fier aux manières aristocratiques. Il portait assez longs ses cheveux d'un blond châtain avec aux tempes de légères touches d'argent. Il pilotait une Maserati noire — ce qui n'était pas l'idéal dans les rues de Manhattan, mais il n'était pas question de vulgariser son image. À quarante-deux ans, il était le seul héritier de la fortune familiale. En attendant qu'il hérite, on l'avait envoyé en Amérique pour diriger la campagne Marcella.

Lorenzo ne se doutait pas que Lauren était mariée au directeur de la puissante agence de publicité Liberty and Childs — l'agence précisément qui gérait le budget Marcella. Et même si ç'avait été le cas, cela n'aurait rien changé.

— C'est cette fille-là que nous allons choisir, annonça-t-il en prenant la photo de Lauren.

— Elle est chère, dit Oliver, essayant de cacher son amusement, car il se doutait bien qu'il n'y avait pas de concurrence.

— Comment, chère? demanda Lorenzo.

— Très chère, répondit Oliver, impassible.

— Est-ce qu'elle représente un autre produit?

— Non, répondit Howard, qui assistait à la réunion avec différents autres chefs de publicité de l'agence.

Lorenzo étudia encore une fois les photographies de Lauren.

— Alors, nous lui signons un contrat d'exclusivité avec Marcella. Peu m'importe ce qu'elle coûte, c'est elle qu'il nous faut.

— Parfait, dit Oliver. Je pense que vous avez fait le bon choix.

Lorenzo eut un sourire de vedette de cinéma.

— Mais naturellement!

— Eh bien, ma chère, fit Samm, ses yeux de chat tout brillants. Te voilà la nouvelle femme Marcella : marché conclu.

— Vous avez obtenu le prix que je voulais? demanda Lauren.

— Oui, c'était un record et j'en suis très heureuse. Évidemment, comme je te l'ai déjà dit, la plupart de mes mannequins vont vouloir me tuer. Elles me reprocheront de ne pas leur avoir obtenu ce contrat. Tu vas être une star.

Lauren éclata de rire. Cela ne lui semblait pas possible.

— Je vais être sur un tas de magazines et on verra mon visage partout, mais quand même, Samm, ça ne fait pas de moi une star.

— Attends un peu, fit Samm en hochant la tête d'un air sagace. Hollywood ne va pas tarder à te poursuivre. Tu ne m'as pas dit un jour que tu voulais être comédienne ?

— Il y a longtemps de cela.

— Oh, ma chérie, tu n'es pas tout de même une vieille dame. Quel âge as-tu maintenant ?

— Je vais bientôt avoir vingt-cinq ans.

— Une vieille peau, fit Samm en riant. J'aimerais voir la tête de Jimmy Cassady quand il va tomber sur le premier magazine avec ta photo en couverture.

— Être la femme Marcella ne veut pas dire que je serai automatiquement en couverture.

— Oh, fit Samm d'un ton acide, s'ils te veulent à *Vogue*, tu les enverras promener ?

— Oui, je vous l'ai dit : je fais ça pour l'argent.

— Je suis certaine qu'Oliver peut très bien s'occuper de toi.

— En effet, mais je préfère être indépendante.

— Tu sais, bien sûr, que Nature était en compétition aussi, n'est-ce pas ?

— Comment va-t-elle ?

— Elle vit à Los Angeles avec un producteur.

— Qu'est devenu Emerson ? demanda Lauren, d'un ton qui se voulait nonchalant.

— D'après Nature, il lui a envoyé un télégramme du Japon annonçant qu'il voulait divorcer. À ce moment-là, elle s'était déjà installée avec son producteur, alors ça ne lui a pas fait beaucoup d'effet. Tu ne lis donc pas les potins ?

— Ma foi, non !

— Tu as bien raison. Qui a besoin de s'emplir l'esprit de foutaises ?

Oliver, qui avait montré tant d'enthousiasme à l'idée qu'elle devienne la femme Marcella, n'était plus si ravi aujourd'hui.

— Peut-être que j'ai créé un monstre, disait-il.

— Ne sois pas stupide, Oliver.

— Je sais ce qui va se passer. Je ne te verrai jamais.

— Représenter Marcella ne va pas me prendre tout mon temps. J'ai lu attentivement le contrat. Deux séances de photos par an, six apparitions en public et un film publicitaire.

Il secoua la tête.

— Tu ne te doutes absolument pas du temps qu'ils vont te demander.

— C'est quand même toi qui m'as lancée là-dedans.

Elle ne savait plus très bien où elle en était. Elle n'avait jamais imaginé de devenir une personnalité connue, mais il semblait maintenant que c'était exactement ce qui allait lui arriver. Tout ce qu'elle avait vraiment souhaité, c'était épouser Oliver et mener une vie heureuse qui la satisferait. Seulement ce n'était pas le cas, son mari n'était pas capable de lui faire l'amour comme elle le désirait et, chaque fois qu'elle abordait le sujet, il détournait la conversation comme si ça n'avait pas d'importance. Croyait-il vraiment que, toute leur vie, elle allait se contenter de ce qu'il lui offrait ? Il aurait dû lui parler de son stimulateur cardiaque.

Rencontrer Lorenzo Marcella fut une expérience. Le seul Italien avec qui elle avait jamais été en contact auparavant était Antonio, le photographe, et il était homosexuel. Lorenzo était tout le contraire. Il lui baisa la main, la regarda au fond des yeux, l'inonda d'orchidées blanches et lui déclara qu'elle était la plus belle femme du monde.

— Vous *êtes* ma femme Marcella, dit-il. Vous allez donner à toutes les femmes du monde l'envie d'être vous. Et à tous les hommes le désir d'être avec vous.

Elle battit en retraite, les compliments de l'Italien la rendaient un peu nerveuse.

— Je ferai de mon mieux, promit-elle.

— Ah, mais votre mieux peut faire de moi un homme très heureux, roucoula Lorenzo en continuant à la regarder dans les yeux.

Ils étaient à un déjeuner donné en l'honneur de Lauren, pour lui faire rencontrer les autres directeurs de Marcella.

— Tu leur as dit que nous étions mariés ? chuchota-t-elle à Oliver.

Il secoua la tête.

— Non. J'imagine qu'ils le découvriront bien assez tôt.

— Mais il me fait la cour.

— Ne t'inquiète pas, ma chère. Les Italiens font la cour à toutes les femmes. Qu'elles aient six ans ou soixante, ça ne change rien pour eux.

De toute évidence, les avances peu discrètes de Lorenzo ne gênaient pas Oliver, alors elle le laissa faire.

— Je vais donner une merveilleuse réception pour vous présenter à la presse, lui annonça Lorenzo. Ce ne sera pas une de ces assommantes conférences de presse de plus. Ce sera un grand bal — et vous ferez une entrée divine au milieu de la soirée.

— Vraiment ?

— Mais oui, *bellissima*. Vous allez faire connaître les cosmétiques Marcella au monde comme vous seule pouvez le faire. Tout le monde va tomber amoureux de vous, comme moi.

— C'est votre cas ?

Lorenzo la gratifia de son sourire éblouissant.

— Mais bien sûr !

70

Les mois suivants se révélèrent passionnants et excitants, aussi bien pour Cyndra que pour Nick. Ni l'un ni l'autre ne comprenaient vraiment ce qui leur arrivait.

— C'est comme un rêve qui se réalise, dit Cyndra. Tu arrives à y croire, Nick... toi et moi ? Mon disque démarre de façon extraordinaire et ton film est un énorme succès. C'est incroyable.

Incroyable, en effet. S'il n'avait pas été coincé avec Annie, il aurait pu l'apprécier bien davantage. Mais il était si fatigué de feindre des émotions qu'il n'éprouvait pas, de faire semblant d'être quelqu'un qu'il n'était pas. Annie l'étouffait. Comme sa propre carrière n'avait abouti nulle part, elle était avec lui comme une sangsue, exprimant son opinion sur tout. Exactement ce dont il n'avait pas besoin. Cela lui suffisait d'avoir Frances qui lui donnait des conseils, Meena qui gérait sa carrière et Bridget qui le guidait dans le labyrinthe de la presse à sensation.

Il avait aussi son amie productrice qui avait hâte de le voir commencer son nouveau film. Il avait lu le scénario. Ce n'était pas exactement ce qu'il avait envie de faire. Meena lui dit qu'ils allaient essayer de le libérer de son contrat.

— Comment ça ? avait-il demandé.

— Avec un bon avocat, on peut faire n'importe quoi, avait-elle répondu avec assurance.

Night City l'avait lancé. C'était un de ces films à petit budget que les critiques adoraient et que le public courait voir. La presse était excellente et tout d'un coup voilà qu'il était un comédien dont les gens parlaient. Il avait suivi les conseils de Bridget et s'était inventé un passé, sans en révéler trop.

— Essaie de ne pas sourire pendant les interviews, lui avait-elle dit. Cultive cet air un peu boudeur. Les femmes aiment ça.

Il fit ce qu'elle lui demandait. Surtout avec le journaliste de *Satisfaction*. Le magazine publia sur lui un long article qui le fit flipper. Dire qu'il était sur la couverture d'un magazine et que le monde entier allait le voir !

En attendant, le disque de Cyndra passait sur toutes les radios. Gordon Hayworth avait financé un voyage de promotion pour que Marik et elle puissent aller voir les disc-jockeys les plus influents du pays. Marik était ravi à l'idée de voyager avec elle, mais elle l'était beaucoup moins. Elle aurait préféré que ce fût Gordon qui l'accompagnât. Peu après son retour, Nick l'emmena faire une longue balade en voiture. Cela faisait quelque temps qu'ils n'avaient pas eu l'occasion de discuter en tête à tête. Au volant de sa voiture de location, il alla jusqu'à Paradise Cove et se gara là. C'était une belle journée de septembre, ils descendirent de voiture et allèrent marcher sur la plage.

— Alors, dit-il en cessant de faire des ricochets sur la mer. Comment te sens-tu, ma petite ?

— Formidable ! Et toi ?

— Les gens de l'agence essaient de me libérer de ce contrat. Ils ont un autre film à me proposer. Une grosse production, cette fois, avec un grand metteur en scène.

— C'est ce que tu veux, Nick ?

— Oui, je suis en train de faire tout ce dont j'ai toujours rêvé.

— Moi aussi, dit-elle. Grâce à toi.

— Pourquoi moi ?

— Parce que tu t'es laissé coincer par Annie. Tu nous as sauvés tous les deux.

Il haussa les épaules.

— Annie est une gentille fille.

Cyndra le regarda droit dans les yeux.

— Ce n'est pas la femme qu'il te faut, n'est-ce pas ?

— Tu peux parler. Marik n'est pas un type pour toi non plus, mais parfois on fait des compromis.

— Comment sais-tu que Marik n'est pas pour moi ?

— Je le vois dans tes yeux.

440

— Oh, merci bien, Nick ! Ça se voit tant que ça ?

— Dis donc, je suis ton frère. Je devrais quand même être capable de te comprendre, non ?

Elle s'arrêta et se laissa tomber sur le sable en serrant ses genoux contre sa poitrine.

— Attends un peu que *ça* paraisse dans la presse.

Il lança un galet et le regarda ricocher sur la mer d'huile.

— Quoi donc, que je suis ton frère ?

— Quelqu'un va bien le découvrir.

— Je réfléchissais, dit-il en s'accroupissant sur le sable auprès d'elle.

— À quoi ?

— Maintenant que nous avons tous les deux toute cette publicité, peut-être qu'il serait temps de retourner à Bosewell.

— Tu crois, Nick ? Tu sais, quelquefois je me réveille au milieu de la nuit et j'ai tous ces remords à l'idée d'avoir abandonné Harlan.

Il acquiesça.

— Je sais ce que tu veux dire.

Elle continua précipitamment :

— J'ai toujours cru que j'allais le faire venir, mais ça n'était jamais le bon moment. Ce serait chic de retourner là-bas et de leur montrer comme on s'est bien débrouillé, même si je me fais engueuler par Arctha Mae.

Il se rembrunit.

— Dieu sait pourquoi je voudrais revoir Primo.

— Parce que tu ne me laisserais pas aller là-bas toute seule.

— Tu crois vraiment qu'on devrait le faire ?

— Absolument.

— Bon... alors voilà ce qu'on va faire, dit-il en se levant d'un bond.

— Quoi donc ?

Il lui tendit les mains et l'aida à se relever.

— Maintenant que j'ai les moyens d'acheter une voiture, je vais me payer la Cadillac la plus grosse et la plus rouge que tu aies jamais vue. J'en prendrai livraison dans le Kansas, et ensuite nous irons en voiture à Bosewell. Tu t'imagines un peu ?

Elle se mit à rire.

— Avec cinquante exemplaires de *Satisfaction* sur la banquette arrière pour que tu puisses les distribuer. C'est ça ?

Il eut un grand sourire.

— Tu sais... Bosewell est une petite ville, ils ne sont peut-être pas au courant.

— Mais on va leur dire, hein ?

— Si on retourne là-bas, il faut faire les choses en grand.

— D'accord, Nick. Quand va-t-on faire ça ?

— Le prochain week-end, ça t'irait ?

— Rien que nous deux ?

Il hocha la tête.

— Rien que nous deux.

Ils prirent l'avion pour le Kansas et un taxi les conduisit directement chez le concessionnaire. Quand Nick vit sa Cadillac rouge étincelante, ce fut un des plus beaux moments de sa vie. Il en avait toujours rêvé, mais il n'avait jamais pensé que ce jour-là arriverait.

Le vendeur lui tendit les clés avec un sourire satisfait.

— Amusez-vous bien. Cette petite chose va vous donner beaucoup de plaisir.

Nick essayait de rester impassible : il fallait cultiver son image. Il se débrouillait assez bien.

— Euh... merci.

— On ne trouve pas mieux sur le marché.

— Je sais.

— Je vous ai bien aimé dans *Night City*.

— Merci.

Il finit par se débarrasser du vendeur. Puis il s'installa au volant de la Cadillac avec Cyndra à côté de lui et poussa un cri de joie.

— Bon sang ! je l'ai ! Elle est à moi ! Elle est à moi !

— C'est formidable ! hurla Cyndra en rebondissant sur la banquette.

— Dis donc, vise-moi la radio, les chromes. Tâte-moi ce cuir. J'*adore* cette bagnole. Vraiment, je l'adore !

Elle se pencha vers lui et le serra dans ses bras. Il mit le moteur en marche et alluma la radio.

— C'est mon disque ! s'exclama Cyndra. On joue mon disque !

— Ça alors ! fit-il avec un grand sourire. C'est vraiment notre jour !

Ils comptaient rouler jusqu'à Bosewell, aller voir Aretha Mae et Harlan, puis faire un tour à pied dans la ville et reprendre ensuite la route de Los Angeles. Nick avait calculé que ça leur prendrait deux jours, mais ils avaient tous deux décidé qu'il leur fallait cette coupure.

Quand Cyndra et lui avaient parlé pour la première fois d'aller à Bosewell, il avait espéré que Joey pourrait les accompagner. Il l'avait appelé pour le lui proposer. Joey avait dit non. Il n'allait pas discuter, et Cyndra était plutôt soulagée.

— Joey est un perdant, avait-elle dit. Il l'a toujours été et il le sera toujours.

En sortant de sa clinique de désintoxication, Joey était aussitôt reparti pour New York. Nick avait décidé qu'il avait fait tout ce qu'il pouvait. À la fin de la journée, ils arrivèrent à Ripley. Nick avait retenu la plus belle suite du meilleur hôtel. Ils se firent monter plein de choses par le service d'étage et évoquèrent le passé. Puis ils allèrent faire un tour en ville et Nick fit un crochet pour passer devant le motel où il avait passé sa première nuit avec Lauren. Le motel avait été remplacé par une station d'essence. Autant pour les souvenirs.

Cyndra contemplait les rues noircies par la pollution. Ça n'était peut-être pas une idée si géniale d'être revenu. Elle commençait à se rappeler tous ses mauvais souvenirs. Et si elle tombait sur Mr. Browning ? Est-ce qu'elle lui parlerait ? Et comment ! Elle n'avait rien à craindre, maintenant. Le samedi matin de bonne heure, ils partirent pour Bosewell. Sur la banquette arrière de la voiture s'entassaient des piles du quarante-cinq tours de Cyndra et de *Satisfaction* avec Nick en couverture.

— On aurait dû demander si *Night City* se jouait encore là-bas, dit Cyndra en ouvrant une boîte de jus de fruits.

— Ne t'inquiète pas, je l'ai déjà fait, dit-il en riant. Quelqu'un de l'agence a téléphoné : ça s'est joué il y a un mois.

— Où est-ce qu'on s'arrête d'abord ? demanda-t-elle en buvant une gorgée.

— Au terrain de camping, évidemment ! Ensuite, on ira au drugstore et on montera et on descendra la Grand-Rue.

Elle pouffa.

— En distribuant des disques et des magazines !

— Tout juste !

Tout d'un coup, l'angoisse la prit.

— Oh, Nick, j'espère que nous avons bien fait. Je me sens si drôle d'être de retour, pas toi ?

Il jeta un coup d'œil par la vitre.

— Bien sûr que si. Je parie que rien n'a changé.

— Tu as sans doute raison.

Il était passé à la banque avant de partir et avait retiré mille dollars en espèces. Il comptait faire un geste extravagant et les donner à Primo. Que cet abruti voie quel grand homme était devenu son fils.

Tiens, papa, j'ai pensé que ça pourrait t'arranger.

Va te faire voir, papa. Tire le maximum de ce fric parce que je ne reviendrai jamais.

Il alla droit au terrain de camping. Tous deux furent stupéfaits de découvrir qu'il n'existait plus. À sa place, il n'y avait maintenant que de la broussaille, de l'herbe et d'énormes tas d'ordures. Ils se regardèrent d'un air surpris.

— Ils ont sans doute installé les caravanes ailleurs, fit Nick. Nous ferions mieux d'aller en ville... voir ce qu'on peut nous dire.

Elle lui serra le bras.

— Nerveux ?

— Oui. Pas toi ?

Elle acquiesça de la tête. Quand ils arrivèrent dans la Grand-Rue, ils constatèrent tous les deux qu'elle n'était plus la même. Les immeubles étaient différents. Tout était différent. Ils avaient presque l'impression de visiter un site inconnu.

— Qu'est-ce qui s'est passé ici ? fit Nick. Je ne reconnais rien.

— Ils ont dû faire un tas d'améliorations, fit Cyndra. Regarde comme tout est construit par ici.

Il descendit lentement la rue.

— Bon sang ! Où est passé le drugstore ?

— Regarde, dit-elle en tendant la main. Ça n'est pas là où était la quincaillerie Blakely ? Et maintenant, on dirait un de ces mini-supermarchés.

Il trouva une place pour se garer et ils descendirent devant une librairie et un McDonald's, deux magasins tout neufs.

— Tu vois des visages de connaissance ? demanda-t-il.

Elle secoua la tête.

— Tu parles d'un retour triomphant, hein ?

— Comment allons-nous trouver qui que ce soit ?

— On va demander.

Ils entrèrent dans la librairie.

— Est-ce que je peux vous aider ? fit une femme aux cheveux grisonnants.

— Oui, en fait, je crois que oui, dit Nick.

Juchée sur une échelle derrière la femme, une jeune fille rangeait des livres sur un rayonnage. Elle jeta un coup d'œil et tressaillit.

444

— Oh, mon Dieu ! dit-elle, manquant tomber de son perchoir. Vous n'êtes pas... vous n'êtes pas Nick Angel ?

— Euh... mais si.

— J'ai vu *Night City*, dit-elle, tout excitée. Je l'ai vu trois fois.

— J'espère que ça vous a plu.

C'était à peine si elle pouvait parler.

— Oh oui ! oui !

La libraire le regardait avec un respect nouveau.

— Depuis combien de temps ce magasin est-il ici ? demanda-t-il.

— Cinq ans, répondit-elle. Mais je ne travaille ici que depuis deux ans. Est-ce que je peux vous trouver un livre en particulier ? Nous avons un très grand choix.

— Autrefois, il y avait ici une quincaillerie. Euh... la quincaillerie Blakely. Est-ce que les frères Blakely sont encore installés en ville ?

La femme haussa les épaules.

— Je ne sais pas... je n'ai jamais entendu parler d'eux.

La fille s'avança, brandissant d'une main tremblante un bout de papier.

— Est-ce que je peux avoir un autographe ? demanda-t-elle en le dévisageant comme si c'était Clint Eastwood.

Cyndra et lui échangèrent un coup d'œil.

— Oui, bien sûr, dit-il, griffonnant son nom d'un air emprunté.

Elle prit le bout de papier et le considéra avec respect. Ils sortirent de la librairie et s'arrêtèrent sur le trottoir.

— Je vais te dire ce que nous devrions faire, déclara-t-il.

— Quoi donc ?

— Aller voir George à la station-service. Lui saura tout.

Ils remontèrent dans la Cadillac et roulèrent jusqu'au poste d'essence : enfin un spectacle familier. Il ne semblait y avoir personne dans les parages, alors Nick descendit de voiture et entra dans le bureau. Dave était assis à sa table, en train de parler au téléphone.

— Hé, fit Nick d'une voix sonore. J'ai là dehors une Cadillac rouge qui a besoin de plein de trucs. Ça n'intéresse personne par ici ?

Dave, sans lever les yeux, fit un geste de la main comme pour dire : *Ne me dérangez pas, vous ne voyez donc pas que je téléphone.*

— Où est George ? dit Nick d'une voix encore plus forte. Dites à ce vieux flemmard de se remuer un peu.

Dave posa la main sur le microphone et leva les yeux.

— Je vous demande pardon ?

Nick éclata de rire.

— Vieille tarte.

Dave resta bouche bée.

— Bon Dieu ! Nick ? C'est bien toi, n'est-ce pas ?

— Plutôt. Il fit signe à Cyndra d'entrer dans le bureau. Tu te souviens de ma sœur, Cyndra. Tu as sans doute entendu son disque à la radio.

— Je pense bien, fit Dave, le visage rayonnant. Tout le monde l'a entendu. Vous êtes célèbres tous les deux par ici.

— Ah oui ? fit Nick, émoustillé à cette idée.

— J'ai vu ton film. Formidable !

Nick arpentait le bureau familier, se souvenant du bon vieux temps.

— Oh, Seigneur, ça fait plaisir de voir ta sale gueule, dit-il. On est passé au terrain de camping... disparu. On a descendu la Grand-Rue... tout a changé. Où est le drugstore ? Où est la quincaillerie Blakely ? On revient, et plus rien n'est pareil.

Dave hocha la tête.

— Depuis la tornade, il y a eu pas mal de changements.

— Quelle tornade ? demanda Cyndra.

Dave se frotta le menton.

— Tu n'étais pas ici quand c'est arrivé ?

Cyndra réfléchissait.

— Quand était-ce ?

— La grande tornade de 1974. Toute la ville a pratiquement été rasée.

Cyndra s'avança.

— Qu'est-ce que tu racontes ?

— Rasée. Il ne restait presque plus rien. Des victimes, des dégâts. Tu as dû lire ça dans les journaux ?

— Oh, bon sang, fit Nick. On n'a rien lu du tout. On ne savait pas, nous étions à Chicago.

Dave secoua la tête.

— Je regrette que ce soit moi qui vous l'annonce.

— Et ma mère ? demanda Cyndra, les mains crispées. Tu sais où est Aretha Mae ?

— Beaucoup de gens ont quitté la ville, répondit Dave. Il n'y avait plus de travail... pas avant qu'on ait commencé à reconstruire.

— Et Louise ? interrogea Nick. Elle va bien ?

446

— Très bien, fit Dave. D'ailleurs, on a réussi à faire quelques gosses. Ça l'occupe.

— Allons, au moins une bonne nouvelle, fit Nick.

— Tu peux le dire, dit Dave en empoignant ses béquilles posées contre le mur.

Nick baissa les yeux et vit que Dave avait perdu la moitié d'une jambe.

— Oh, mon Dieu... qu'est-ce qui t'est arrivé?

— La tornade, fit Dave d'un ton détaché. Ça m'a coupé la jambe en deux. Un de ces jours, je vais m'offrir une prothèse. Mais je ne peux pas me le permettre pour l'instant, avec les gosses et tout ça. Mais je me débrouille... ça ne va pas trop mal.

— Comment est-ce que je vais trouver ma mère et Harlan? demanda Cyndra. Il faut que je les retrouve.

Dave fit le tour de la table.

— Je ne sais pas quoi te dire. Peut-être que Louise est au courant : elle connaît toujours les affaires de tout le monde.

— Où est-elle? demanda Nick.

— Arrête-toi à la maison. Elle est là avec les gosses. Elle va être rudement contente de te voir. On a vu ton film ensemble. On n'arrivait pas à croire que c'était toi sur l'écran.

— Est-ce que les Browning sont toujours en ville? demanda Cyndra.

— Eh oui! Tu sais ce qu'on dit : quand les pauvres deviennent plus pauvres, les riches s'enrichissent. Le père Browning a fait construire un autre magasin : il en a deux maintenant. Ils habitent toujours cette grande baraque. La tornade ne les a pas touchés.

— Passe un coup de fil à Louise pour lui dire que nous arrivons, fit Nick.

Dave haussa les épaules.

— Je le ferais bien si j'avais un téléphone. Ça a été assez dur par ici ces dernières années. Tu n'as qu'à sonner et l'embrasser : elle sera ravie de vous voir tous les deux.

— Où est George? J'aimerais bien lui dire bonjour avant de repartir.

— George a eu un cancer. Il est mort l'année dernière.

— Oh, Dave, je suis désolé. C'est moche.

— Oui, on a tous été navrés de le voir partir. Il m'a laissé ça, ça me facilite un peu la vie.

— J'en suis sûr.

Ils remontèrent dans la Cadillac et restèrent un moment assis à se regarder.

— Ça alors, fit Nick. Rien que des mauvaises nouvelles. Je n'arrive pas à y croire.

— Il faut qu'on trouve Aretha Mae et Harlan, dit Cyndra. Ils doivent croire que nous les avons abandonnés.

— On ne les a pas abandonnés. On n'avait pas idée de ce qui s'était passé.

— J'espère seulement qu'ils vont bien.

— Primo a dû s'occuper d'eux.

— Sois sérieux, Nick. Ton vieux a dû détaler dès l'instant où c'est arrivé.

— Oui, tu as raison. Mais ne t'inquiète pas, on ne partira pas avant de les avoir trouvés.

Louise n'était plus la femme à la langue bien pendue qu'ils avaient connue autrefois. Elle paraissait vingt ans de plus et elle avait pris quinze kilos. Elle regarda Nick avec des yeux tout ronds, comme si elle était une fan.

— Oh, mon Dieu ! oh mon Dieu ! répétait-elle en s'essuyant les mains sur un tablier maculé de taches.

Deux jeunes enfants piaillant rampaient sur le plancher du living-room en désordre et un bébé criait à pleins poumons dans son berceau. La maison était assez délabrée. Tout comme Louise.

— Laissez-moi vous préparer un café, dit-elle, une fois le premier choc passé. Je peux encore faire ça.

— Je suis navrée pour Dave, fit Nick en secouant la tête. Je n'ai jamais rien su. On était partis pour Chicago... et on n'a plus jamais entendu parler de Bosewell.

— Vous avez de la veine d'avoir coupé à ça. Un tas de gens ont tout perdu. Heureusement, il n'y a pas eu trop de victimes, mais c'était un spectacle incroyable, comme si on avait lâché sur nous une grosse bombe.

— Qui a été tué ? demanda-t-il.

— Tu te souviens de cette fille que tu aimais bien... Lauren Roberts ?

— Lauren va bien, s'empressa-t-il de dire. Je viens de la voir à New York.

— Non... pas elle, mais ses parents. Sa mère a été emportée dans sa voiture — littéralement balayée par la tornade. C'était terrible. Et son père était à son bureau quand tout le bloc s'est effondré. Il a été tué sur le coup. Comme sa secrétaire.

Nick comprit soudain que Lauren n'avait sans doute jamais reçu aucune de ses lettres.

— Euh, Louise... tu ne te souviens pas si tu as remis à Lauren ce mot que je t'avais donné le soir où je suis parti ? Je sais que c'est idiot de te demander après tout ce qui s'est passé, mais est-ce qu'elle l'a jamais eu ?

Louise secoua la tête.

— Tu plaisantes. Le drugstore a été complètement détruit : il ne restait qu'un tas de décombres. Dave et moi, on a de la chance d'être encore en vie.

— Ça a dû être dur pour vous.

— Ça a été dur pour tout le monde, dit-elle. Surtout pour Lauren. On était tous consternés pour elle : se retrouver seule au monde comme ça.

— J'essaie de retrouver ma mère et mon frère, dit Cyndra. Ils habitaient le terrain de camping.

— Ça a été complètement détruit aussi, dit Louise. Mais j'ai entendu dire qu'Aretha Mae était retournée travailler chez les Browning. Elle haussa les épaules. Vous savez, je regrette de ne pas pouvoir vous en dire plus. Ça a été un terrible cauchemar pour tout le monde.

— Et Betty Harris... Elle est encore en ville ? demanda Nick.

— Tu veux dire le professeur de théâtre ?

— Oui.

— Si je me souviens bien, elle est partie pour New York, et pourtant, les maisons de ce côté-là de la ville n'ont pas été touchées. Mais les gens ont eu peur que ça recommence. L'ennui, c'est qu'avec trois gosses je ne bouge plus beaucoup. Autrefois, j'étais au courant de tout. Maintenant, je suis coincée à la maison toute la journée.

— Maman ! Maman ! Un des petits tira sur le tablier de Louise, son visage barbouillé de chocolat, secoué de sanglots. J'ai faim !

— Il faut que je les fasse goûter, s'excusa-t-elle. Ça a été formidable de vous voir tous les deux. Vous êtes ici pour un bout de temps ?

— Juste le temps de retrouver Aretha Mae et Harlan, fit Nick.

— Essayez les Browning. Je suis sûre qu'ils pourront vous dire où elle est.

— Merci, Louise.

Il se pencha et l'embrassa tendrement sur la joue. Elle devint toute rouge.

— Tu as toujours été un brave gosse, Nick. Tu mérites tout le succès que tu as.

La résidence des Browning était toujours la même, même si, après avoir vécu à Los Angeles, ce n'était pas le palais dont tous deux avaient gardé le souvenir.

— Tu crois qu'on peut aller jusqu'à la porte et sonner ? demanda Cyndra d'un ton mal assuré.

— Qu'est-ce que tu veux qu'on fasse : qu'on passe par l'entrée de service ?

— Je ne sais pas, Nick. C'est si bizarre...

— Qu'est-ce qu'il y a entre toi et la famille Browning ? Ça n'est pas une raison parce que ta mère travaillait pour eux...

— Il n'y a pas que ça.

— Tu veux m'en parler ?

— Pas maintenant. Peut-être sur la route quand on rentrera à Los Angeles.

Ils sonnèrent et attendirent. On vint leur ouvrir : une blonde potelée en short et en chaussures de tennis avec de grosses cuisses et un visage qui ne respirait pas la satisfaction. Elle les regarda, ils la regardèrent, puis elle ouvrit la bouche toute grande et réussit à dire d'un ton respectueux :

— Nick Angelo !

Ils ne la reconnaissaient pas.

— Je vous connais ? demanda-t-il poliment.

— Est-ce que tu me connais ? fit-elle en riant. J'ai été ta première petite amie à Bosewell. Je suis Meg.

— Meg ?

— Tu te rappelles *The Poseidon Adventure* ? Quand tu m'as obligée à te faire entrer par la sortie pour ne pas payer ?

Il la reconnut. C'était Meg, l'ex-meilleure amie de Lauren.

— Qu'est-ce que tu fiches ici ? demanda-t-elle, toute rougissante.

— Et toi, répliqua-t-il, qu'est-ce que tu fiches ici ?

Elle se redressa.

— Je suis Mrs. Browning. Stock et moi nous nous sommes mariés il y a cinq ans.

— Sans blague !

Elle hocha la tête.

— Nick, on est tous si excités par ta réussite. Toute la ville en parle depuis qu'on a joué ton film ici. Et, Cyndra, ma chérie, personne n'arrive à croire que tu t'en tires si bien. Oh, mais je manque à tous mes devoirs en vous laissant plantés comme ça sur le pas de la porte. Entrez donc.

— Nous cherchons à savoir ce qui est advenu de la mère de Cyndra, dit-il en la suivant à l'intérieur. On nous a appris qu'elle avait recommencé à travailler pour les Browning.

Meg eut un air perplexe.

— La mère de Cyndra ?

— Aretha Mae, précisa Cyndra.

— Oh oui, bien sûr, c'est ta mère. Eh bien, pour autant que je le sache, Aretha Mae est allée s'installer à Ripley, ça doit faire à peu près un an.

— Tu as son adresse ? demanda Cyndra.

— Non, dit Meg. Je n'ai aucune idée de l'endroit où elle est allée.

Elle se tourna de nouveau vers Nick ; cela l'intéressait bien plus de lui parler.

— C'est formidable, dit-elle avec enthousiasme. Nous avons vu *Night City* deux fois. Stock a adoré. C'est un fan de Carlysle Mann : est-ce qu'elle est gentille ? Comment est-ce, Hollywood ? Nous sommes tous les deux si fiers d'être tes amis : nous avons toujours su que tu réussirais.

Il n'arrivait pas à croire les foutaises qui sortaient de la bouche de cette idiote. Stock ne pouvait pas le sentir. Et elle non plus. C'étaient vraiment de beaux hypocrites, tous les deux.

— Est-ce que Benjamin Browning est ici ? demanda Cyndra.

— Il est dans la salle à manger. Tu veux le voir ?

— Oui, il va peut-être pouvoir me donner les renseignements dont nous avons besoin.

— Comme tout ça est excitant ! dit Meg en leur faisant traverser le vestibule.

Elle tirait désespérément sur l'arrière de son short sans parvenir à dissimuler des bourrelets de cellulite.

— Alors, tu as épousé Stock, fit Nick qui pensait : *Alors, tu as épousé ce crétin. Ma foi, il fallait bien que quelqu'un s'y colle : autant que ce soit toi.*

— Nous avons deux adorables enfants, annonça fièrement Meg. Miffy et Jojo.

— Nous venons d'entendre parler de la tornade, dit Nick. Ça n'a pas dû être drôle ici.

— C'était terrible. Tu n'as pas idée : les destructions...

— J'ai appris pour les parents de Lauren.

— Oh oui, ça a été une terrible tragédie. Elle est allée vivre avec son oncle et sa tante à Philadelphie. Ça fait longtemps que nous avons perdu contact. Je n'ai aucune idée de l'endroit où elle est maintenant.

— Vous étiez de si bonnes amies toutes les deux.

— Nous étions des enfants, expliqua Meg. Des bébés.

Ils déboulèrent tous dans la salle à manger. Benjamin buvait son café en lisant un journal. Il leva les yeux, stupéfait. Cyndra fut satisfaite de constater qu'il était plus vieux, plus grisonnant et plus gras.

— Vous vous souvenez de moi, Mr. Browning ? dit-elle en se plantant devant lui, les poings sur les hanches. Faut-il que je vous appelle Benjamin ?

Il se leva en trébuchant dans sa hâte. Elle remarqua qu'il s'était laissé pousser une petite moustache à la Hitler.

Il la dévisageait, la bouche secouée d'un tremblement nerveux.

— Qu'est-ce que tu fais ici ? dit-il.

— Je recherche ma mère. J'ai pensé que vous pourriez peut-être m'aider.

Son regard fuyant allait ici et là, comme s'il cherchait où fuir.

— Vous avez toujours été très proche de ma mère, n'est-ce pas ? poursuivit Cyndra en le regardant se tortiller.

Il s'éclaircit la voix et lança un regard mauvais à Meg qui les avait laissés entrer dans sa maison.

— Aretha Mae est allée s'installer à Ripley, déclara-t-il.

— Vous avez son adresse ?

— Je vais te la donner, dit-il.

— Je me rappelle être venue dans cette maison si souvent, lui lança Cyndra alors qu'il quittait la pièce. J'ai tant de bons souvenirs, Mr. Browning... Benjamin. Pas vous ?

Meg, qui ne sentait pas la tension monter, dit :

— Stock est allé faire du tennis, mais je sais qu'il serait ravi de vous voir tous les deux. Pouvez-vous revenir un peu plus tard ? Nous pourrions tous aller prendre un verre... ce serait formidable.

— Il faut qu'on rentre à Los Angeles, répondit Nick. Nous ne sommes venus que pour voir la mère de Cyndra et mon père.

— Oh oui, ton père, fit Meg.

— Qu'est-ce qui lui est arrivé ?

Elle avait l'air gêné.

— Je n'ai vraiment pas envie d'être celle qui va te l'annoncer.

— M'annoncer quoi ?

— Il est... il est mort.

452

Nick n'éprouvait absolument rien. Il savait qu'il devrait être bouleversé, mais la nouvelle ne le touchait pas le moins du monde.

— Comment est-ce arrivé ? demanda-t-il calmement.

— La tornade, répondit Meg. Je suis désolée.

Mr. Browning revint avec l'adresse d'Aretha Mae inscrite sur une feuille de papier.

— Pourquoi est-elle partie ? interrogea Cyndra.

— Je n'en ai aucune idée, répondit-il, impassible.

— Elle n'a pas été blessée dans la tornade ?

— Non. Sa caravane a été détruite, c'est pourquoi Mrs. Browning et moi avons eu la bonté de l'accueillir.

— Quel prince vous êtes, dit Cyndra d'un ton narquois. Et avez-vous accueilli aussi Harlan, mon frère.

— Il est resté ici quelque temps, puis il est parti pour Ripley. Ta mère l'a suivi.

— Merci beaucoup... Benjamin. Viens, Nick, allons-y.

Assis dans la Cadillac, ils réfléchissaient aux dernières informations qu'on venait de leur donner.

— Ça te fait quelque chose, pour Primo ? demanda-t-elle en lui pressant la main.

— Je pense que je devrais...

— Ça n'a pas d'importance si ce n'est pas le cas. Tu n'as pas à te sentir coupable.

Elle avait raison. Primo s'était toujours complètement fichu de lui : pourquoi sa disparition le bouleverserait-elle ? Mais quand même, Primo était son père, et il ne pouvait s'empêcher d'être affecté.

— Il y a eu tant de changements ici, murmura Cyndra. Et nous n'en avons rien su.

— Tu sais ce que ça veut dire, fit Nick en mettant le moteur en marche. Lauren n'a jamais reçu mes lettres. Elle a dû croire que je l'avais laissée tomber.

— Il y a bien longtemps de ça.

— Tu ne comprends pas. C'est *moi* qui étais furieux contre *elle*. Je croyais qu'elle se fichait de moi. Je l'ai vue à New York il y a quelques mois.

— Tu ne me l'as jamais dit.

— J'étais à un dîner avec Carlysle. Un dîner organisé par Lauren. Elle était fiancée à ce vieux type bourré de fric, un des invités. J'ai essayé de la joindre le lendemain, mais on m'a dit qu'elle était partie pour se marier.

— Vous vous êtes parlé ?

— Non, on s'est regardé, tu sais quoi? on aurait dit que le temps s'arrêtait.

— Vraiment?

— Je l'ai toujours aimée, et je crois que je l'aimerai toujours.

— Ne joue pas les romantiques avec moi, Nick. Je ne le supporte pas.

— Pour moi, il n'y aura jamais une autre fille comme Lauren.

— Écoute-toi un peu. Ce que ça fait mélo!

— Va te faire voir, Cyndra. Il faut que je trouve Lauren et que je lui explique ce qui s'est passé.

— Tu ne m'as pas dit qu'elle s'était mariée?

— Ça ne fait rien... Il faut que je la voie.

— Si j'étais toi, je ne parlerais pas de ça à Annie. Elle n'apprécierait sans doute pas.

— Annie n'a rien à voir là-dedans.

— Je sais, mais fais attention. Annie pourrait gâcher notre avenir.

— Ne t'inquiète pas. J'en suis plus conscient que toi.

— Je suis désolée, Nick.

— De quoi?

— De ce qui s'est passé à Vegas.

— Ça n'est rien. Tout va s'arranger. Et maintenant, allons retrouver Aretha Mae et Harlan.

71

Oliver apparemment ne voyait aucun inconvénient à ce que Lorenzo Marcella se lançât comme un kamikaze à l'assaut de sa femme.

— Je vais lui dire que nous sommes mariés, annonça-t-elle à Oliver.

— Fais ce que tu veux, ma chérie. Mais je peux t'assurer que ça ne changera rien aux attentions qu'il te prodigue. Les Italiens sont incorrigibles.

— Ça ne t'ennuie pas?

— Bien sûr que ça m'ennuie. Mais je te fais confiance. Tu sais te tenir.

Elle ne le comprenait pas. Il refusait de lui faire l'amour; et lorsqu'un homme séduisant et beaucoup plus jeune la soumettait à un siège en règle, cela ne semblait pas le préoccuper outre mesure. Plus elle passait de temps avec Lorenzo, plus elle appréciait sa compagnie. C'était un incroyable faiseur, mais son charme était contagieux. Sa dernière idée était de la faire venir en Italie pour visiter les usines Marcella.

— Est-ce que mon mari peut venir aussi? demanda-t-elle.

Ils étaient dans son bureau de Park Avenue qui ressemblait plutôt à un appartement luxueux. Des peaux de mouton sur le sol, un gigantesque bureau blanc, des canapés démesurés et des couvertures en léopard.

— Vous parlez tout le temps de lui, acquiesça Lorenzo. Et pourtant je ne l'ai jamais vu. Qui est-ce? Dites-le-moi et je le ferai tuer.

Il sourit.

Elle sourit à son tour.

— Lorenzo, vous connaissez mon mari.

— Vraiment?

— Je pensais que maintenant quelqu'un vous l'aurait dit.

— M'aurait dit quoi?

— Mon mari est Oliver Liberty.

Lorenzo la regarda d'un air surpris.

— Vous ne parlez pas sérieusement?

— Mais si.

— Je ne vous crois pas.

— Pourquoi mentirais-je?

— Il est trop âgé pour vous.

— Voilà des propos bien présomptueux.

— Vous êtes jeune, belle, pétillante de vie. Oliver est, comment dit-on en anglais? Ah oui, il est sur l'autre versant.

— On n'a pas besoin d'être jeune en nombre d'années pour être plein de vie. Oliver a une énergie formidable, sans doute plus que vous et moi réunis.

— Alors, fit Lorenzo en soupirant. Il va tout simplement falloir que je vous enlève à lui.

Elle se mit à rire.

— Vous êtes incorrigible.

— Mais cela vous plaît.

Elle dut en convenir. Lorenzo la faisait sourire. Il lui donnait l'impression d'être jeune et étourdie. Vivre avec Oliver, c'était ne jamais quitter le monde des affaires.

Pia mit au monde une fille, un bébé tout blond qu'on appela Rosemary. Lauren était sa marraine. Elle adorait aller chez Pia et bercer le bébé dans ses bras, tous ses instincts maternels s'éveillaient alors. L'idée lui vint soudain : si Oliver ne lui faisait jamais l'amour, comment allait-elle être enceinte ? À mesure que les mois passaient, elle s'éloignait de plus en plus de lui. S'il refusait de lui faire l'amour convenablement, elle ne voulait pas qu'il la touche du tout. Chaque fois qu'elle essayait d'en discuter, il détournait la conversation comme si ça n'avait pas d'importance.

Lauren Roberts, tu as fait une erreur.

C'est une de mes spécialités.

Un samedi après-midi, elle alla toute seule voir *Night City*. Assise dans l'obscurité, elle regarda Nick sur l'écran. Il était excellent. Le côté intense de son caractère convenait à la caméra. Quand il était au lit avec Carlysle Mann, elle ferma les yeux : elle ne pouvait pas voir ça. C'était si loin, leur liaison, et pourtant cela lui semblait hier. Elle aurait peut-être dû le prendre au téléphone quand il avait appelé le lendemain du dîner chez les George. Au lieu de lui parler, elle s'était enfuie aux Bahamas pour épouser Oliver. C'était stupide. Elle aurait dû écouter Nick. Trop tard maintenant. Nick Angelo était une star de cinéma et elle-même s'apprêtait à être lancée sur un public qui ne se doutait de rien.

— Lorenzo veut que nous allions en Italie, annonça-t-elle à Oliver.

— Je ne peux aller nulle part, répondit-il. Je suis en train de ferrer un client important.

— Lequel ?

— Le champagne Riviera.

— Tu peux quand même t'absenter quelques jours ?

— Non, répliqua-t-il brutalement. Le propriétaire vient à New York. Il n'y a que moi qui puisse le persuader de passer son budget chez Liberty and Child.

— Howard ne peut pas le faire ?

— Howard n'est pas moi, Lauren. Je le forme, mais ça prendra du temps avant qu'il puisse arracher un contrat à une autre agence comme je le fais.

— Ça t'est égal si j'y vais avec Lorenzo ?

— C'est pour quoi, ce voyage ?

— Il veut que je rencontre les autres directeurs de Marcella et que je visite les usines. Il a l'impression que, si la campagne marche en Amérique, ils vont vouloir que je prenne la tête de toute la campagne européenne. J'ai parlé à Samm, l'idée lui plaît et à moi aussi. Bien sûr, ça voudra dire davantage d'argent.

— Es-tu en train de me demander ce que j'en pense?

— Oui.

— Alors, tu devrais y aller, c'est important.

— Ça ne t'ennuierait pas?

— Bien sûr que non.

Il était insensé, cet Oliver. Il l'envoyait en Europe avec un coureur de jupons italien follement séduisant.

— C'est réglé, alors, dit-elle.

Le lendemain matin, elle prit le café avec Pia chez elle.

— Tu vas à Rome avec Lorenzo? dit Pia, en manquant renverser sa tasse.

— Oliver a l'air de penser qu'il n'y a pas de mal à ça.

Pia bondit.

— Ah! Howard ne me laisserait pas échanger une poignée de main avec Lorenzo Marcella! Ces Italiens sont terribles, surtout quand ils ont son physique.

— Pourquoi? demanda Lauren d'un ton nonchalant. Tu le trouves séduisant?

— Quelle question ridicule! Ce type est à tomber, il a l'air d'une vedette de cinéma.

Ce n'était pas son physique qui attirait Lauren, c'était son attitude.

— Quand démarre ta campagne de publicité? demanda Pia.

— Les premiers placards seront dans les numéros de Noël, ce qui veut dire qu'on les trouvera dans les kiosques vers la fin novembre.

— Fichtre, c'est excitant.

— Je peux voir le bébé? demanda Lauren.

— Elle dort.

— Si on la réveillait?

Pia sourit.

— Pourquoi pas?

Le jet privé était le mode de locomotion le plus luxueux que Lauren eût jamais imaginé.

— Ça n'est rien, fit Lorenzo avec un grand geste.

Ce qu'il appelait « rien » était une cabine rassemblant le dernier cri de la technologie, dont une chaîne stéréo, plus cuisine, salle de bains de marbre et chambre à coucher au fond. L'intérieur de l'appareil était décoré aussi somptueusement qu'un penthouse. C'était l'avion de la société, mais Lorenzo l'utilisait chaque fois qu'il en avait envie.

— Je regrette que votre mari n'ait pas pu nous accompagner, affirma-t-il en bouclant sa ceinture dans le siège auprès de celui de Lauren, et sans penser un mot de ce qu'il disait.

— J'en suis certaine.

— Non, vraiment, *bellissima*. Jamais je ne ferais attention à la femme d'un autre homme.

Elle aurait presque pu être dupe.

— Avez-vous jamais été marié ? demanda-t-elle.

— Non, ma princesse, je n'ai pas encore rencontré la femme de mes rêves. D'ailleurs, on ne vit qu'une fois : pourquoi se limiter au même plat chaque jour ?

Elle fronça le nez.

— Vous commencez à parler comme un macho.

— Comment ça ? demanda-t-il innocemment.

— Vous savez ce que je veux dire : comparer une femme à un plat. Ça n'est pas très gentil.

La regardant de très près, il susurra :

— Vous êtes la plus belle femme de l'univers. J'adore quand vous parlez. La façon dont votre bouche remue, dont vos lèvres frémissent. Tout chez vous est si... si tentant.

— Vous en faites un peu trop, Lorenzo.

C'était son premier voyage en Europe et elle avait du mal à maîtriser son excitation. Lorenzo s'en amusait.

— J'ai traversé l'Atlantique tant de fois que j'en ai perdu le compte, proclama-t-il.

— Vous avez de la chance, répondit-elle, un peu tendue à l'idée du décollage.

Lorenzo semblait parfaitement à l'aise. Il lui prit la main et la retourna.

— Ah... vous aussi, vous aurez beaucoup de chance, dit-il en inspectant sa paume. Je le vois ici.

— Comment, Lorenzo ?

— Je ne vous ai pas dit que ma grand-mère était gitane ? Je lis dans les lignes de la main, je peux prédire l'avenir.

— Et que voyez-vous dans mon avenir ?

— Vous serez très célèbre et très riche. Ah, regardez cette ligne brisée ici : ça veut dire que vous divorcerez.

— Lorenzo, fit-elle d'un ton de reproche en retirant sa main.

— Non, non, ma princesse, je ne plaisante pas. Il lui reprit la main. Peut-être des tas de bambinos : deux, trois, ah oui, quatre. Il se rembrunit. Je vois autre chose, dit-il en regardant avec attention.

— Quoi ? demanda-t-elle, inquiète.

— Je vois que ce ne sont pas des bébés américains : ils sont à demi italiens.

Elle éclata de rire.

— Vous êtes terrible, vous savez ?

— Ah oui, on me l'a dit bien des fois. Mais on ne me fait jamais de reproches là où ça compte.

— Et où est-ce ?

— Dans la chambre à coucher.

Il avait des yeux séduisants, un nez mince et les pommettes saillantes. Elle aimait bien le regarder, tout comme les deux hôtesses, qui le dévoraient des yeux. Après le décollage, ils burent une coupe de champagne, savourèrent un repas délicieux et puis Lorenzo regarda un film pendant qu'elle s'endormait. Il l'éveilla doucement juste avant l'atterrissage.

— Ah, *bellissima,* vous étiez épuisée. Dans vingt minutes nous serons dans mon pays natal.

Elle fit un effort pour se réveiller et passa dans la salle de bains pour rajuster son maquillage et se brosser les cheveux. Qu'était devenue sa vie ? Voilà qu'elle se trouvait dans un avion avec un très séduisant Italien tandis que son mari avait choisi de rester en Amérique. Elle savait qu'elle allait être tentée. C'était inévitable.

Voyons un peu comment tu vas te tirer de cette situation là, Lauren Roberts.

Je peux faire ce que je veux.

Il y avait un comité d'accueil pour les saluer à leur arrivée. Une petite fille vêtue d'une longue robe blanche se précipita pour lui offrir un bouquet de roses. Elle l'accepta aimablement, bien qu'elle se piquât à quelques-unes des épines. Une équipe de télévision ne ratait pas un instant de cette arrivée.

Lorenzo lui présenta aussitôt plusieurs personnes. Il y eut des poignées de main, on s'embrassa sur les deux joues. Elle était dépassée par toutes ces attentions. Lorenzo l'entraîna dans une limousine qui fonça à travers les rues de Rome comme s'il s'agissait d'une course automobile. Elle eut à peine l'occasion de voir les monuments. La limo la déposa à la villa Marcella, où la suite des invités était plus grande que l'appartement qu'elle occupait à New York quand elle était célibataire.

— Ce soir, dit Lorenzo, vous allez vous reposer. Et demain il y aura une grande réception en votre honneur. Il posa ses deux mains sur les épaules de Lauren et planta un tendre baiser sur chaque joue. J'ai des choses à faire maintenant. Si vous avez besoin de quoi que ce soit, vous n'avez qu'à sonner. À demain, *bellissima*.

Les quelques jours suivants furent magiques. Elle n'avait jamais rien vu d'aussi beau que Rome. Lorenzo lui fit tout visiter depuis les incroyables ruines du Colisée jusqu'à la voie Appienne et tous les magnifiques édifices et monuments qui parsèment la ville. Elle aima surtout les étroites ruelles pavées et les pittoresques terrasses de café. Elle rencontra la famille de Lorenzo. Son père était comme lui en plus âgé et sa mère était une femme blonde d'une affolante élégance. Tout le monde la traitait comme une reine. Puis Lauren visita l'usine et rencontra un grand nombre d'employés. Sa photo était partout.

— Ils vous adorent, dit Lorenzo. Ils vous ont surnommée « l'innocente jeune fille américaine ».

— Je ne suis pas si innocente, dit-elle.

— Vous avez cette qualité particulière que possédait Grace Kelly. Ça séduit beaucoup les Européens.

Elle s'attendait à le voir tenter un geste, mais de toute évidence Oliver avait raison : les hommes italiens flirtaient beaucoup, mais n'allaient pas plus loin. Pour leur dernière soirée à Rome, il l'invita à dîner dans un restaurant en plein air situé au pied de la Piazza di Spagna. Elle s'attendait à retrouver le même groupe de gens, mais ils n'étaient que tous les deux.

— Ce soir, annonça-t-il, nous allons faire un dîner italien typique. Pas de champagne, pas de caviar. Des pastas, un peu de poisson, beaucoup de vino : nous nous détendons.

Il l'amusa avec des anecdotes sur son passé et elle passa un moment merveilleux. Ensuite, il l'invita à venir chez lui.

— Vous verrez la plus belle vue de Rome, déclara-t-il. Ou peut-être préféreriez-vous aller dans une discothèque ?

— Non, j'aimerais voir votre appartement.

Elle savait qu'elle s'aventurait sur un terrain dangereux. Elle avait bu trop de vin, et la ville était si séduisante : tout cela l'incitait à faire des folies. Il la tenait captive de son regard.

— Vous êtes sûre, Lauren ? Je ne veux pas vous forcer à faire quelque chose dont vous n'ayez pas envie.

— Je ne fais que monter dans votre appartement.

Il sourit.

— Oui, *bellissima*, c'est tout.

Même si tous deux savaient très bien que ce n'était pas le cas. Son appartement avait bel et bien une des plus belles vues de Rome et était somptueusement meublé.

— Maintenant, dit-il, c'est l'heure du champagne. Pour couronner la soirée.

Il leur versa à chacun une coupe, mit un disque de Billie Holiday et ouvrit les bras. Les accents de « Good Morning Heartache » résonnaient en sourdine et fournirent à Lorenzo le prétexte pour l'entraîner dans ses bras. Ils dansaient lentement, étroitement enlacés.

Je me demande ce qu'Oliver fait maintenant ?
Ha ! Il travaille. Que pourrait-il faire d'autre ?
Tu ne l'as jamais aimé, Lauren Roberts. Pourquoi l'as-tu épousé ?
C'est mon affaire.

Les doigts de Lorenzo appuyaient sur le léger tissu de sa robe. Quand il commença à abaisser la fermeture à glissière, elle ne l'arrêta pas. Il dégagea la robe de ses épaules et, de ses doigts experts, dégrafa son soutien-gorge. Elle allait être infidèle à son mari, mais, sans savoir pourquoi, elle ne pouvait pas s'en empêcher.

72

Aretha Mae contemplait Cyndra comme si elle avait vu un fantôme.

— Maman ? fit doucement Cyndra, bouleversée de voir comme sa mère avait l'air maigre et en mauvaise santé. Maman, c'est moi, Cyndra.

Aretha Mae secoua la tête d'un air incrédule.

— On peut entrer ? demanda Cyndra, plantée sur le pas de la porte.

— Oh, ma petite fille, regarde-toi, dit Aretha Mae d'une voix tremblante. Tu es si jolie.

Le visage de Cyndra s'illumina.

— Oh, maman, tu crois ? Tu crois vraiment ?

— Je devrais te donner la fessée, fit Aretha Mae en retrouvant son calme. Elle se tourna vers Nick. Et toi, qu'est-ce que tu as à dire ?

Seigneur ! C'était comme s'il redevenait un gosse.

— Ça nous a pris un moment de te trouver, murmura-t-il.

— Je vous aurais bien laissé une adresse si j'avais su où vous aviez filé, dit-elle d'un ton pincé.

C'était bien la même Aretha Mae.

Ils la suivirent dans la petite pièce qui, pour elle, était sa maison. Des piles de journaux et de magazines s'entassaient partout. Sur la cheminée, deux vieilles photos de Luke, entourées de bouts de bougies à moitié consumées.

— Qu'est-ce que tu fais maintenant, maman ? demanda Cyndra en passant le doigt sur le manteau de la cheminée où elle trouva une épaisse couche de poussière.

— Je ne travaille plus, dit Aretha Mae en tripotant les lunettes qu'elle portait accrochées autour de son cou. Je n'en ai plus besoin. J'ai un peu d'argent, assez pour me débrouiller.

— Est-ce que Harlan est ici ? demanda Nick, qui avait hâte de le voir et de décamper.

— Pourquoi veux-tu avoir de ses nouvelles ? dit Aretha Mae d'un ton méfiant.

— Il va bien, maman ? demanda Cyndra. La tornade est arrivée après notre départ. On n'a rien su. Nous en avons seulement entendu parler aujourd'hui. Tu t'en es tirée sans dommages ?

— Comme quelqu'un peut l'être quand sa maison est détruite, répliqua Aretha Mae.

Cyndra s'assit sur le vieux divan défoncé.

— Si j'avais su, je serais revenue.

Aretha Mae fronça les lèvres.

— Tu as bien fait de t'en aller, ma fille.

— Je suis une chanteuse maintenant, dit fièrement Cyndra. J'ai fait un disque qu'on passe à la radio. Nick a joué dans un film.

Aretha Mae secoua la tête, son visage n'exprimant rien.

— Je ne sors pas beaucoup, marmonna-t-elle d'une toute petite voix.

— Peut-être que Harlan est au courant ? dit Cyndra, pleine d'espoir. Où est-il ?

— Je ne vois plus ton frère, lança sèchement Aretha Mae.

462

— Ça n'est pas pour ça que tu es venue t'installer à Ripley...
pour être près de lui ?

Aretha Mae leur lança à tous deux un regard accusateur.

— Qui vous a raconté ces mensonges ? interrogea-t-elle.

— Mr. Browning, fit Cyndra, affolée par l'étrange comportement de sa mère.

— Tu as vu cette fripouille ? ricana Aretha Mae. Pourquoi es-
tu allée le voir ?

— Il fallait bien qu'on retrouve ta trace.

— Pourquoi t'es-tu adressée à lui ? fit Aretha Mae en plissant
les yeux. Tu n'aurais pas dû faire ça.

— Parce qu'il fallait que je te retrouve.

— Eh bien, tu m'as retrouvée, ma fille. Je suis là.

— On nous a dit pour Primo, ajouta Nick.

Aretha Mae fut prise d'une quinte de toux qui secoua son
corps décharné. Cyndra se leva d'un bond.

— Ça va ? Maman ? Tu n'as pas l'air bien.

— Ça va très bien.

— As-tu vu un docteur pour ta toux ?

— Les docteurs ! Ah ! ricana Aretha Mae.

— Tu devrais en voir un. Tu es bien trop maigre.

Aretha Mae fronça les sourcils.

— Ça n'est pas à moi que tu vas dire ce que je dois faire, ma
pctitc.

Cyndra essaya de la prendre dans ses bras.

— Je suis désolée de t'avoir abandonnée comme ça. Je
comptais toujours t'écrire. Je sais que je ne l'ai pas fait, mais ça
ne veut pas dire qu'on ne puisse pas être proches maintenant,
hein ?

Aretha Mae traversa la pièce pour échapper à l'étreinte de sa
fille.

— Tu as toujours vu les choses à ta façon, Cyndra. Il fallait
toujours que ce soit comme tu voulais ou rien du tout.

— Ça n'est pas vrai, protesta Cyndra.

— Oh si, c'est vrai.

— Non, pas du tout.

— Où habites-tu ?

— Nous vivons en Californie. À Los Angeles.

— Hollywood ! Cet endroit plein de sexe, de drogue et de
toutes ces mauvaises choses dont j'ai entendu parler, fit Aretha
Mae d'un ton réprobateur.

Cyndra éclata de rire.

— Il n'y a pas que le sexe et la drogue. Peut-être que tu viendras me voir, un jour. Ça me ferait plaisir.

— Pas à moi.

— Parle-nous de Harlan. Est-ce qu'il travaille?

— Ne t'occupe pas de lui.

— Pourquoi?

— Il s'est mis dans le pétrin.

— On peut peut-être l'aider, proposa Nick.

— Pas question que vous l'aidiez, oh, Seigneur, surtout pas!

— C'est notre choix.

Aretha Mae le foudroya du regard.

— Tu ne vas pas aider une petite pédale.

— Quoi?

— Une pédale. Il vend ses charmes sur Oakley Street. Il monte en voiture avec n'importe qui, voilà ce qu'il fait. Ce n'est plus mon fils. Mon fils, c'est Luke, le seul auquel je tienne. Lui et Jésus.

— Jésus? fit Cyndra en jetant un bref coup d'œil à Luke.

— Oui, ma petite, Jésus. Et tu ferais mieux d'apprendre à te repentir. Sinon, Jésus va te fermer la porte au nez et tes jolies petites fesses noires iront brûler en enfer.

— Voyons, maman, je n'ai jamais rien fait de mal.

— Oh, mais si, tu as fait le mal, ma fille, dit Aretha Mae, ses yeux brûlant d'un éclat fiévreux. Oh si, tu as entraîné Mr. Browning dans le péché. Tu l'as mené dans la chambre de Satan.

— Pas du tout, fit Cyndra, ses yeux s'emplissant de larmes. Tu sais bien que non.

Aretha Mae s'assit dans un vieux fauteuil, croisa les bras sur sa poitrine et se mit à se balancer sur son siège.

— Tu peux nier tout ce que tu veux, mais Jésus sait, Jésus voit.

Nick prit Cyndra par le bras.

— Il faut qu'on y aille.

— Ne dis pas ça, maman, se défendit Cyndra en repoussant son frère. Ne me dis pas ça à moi.

Aretha Mae eut un rire grêle.

— Et les coupables brûleront en enfer. Et le feu consumera leurs yeux. Une fille comme toi — une tentatrice — sera la compagne du Diable. Tu as fait des choses que personne de convenable ne peut pardonner.

Cyndra était frénétique.

— De quoi parles-tu? Je n'ai jamais rien fait. Benjamin Browning m'a violée. Tu le sais bien.

Un étrange sourire retroussa la bouche d'Aretha Mae.

— Tu as péché, ma fille. Mr. Browning... lui qui est ton père. Et tu l'as laissé pécher avec toi. Elle éleva la voix. Tu vas brûler en enfer. Oh, mais oui !

— Il n'est pas mon père, cria Cyndra, furieuse.

— Pour sûr qu'il est ton père, ma petite. Quand tu t'es débarrassée de ce bébé, c'est ton propre frère que tu as tué. Tu as tué Luke aussi, n'est-ce pas ? Elle se leva d'un bond. Tu as tué Luke, sale petite garce !

Nick saisit de nouveau le bras de Cyndra et la traîna hors de la pièce. Elle était secouée de sanglots nerveux. Il lui fit descendre l'escalier et l'entraîna dans la rue.

— De quoi veut-elle parler ? hurla Cyndra. Nick, aide-moi, dis-moi ce qu'elle raconte ? Qu'est-ce qu'elle cherche à me faire croire ?

— Tu ne vois pas qu'elle est folle. Dieu sait ce qui s'est passé ici.

— Il faut que je voie Harlan.

— D'accord, d'accord... on va le trouver.

— Quand ça ? interrogea-t-elle.

— Maintenant, répliqua-t-il en la poussant dans la voiture.

Ils roulèrent jusqu'à Oakley Street, garèrent la Cadillac et restèrent assis à l'intérieur à attendre. Au bout d'un moment, Nick laissa Cyndra dans la voiture et entra dans un bar voisin pour se renseigner.

— Vous pouvez trouver tout ce que vous voulez sur Oakley Street, lui dit le barman. Seulement faites gaffe : ça peut avoir l'air d'une fille, ça peut parler comme une fille, mais vous risquez bien de trouver une grosse surprise qui lui pend entre les jambes.

— Des travestis, mon joli, lança une grosse femme assise au bar en train de siffler une vodka. Cette rue en est pleine. Maintenant, pourquoi ne viens-tu pas t'asseoir avec moi ? Tu vas me payer un verre et je te dirai tout ce que tu veux savoir.

— Merci. Une autre fois, lança-t-il en regagnant au pas de course la voiture.

Cyndra avait pleuré.

— Ne fais pas attention à Aretha Mae, dit-il en s'efforçant de la réconforter.

Elle avait la voix qui tremblait.

— Elle a dit que Benjamin Browning était mon père. Tu sais ce que ça veut dire ?

— Elle dit n'importe quoi.

— Pas du tout. Elle dit la vérité. J'en suis certaine.

— Voyons, fit-il d'un ton léger. Regarde un peu le bon côté des choses : si Benjamin est ton père, tu peux réclamer la moitié de son fric quand il passera l'arme à gauche.

— Sois sérieux, Nick. Tu n'as pas l'air de comprendre. Quand j'avais seize ans, Benjamin m'a violée et ma mère n'a pas bougé. Il m'a fait un enfant et j'ai dû me faire avorter. Tu te rappelles quand tu es venu vivre dans la caravane ? J'étais dans le Kansas, à me débarrasser du bébé de mon propre père.

Nick se dit que ce voyage était une horrible erreur. Ils auraient mieux fait de laisser Bosewell dans leur passé : c'était sa place. Vers la tombée de la nuit, les travestis commencèrent à envahir la rue, tous habillés en femmes. Plusieurs d'entre eux passèrent en couple devant la voiture, se penchant pour regarder par la vitre.

— Nous cherchons Harlan, dit Cyndra d'un ton des plus aimables. Vous le connaissez ?

— Et moi, tu ne me trouves pas bien ? susurra un gaillard d'un mètre quatre-vingts avec une longue perruque blonde et une minirobe blanche transparente.

— Tu es adorable, dit Nick. Mais c'est Harlan qu'on veut.

— Si cette petite garce se montre, je te l'enverrai, fit l'homme en tapotant sa perruque.

— J'ai l'impression que tout ça ne va pas nous plaire.

— C'est quand même mon frère, riposta Cyndra. Et si Aretha Mae dit la vérité, tu ne l'es pas.

Cela le vexa.

— Écoute, Cyndra, on sera toujours frère et sœur. Peu importe qui est ton père.

— Je sais, je sais, marmonna-t-elle en hochant la tête, regrettant déjà ce qu'elle avait dit.

Ils restèrent un long moment assis dans la voiture à regarder défiler tous les travelos.

— Comment allons-nous le reconnaître ? demanda-t-elle. Et s'il est complètement déguisé ? Nous avons laissé un petit garçon... maintenant, c'est un homme.

— Je suis navré de te faire remarquer une chose, assura Nick, mais on ne peut pas dire que les visages noirs soient particulièrement nombreux dans cette rue.

— Tu as raison.

Vers neuf heures, Cyndra crut l'avoir repéré.

— Tu es sûre ? fit Nick en scrutant l'obscurité.

— Je ne sais pas mais, comme tu disais, il n'y a pas tellement de visages noirs.

— Bon, pourquoi ne pas aller voir ?

Il descendit de voiture et s'approcha de ce qui semblait être une Noire en robe rouge vif, avec un boa de plumes et une longue perruque noire.

— Harlan ? fit-il en s'approchant davantage pour mieux voir.

— Tu ne veux pas dire Harletta ? rétorqua la créature d'une voix de fausset.

— Harlan, c'est moi... c'est Nick.

La créature porta un doigt à son menton.

— Je te connais, toi ?

— Harlan, au nom du ciel, c'est Nick. Cyndra est dans la voiture. Viens nous parler.

La créature recula dans l'ombre.

— Harletta ne va jamais nulle part à moins d'être somptueusement payée.

Il fouilla dans sa poche et en tira plusieurs billets qu'il lui fourra dans la main.

— Monte dans la voiture, bon Dieu !

— Oooh ! s'exclama Harlan. J'adore quand on me brutalise.

Et c'est ainsi qu'ils retrouvèrent Harlan. Un tapineur drogué. Un jeune homme amer qui n'avait pas eu l'occasion d'être rien d'autre. Ils le ramenèrent à leur hôtel et lui parlèrent pendant des heures, mais il ne manifestait aucun désir de changer de vie. Il leur rit au nez.

— Reviens à Los Angeles avec nous, supplia Cyndra, au bord des larmes.

— Mes amis sont ici, répondit Harlan en arpentant nerveusement la suite.

— Tes amis sont dans la rue, fit remarquer Nick. Des putains et des travelos. Quel genre d'amis est-ce donc ?

— En tout cas, ils sont là quand j'ai besoin d'eux, riposta Harlan, arrachant soudain sa perruque et la lançant avec violence à travers la pièce. Vous deux, vous avez filé en me plaquant là. Vous ne savez pas ce que c'était après votre départ. Il n'y avait pas d'argent, pas d'endroit où vivre. Aretha Mae a dû accepter la charité de ce porc de Benjamin Browning.

— Est-ce qu'il t'a touché ? Il t'a fait quelque chose ? demanda Cyndra.

— Mais qu'est-ce que tu crois ? répondit Harlan.

Une moue méprisante plissa ses lèvres grotesquement peintes.

— Un de ces jours, je vais le tuer, ce salaud, dit Cyndra, le regard fixe. Je lui ferai sauter la cervelle.

— Calme-toi, fit Nick.

— C'est tout ce qu'il mérite.

— Oh oui, renchérit Harlan. Et j'assisterai à la scène. Une place de premier rang, s'il te plaît, précisa-t-il.

Ils ne parvinrent pas à persuader Harlan de repartir avec eux. Mais il accepta quand même un peu d'argent et promit sans entrain de rester en contact. Ni l'un ni l'autre ne croyaient ce qu'il disait.

— Nous aurons de la chance si jamais nous le revoyons, fit Nick.

Ils remontèrent enfin dans la Cadillac pour faire le long chemin du retour jusqu'à Los Angeles.

À peine arrivé, Nick revendit la voiture.

— Je ne te comprends pas, protesta Annie. Pourquoi fais-tu ça ? Toute ta vie tu as rêvé d'avoir une Cadillac.

— Il y a un tas de choses que tu ne comprends pas à mon sujet, Annie.

— On devrait peut-être essayer de passer plus de temps ensemble.

Est-ce que ça n'était pas suffisant qu'ils habitent sous le même toit ? Qu'est-ce qu'elle voulait de plus ? Il sortit tout seul ce soir-là et appela Carlysle d'un téléphone public.

— Tu es avec ta mère ? demanda-t-il.

— Elle est en voyage, répondit Carlysle. Pourquoi ? Tu veux faire la fête ?

— Oui.

— Rapplique.

Quand il arriva chez elle, il constata qu'elle n'était pas seule. Il y avait là une autre fille, une Indonésienne qui était mannequin. Tous trois se retrouvèrent bientôt dans le jacuzzi à pratiquer des jeux auxquels il n'avait jamais joué en classe. Il avait besoin de se détendre. Quand il quitta la maison de Carlysle, il se sentait mieux.

Le lendemain, Meena lui annonça qu'elle avait réussi à le libérer de son contrat pour le film avec la productrice et qu'il aurait le premier rôle dans *Life,* un film à gros budget sur les rapports d'un jeune tueur et de son père.

— C'est une occasion formidable, Nick, dit Meena avec enthousiasme. Un grand metteur en scène, une production haut de gamme. Et voici la meilleure nouvelle : j'ai fait doubler ton cachet.

Il n'était pas aussi grisé qu'il aurait dû l'être. Il pensait à

Lauren. Il rentra chez lui et annonça à Annie qu'il était obligé d'aller passer deux ou trois jours à New York.

— Je peux venir avec toi ? demanda-t-elle, pleine d'espoir.

— Non. C'est un voyage d'affaires. Il l'embrassa sur la joue. Je te revois dans quelques jours.

À l'aéroport, il fit un chèque de six mille dollars et l'envoya à Dave. C'était tout l'argent qu'il avait sur son compte, mais il avait de la chance, il y en avait d'autre qui allait arriver. Il prit le vol du soir. Bientôt, d'une façon ou d'une autre, il allait réussir à voir Lauren. Il ne savait pas ce qu'il lui dirait. Il savait seulement qu'il devait régler cette situation. Le plus tôt serait le mieux.

73

Lauren était bourrelée de remords parce qu'elle avait couché avec Lorenzo. Ça n'était arrivé qu'une seule fois — leur dernière soirée à Rome — et elle n'avait aucune excuse. Ç'avait été une expérience mémorable ; ce qui lui donnait d'autant plus de remords car elle aurait préféré oublier cet épisode.

Peut-être que je tiens de mon père, songca-t-clle, consternée. *Pourquoi devrais-je me sentir coupable : de toute évidence lui n'avait jamais de remords.*

À leur retour en Amérique, Lorenzo se conduisit en parfait gentleman. Elle lui annonça qu'elle regrettait ce qui s'était passé, que ça n'arriverait plus jamais, et lui demanda de bien vouloir ne jamais en parler.

— Je respecte vos désirs, avait-il promis. Mais, quand vous vous serez débarrassée de votre mari, je serai là à attendre.

Oliver ne se doutait de rien.

— Comment s'est passé ton voyage ?

— C'est dommage que tu ne sois pas venu avec moi, dit-elle.

— La prochaine fois, promit-il. En fait, je pensais que cet été nous pourrions faire une croisière en yacht sur la Riviera.

— Ce serait merveilleux, Oliver. Pourras-tu trouver le temps ?

— Je le trouverai.

Elle avait déjà fait les photos pour la campagne Marcella, et le moment était venu maintenant de tourner le film publicitaire. Plongeant dans son passé, elle puisa dans son expérience théâtrale, se détendit et s'amusa beaucoup devant la caméra. C'était un film publicitaire très sophistiqué et il fallut une semaine de tournage.

Lorenzo se rendait tous les jours sur le plateau, continuant à se conduire en parfait gentleman. Il se contenta de flirter avec ses yeux — mais, oh, ses yeux d'Italien ! Elle se rappelait la nuit qu'ils avaient passée ensemble à Rome et tout son corps à ce souvenir s'embrasait de désir. C'était son esprit qui l'empêchait d'agir.

Tu es une femme mariée, Lauren.

Tu n'as pas besoin de me le répéter tout le temps.

Elle était ravie de faire ce spot publicitaire, d'être le centre de l'attention générale. Cela lui donnait une impression particulière : le sentiment de compter vraiment dans l'ordre des choses. Maintenant qu'elle était sa femme, Oliver lui accordait de moins en moins d'attention. Comme d'habitude, le travail passait d'abord.

Elle se dit que, s'il pouvait faire passer son travail avant tout, elle pouvait en faire autant. Au cours d'un déjeuner avec Samm, elle lui dit que, si d'autres contrats de mannequin se présentaient, elle était disposée à les accepter.

— Je croyais que ça ne t'intéressait pas d'être mannequin, observa Samm en buvant une gorgée de vin blanc.

Lauren picorait sa salade.

— J'ai changé d'avis.

— Tu ne pourras pas représenter d'autres produits, mais tu peux certainement faire des photos, affirma Samm d'un ton songeur. Je vais voir ce que je peux te trouver.

— Trouvez-moi la couverture de *Vogue,* fit Lauren avec un sourire convaincant. Vous savez que vous pouvez obtenir n'importe quoi.

Samm fit bonjour de la main à une rédactrice de mode, se renversa dans son fauteuil et sourit à son tour.

— Mon Dieu, mon Dieu, mais nous devenons ambitieuse.

— Pourquoi pas ? Il serait temps.

— Au fait, reprit Samm, tu as entendu ce qu'on raconte sur Jimmy Cassady ?

— Qu'est-ce qui lui arrive ? demanda Lauren d'un ton glacé.

Pour elle, c'était de l'histoire ancienne. Même entendre son nom ne lui faisait plus rien.

— Il a jeté son masque.

— Hein ?

— Homo, ma chérie. Une vraie tante !

Voilà donc qui expliquait le petit mystère de son mariage manqué. Elle passait la plupart de ses week-ends avec Pia, Howard et le bébé. Tantôt ils restaient en ville, tantôt ils allaient en voiture jusqu'à la grande propriété qu'Oliver possédait dans les Hamptons, où, la plupart du temps, il restait enfermé dans son bureau à téléphoner : la détente, ça n'était pas pour lui. Un jour qu'elle prenait un bain de soleil sur la plage, Pia dit :

— Tu te rends compte que maintenant tu as trois domiciles ? L'appartement à New York, la maison des Bahamas et celle-ci.

— Ce sont les maisons d'Oliver, répliqua Lauren en s'étirant sous le soleil brûlant. Je n'en ai choisi aucune.

— Si c'est ce que tu penses, tu devrais les vendre pour acheter autre chose. Ce serait bien de repartir de zéro, non ?

Lauren prit le flacon d'huile solaire.

— Je suis certaine qu'Oliver me laisserait faire exactement ce qui me plaît. Il ne s'en apercevrait sans doute même pas.

— Hmmm, fit Pia. Est-ce que je ne décèlerais pas dans ta voix une note de mécontentement ?

Elle se frictionna les jambes avec le produit solaire.

— Tu décèles l'accent de quelqu'un dont le mari n'arrête jamais de travailler.

— Ah ! dit Pia. C'est pour ça que tu as trois maisons.

— Bien raisonné.

Pia prit un air songeur.

— Je crois que Howard marche sur les traces d'Oliver, fit-elle d'un ton pensif. Hier soir, il n'est rentré qu'à neuf heures. Peut-être qu'il a une maîtresse.

— Howard ? s'esclaffa Lauren en éclatant de rire. Je n'imagine pas Howard avec une maîtresse.

— Pourquoi ? fit Pia, très vexée. Tu ne le trouves pas sexy ?

— Pour toi, il est sexy, pour les autres femmes, c'est ton mari.

— Il y a des moments où je regrette que nous n'ayons pas gardé l'agence, émit Pia avec une nuance de nostalgie dans la voix. J'adore Rosemary, je suis heureuse de m'occuper d'elle, mais jouer à la poupée, ça n'est pas mon style.

— Trouve-toi un travail, suggéra Lauren en s'allongeant sur le sable.

— Je ne veux pas aller jusque-là. Être mon propre patron

est une chose, mais travailler pour quelqu'un d'autre... non, ça n'est pas pour moi. À moins que tu ne veuilles me prendre comme assistante, je serais très efficace.

— Je ne suis pas assez prise pour avoir une assistante, murmura Lauren en fermant les yeux.

— Tu le seras. Attends simplement que les premiers placards paraissent. Et Samm m'a dit que tu veux commencer à faire d'autres choses.

— Je ne serais pas contre.

— Nature est devenue comédienne, tu sais.

— Vraiment?

— Oui, elle vit avec ce producteur et il l'a fait tourner dans son film. C'est la découverte de l'année, paraît-il.

— Ça va lui faire plaisir.

— Et j'ai lu quelque part qu'Emerson Burn rentre cette semaine de sa tournée mondiale.

— Tu es une vraie petite chroniqueuse mondaine.

Pia eut un soupir envieux.

— On peut dire que tu as eu des « ex » intéressants. Il faut reconnaître que, quand tu es venue travailler chez Samm, nous trouvions toutes que tu étais bien calme.

— Emerson n'est pas un ex.

— Et Nick Angel? demanda Pia. Tu n'en parles jamais. Par contre, on peut dire que lui, il tenait à te parler.

— Je suis sortie avec Nick quand nous étions au lycée, dit-elle d'un ton désinvolte, comme si c'était une histoire sans importance.

— Au lycée! Il était beau en ce temps-là?

— Oui, murmura-t-elle. Très.

À peine arrivé à New York, Nick appela Au Secours Service. La standardiste lui dit qu'il n'y avait plus d'abonné à ce numéro.

— Allons bon! fit-il en raccrochant.

Il réfléchit un moment, puis appela Carlysle à Los Angeles.

— Oh, dis donc! s'exclama-t-elle. Quelle soirée! Je ne me rendais pas compte que tu étais si aventureux.

— Oui, eh bien, on est deux.

— Tu peux passer maintenant? Ma copine est encore ici.

— Je suis à New York.

— Dommage.

— Il faut que tu me rendes un service.

— Lequel?

— Tu te rappelles ce dîner où tu m'as emmené quand nous tournions *Night City* ?

— On est allé dans tant d'endroits.

— La maîtresse de maison était toute couverte de bracelets.

— Tu parles de Jessie George.

— Voilà. Quel est son numéro ?

Carlysle pouffa.

— Ooooh, Nick, elle n'est pas un peu vieille pour toi ?

— J'ai un renseignement à lui demander.

— Attends une seconde, je prends mon carnet.

Elle lui donna le numéro. Il raccrocha et appela.

Il lui suffit de dire « Nick Angel » et Jessie sut tout de suite qui il était.

— Nick, quelle joie de vous entendre ! J'ai tellement aimé *Night City*. Superbe performance d'acteur.

— Merci.

— Qu'est-ce que je peux faire pour vous ?

— Vous avez le numéro de Au Secours Service ?

— Malheureusement, l'agence a fermé.

— C'est vrai ?

— Oui. Mais j'ai un autre traiteur que je peux vous recommander.

— Vous vous souvenez de cette fille... celle qui a fait toute la cuisine ?

— Vous parlez de Lauren.

— Qui était ce type qu'elle allait épouser ?

— Oliver Liberty. Ils se sont mariés aux Bahamas.

— Qu'est-ce qu'il fait ?

— Oliver possède la plus grande agence de publicité de New York : Liberty and Childs.

— Pouvez-vous me donner son numéro de téléphone personnel ?

— Certainement. Au fait, je donne un dîner demain soir. Je serais ravie que vous veniez.

— Oh, euh, je ne sais pas... je ne suis ici que pour quelques heures. Il faut que je rentre à Los Angeles.

— Quel dommage... Oliver et Lauren seront là.

— Oh, peut-être que je n'ai pas besoin de rentrer si vite, se reprit-il aussitôt.

— Huit heures. Ce ne sera pas habillé. Je vous mets sur ma liste.

Lauren avait donc bien épousé ce type. Ça n'était pas une

bonne nouvelle. Mais au fond, tout ce qu'il voulait, c'était présenter ses excuses.Ils n'allaient pas tomber dans les bras l'un de l'autre. Beaucoup de temps s'était passé. Ils étaient maintenant des gens différents. Oui, bien sûr. Et à part ça, quoi de neuf ?

Odile Hayworth était la femme la plus exquise que Cyndra eût jamais rencontrée et elle la prit en grippe instantanément. Gordon était la propriété d'Odile. Odile était la propriété de Gordon. C'était l'évidence même.

Marik avait organisé un petit dîner pour quatre dans un restaurant français et Cyndra trouva la soirée odieuse du début jusqu'à la fin. Odile était extrêmement jolie, avec des yeux ambre, des cheveux noirs coupés court et un grand sourire. Elle avait au moins trente-cinq ans. C'est vieux, pensa Cyndra. Il doit avoir besoin de quelqu'un de plus jeune.

— Marik m'a appris que vous étiez mannequin, fit Cyndra poliment, mais elle s'en fichait éperdument.

— Oui, je l'étais... jusqu'au jour où Gordon est venu me sauver, répondit Odile en serrant la main de son mari.

Il pressa la sienne en retour.

C'est trop mignon, gloussa Cyndra, exaspérée.

— Je l'ai vue à l'autre bout de la salle à une soirée où il y avait beaucoup de monde, dit Gordon. Un seul regard et j'ai su que ma vie était terminée.

Ils éclatèrent tous de rire.

— Allons donc, fit Odile en simulant qu'elle était contrariée. Ta vie ne faisait que commencer, et tu le sais très bien.

Il eut un grand sourire.

— Elle a raison. Avant Odile, j'étais très coureur. Après l'avoir rencontrée, je me suis repenti.

— Oh ça, oui, on peut dire que tu t'es repenti, lança Odile en souriant à son mari. Avant moi, tu étais une vraie bête !

Marik prit la main de Cyndra dans la sienne.

— C'est un peu ce que j'éprouve moi-même.

Voilà qui était nouveau pour elle. Elle savait qu'il l'aimait beaucoup, mais il n'avait jamais exprimé d'intentions sérieuses.

— Vous avez tous les deux déjà l'air de bien vous entendre, fit observer Odile. Est-ce qu'il n'est pas question que vous vous installiez ensemble ?

Gordon but une gorgée de cognac.

— Nous aimons voir nos artistes heureux. Cyndra, j'ai des nouvelles qui devraient vous faire très plaisir.

— Ah oui ?

— Votre disque est dans le Top 50.

Elle était folle d'excitation.

— C'est vrai ?

— Tout à fait.

— Oh, c'est formidable ! Elle se tourna vers Marik. Tu le savais ?

Il eut un sourire penaud.

— Oui, je le savais, mais Gordon est le patron. Il voulait te l'annoncer lui-même.

— J'avais besoin d'une bonne nouvelle dans ma vie.

— Bébé, dit Marik, toutes les bonnes nouvelles vont pleuvoir sur toi.

Plus tard, ils firent l'amour. Elle pensait à Gordon chez lui avec sa jolie femme et ses deux petits enfants. C'était à peine s'il lui avait accordé un regard. Elle était une artiste de sa maison de disques — sous contrat avec sa compagnie, et c'était tout ce qu'elle représentait pour lui. Un de ces jours, il la regarderait autrement. Un de ces jours, il la désirerait autant qu'elle le désirait. Cyndra savait qu'un homme imprenable, ça n'existe pas.

Ce soir-là, Nick passa voir le numéro de Joey. L'établissement ne s'était pas amélioré en son absence, pas plus que les mornes hôtesses. Joey était drôle. Il avait vraiment du talent : un talent qu'il gaspillait dans cette boîte.

— Tu m'avais promis de venir passer un moment chez moi, dit Nick.

— Hé, mon vieux, protesta Joey, tu es comme une nounou. Cesse de me harceler.

— Je vais te dire une chose : tu viens à Los Angeles et j'essaie de te faire avoir un rôle dans mon nouveau film.

Joey plissa les lèvres.

— Oh, on est une grande vedette maintenant. Tu peux m'avoir un rôle, alors ?

— Peut-être. Mais pas si tu restes assis sur tes fesses à New York.

— Je ne suis pas assis sur mes fesses, mon vieux. Je travaille pour gagner ma vie.

Nick regarda attentivement Joey. Il n'était pas un spécialiste, mais il aurait pu jurer que son ami s'était remis à la drogue.

— Je vais t'envoyer un billet d'avion, promit-il.

— Je peux me l'acheter tout seul.

— Écoute... j'ai plus de fric que toi. Profites-en pendant que tu peux.

— Va te faire voir, s'esclaffa Joey avec un grand sourire.

— Toi aussi, répondit Nick.

Rentré à l'hôtel, il appela Meena.

— J'ai besoin que tu me rendes un service.

— Dis-moi juste une chose, fit-elle d'un ton contrarié.

— Quoi donc?

— Qui a dit que tu pouvais prendre l'avion pour New York sans me prévenir.

— Je suis censé pointer?

— Non, mais tu es censé essayer tes costumes demain matin à neuf heures pile.

— Je serai de retour dans quarante-huit heures.

— À l'avenir, préviens-moi.

— Oui, maman.

— Très drôle, Nick, fit sèchement Meena. De quel service voulais-tu parler?

— J'ai ce copain qui a du talent. J'aimerais lui faire obtenir un rôle dans le film.

Elle ne put maîtriser son amusement.

— Pour qui te prends-tu, pour Burt Reynolds?

— En tout cas, fais-lui passer une audition.

— À quel rôle pensais-tu?

— Il ne serait pas mal dans celui du mouton.

— Ils ont trouvé quelqu'un qui leur plaît.

— Arrange-toi pour qu'ils le voient. Il est bon, je t'assure.

— Très bien, Nick, je vais essayer d'arranger ça. Au fait, qu'est-ce que tu fiches à New York?

— Mon attachée de presse m'a enseigné une chose.

— Quoi donc?

— Tiens-les toujours en haleine!

Le lendemain matin, il alla marcher un peu dans Central Park. Deux ou trois filles le reconnurent, se prirent par le bras et éclatèrent d'un rire nerveux. De retour à l'hôtel, il appela Jessie et lui confirma qu'il assisterait bien à son dîner.

— J'en suis ravie, dit-elle. Est-ce que vous serez accompagné?

— Non, je serai seul... Il marqua un temps. Euh, Jessie...

— Oui ?

— Placez-moi à côté de Lauren.

— Vous voulez dire la femme d'Oliver ?

— Oui. Vous comprenez, Lauren et moi... euh... ça fait longtemps qu'on se connaît.

— Je ne savais pas.

— Nous avons perdu le contact, alors ce serait bien de retrouver le bon vieux temps. Ça n'est pas capital... mais si vous pouviez me placer à côté d'elle, je vous en serais très reconnaissant.

— Bien sûr, Nick. À tout à l'heure alors.

Jessie raccrocha le téléphone d'un air songeur. Loin d'elle l'idée de voir rien de précis là-dedans, mais ça lui semblait quand même un peu bizarre que Nick ait commencé par l'appeler pour lui demander le numéro d'Oliver et qu'il la priât maintenant de le placer à côté de sa femme.

Bah, elle n'avait pas de questions à poser, elle n'avait qu'à agir ! Elle avait réuni pour ce dîner un groupe intéressant, et la présence de Nick Angel ne ferait que le rendre plus intéressant encore. Si ses instincts ne la trompaient pas, ça allait être une sacrée soirée.

74

Cela faisait cinq semaines que Lauren était rentrée de son voyage à Rome quand elle se rendit compte que quelque chose n'allait pas. Depuis quelques jours elle se sentait un peu bizarre et, en regardant son calendrier, elle se rendit compte qu'elle avait du retard. C'était anormal, car ça ne lui arrivait jamais. Une sourde crainte l'envahit : ne serait-elle pas enceinte ?

Cette idée eut tôt fait de l'obséder. Elle alla à sa salle de gymnastique et s'organisa une séance de culture physique intensive. Puis elle rentra chez elle et resta une heure dans un bain brûlant. Elle avait envie d'avoir un bébé, et pourtant ça n'était pas possible, puisque Oliver ne lui avait jamais fait l'amour. Alors, si elle était bien enceinte, comment allait-elle lui expliquer la chose ?

Je ne veux pas d'avortement. Je ne veux pas tuer encore un bébé.

Qu'est-ce que tu vas faire maintenant, Lauren Roberts ?

Je ne sais pas.

Tu vois où t'a menée ta petite escapade à Rome ?

Tais-toi ! Mais tais-toi donc !

Il n'y avait qu'une seule solution : amener Oliver à lui faire l'amour comme il fallait. Il rentra de bonne heure du bureau pour se changer.

— Est-ce que nous pouvons parler ? demanda-t-elle en lui tendant un Martini.

Il semblait avoir l'esprit ailleurs.

— Si nous allons chez les George ce soir, j'ai plusieurs coups de fil à passer avant que nous partions.

— Oliver, dit-elle, très calme. Je sollicite un entretien. Est-ce trop te demander ?

— Bien sûr que non. Je te fais simplement remarquer qu'il faut que je donne ces coups de téléphone avant que nous partions. Pouvons-nous remettre à plus tard cette conversation ?

— Tu es toujours fatigué quand nous rentrons.

— Je ne serai pas fatigué, promit-il. Je trouverai du temps pour toi.

Oh, que c'était généreux de sa part ! À vrai dire, il commençait à lui taper sur les nerfs. Elle se demanda si elle ne pourrait pas annuler le dîner. S'ils ne sortaient pas, elle aurait Oliver pour elle toute seule et peut-être... peut-être bien que...

Il ne suffit pas de pouvoir parler, Lauren Roberts. Il t'en faut plus que ça.

Je te l'ai dit : ferme-la !

L'idée d'appeler Jessie pour se décommander à une heure aussi tardive ne l'enthousiasmait pas. Jessie allait lui faire une scène, d'autant plus qu'ils ne l'avaient pas vue depuis quelque temps. Avec un soupir, elle comprit qu'ils devraient y aller.

Elle passa une robe noire toute simple, se brossa les cheveux et se maquilla avec le plus grand soin. Puis elle recula pour inspecter son image. Depuis qu'elle avait fait la campagne Marcella, il y avait chez elle un certain éclat. Oliver appelait ça « l'éclat du succès ». Elle se demanda si ce n'était pas l'éclat d'une nuit merveilleuse passée avec Lorenzo.

Une seule. Une seule, ce n'était pas assez. Elle éprouvait pourtant trop de remords pour recommencer.

En entrant dans l'appartement des George, elle eut l'impression qu'elle devrait se diriger droit vers la cuisine et se mettre aux fourneaux. Jessie avait rassemblé un de ses intéressants mélanges habituels : ça n'allait pas être une soirée ennuyeuse.

Elle prit un verre à un serveur qui passait et échangea quelques mots avec un des concurrents d'Oliver.

— Félicitations, clama l'homme en s'approchant trop près. J'ai vu la publicité Marcella : superbe. On peut faire confiance à Oliver pour trouver le visage de l'année et l'épouser.

— Je suis heureuse que la publicité vous plaise, fit-elle en reculant. Vous avez très bon goût.

— Oliver aussi, gloussa-t-il.

Elle avait le dos à la porte, mais elle sentit que quelqu'un d'important entrait. En se retournant, elle fut stupéfaite de voir Emerson Burn. Il avait les cheveux encore plus longs et il avait acquis un hâle encore plus soutenu. Un pantalon de cuir beige pâle soulignait ses longues jambes et il portait une veste à franges de cow-boy. La fille qui l'accompagnait paraissait avoir douze ans. Il ne mit pas longtemps à se diriger vers elle.

— Comment vas-tu, mon trésor ? dit-il, comme s'ils étaient les meilleurs amis du monde. Il paraît que tu t'es mariée.

— Il paraît que tu as divorcé, répliqua-t-elle fraîchement.

Il n'avait pas l'air trop affecté.

— Ça devait arriver. Nature me rendait zinzin. Elle est complètement folle, cette fille, tu sais.

Lauren désigna la jeune personne plantée près de la porte.

— Tu es venu avec ta fille... ou bien c'est ta dernière conquête ?

— Ha, ha ! toujours comédienne à ce que je vois...

— Emerson, tu as toujours fait ressortir mon sens de l'humour.

— Ça n'est pas exactement ce que tu fais ressortir chez moi. Il désigna Oliver à l'autre bout de la pièce. C'est lui, le vieux machin ?

— N'appelle pas Oliver un vieux machin.

— Ça n'est plus tout à fait un gamin, dit-il en l'examinant. Mais tu as l'air en bonne forme. Le mariage doit te réussir.

— Tu devrais le savoir. À combien de femmes en es-tu maintenant ?

— Suffisamment pour avoir compris.

Lorenzo fonça sur eux. Il avait un costume admirablement coupé, son accent était toujours aussi charmant. Il embrassa Lauren sur les deux joues.

— Ah, *bellissima*, toutes les autres femmes ici pâlissent auprès de vous.

— Eh bien, fit Emerson, j'ai déjà entendu pas mal de baratineurs dans ma vie, mais celui-là a le pompon.

— Emerson, voici Lorenzo Marcella.

— Enchanté, dit Lorenzo en tendant une main soigneusement manucurée. J'écoute vos disques... je les aime beaucoup.

— Qu'est-ce que vous faites dans la vie, Lorenzo? demanda Emerson.

— Il possède les cosmétiques Marcella, s'empressa de répondre Lauren. C'est une firme italienne dont les produits vont envahir le marché américain.

— Hem!

La jeune amie d'Emerson s'approcha d'un pas décidé, l'air maussade, et dit d'un ton geignard :

— Tu m'as plantée là près de la porte. Je ne connais personne ici. Comment peux-tu me faire ça?

— Chut, mon amour, il y a des grandes personnes ici.

— Oui, poursuivit Lorenzo sans se soucier de cette interruption. Lauren est la femme Marcella. À partir du mois prochain, vous allez voir son visage partout.

— Ma foi, observa Emerson, c'est un assez joli visage.

Peu avant le dîner, elle commença à se sentir bizarre. Elle se précipita dans la salle de bains, imprégna d'eau froide une serviette et la porta à son front.

Je suis enceinte.

Comment le sais-tu?

Parce que je le sais.

Alors, c'est ta faute.

Oh, mon Dieu! Comment allait-elle expliquer cela à Oliver?

Mon chéri, je sais que nous n'avons jamais vraiment fait l'amour, mais il s'est passé quelque chose de miraculeux. Nous avons eu une immaculée conception.

Ça n'était pas très convaincant.

Quand elle sortit de la salle de bains, tout le monde était assis. Elle entra dans la salle à manger et se glissa à sa place. Lorenzo était à sa gauche.

— Vous vous sentez bien? demanda-t-il avec sollicitude.

— Très bien, merci.

Elle se tourna pour voir qui était à sa droite et n'en crut pas ses yeux.

— Salut, Lauren, dit une voix familière. Ça fait longtemps.

Nick.

Nick Angelo.

Son passé défila dans sa tête. Elle restait muette. Leurs

regards se croisèrent. Un moment, elle resta le souffle coupé. Elle sentait son cœur battre dans sa poitrine et elle ne savait que faire. Elle ne voyait aucun moyen de se tirer de cette situation.

— Bonjour, Nick, fit-elle d'une toute petite voix. En voilà une surprise.

— On dirait que nous sommes destinés à nous rencontrer aux dîners de Jessie, hein ? fit-il.

— On dirait, répondit-elle en essayant de prendre un ton aussi désinvolte que lui.

Oh, mon Dieu ! Il avait toujours les yeux du même vert perçant. Ses cheveux étaient toujours d'un noir de jais. Il avait toujours cette fossette au milieu du menton qui la rendait folle.

— C'est bon de te voir.

Il songea qu'elle paraissait plus belle que jamais.

— Oh oui ! murmura-t-elle.

Ils bavardèrent ainsi durant tout le dîner. Elle ne se tourna pas une fois de l'autre côté et Lorenzo n'était pas content. Ils commencèrent par des propos superficiels, en arrivant peu à peu à des sujets plus personnels : il finit par parler de son retour à Bosewell. Il raconta comment il avait alors appris la mort des parents de Lauren, et combien il était navré. Elle hocha la tête.

— Ça a été un moment terrifiant.

— Tu sais que je t'ai écrit, reprit-il en la regardant droit dans les yeux.

— Non, je ne savais pas.

— Si, bien des fois. Je pense que les lettres se sont perdues. Je t'ai aussi écrit longuement quand j'ai quitté Bosewell en t'expliquant pourquoi il fallait que je m'en aille.

— Où as-tu adressé cette lettre ?

— Je l'ai laissée à Louise au drugstore. Elle m'a dit qu'elle n'avait jamais eu l'occasion de te la remettre, mais je ne l'ai appris que quand je suis retourné à Bosewell. Il continuait à la regarder. Comment te débrouilles-tu ?

— Très bien, fit-elle, sans savoir comment elle arrivait même à parler.

— Alors, tu t'es mariée.

— Oui. C'est mon mari, à l'autre table, réussit-elle à articuler en désignant Oliver.

Il l'examina longuement.

— Je ne veux pas être grossier, mais il n'est pas un peu vieux pour toi ?

— Tu es bel et bien grossier, souffla-t-elle en essayant de respirer calmement.

— Mais oui, fit-il en souriant. Tu te souviens ? Je n'ai jamais été très poli.

Elle ne put s'empêcher de sourire elle aussi. Oui, elle se souvenait de lui, elle ne se souvenait que trop bien de lui. Un moment, elle se perdit dans ses yeux verts.

— Je croyais que tu t'en fichais, murmura-t-elle.

— Je pensais la même chose à ton sujet.

Elle détourna la tête et saisit son verre de vin. Sa main tremblait et elle aurait bien voulu l'en empêcher, mais elle n'y pouvait rien.

— Il y a longtemps de cela, nous étions très jeunes tous les deux.

— Oui, renchérit-il. De petits gosses.

— Pas si petits que ça.

Il se pencha vers elle.

— Tu es belle.

Elle but encore une gorgée de vin.

— Nick... je...

— Oui ?

— Oh... rien. Elle essaya désespérément de changer de sujet. Qui d'autre as-tu vu à Bosewell ?

Elle retenait son souffle, attendant qu'il lui dise que son père était mort.

Comment est-il mort, Lauren ?

C'est toi qui l'as tué.

— J'ai vu ta vieille amie Meg. Tu sais quoi ?

— Quoi donc ? demanda-t-elle, haletante.

— Elle a épousé ce crétin de Stock Browning.

— Non ! Vraiment ?

— Ça t'étonne ?

— Ma foi... je pense qu'ils font un couple idéal.

— Seigneur ! Quel abruti c'était ! Et dire que vous étiez fiancés.

— Seulement à mon corps défendant, s'empressa-t-elle d'ajouter.

— N'emploie pas de grands mots avec moi.

Elle reprit son verre de vin.

— Tu te rappelles la nuit où il t'a cassé le nez ?

— Oh oui, dit-il d'un ton mélancolique. Comme si j'allais oublier ça. Tu m'as ramené chez toi, et tes parents étaient ravis !

— Et le lendemain matin, on est allés à Ripley.

Il la regarda longuement.

— Ça, c'est un souvenir.

— Oh oui, fit-elle en lui rendant son regard.

Il secoua la tête.

— Seigneur, Lauren... j'ai l'impression que ça fait si longtemps.

Elle faisait tourner entre ses doigts le pied de son verre.

— J'ai beaucoup pensé à toi, Nick. Où étais-tu passé ?

— Chicago. J'ai trouvé du travail dans une boîte de nuit, et j'ai fini par tout faire. Barman, disc-jockey... Et puis je suis parti pour Los Angeles.

— Ça a dû être formidable.

— Tu sais, tout était formidable après Bosewell... Il hésita un moment, puis ajouta : Mais tu me manquais...

— Tu pensais à moi ? demanda-t-elle doucement.

— Chaque jour que Dieu fait.

— Moi aussi.

— Il y a une chose qu'il faut que je te dise...

— Lauren ! Lorenzo en avait assez. Il lui donna brusquement un coup de coude dans les côtes. Présentez-moi à votre ami.

Elle retrouva soudain la réalité.

— Oh, euh... c'est Nick... Nick Angelo.

Il s'éclaircit la voix.

— C'est Angel maintenant.

— Bien sûr. Comment ai-je pu oublier. Elle eut un petit rire nerveux. Angel. Quel drôle de nom !

Il eut un grand sourire.

— Tu sais... c'est mon nom professionnel, ne te moque pas de moi.

— Oh, très bien, dit-elle, riant toujours ; dans ce cas... Lorenzo, voici Nick Angel. Nous allions au lycée ensemble.

— On faisait un tas de choses ensemble, ajouta Nick en la dévorant des yeux.

Ils échangèrent un sourire complice.

Je t'aime, Nick. Rien n'a changé.

Sois réaliste, Lauren Roberts. Tu es une femme mariée, enceinte d'un autre homme. Ça ne te suffit pas comme complications ?

Lorenzo n'appréciait pas du tout cette situation. Il sentait la concurrence et réagit violemment. Le mari, c'était une chose : pas de problème. Mais cet homme-ci était une menace, et Lorenzo n'aimait pas les menaces.

— Récemment, Lauren et moi étions à Rome ensemble, dit-il en passant autour des épaules de la jeune femme un bras possessif. Ah, quelle ville romanesque ! Êtes-vous déjà allé là-bas... Rick ?

— C'est Nick, dit précipitamment Lauren en se déplaçant si bien qu'elle se débarrassa de son bras.

— Si vous voulez, fit Lorenzo d'un ton dédaigneux.

— Non, répondit Nick. Mais il se peut que je tourne un film là-bas l'année prochaine.

Il mentait... mais au diable ce poseur d'Italien qui de toute évidence faisait les yeux doux à Lauren.

— Gina Lollobrigida est une très bonne amie à moi, reprit Lorenzo en ajustant une manchette de soie impeccable.

Nick lui lança un regard vide d'expression.

— Gina qui ?

— Gina est une des plus grandes stars du cinéma italien. Et une véritable beauté.

— Ce ne sera pas un film d'époque, fit Nick en jetant un clin d'œil à Lauren.

Elle repoussa sa chaise et se leva. De nouveau elle se sentait bizarre.

— Vous êtes toute pâle, *bellissima,* dit Lorenzo en bondissant sur ses pieds.

— Non... non, ça va très bien. Je reviens tout de suite, s'excusa-t-elle en jetant un coup d'œil à l'autre table.

Oliver faisait la conversation à Emerson Burn. Tant mieux. Elle en avait assez sur les bras entre Nick et Lorenzo. La salle de bains d'amis était occupée, alors elle prit le couloir jusqu'à la chambre de Jessie, où elle s'assit au bord du lit en essayant de mettre de l'ordre dans ses pensées. Ça faisait trop, tout ça : Oliver, Emerson, Lorenzo... et maintenant Nick. La seule personne qui l'intéressât vraiment, c'était Nick. En fait, elle l'aimait toujours autant. Il était dans son cœur et dans son âme, mais elle était prisonnière d'une situation impossible, et elle ne pouvait rien y faire. Nick arriva. Elle sursauta.

— Qu'est-ce qui se passe, Lauren ?

— Mais... rien.

— Je peux te voir ? demanda-t-il d'un ton pressant.

— Tu me vois.

Ses yeux verts fixaient ceux de Lauren.

— Tu sais ce que je veux dire.

Elle savait exactement ce qu'il voulait dire. Il s'approcha et se planta tout près d'elle, lui tendant la main pour l'aider à se relever. Elle se sentait fondre. Elle tombait... tombait... Et quand il se mit à l'embrasser, c'était comme si le temps s'immobilisait et que plus rien ne comptât. Ils s'embrassaient fiévreusement. Les mains de Nick lui caressèrent le visage.

— Oh, mon Dieu, Lauren, tu m'as tant manqué !

Elle réussit à le repousser, luttant de toutes ses forces, s'efforçant désespérément de reprendre le contrôle de la situation.

— Nick, tu oublies quelque chose. Je suis mariée. Tout ce qu'il y a de mariée.

— Divorce.

— Ce n'est pas si facile.

— On se débrouillera.

— Non... je... je ne peux pas.

D'un baiser, il la fit taire. Elle ferma les yeux et de nouveau elle avait seize ans et elle ne souffrait plus. Elle était en sécurité avec Nick, elle avait toujours éprouvé un sentiment de sécurité quand elle était avec lui. Il la serrait fort et elle sentit son désir. Elle savait qu'elle devrait interrompre leur étreinte, mais elle n'en avait pas le courage.

— Je t'aime, Lauren. Il chuchotait les mots qu'elle attendait. Je t'ai toujours aimée.

Elle n'avait plus seize ans. Elle était une femme et elle pouvait faire ce qui lui plaisait.

Comment sais-tu qu'il ne te ment pas ? C'est facile pour lui de dire qu'il t'a écrit. Mais rappelle-toi : il t'a laissée enceinte, et voilà maintenant que tu l'es de nouveau.

— Nick... je...

Il était trop tard pour protester. Elle était prise dans un tourbillon de passion. Ils s'écroulèrent sur le lit, enlacés. Les mains de Nick commençaient à explorer son corps sous sa robe et elle perdit tout sens du temps et du lieu.

— Je t'aime, Lauren, ne cessait-il de répéter comme une incantation. Je t'aime... je t'aime...

Une voix de femme les interrompit.

— Excusez-moi.

Très embarrassés, se sentant coupables, ils se séparèrent. Jessie se dirigea à grands pas vers sa coiffeuse, comme si elle n'avait rien remarqué.

— Lauren, Oliver vous cherche, fit-elle d'un ton détaché, en

485

prenant une brosse en argent. Oh, Nick, pourquoi ne restez-vous pas ici quelques instants ?

Lauren se sentait les joues en feu. Elle rajusta sa toilette, sa coiffure. La vie réelle revenait pour de bon.

— Appelle-moi, je suis au Plaza, dit Nick à voix basse. J'attendrai ton coup de fil.

Elle hocha la tête. Elle savait qu'elle ne téléphonerait pas. C'était trop tard pour revenir en arrière. Nick Angelo appartenait à son passé. Les choses devaient demeurer ainsi.

LIVRE TROIS

1988

75

La foule était déchaînée. Nick entendait les gens, des gens qui hurlaient son nom, qui poussaient des cris hystériques. Annie était assise à côté de lui, à l'abri, dans la limo, impassible comme d'habitude. Il but encore une gorgée de scotch, reposa sa flasque sur le tapis de la voiture et dit à son garde du corps :

— Bon, allons-y.

Igor, un énorme Noir chauve, obtempéra d'une petite voix qui n'allait guère avec son physique :

— Oui, patron.

Leur numéro était bien au point : Igor descendit le premier de la limousine et retrouva les deux autres gardes du corps qui suivaient dans une autre voiture. Puis tous trois formèrent un cordon autour de Nick, et Annie suivit tandis qu'ils se précipitaient vers l'entrée du cinéma. C'était la première du nouveau film de Nick, *Hoodlum*. La presse et les paparazzi étaient alignés de chaque côté du tapis rouge, brandissant des appareils dans sa direction, criant son nom. Ils ne valaient guère mieux que les fans.

Nick avait appris à se tirer de ce genre de situations. Regarder droit devant soi, ni à droite ni à gauche, continuer à marcher sans jamais s'arrêter. Ah, être vedette ! C'était parfois une corvée. La foule ce soir était hystérique. Les gens commençaient à vouloir franchir les barricades. Ils luttaient contre les policiers qui leur bloquaient le passage. Il hâta le pas, serrant la main d'Annie, la traînant derrière lui. Après tout, c'était sa femme, il ne s'agissait pas de la perdre. La foule se mit à entonner :

— Nick ! Nick ! On t'aime ! On t'aime !

Oui, c'était bien gentil tout ça, mais il avait parfois le sentiment d'une telle imposture. Qui était ce personnage qu'ils avaient créé ? Cette idole ? Était-ce vraiment lui ? Était-ce vraiment Nick Angelo ?

Ils gagnèrent le hall du cinéma où il fut accueilli par son agent, Freddie Leon. Meena Caron ne le représentait plus, c'était maintenant Freddie qui s'occupait de lui, le directeur d'une agence rivale de celle de Meena — I.A.A. International Artists Agents. Freddie était un homme d'une quarantaine d'années, au visage impassible. On le surnommait « le Serpent », car il était capable de se glisser partout et de se tirer de toutes les situations. Mais personne ne l'appelait jamais comme ça devant lui.

Depuis que Nick était son client — cela faisait plus de quatre ans maintenant — Freddie avait fait de lui une superstar. Il posa un baiser rapide sur la joue d'Annie, puis ne s'occupa plus d'elle. Elle était Mrs. Angel. Il fallait reconnaître sa présence, mais ça s'arrêtait là. Les femmes de stars devaient savoir rester à l'arrière-plan, être belles et se taire. Annie ne savait pas bien. Sa colère bouillonnait en elle, comme un volcan au bord de l'éruption.

Freddie passa un bras autour des épaules de Nick et ils entrèrent dans la salle ensemble : le superagent et la superstar. Le public, composé de célébrités, se retournait sur leur passage. Ces deux hommes appartenaient à la famille royale de Hollywood. Mrs. Freddie Leon fit de grands signes à Annie et elles s'embrassèrent sur les deux joues.

Tout le monde souriait, sauf Nick. Bridget, sa première attachée de presse, lui avait bien appris sa leçon. Le mieux, c'était d'avoir l'air morose. Ça marchait à tous les coups. Bridget ne travaillait plus pour lui. Il était maintenant représenté par Ian Gen, un énergique publiciste aux cheveux roux plaqués qui avaient l'air d'une perruque, même si c'étaient les siens.

Nick s'assit à la place qui lui était réservée, avec Freddie d'un côté et Annie de l'autre. Il regretta de ne pas avoir emporté sa flasque avec lui, mais Ian aurait piqué une crise. On ne devait absolument pas le voir en train de boire en public. Pourquoi pas ? Il pouvait faire ce que bon lui semblait.

Carlysle Mann descendit l'allée centrale en lui faisant de

grands signes. Elle était avec son nouveau mari — un directeur de studio à l'air fatigué et aux cheveux coupés en brosse. Bon sang ! Vivre avec Carlysle : il y avait de quoi épuiser n'importe qui.

Annie et lui ne se parlaient plus guère. Près de sept ans d'un mariage sans amour et chaque jour les éloignait davantage. Plus il devenait célèbre, plus Annie se montrait hostile. Elle ne lui pardonnerait jamais la carrière qu'elle n'avait pu faire. Il avait épousé Annie pour deux raisons : une, le corps anonyme enterré quelque part dans le désert du Nevada ; deux, le fait qu'elle était enceinte. Il avait une fille maintenant, la seule lumière de sa vie. Elle s'appelait Lissa.

Les spectateurs s'installèrent à leurs places, s'agitant et se retournant, le saluant, lui faisant des gestes de la main, lui envoyant des baisers. C'étaient les mêmes gens qui l'avaient jadis ignoré. Qu'ils aillent se faire voir ! Il pouvait jouer aussi bien qu'un autre le jeu de Hollywood. Il avait vu le film au moins cinquante fois. Ce qui lui plaisait bien dans la production d'un film, c'était le montage. Il s'y était mis à son troisième film et maintenant, chaque fois qu'il tournait, il aimait s'installer avec les monteurs, pour examiner les bobines image par image, et donner au film exactement la forme qu'il souhaitait. Il savait qu'on ne l'autorisait à le faire que parce qu'il avait le pouvoir. La semaine dernière, il avait annoncé à Freddie qu'il voulait se mettre en scène lui-même.

— Comme tu voudras, avait répondu Freddie, nullement démonté.

Être une superstar, c'était ne jamais avoir de désirs qu'on ne pût satisfaire. Les lumières commencèrent à baisser. Nick s'enfonça dans son fauteuil. Tout ça était si irréel, cette ânerie du star-system. Il n'avait rien fait pour le mériter et pourtant il se trouvait maintenant à des altitudes telles que c'était à peine s'il pouvait respirer.

Nick Angel, superstar. Comment tout cela était-il arrivé ? Il essaya de réfléchir, de mettre de l'ordre dans ses idées. Chaque jour, il se passait tant de choses, on lui demandait tellement de son temps. Il n'avait jamais un moment seul. C'était un plaisir d'être assis dans l'obscurité de la salle : personne pour venir l'ennuyer, pas de sangsue qui s'accrochait à lui dès qu'il prononçait un mot.

Annie s'agitait à côté de lui. Annie qui était devenue la véritable épouse hollywoodienne. Elle donnait dans les œuvres de charité — oui, Annie était extrêmement généreuse avec son argent à lui. C'était la première fois qu'elle voyait *Hoodlum*. Elle n'était allée à aucune des projections privées ni des séances improvisées qui permettaient de mesurer très tôt les réactions du public. Non, Annie lui avait dit qu'elle ne pouvait pas supporter de voir plus d'une fois son dernier film. La garce ! Chaque fois qu'elle pouvait trouver une occasion de l'humilier, elle ne la manquait pas.

Pour Annie, il s'était vendu, il était devenu une star de cinéma au lieu du grand acteur qu'il aurait pu être. Foutaises ! Quel mal y avait-il à gagner six millions de dollars par film ? Elle ne semblait d'ailleurs avoir aucun mal à les dépenser. Ils avaient déménagé trois fois au cours des sept dernières années. D'abord, ç'avait été la modeste petite maison au-dessus de Sunset avec une vue sur la ville à vous couper le souffle. Puis la villa plus grande dans l'élégant quartier de Pacific Palisades. Et, pour finir, la résidence de Bel Air.

Qui avait besoin d'une baraque pareille ? Certainement pas lui. Annie s'était mise à la décoration. Elle s'était entourée d'une bande de décorateurs pédés et ils avaient tous pris un plaisir fou à dépenser, dépenser, dépenser.

Il vit son nom apparaître sur l'écran et il y eut un tonnerre d'applaudissements. Il n'avait même pas besoin de jouer : on l'aimait de toute façon. Il ne savait pas très bien comment c'était arrivé : il savait seulement que ça s'était passé très vite. Du succès modeste à l'état de superstar. En trois pas faciles. Meena Caron lui avait fait franchir les deux premiers et puis Freddie Leon l'avait propulsé dans la stratosphère.

Le film commença et son image emplit l'écran. Sa partenaire était une blonde maussade à l'expression boudeuse et au regard embrumé. Ils avaient eu une aventure. C'était un des avantages d'être une superstar, on pouvait coucher avec toutes les filles qu'on voulait : les partenaires étaient là pour ça.

Freddie pouvait en faire autant s'il en avait envie, mais Freddie n'en profitait jamais. Il avait dit un jour à Nick que l'excitation qu'il éprouvait en signant un superbe contrat était de loin bien plus satisfaisante que toute liaison éphémère. Heureux Freddie. Il avait sa puissante agence, une femme intelligente et séduisante qui avait été son amour de collège et deux enfants d'une dizaine d'années, charmants et bien élevés. Il avait tout.

Nick ne se considérait pas comme aussi chanceux, même si certains pouvaient dire qu'il était l'homme le plus chanceux du monde. Combien de vrais mâles aimeraient-ils être à sa place ? Il était une vedette. Il pouvait avoir toutes les femmes qu'il voulait.

Les gens riaient de ses plaisanteries. Il avait les meilleures tables dans les restaurants. On le fêtait partout où il allait. On l'adorait, on le célébrait et on l'aimait. Mais ce n'était pas assez. Il n'avait pas Lauren.

Il repensait souvent à la dernière fois où il l'avait vue à New York, au dîner chez Jessie George. Quand ils étaient ensemble, on aurait dit que le temps s'était arrêté. Ils s'étaient retrouvés dans la chambre, prêts à renouer leur relation d'autrefois quand Jessie était venue les interrompre. Lauren avait promis d'appeler. Il n'avait plus jamais entendu parler d'elle. Pendant cinq longues et affreuses journées, il était resté dans sa chambre d'hôtel à attendre, avant de reprendre l'avion pour Los Angeles et de commencer son nouveau film. À peine rentré, il avait essayé de la contacter, mais elle refusait toujours de prendre ses appels.

Peu après leur rencontre à New York, des photos d'elle avaient commencé à paraître dans tous les magazines. Lui qui s'apprêtait à l'oublier, ce n'était pas possible. Elle était là partout, à le regarder : ce visage d'une incroyable beauté. La femme Marcella. Avec les années, sa célébrité n'avait pas diminué. À mesure que son étoile à lui montait, celle de Lauren aussi. Elle était sans doute aujourd'hui le mannequin le plus célèbre des États-Unis. Et il était probablement la plus célèbre star du cinéma américain. Mais ce n'était pas suffisant. Loin de là.

Quand il était rentré à Los Angeles après son voyage à New York, Annie l'attendait, comme d'habitude. Il avait songé à avoir une conversation avec elle, à lui dire que ça ne marchait pas. Mais il était certain que, s'il faisait cela, elle irait tout droit trouver la police. Elle le tenait, et elle le savait. Annie l'avait accueilli avec une nouvelle inattendue.

— Nous allons avoir un bébé.

Qu'est-ce qu'il avait à perdre ? Lauren était mariée et manifestement ne voulait rien avoir à faire avec lui, alors il avait épousé Annie parce qu'il n'aimait pas l'idée de voir son bébé grandir sans père.

Bridget et Meena avaient piqué une crise. À les entendre, un mariage, ça vous tuait une carrière. Elles l'avaient obligé à garder le secret pendant deux mois jusqu'au jour où Annie avait lâché l'information à un reporter : par accident, disait-elle, mais personne ne la croyait. Après cela, elle avait commencé à bénéficier de l'attention qu'elle croyait mériter. Mrs. Nick Angel devint beaucoup plus connue que la simple Annie Broderick.

Joey avait fini par venir s'installer sur la côte ouest, et Nick, fidèle à sa promesse, lui avait obtenu un rôle dans son film. Joey s'était aussitôt adapté à la Californie et Nick était si content qu'il avait imposé comme un rite d'avoir Joey dans chaque film qu'il tournait. En fin de compte, sa modeste réussite avait poussé Joey à l'overdose : trois ans après être venu s'installer à Los Angeles, on l'avait trouvé mort dans l'appartement de sa petite amie, avec un flacon de crack vide auprès de lui. Nick estimait n'avoir rien à se reprocher. Il avait fait tout son possible pour son ami, mais la drogue l'avait emporté. La mort de Joey était inévitable.

Assis dans la salle, Nick commença à éprouver cette agitation qu'il connaissait si bien. Regarder son visage sur l'écran le rendait dingue. Il regrettait parfois d'avoir jamais connu la gloire. Est-ce qu'il n'était pas plus heureux à Chicago, quand il dirigeait le bar de Q.J. et qu'il vivait avec DeVille ? Il n'y avait pas de pression en ce temps-là. Aujourd'hui, il y en avait tant qu'il avait parfois l'impression qu'il allait exploser.

Il se leva.

— Où vas-tu ? souffla Annie.

— Aux toilettes.

Il sortit, trouva un ouvreur et lui tendit un billet de cent dollars.

— Rends-moi un service, petit. Va m'acheter une bouteille de scotch. Et garde la monnaie.

— Bien, monsieur, dit le gosse, très impressionné.

Il arpenta le hall en attendant le retour du garçon avec la bouteille, puis il alla aux toilettes et avala quelques bonnes lampées. L'alcool lui brûlait l'estomac. Il n'avait pas mangé de toute la journée : il devait conserver cet air émacié, préserver l'image de Nick Angel. En se regardant dans la glace, il se demanda pourquoi ça lui était arrivé. Oh, bien sûr, il n'était pas mal, mais il n'était quand même pas Redford ni Newman. L'ennui, c'était qu'il avait tout, et pourtant il savait parfaitement que tout ça pouvait disparaître du jour au lendemain. Pourquoi n'était-il pas heureux ? Parce qu'il vivait avec une femme qu'il n'aimait pas et que ça lui donnait une impression de vide intérieur.

Il avala assez de scotch pour se donner le courage de regagner sa place. À peine s'était-il assis qu'Annie remarqua que son haleine sentait l'alcool.

— Tu ne pouvais pas attendre ? chuchota-t-elle, furieuse.

Va te faire voir. Sors de ma vie. Va trouver la police si ça t'amuse. J'ai payé un million de fois pour avoir enterré ce cadavre.

Et pourtant, au fond, il savait bien qu'elle pouvait tout gâcher si elle le dénonçait. Cyndra ne se souciait de rien, mais Cyndra vivait dans son monde à elle, persuadée que personne ne pourrait les toucher.

Après la projection, il y avait la soirée de rigueur. Il ne se mêla pas à la foule des invités : il n'y était pas obligé. Il s'assit à une table avec Freddie tandis que les gens se pressaient pour venir lui rendre hommage.

— Il y a des moments où j'ai l'impression d'être le Parrain, dit Freddie en plaisantant. Mais il savourait chaque instant du cérémonial.

— Tu as le pouvoir, dit Nick en buvant une gorgée de scotch.

— Toi aussi, répondit Freddie, qui s'en tenait au Perrier.

Nick s'entendait bien avec Freddie parce que celui-ci ne s'intéressait qu'aux contrats. Il y avait quelque chose de plaisant dans son obstination d'acier. Diana, la femme de Freddie, bavardait avec Annie. Elles n'étaient pas à proprement parler des amies de cœur, mais Annie était aussi aimable avec Diana qu'avec n'importe qui. Annie n'était pas une mondaine. Les femmes ne l'aimaient pas, car elle était trop critique et trop franche. Et puis elle était amère et c'était une garce. Cela faisait longtemps que Cyndra et elle ne s'adressaient plus la parole. Cyndra savait qu'Annie avait obligé Nick à se marier, même s'il s'acharnait à dire le contraire.

— Écoute, avait-il expliqué, je l'ai mise enceinte. J'ai voulu être un père pour mon enfant.

Cyndra n'admettait pas cela. Il devait reconnaître qu'il adorait sa petite fille, elle avait une forte personnalité. Les seuls moments de paix qu'il connaissait, c'étaient les après-midi qu'il passait avec Lissa — quand il lui apprenait à nager dans la piscine, quand il courait dans le jardin avec elle, quand il la regardait s'amuser. Annie réussissait toujours à gâcher les moments qu'ils passaient ensemble. Elle surgissait toujours au mauvais moment et venait chercher Lissa pour une leçon de piano ou un cours de danse.

— Laisse la petite tranquille, disait-il.

— Je veux qu'elle ait tous les avantages que je n'ai jamais connus. N'essaie pas de freiner son éducation.

— Va te faire voir, Annie.

C'était devenu son refrain. *Va te faire voir, Annie.*

Hoodlum fut bien accueilli. Les critiques adoraient. En ce moment, il ne pouvait pas se tromper : chaque film qu'il tournait lui valait de plus en plus d'éloges.

« *Le jeu intense et intériorisé d'Angel propulse ce film vers de nouveaux sommets* », déclarait un critique.

« *Angel marque encore un point ! Un personnage sombre obsédé par la souffrance et l'amertume comme seul Angel peut le rendre* », écrivait un autre.

Il avait envisagé de faire une pause, peut-être d'aller visiter Hawaï avec Lissa et la nurse. Annie mit aussitôt le holà.

— Il faut qu'elle aille dans un camp de vacances, dit-elle. Je veux qu'elle apprenne l'espagnol.

— Elle n'a que six ans, protesta-t-il. Laisse-lui l'occasion de s'amuser un peu.

Annie le foudroya du regard.

— Tu contrôles ta carrière. Laisse-moi au moins m'occuper de l'éducation de notre enfant.

Au cours des mois suivants, il rencontra souvent le scénariste et le metteur en scène de son prochain film, *Miami Connection*. C'était le genre de rôle auquel il ne s'était pas encore attaqué et cela lui plaisait beaucoup. Un jeune flic qui se trouve impliqué dans une affaire de drogue est coincé par les méchants et finit par retourner la situation. On recherchait pour lui une partenaire féminine. Le metteur en scène voulait un grand nom. Freddie, qui avait l'instinct sûr, leur conseilla de trouver une comédienne inconnue.

— Découvrons quelqu'un, dit Freddie avec enthousiasme. Je suis d'humeur à créer une nouvelle star !

Carlysle Mann téléphona à Nick en lui disant qu'elle voulait le rôle.

— Ça ne dépend pas de moi, répondit-il.

— Tu es vraiment moche avec les copines, lui lança-t-elle.

Ah, Carlysle... toujours aussi délicieuse. Quelques jours plus tard, il déjeunait dans la salle à manger de l'I.A.A. quand Freddie prit un magazine et le lança sur la table.

— Regarde-moi cette fille, dit-il. C'est le top model des États-Unis. On m'a demandé de la représenter. Qu'est-ce que tu en penses ? Est-ce qu'on devrait la faire venir pour un bout d'essai ?

Nick n'avait pas eu besoin de regarder le magazine pour savoir qui c'était. Lauren.

— Mais oui, fit-il. Je ferai moi-même le bout d'essai avec elle. Fais-la venir.

76

Lauren était assise à sa table de travail, dans son bureau de Park Avenue. La pièce était claire, occupée par des meubles en érable madré et de profonds canapés beiges. Aux murs, des couvertures encadrées de tous les grands hebdomadaires féminins et magazines de mode qui avaient publié sa photo. L'image de Lauren Roberts dominait. Sexy. Douce. Pensive. Provocante. Elle pouvait être tout ce que demandait le photographe — d'où son formidable succès. Un groupe de couvertures de *Vogue* occupait la place d'honneur. Elle avait demandé à Samm de lui obtenir une couverture. Elle l'avait eue et, depuis sept ans, elle était devenue leur cover-girl préférée. Le rendez-vous se terminait, elle se leva, fit le tour de son bureau et serra la main des deux hommes et de la femme qui se trouvaient là.

— J'aime bien vos idées, dit-elle. Mettez-moi tout ça par écrit et je vous donnerai ma décision.

— Le plus tôt possible, j'espère, dit l'un des hommes, son cou de taureau congestionné par la perspective du succès.

— C'est à vous de jouer maintenant, répondit Lauren en souriant.

— Je crois que nous pouvons vous proposer un contrat qui vous plaira.

— Parfait. Je l'attends.

Elle les raccompagna et referma la porte.

— Pas question, dit-elle en se tournant vers Pia, discrètement assise dans le coin.

— Comment ça ?

— Parce que c'est une affaire qui tient avec des bouts de ficelle. Je savais que c'était une perte de temps de les voir.

— Ils te proposent un paquet d'argent pour une simple cassette d'exercices.

— Qu'est-ce que tu veux parier que tout ça est par paiements échelonnés ? Je préfère traiter avec des gens sérieux et gagner moins d'argent.

— Dans ce cas, pourquoi as-tu accepté de les voir ?

Lauren eut un grand sourire.

— Pour mettre à l'épreuve mon instinct. Fais-moi confiance, il marche encore.

Sa secrétaire sonna.

— Mr. Liberty sur la deux.

Elle décrocha le téléphone.

— Oliver, qu'est-ce que je peux faire pour toi ?

Pia fut frappée de l'entendre parler à son mari comme s'ils étaient des collègues de travail plutôt que des époux.

— D'accord, lança Lauren, avec un certain agacement. Je sais. J'y serai. Elle raccrocha le combiné et jeta un coup d'œil à la pendulette Cartier sur son bureau. Oliver s'affole. J'ai promis d'aller au cocktail Raleigh. Bon sang ! Je suis en retard. Crois-tu que j'aie le temps de rentrer à la maison me changer ?

— Tu es magnifique, dit Pia en s'émerveillant précisément de voir Lauren aussi superbe.

Elle était belle à vous couper le souffle, même si ce n'était plus l'innocente beauté un peu naïve qu'elle possédait autrefois. Lauren était mince. Elle avait quelque chose d'un peu félin avec sa longue chevelure châtain striée de mèches blondes, ses étonnants yeux couleur écaille et ses lèvres pleines et sensuelles. À trente ans, elle était plus étourdissante que jamais. Rayonnante, chic, mais avec toujours ce soupçon de vulnérabilité : Lauren avait le visage de la décennie.

Par moments, Pia pensait qu'elle l'enviait. À d'autres moments, elle savait que non. Lauren avait tout, et pourtant elle n'avait rien. Elle avait un mariage vide, pas d'enfant, un empire commercial et une grande célébrité, mais elle cherchait toujours plus. Elle voulait être la première dans tout ce qu'elle faisait. Ce n'était pas assez pour elle d'être un des mannequins les plus recherchés du monde, d'avoir prêté son nom à une ligne de prêt-à-porter qui avait un succès fou ni d'être le coauteur d'un livre de beauté. Voilà maintenant qu'elle envisageait de faire une carrière de comédienne.

— Pourquoi ne prends-tu pas un peu de temps pour profiter de ta réussite ? lui dit un jour Pia. Tu es toujours si pressée de conquérir de nouveaux sommets.

— J'adore travailler, avait répliqué Lauren. Travailler, c'est toute ma vie !

Pas étonnant qu'Oliver et elle s'entendent si bien. C'étaient des personnalités jumelles. Sa voiture l'attendait devant le bureau. Elle avait sa propre limo et son chauffeur. Elle préférait ne pas partager celle d'Oliver : leurs emplois du temps n'étaient jamais les mêmes.

Elle dit au chauffeur où elle voulait aller, puis prit les

quotidiens du jour, soigneusement entassés sur la banquette à côté d'elle. Elle ne voulait pas perdre son temps et les trajets en voiture lui donnaient l'occasion rêvée de jeter un coup d'œil aux journaux. Elle parcourut le *New York Post* en un temps record, lut attentivement le *Wall Street Journal*, jeta un bref regard à *Newsday* et s'arrêta sur une chronique du *News*. C'était un bref potin à propos de Nick. On l'avait vu ici et là avec sa dernière partenaire. Rien de nouveau là-dedans.

Bah, si Nick Angel avait couché avec toutes les femmes qu'on lui a attribuées, il serait mort.

Elle reposa le journal et plissa le front. Elle aurait voulu pouvoir ne plus penser à lui. Elle aurait voulu qu'il disparaisse. Mais ce n'était pas possible. Nick Angel était une superstar. Il était partout où elle allait. Elle songea à la dernière fois où elle l'avait vu, dans l'appartement de Jessie George à New York, et elle frissonna. Souvent elle revivait cette soirée dans sa tête. C'était déjà assez éprouvant d'être dans la même pièce avec Emerson, Lorenzo et Oliver — mais quand elle avait vu Nick, tout avait basculé. D'abord, ç'avait été si bon de le revoir, si merveilleux, et elle s'était laissé entraîner. Mais seulement pour un instant, car la réalité n'avait pas tardé à lui rappeler qu'elle était une femme mariée. Et non seulement cela, mais qu'elle était enceinte — ou du moins qu'elle le croyait à l'époque. Une semaine plus tard, elle constatait que tout cela n'avait été qu'une fausse alerte.

— C'est sans doute le voyage en Europe qui vous a déréglée, lui avait expliqué son gynécologue. Ça arrive souvent.

S'il n'y avait pas eu Oliver, elle aurait été une femme libre. Elle avait pensé à appeler Nick pour le revoir, mais elle n'avait pas son numéro à Los Angeles — pourtant ç'aurait été facile de le trouver si elle l'avait vraiment voulu. Mais le voulait-elle ?

Elle s'éveilla un matin, quelques mois plus tard, et se rendit compte que, oui, elle le voulait. Peut-être, si elle divorçait d'avec Oliver, y aurait-il une chance après tout pour Nick et elle d'être ensemble. Elle avait décidé d'utiliser ses relations pour découvrir où il était et de l'appeler. Avant qu'elle en ait eu l'occasion, les journaux étaient emplis de la nouvelle : Nick Angel s'était secrètement marié. Avec un sourd sentiment de désespoir, elle avait su qu'il était trop tard pour faire quoi que ce soit.

Lauren arriva en retard au cocktail. Oliver la foudroya du regard.

— C'était important pour moi que tu sois ici plus tôt, lançat-il.

— Je suis désolée, répondit-elle d'un ton tranquille, car elle n'était pas vraiment désolée. J'étais en réunion. Tu dois comprendre mieux que personne que les affaires passent d'abord ?

Elle savait pourquoi il avait besoin d'elle. Les gens étaient étonnés quand ils découvraient qu'elle était sa femme. Après le cocktail, il y avait un dîner assommant avec des hommes d'affaires qu'Oliver voulait impressionner. Elle s'excusa et partit de bonne heure, au vif désappointement de son mari.

Quand elle rentra à l'appartement, il y avait plusieurs messages sur son répondeur personnel. Deux étaient de Lorenzo. Ah, charmant et fidèle Lorenzo ! Il n'avait jamais renoncé, même s'il était maintenant un homme marié. Il avait épousé une belle Italienne de dix-huit ans, mais il convoitait toujours Lauren. Ce fut lui qu'elle appela en premier.

— Qu'est-ce que je peux faire pour vous, Lorenzo ?

Il éclata de rire.

— Vous savez très bien ce que j'aimerais que vous fassiez pour moi, *bellissima*.

— Arrêtez, Lorenzo. Il est tard, je suis fatiguée et pas d'humeur à écouter vos balivernes d'Italien.

— Ah, quelle classe ! Qu'est-il arrivé à la douce et innocente femme que je connaissais ?

— Elle a mûri.

— Je pensais à une chose. Que diriez-vous de l'idée d'ajouter à votre ligne de parfums une ligne de cosmétiques ?

Lorenzo avait vraiment l'art d'intéresser une femme.

— C'est une idée splendide. Quand vous est-elle venue ?

— Votre parfum a été une telle réussite que les autres directeurs et moi avons pensé que ce pourrait être une bonne idée de lancer une série limitée. Nous l'appellerions la Collection Lauren Roberts. Ça vous plaît ?

— J'aime beaucoup, fit-elle avec enthousiasme. Pouvez-vous passer à mon bureau, disons demain à midi, et nous en discuterons ?

— Mais bien sûr, répondit-il, ravi d'avoir capter toute son attention.

Elle raccrocha et sourit. Plus elle faisait de choses, plus elle était contente. Voilà trois ans, Marcella lui avait financé sa propre collection de parfums. Ç'avait été une énorme réussite. S'aiguiller aussi vers le maquillage serait une expérience intéressante. Être mannequin ne l'avait jamais contentée. Elle avait le sentiment que sa beauté était un don et qu'en profiter pour se forger une solide carrière était une excellente façon d'utiliser ce don. Elle avait développé son sens des affaires. Au fond, c'était bien plus important pour elle que d'être simplement belle. Elle n'allait pas être mannequin toute sa vie. Elle avait maintenant trente ans et elle devait songer à son avenir.

Il y avait plusieurs autres messages sur son répondeur. Le seul appel auquel elle décida de répondre était celui de Samm. Il était onze heures passées, mais Samm était une femme du soir.

— Je ne vous réveille pas? demanda-t-elle.

— Absolument pas, répondit Samm. J'espérais que tu me rappellerais ce soir.

— Qu'est-ce qui se passe?

— Peux-tu prendre l'avion demain pour Los Angeles?

Elle eut un rire incrédule.

— Non, Samm, je ne peux pas prendre l'avion pour Los Angeles demain. De quoi me parlez-vous?

— Je te parle de cette grande occasion que tu attends.

— J'ai eu beaucoup de grandes occasions, répliqua Lauren. Et je n'attends rien du tout.

— Tu n'as pas de mémoire, dit sèchement Samm. Voilà dix-huit mois que tu me harcèles à propos d'une carrière cinématographique.

— Et vous m'avez répondu que ce n'est pas un projet que je devrais poursuivre. Vous m'avez dit que les mannequins ne font pas de bonnes comédiennes. En général, elles se ridiculisent.

— Oui, Lauren, mais quand tu parles, j'écoute. Tu es très intelligente.

— Merci, Samm. Venant de vous, je pense que c'est un compliment.

— Sans rien te dire, j'ai parlé à Freddie Leon. Sais-tu qui c'est?

— Oh, je vous en prie! Il y a longtemps que j'ai perdu mes dents de lait.

— Bref, j'ai pensé que, si tu devais avoir un représentant à Los Angeles, il serait le mieux placé. Comme tu le sais, Freddie ne s'occupe que de très peu de clients, tous des stars de premier niveau.

— Et alors?

— Alors, ça l'intéresse de te représenter. Il veut que tu prennes l'avion pour Los Angeles demain et que tu fasses un bout d'essai pour le nouveau film de Nick Angel.

Il y eut un long silence.

— Lauren... tu es toujours là ?

— Oui, je suis là.

— Vas-tu le faire ?

Elle prit une profonde inspiration.

— Oui, je vais le faire.

77

— Combien de fois faut-il que je te le dise, Marik ? Je n'ai aucune envie de me marier.

— Mais, bébé, nous sommes si bien ensemble.

— Je sais, fit Cyndra, se laissant attendrir — mais juste un peu. Marik était l'homme le plus délicieux qu'elle eût jamais rencontré et elle ne voulait pas le vexer. Je ne nous vois pas mariés, c'est tout.

En fait, elle les voyait très bien mariés, mais c'était impossible. Il y avait quelque part un nommé Reece Webster, et elle n'avait aucune idée de l'endroit où il se trouvait. Tout ce qu'elle savait, c'est qu'elle était l'épouse légitime de cet homme et qu'elle n'y pouvait absolument rien. Ou peut-être que si. Récemment, elle avait songé à se confier à Gordon. C'était un homme important et puissant, et elle était maintenant sa vedette, importante et puissante elle aussi. Si elle lui parlait à titre strictement confidentiel, peut-être pourrait-il l'aider.

Bien sûr, elle ne lui dirait rien de ce coup de feu malencontreux, c'était une information qui ne regardait personne. Elle se contenterait de lui dire qu'elle avait jadis été mariée à ce type qui l'avait plaquée et lui demanderait comment elle pourrait obtenir un divorce. Au cours des années, Gordon et elle s'étaient liés d'une solide amitié. Il y avait eu un tout petit accroc trois ans plus tôt quand elle était carrément venue lui confesser ses sentiments pour lui. Il l'avait fait s'asseoir et lui avait parlé comme un père.

— Cyndra, quand tu auras trouvé ce que *moi* j'ai, tu ne voudras jamais courir le risque de le perdre. Tu es une femme belle et remarquable, et je t'aime à ma façon. Mais Odile est toute ma vie, et rien ne changera jamais cela.

Bizarrement, elle avait parfaitement compris ce qu'il disait et l'avait accepté. Depuis ce temps-là, ils étaient les meilleurs amis du monde.

Marik et elle vivaient toujours ensemble. Mieux valait être avec un seul type que de lutter contre des troupes d'hommes qui venaient renifler autour d'elle quand elle était devenue une vedette. Le vedettariat. Nick détestait cela. Elle adorait. Quel pied! Elle avait eu huit quarante-cinq tours qui avaient été des triomphes ainsi que trois albums, et elle envisageait même la proposition qu'on lui faisait d'avoir sa propre série télévisée. Un soir, Nick et elle avaient commencé à en rire.

— Il y avait peut-être quelque chose dans l'eau du lycée de Bosewell, avait-il dit en plaisantant. C'est dingue que nous ayons tous si bien réussi. Toi, moi et Lauren.

— Et les autres? avait-elle demandé.

— Ah, tu sais, il fallait boire l'eau et puis détaler vite fait, avait-il expliqué en riant. C'est comme ça que ça marche.

Un an auparavant, elle avait persuadé Aretha Mae de venir vivre avec elle. La vieille femme était très malade et gardait presque toute la journée la chambre en marmonnant toute seule.

— Tu es folle? avait dit Nick. Pourquoi veux-tu l'avoir sur le dos?

— Parce qu'elle m'a élevée. Parce qu'elle s'est esquintée pour que je puisse aller à l'école et avoir de quoi manger. Et je ne pourrais pas me supporter si je ne m'occupais pas d'elle maintenant.

Marik aussi trouvait qu'elle était dingue.

— Je ne supporte pas la façon dont cette vieille folle me regarde, déclara-t-il.

— Comment ça : te regarde? Elle ne sort jamais de sa chambre.

— Elle m'espionne de sa fenêtre.

— Et alors? Qu'est-ce que ça peut te faire?

— Elle est timbrée, et tu le sais.

— Oui, mais il se trouve que c'est ma mère.

Ni elle ni Nick n'était parvenus à rien avec Harlan. Il ne les avait jamais contactés. Ils ne savaient même plus s'ils avaient encore la bonne adresse, mais tous deux lui envoyaient régulièrement de l'argent.

— Un de ces jours, dit Cyndra, je m'en vais faire une descente en ville dans une grosse limo avec toute une escorte et deux solides gardes du corps. Et je vais retrouver Harlan, le jeter à l'arrière de la voiture et le ramener ici.

Nick ne doutait pas que Cyndra le fasse. Elle avait assez de volonté pour ça. Tous les dix ou quinze jours, Nick et elle se parlaient au téléphone.

— Pourquoi ne passes-tu jamais à la maison ? demanda-t-il.

— Tu sais très bien. J'essaie d'éviter ta femme, elle a un tel caractère.

— Tu manques à Lissa.

— Vraiment ?

— Tu sais qu'elle aime bien te voir.

— Alors amène-la chez moi. Peut-être qu'elle décidera Aretha Mae à sortir de sa chambre.

Il changea de sujet.

— Lauren vient à Los Angeles.

— Comment le sais-tu ?

— Parce qu'elle devrait faire un bout d'essai pour mon nouveau film.

— Nick, je suis fière de toi. Comment as-tu goupillé ça ?

— Freddie envisage de la représenter. C'est lui qui l'a proposée.

— Oh, et tu ne t'y es pas violemment opposé ?

Il se mit à rire.

— Non, je ne pense pas.

— Tu ferais mieux de t'arranger pour qu'Annie ne le sache pas, le prévint Cyndra. Depuis combien de temps n'as-tu pas vu Lauren ?

— Je la regarde tous les jours. Je n'ai qu'à ouvrir un magazine.

— Tu ne peux pas dire que tu vives complètement dans l'ombre toi non plus, Nick. Mais elle est toujours mariée, n'est-ce pas ?

— Oui.

— Alors vous ne risquez absolument rien tous les deux.

— Oh, merci ! C'est exactement ce que j'avais envie d'entendre.

Freddie ne se doutait absolument pas que Nick et Lauren se connaissaient déjà. Il envoya un de ses adjoints accueillir celle-ci à l'aéroport et puis vint lui rendre visite quand elle fut installée dans un bungalow du Beverly Hills Hotel. Plus tard il appela Nick.

— Je ne suis pas facile à impressionner, dit-il. Mais je viens de rencontrer la plus belle femme que j'aie jamais vue. Charmante en plus. Et vive. Et intelligente.

— Tu as rencontré Lauren, hein ?

— Comment ça ?

— Nous n'en parlons ni l'un ni l'autre, mais nous sommes allés au lycée ensemble.

— Tu plaisantes ?

— Non, pas du tout.

— Alors, comment se fait-il que tu ne l'aies pas épinglée ? Elle est superbe. Et tu me connais, Nick. Je ne m'enthousiasme pas sur n'importe qui.

C'était vrai. Freddie faisait rarement attention aux femmes, pas plus qu'il ne prodiguait de commentaires sur leur physique. Ça n'était pas son truc.

— Euh... rends-moi un service, dit Nick. Garde cette information pour toi. Je ne suis pas sûr que Lauren tienne à ce que les gens soient au courant. Je ne pense pas, pour ma part, que ce soit une bonne idée de répandre la nouvelle.

— Pourquoi ? Ça n'est pas un grand secret d'être allé au même lycée que quelqu'un d'autre ?

Nick soupira.

— On a fait plus qu'aller au lycée.

— Tu l'as épinglée ?

Ça ressemblait si peu à Freddie de parler comme les autres que Nick en fut tout à fait choqué.

— Tu sais, Freddie, fit-il sèchement, c'est peut-être *elle* qui m'a épinglé. Qu'est-ce que ça change ? Je ne réponds pas à de telles questions.

Freddie ne parut pas remarquer son irritation.

— Elle est *vraiment* belle, Nick.

— Je sais.

Il raccrocha, déraisonnablement agacé. Qu'est-ce qui prenait à Freddie de s'intéresser à cette histoire ? Il n'avait pas eu le temps de réfléchir un peu plus loin qu'Annie l'appelait sur le téléphone intérieur.

— Le dîner est prêt, annonça-t-elle.

Ils avaient une cuisinière, mais récemment Annie s'était mise à suivre des cours de cuisine et maintenant, trois fois par semaine, ils avaient droit à ses expériences culinaires. Il descendit, s'installa à la table de la salle à manger et picora une assiette de raviolis au potiron.

— Tu n'aimes pas ça ? demanda-t-elle d'un ton accusateur.

— C'est amer, répondit-il en repoussant les raviolis.

— Mon Dieu, je ne fais jamais rien de bien, n'est-ce pas ?

— Tu m'as demandé mon avis.

— Nick, fit-elle d'un ton furieux, tu es chez toi maintenant. Tu ne te donnes pas en spectacle à tes fans. Tu n'as pas besoin de faire un plat à propos de tout : je n'ai pas l'intention d'être aux petits soins avec toi, alors ne compte pas là-dessus.

— Annie, tu sais quoi ?

Elle se tourna vers lui, le regard flamboyant.

— Quoi ?

— Oh... n'en parlons plus.

Cette nuit-là, il n'arriva pas à dormir. Il était allongé dans son lit, s'imaginant Lauren installée dans sa suite du Beverly Hills Hotel. À quoi pensait-elle ? Était-elle aussi impatiente que lui de le voir ?

Annie vint se coucher, vêtue de son peignoir couleur pêche. Cela signifiait qu'elle avait des intentions. Seigneur ! Il n'aurait jamais cru que faire l'amour pouvait devenir une corvée, mais avec Annie, c'était le cas. Le lendemain matin, il était debout de bonne heure et il avait quitté la maison avant qu'Annie se réveille. Lauren devait faire son bout d'essai avec lui. Il ne voulait pas la faire attendre.

La limo du studio passa la prendre à sept heures. Lauren était en jean, chandail, casquette de base-ball, grosses lunettes de soleil, et pas maquillée.

— Bonjour, Miss Roberts, dit le chauffeur en la regardant dans le rétroviseur. C'était le charmant jeune homme habituel, pur style Hollywood. Il fait beau aujourd'hui. Pas de smog.

— Tant mieux.

— C'est rare, répondit-il.

Allons bon, il avait envie de faire la conversation et elle n'était pas d'humeur. Autrefois, elle aurait été polie, aurait bavardé pendant tout le trajet jusqu'au studio, même si elle n'en avait aucune envie. Maintenant, elle était une Lauren différente, qui ne cherchait plus à faire plaisir à tout le monde. Elle fit coulisser la vitre qui la séparait du chauffeur, l'interrompant au milieu d'une phrase.

Pia voulait venir avec elle, mais Lauren avait dit non : c'était un voyage qu'elle devait faire toute seule. Il s'agissait après tout d'un bout d'essai. Elle était une grande fille et elle n'allait pas tomber dans les pommes en revoyant Nick. En arrivant au studio, on l'emmena droit au maquillage.

— J'ai mes idées, dit-elle à la maquilleuse.

— Ça me va très bien, rétorqua la fille. Je ferai ce que vous voulez.

— Je vois ce personnage assez dur, avec pourtant quelque chose de vulnérable. Le regard brumeux, des sourcils naturels, pas beaucoup de rouge à lèvres.

— Ça me paraît bien, fit la maquilleuse.

Lauren avait étudié le scénario dans l'avion. Comme d'habitude, le rôle féminin était assez passif, mais si elle l'obtenait, elle avait plein d'idées.

— J'ai entendu dire que Nick Angel vient lui-même faire le bout d'essai avec vous, fit la fille d'un ton respectueux.

Lauren ne fut pas surprise. Elle se doutait qu'il serait là. Eh bien, elle était prête. Ils étaient tous deux mariés maintenant : ils étaient à égalité.

— C'est un chic type, poursuivit la maquilleuse. Mais sa femme est une véritable emmerdeuse. Elle ne vient pas souvent sur le plateau, mais quand elle le fait, oh, mes enfants, il faut prendre le maquis ! On croirait qu'elle est de sang royal.

— Elle est comédienne ? demanda Lauren.

— À ce qu'on m'a raconté, elle a essayé, mais elle n'a jamais réussi.

— Oh, fit Lauren.

Elle avait vu des photos de Nick avec sa femme. Ce n'était pas le genre de créature dont elle s'imaginait qu'il épouserait.

Je ne frissonne pas d'impatience, se dit-elle sévèrement. *Quand je le verrai, je ne vais pas m'effondrer comme la dernière fois. Je suis quelqu'un de différent maintenant. J'ai fini par mûrir. Ça m'a pris du temps.*

Ah oui, Lauren Roberts ? Oui !

Ils se retrouvèrent sur le plateau, ce qui ne leur donna donc pas le temps de se dire grand-chose de personnel puisqu'ils étaient entourés de gens.

— Dis donc, fit Nick, comme un étranger poli mais aimable, félicitations pour tous tes succès. C'est formidable de te revoir.

— Toi aussi, Nick. Tu es stupéfiant. Je n'arrive pas à croire que tu aies fait une carrière pareille.

Il sourit.

— Je sais... c'est chouette, hein ?

Elle sourit à son tour.

— Très.

Il la regarda attentivement.

— Tiens, voyons un peu... il y a quelque chose de différent chez toi.

Elle fit une grimace.

— Oui, des rides... j'ai vieilli.

— Toi... jamais de la vie.

— Merci.

Le metteur en scène s'approcha pour se présenter et lui demander si la scène ne lui posait pas de problème. Elle lui assura que non.

— J'ai étudié le script. Je comprends ce personnage.

— Bon, fit le metteur en scène en s'éloignant pour discuter avec le cameraman.

— Freddie Leon est très emballé à ton sujet, dit Nick, impressionné par la façon dont elle se conduisait. Il pense que tu pourrais faire une grande carrière.

— Je suis ravie d'avoir l'occasion de faire un bout d'essai pour ce film. Tu sais que j'ai toujours aimé jouer la comédie.

Il acquiesça, se souvenant de Betty et de leurs cours de théâtre à Bosewell.

— Ça ne me rajeunit pas. Tu te souviens de *La Chatte sur un toit brûlant* ?

Elle sourit.

— Comment pourrais-je jamais oublier ?

— C'était toi la comédienne en ce temps-là, reconnut-il. Moi, j'étais l'amateur.

— Et aujourd'hui, c'est le contraire.

— Oh, ne pousse pas trop... tu es tout aussi célèbre que moi.

Elle hocha la tête.

— C'est drôle, non ?

— Oui. Cyndra et moi, nous en parlions l'autre soir. Nous avons conclu qu'il devait y avoir quelque chose dans l'eau du lycée de Bosewell.

— Dans ce cas...

— Je sais ce que tu vas dire, s'esclaffa-t-il en riant. Alors qu'est-il arrivé à Stock, Meg et tous les autres ? Le truc c'est ça : il fallait boire l'eau, et puis quitter la ville.

Ils restèrent un moment silencieux avant de reprendre leur conversation.

— Félicitations, Nick. Je ne t'ai pas vu depuis que tu t'es marié. Il paraît que tu as un enfant.

— Oui. Lissa est une petite merveille.

Pendant un pénible instant, Lauren songea au bébé qu'elle avait perdu. L'enfant de Nick. Elle ne lui en avait jamais parlé. Elle ne lui avait jamais dit non plus ce qui s'était passé entre elle et le père de Nick. C'était mieux comme ça. Le metteur en scène revint leur demander s'ils étaient prêts.

— Allons-y, déclara Nick. Tâchons d'être aussi formidables qu'au bon vieux temps. Il la regarda. D'accord, Lauren ?

Elle prit une profonde inspiration.

— D'accord, Nick.

Il s'assura que la scène se déroulerait sans accrocs, lui donnant quelques tuyaux sur les angles de prises de vues, sur l'éclairage et sur la meilleure façon de jouer devant la caméra.

— Ce n'est pas comme au théâtre, expliqua-t-il. Tu joues en dessous plutôt qu'au-dessus. La caméra saisit tout.

De toute évidence, il n'avait pas vu les films publicitaires qu'elle avait tournés. Elle savait parfaitement ce qu'elle faisait. Quand ils jouèrent la scène, il lui laissa la vedette : il tenait à ce qu'elle ait le rôle. Avant le déjeuner, ils avaient terminé.

— Bon, dit-il. Je t'invite.

— Non, c'est Freddie Leon, répondit-elle aussitôt. Il envoie une voiture me chercher.

Nick sentit un pincement de jalousie. Qu'est-ce que fricotait Freddie ?

— Est-ce que je suis invité aussi ? questionna-t-il d'un ton léger, tout en la raccompagnant jusqu'à sa loge.

Elle haussa les épaules.

— Je ne sais pas... Demande à Freddie.

— Dis donc... je n'ai rien à demander, c'est mon agent... Il marqua un temps. Ça ne t'ennuie pas si je viens, non ?

Elle s'arrêta sur le seuil de sa loge.

— Pas du tout.

— Je vais passer un coup de fil à Freddie pour lui dire que c'est moi qui t'amènerai au restaurant. Je te retrouve ici dans un quart d'heure ?

Dès qu'il fut parti, elle se précipita vers le miroir pour contempler son reflet. Rien n'avait changé. Absolument rien. Elle était toujours aussi accrochée.

Pas de bol, Lauren Roberts.

Va te faire voir.

Freddie domina le déjeuner. Il était charmant, drôle, totalement différent de ce qu'il était d'habitude. Ils déjeunèrent au Dôme, sur Sunset, à une petite table ronde dans l'arrière-salle. Nick, bien installé dans son fauteuil, observait Lauren en action. Elle avait changé. Elle était plus sophistiquée, elle avait plus de style et beaucoup plus l'habitude du monde. Mais, sous le vernis, il savait que c'était toujours la même douce Lauren dont il était tombé amoureux autrefois.

— Vous savez, dit Freddie, avec son charmant sourire tout neuf. Ce déjeuner était organisé pour que je parvienne à persuader Lauren de devenir une cliente de I.A.A. Je ne pense pas que je puisse faire ça en ta présence, Nick.

— Tu t'en tires très bien, répondit-il, bien décidé à ne pas bouger.

Lauren but une gorgée de Perrier, parfaitement consciente de la scène qui se jouait entre les deux hommes.

— C'est si bon de te revoir, Nick, dit-elle, comme s'ils n'étaient l'un pour l'autre que des inconnus courtois. Et c'est un plaisir, Freddie, que de faire votre connaissance.

Il avait une telle envie de la toucher qu'il ne savait pas comment il arrivait à se maîtriser. Et il aurait voulu casser la figure de son meilleur ami, Freddie Leon, qui finit par quitter la table pour aller aux toilettes. Nick attendit que Freddie eût disparu et se pencha sur la table.

— Est-ce qu'on peut dîner ce soir ?

Elle répondit d'un ton uni :

— Je pense prendre le dernier avion pour rentrer à New York.

— Tu viens juste d'arriver, lui fit-il remarquer.

— Je sais, mais j'ai un rendez-vous important demain matin. Marcella m'a proposé un accord pour lancer ma propre ligne de produits de beauté.

— Oh, comme si tu n'étais pas assez occupée !

Aussitôt, elle fut sur la défensive.

— Comment sais-tu à quel point je suis occupée ?

— Je lis les journaux. On parle tout le temps de toi en train de faire ceci et cela.

— Je lis les journaux aussi, Nick, répondit-elle en le regardant droit dans les yeux. On parle toujours de toi en train de coucher avec celle-ci ou celle-là.

Il éclata de rire.

— Charmante conversation.

— Comment va ton mariage ? ne put-elle s'empêcher de demander.

— Comment va le tien ? riposta-t-il.

Leurs regards se croisèrent et il y eut un long moment de silence complice. Freddie vint les rejoindre.

— Lauren, je sais que vous ne prendrez aucune décision aujourd'hui, mais je serai à New York la semaine prochaine, alors pourquoi ne pas dîner ensemble pour en discuter à ce moment-là ?

Pourquoi ne pas dîner ensemble et ne pas en discuter à ce moment-là ? Nick n'en croyait pas ses oreilles. C'est Freddie qui proposait ça — Freddie, le mari fidèle, Freddie Leon, tout excité.

— J'en serais ravie, dit Lauren. Vous venez souvent à New York ?

— Seulement quand c'est important, répondit Freddie, attaquant à fond.

— Tu emmènes Diana ? demanda Nick.

Freddie lui lança un regard agacé.

— Non.

— Qui est Diana ? demanda Lauren.

— La femme de Freddie, répondit Nick. Quelqu'un de formidable. Ils ont deux grands enfants. Il faudra que tu rencontres la famille.

Freddie continuait à le foudroyer du regard. Lauren les regardait tour à tour. Elle savait parfaitement ce qui se passait et ça l'amusait. Freddie signa l'addition et ils se levèrent.

— Je vais déposer Lauren à son hôtel, déclara-t-il.

— Ne te dérange pas, fit Nick. Je vais m'en occuper.

— En fait, prétexta Lauren, je ne rentre pas à mon hôtel. J'ai pensé que j'allais m'arrêter chez Neiman's faire quelques courses : je n'ai jamais le temps à New York.

— Mes bureaux sont tout à côté, insista Freddie. Peut-être aimeriez-vous monter rencontrer certains de mes collaborateurs.

— Pas aujourd'hui. Peut-être la prochaine fois.

— Oui, cesse de la harceler, Freddie, fit Nick. Elle n'a pas encore signé avec toi.

— Elle va le faire. N'est-ce pas, Lauren ?

Elle lui offrit son éblouissant sourire.

— Il faudra que j'y réfléchisse.

Évoluant dans une sorte de brume, Lauren déambula dans le magasin Neiman Marcus. Cela faisait sept ans qu'elle n'avait pas vu Nick et, pourtant, il avait encore cet incroyable effet sur elle. Elle était toujours la même stupide lavette.

Quel genre d'emprise avait-il sur elle ? Quel genre d'emprise voulait-elle bien le laisser avoir ? Elle soupira. Ils étaient tous deux mariés. C'était une situation impossible.

Elle parcourut les rayons, achetant ici ou là. Faire des courses, ça n'était pas son truc, mais c'était mieux que de retourner à son hôtel et de rester assise là jusqu'à l'heure de partir pour l'aéroport.

— Hé...

Elle se retourna, stupéfaite. C'était Nick.

— Qu'est-ce que tu fais ici ? demanda-t-elle, son cœur battant à tout rompre.

— Je prends ma vie en main, dit-il.

— Comment ça ?

— Je ne vais plus nulle part sans garde du corps. Je vais me faire assaillir ici.

Elle éclata de rire.

— Oh, allons donc, personne ne fait attention à toi. C'est Beverly Hills, les gens sont habitués aux vedettes de cinéma.

Une vendeuse se précipita vers lui.

— Est-ce que je peux avoir votre autographe pour ma fille ? demanda-t-elle, haletante. Elle vous adore. Elle voit tous vos films.

Il lança à Lauren un regard triomphant.

— Et vous, vous êtes la femme Marcella, n'est-ce pas ? reprit la femme en se tournant vers Lauren. Ma fille vous adore aussi. Oh, que tout ça est excitant !

Ils signèrent tous les deux le bout de papier qu'elle leur tendait, puis Nick prit les sacs de Lauren et dit :

— Bon, on s'en va d'ici. Marche d'un pas vif et ne regarde personne.

Elle se mit à rire.

— On croirait que tu es dans la C.I.A.

Il lui prit la main et elle se sentit commencer à fondre. Le voiturier avait amené sa voiture devant la porte. Nick lui glissa un billet de vingt dollars.

— Monte, boucle ta ceinture. Que ça te plaise ou non, on va parler.

— Je t'ai dit, protesta-t-elle, sachant que c'était inutile, que j'ai un avion à prendre.

— Je veillerai à ce que tu ne le manques pas.

Elle se glissa à la place du passager de sa Ferrari rouge.

— Je croyais que la voiture de tes rêves était une Cadillac, dit-elle, se souvenant comme il en parlait tout le temps.

— Ça l'était... mais le rêve s'est transforme en cauchemar

— Oh, on n'est plus aussi patriote ?

— Si tu veux.

Il démarra en trombe.

— Où allons-nous ? demanda-t-elle.

— Sur la plage. J'ai une maison là-bas.

— Évidemment, fit-elle sèchement.

Dans la voiture, ils n'échangèrent pas un mot. Il mit une cassette de Van Morrison et se concentra sur sa conduite. Elle regardait droit devant elle tandis qu'ils dévalaient Wilshire Boulevard pour rejoindre la Pacific Coast Highway. Au bout de vingt minutes, Nick fit un dangereux virage à gauche dans une allée en lacet pour s'arrêter devant une maison aux volets fermés.

— C'est ma retraite. Le seul endroit où je sois un peu tranquille.

— Comment sais-tu que ta femme n'est pas ici ?

— Parce qu'elle ignore l'existence de cette maison. Je l'ai achetée sans elle. J'ai besoin d'un endroit tout à moi. Un endroit qui ne soit pas plein de domestiques, de téléphones qui sonnent et de gens qui me rendent dingue.

— Tu n'as pas l'air trop heureux, lança-t-elle, tandis qu'il l'aidait à descendre de voiture.

— Tu sais... on demande beaucoup de choses dans la vie, pas toi ?

— Si, mais rien que des choses qui me plaisent.

— C'est parce que tu es devenue une maniaque du travail. On ne peut pas ouvrir un magazine sans te voir.

— On ne peut pas aller au cinéma sans te voir.

Ils se mirent à rire tous les deux, ce qui dissipa la tension. Il prit une clé dans sa poche, ouvrit la lourde porte et elle entra au paradis. La maison était bâtie en haut d'une falaise avec de grandes baies vitrées qui dominaient l'océan. Installée au bord du terrain se trouvait une piscine qui, par un effet de perspective, semblait disparaître dans la mer, même si elle était à quelques dizaines de mètres au-dessus.

— C'est à vous couper le souffle, fit-elle en entrant dans la maison.

Il posa les mains sur ses épaules, l'obligeant à se tourner vers lui.

— Tu ne m'as jamais appelé à New York. Je suis resté cinq jours à attendre dans cette satanée chambre d'hôtel.

— Je l'aurais fait si j'avais pensé que nous pourrions être ensemble.

— Qu'est-ce qui nous en empêche ? fit-il d'un ton pressant. Assez de foutaises. Tu sais aussi bien que moi que c'est ce que nous voulons tous les deux.

— Nick, sois sérieux. Je suis toujours mariée, et maintenant tu l'es aussi.

— Es-tu heureuse, Lauren ? demanda-t-il en la regardant dans les yeux.

— Non, répondit-elle en se perdant dans ses yeux verts. Mais qu'est-ce que ça a à voir ?

— On pourrait tous les deux divorcer. Qu'est-ce que tu en penses.

Elle secoua la tête.

— À t'entendre, tout paraît si simple. La vie n'est pas comme ça.

— La vie est ce qu'on la fait, Lauren. Nous avons tous les deux trimé dur. Pourquoi ne pourrions-nous pas être ensemble ?

— Est-ce que tu suggères que je rentre chez moi, que je dise : « Figure-toi, Oliver, je suis allée à Los Angeles, j'ai rencontré ce vieil ami à moi, et j'ai décidé de demander le divorce. » Tu crois qu'il acceptera ça ? Et toi ? Qu'est-ce que tu vas dire à ta femme ? « Tu sais, Lauren est rentrée. Salut. » C'est la mère de ton enfant, Nick. Tu as des responsabilités.

Il refusait d'accepter la défaite.

— Si nous le voulions vraiment, nous pourrions y arriver.

Elle secoua la tête encore une fois, essayant désespérément de garder son calme.

— Je ne sais pas si j'en ai envie, Nick. Quel genre d'existence aurions-nous ensemble ? Tu es une grande vedette de cinéma, et moi je travaille tout le temps. On ne se verrait jamais.

— Pourquoi rends-tu les choses si difficiles ?

— Pas du tout. Nous sommes deux êtres très différents. Ça n'est plus Bosewell, nous ne sommes plus des gosses.

Il l'embrassa, la prenant par surprise.

Elle ne lutta pas. Ils restèrent silencieux sur la terrasse, serrés dans les bras l'un de l'autre, leurs lèvres unies.

— Je t'aime, fit-il très doucement, en s'écartant. Je t'ai toujours aimée et je t'aimerai toujours. Personne n'y changera rien.

Elle se sentait faiblir.

— Ne dis pas ça, Nick.

514

— Il le faut bien, parce que c'est la vérité.

Ils recommencèrent à s'embrasser. Faiblement, elle essaya de se dégager.

— Il faut que je rentre, mon avion...

— Je me fiche de ton avion. Tu vas rester ici. Nous allons passer ensemble une nuit qu'aucun de nous n'oubliera jamais.

Oh oui ! c'est ce que je veux. C'est vraiment ce que je veux.

— Nick... tu ne comprends pas. Je ne peux pas...

— Allons, Lauren... c'est comme ça que ça va se passer, fit-il avec énergie.

— Je ne sais pas..., hésita-t-elle, continuant à protester.

Il ne voulait toujours rien entendre.

— Eh bien, moi, je sais.

Les lèvres de Nick étaient de nouveau sur les siennes et tout était perdu. Elle s'était promis qu'après cette fausse alerte de grossesse avec Lorenzo, plus jamais elle ne tromperait Oliver. Mais, après tout, c'était sa vie et elle devait la vivre. Au diable les conséquences ! Nick avait raison. Ils méritaient une nuit magique ensemble.

78

Nick s'éveilla le premier. Roulant sur le côté, il contempla Lauren endormie auprès de lui. Seigneur ! C'était la femme la plus parfaite, la plus belle du monde : tout ce dont il se souvenait et mieux encore. Il se leva avec précaution pour ne pas la déranger. Il avait su en achetant cette maison qu'un jour elle lui servirait. La seule personne à être au courant, c'était Freddie : il avait négocié l'achat et avait payé avec de l'argent dont Annie ignorait l'existence.

Bon sang ! Annie. Il ne l'avait pas appelée. Elle devait être folle. Elle avait sans doute déjà appelé la police pour signaler sa disparition. Il imaginait les gros titres : NICK ANGEL DISPARAÎT. SA FEMME HÉRITE DE TOUTE SA FORTUNE. Oh oui, Annie adorerait ça. Elle serait enfin le centre de l'attention. Peut-être même cela ferait-il redémarrer sa carrière de comédienne.

Il savait qu'il était injuste : ce n'était pas la faute d'Annie si elle était casse-pieds à ce point. Seulement le remords de ce qu'ils avaient fait à Vegas pesait lourdement sur eux tous. Il alla pieds nus jusqu'à la cuisine. Il n'y avait rien dans le frigo à part du champagne et de la limonade. Il trouva dans le placard une bouteille de jus d'orange. Puis il décrocha le téléphone et appela chez lui. Annie répondit avec un « Oui ? » très sec.

— C'est moi.

— Où es-tu ?

— Chez un ami.

— Oh ? fit-elle d'un ton glacé. Où ça ?

— Ne me pose pas de questions, Annie, lança-t-il.

— Alors ne me traite pas comme une idiote. Tu es avec une femme, n'est-ce pas ?

— Écoute... où que je sois et avec qui que je sois, je t'annonce que je vais bien et que je rentrerai plus tard.

— Tu ne devrais peut-être pas prendre la peine de rentrer.

— C'est une menace, Annie ?

— Je n'aime pas qu'on me traite comme une quantité négligeable.

— Il faut qu'on parle.

— C'est peut-être *moi* qui aurais dû parler il y a quelques années.

Il savait exactement ce qu'elle voulait dire et il était temps de discuter de cela, mais pas maintenant, pas au téléphone.

— Je rentre, fulmina-t-il.

Elle raccrocha brutalement. Il prit une profonde inspiration. Pas question qu'elle lui gâche sa journée. Versant du jus d'orange dans un verre, il se rendit compte que c'était le premier matin depuis longtemps qu'il n'avait pas envie d'y ajouter de la vodka.

En revenant dans la chambre, il trouva Lauren qui dormait encore. Il s'assit au bord du lit et la contempla. Elle était nue, à peine couverte par un fin drap de soie. Elle avait la peau lisse, blanche et très douce. Du bout des doigts, il parcourut sa poitrine. Elle soupira et poussa de petits grognements. Lentement, elle ouvrit les yeux.

— Je croyais que tout cela était un rêve, murmura-t-elle en s'étirant.

— Nous avons quand même réussi à passer la nuit ensemble, dit-il. C'est la première fois.

Elle se redressa, serrant le drap autour d'elle.

— Oh, mon Dieu ! j'ai manqué mon avion.

— Je t'aime, chuchota-t-il en lui caressant le bras.

Elle essaya de prendre un ton ferme.

— Nick, c'est sans espoir.

— Qu'est-ce qui est sans espoir ? Je vais parler à Annie, tu vas parler à Oliver. Nous allons nous en tirer, Lauren. Nous avons attendu assez longtemps.

Elle soupira.

— À t'entendre, tout ça semble si facile.

— Ça peut être facile, si c'est ce que nous voulons tous les deux.

— Je n'en suis pas si sûre.

— Tu as tort.

— C'est plus compliqué que tu ne crois, Nick. Nous ne sommes pas deux inconnus. Nous aurons la presse à nos trousses, guettant chacun de nos mouvements. Tout ce que nous ferons s'étalera à la une des journaux.

— Et alors, qu'est-ce que ça change ?

— Il n'y a pas que toi dans cette histoire : maintenant tu dois penser à ta fille. Que va-t-il advenir d'elle ?

— Fais-moi confiance, Lauren. On s'arrangera.

Elle poussa un nouveau soupir. Elle était complètement sous le charme : il avait sur elle une sorte de pouvoir hypnotique. Elle était trop faible pour résister et, qui plus est, elle n'en avait aucune envie. L'amour de Nick l'enveloppait et elle en voulait davantage.

— Si tu le dis, murmura-t-elle.

— Et je le répète, affirma-t-il en la prenant dans ses bras et en l'embrassant très, très lentement. Je tiens à ce que tu saches que la nuit dernière a été la plus incroyable de ma vie. Et toi, tu es la femme la plus incroyable que j'aie jamais rencontrée.

— La nuit dernière, déplora-t-elle tristement, j'aurais dû être dans un avion.

— Mais tu n'y étais pas. Tu étais dans mes bras, là où est ta place : et tu dois bien reconnaître que c'était formidable.

Pourquoi donc, chaque fois qu'elle était avec lui, son cœur se mettait-il à battre follement et tout son corps à frissonner ? Oui, il avait raison, c'était formidable, elle ne pouvait pas le nier. Il y avait entre eux quelque chose de très spécial. Ils continuèrent à s'embrasser, d'abord lentement, puis avec plus d'ardeur tandis que les mains de Nick parcouraient son corps. Elle adorait qu'il la touche. Il l'électrisait. Faire l'amour avec Lorenzo avait été très agréable. Avec Nick, cela dépassait tout ce qu'elle avait jamais connu. Il l'emmenait sur des sommets dont elle n'avait jamais soupçonné l'existence...

— Dis-moi ce que j'ai envie d'entendre, fit-il d'un ton pressant. Je veux te l'entendre dire.

Elle ne pouvait pas s'en empêcher.

— Je t'aime, Nick. Je t'ai toujours aimé.

Il était midi quand ils commencèrent à penser à s'habiller.

— Il faut que je parte, s'entêta-t-elle en cherchant ses vêtements.

— Pourquoi?

— Parce qu'il faut que je rentre.

— En as-tu envie?

Elle lui caressa le menton.

— Quelle question idiote!

Avant qu'il ait pu la convaincre, elle avait appelé la compagnie aérienne et retenu une place sur un autre vol.

— On va passer par ton hôtel, prendre tes valises et je te conduirai à l'aéroport, dit-il. Peut-être que je devrais venir avec toi.

— Oh? Pour rester assis là pendant que je parle à Oliver? Ça me sera d'une grande aide.

— Tu as raison, reconnut-il. Je vais régler les choses ici, et nous parlerons demain. Ce ne sera pas comme la dernière fois.

— Non?

— On va être ensemble.

— Tu crois?

Il se remit à l'embrasser.

— Je *sais*.

Elle regagna New York en pleine confusion. Les dernières quarante-huit heures lui paraissaient un rêve. Elle était venue en Californie si pleine d'assurance, sachant qu'elle pouvait maîtriser n'importe quelle situation, et notamment Nick Angel. Mais pas du tout. Dès l'instant où elle était avec lui, toutes ses résolutions se dissipaient et, après avoir passé la nuit dans ses bras, elle savait qu'il n'y avait pas de retour possible. Le moment était venu de dire à Oliver que leur mariage était fini. Et, quand elle serait libre, si Nick parvenait à s'en tirer avec sa femme, ils seraient ensemble. C'était vraiment leur destin.

À mi-chemin de New York, elle se rendit compte qu'elle n'avait appelé personne pour prévenir qu'elle arrivait avec un jour de retard. Connaissant Oliver, il serait trop occupé pour s'en apercevoir, mais Lorenzo serait probablement furieux qu'elle ait manqué leur rendez-vous. Elle avait appelé son chauffeur de l'aéroport de Los Angeles en lui recommandant de l'attendre à Kennedy. Elle avait l'intention d'aller directement au bureau, de reprendre un rendez-vous avec Lorenzo et puis de dire à Oliver qu'ils devaient parler. Il pleuvait à New York, le ciel était noir et lourd, avec des grondements de tonnerre.

— Pia Liberty voudrait que vous l'appeliez dès votre arrivée, lui annonça son chauffeur.

Elle décrocha le téléphone de sa voiture.

— Bonjour, Pia. Je suis de retour.

Pia semblait affolée.

— Oh, Lauren, Dieu soit loué! J'ai essayé de te joindre.

— Qu'est-ce qui se passe? demanda-t-elle avec inquiétude.

— C'est Oliver. Hier soir, il a fait une crise cardiaque.

— Oh, mon Dieu, non!

— Va directement au New York Hospital, Lauren. Fais vite.

— En ce qui me concerne, déclara Freddie Leon, elle a le rôle. Tu la veux, n'est-ce pas?

— À question stupide..., commença Nick.

— Les gens du studio ont projeté son bout d'essai ce matin de bonne heure : ils l'adorent. En fait, ils sont prêts à lui faire une offre... Il marqua un temps. Et devine?

— Quoi donc?

Freddie semblait très content de lui.

— C'est moi qui vais négocier son contrat.

Nick chercha une cigarette.

— Je ne t'ai jamais vu t'intéresser autant à une femme.

— Moi? Intéressé? fit Freddie d'un ton nonchalant. Je suis un homme heureusement marié.

— Mais oui, mais oui, comme tous les autres.

— Qu'est-ce qu'il y a entre toi et elle? demanda Freddie avec curiosité. Je sens que ça va plus loin que ce que tu m'as dit.

— Je t'ai expliqué, répondit Nick. Nous sommes de vieux amis.

— Alors si j'étais vraiment intéressé...

— Laisse tomber, fit-il sèchement.

Freddie hocha la tête d'un air entendu.

— C'est bien ce que je pensais.

Nick s'était arrêté pour voir Freddie en rentrant chez lui parce qu'il n'était pas prêt à affronter Annie. Il avait l'impression qu'il devrait d'abord parler à son avocat, le mettre au courant de tout.

Mais non, Annie n'allait sûrement pas revenir avec son éternelle menace ? Et si elle le faisait... retrouverait-on jamais le corps dans le désert ? Il devait être décomposé maintenant, personne ne pourrait identifier le cadavre. Et, d'ailleurs, comment pourrait-on lui mettre ça sur le dos ? Quand il finit par arriver chez lui, la gouvernante lui remit un mot d'Annie.

— Mrs. Angel et Lissa sont parties pour quelques jours, lui annonça-t-elle.

— Où ça ? demanda-t-il, irrité.

— Mrs. Angel ne me l'a pas dit.

Il était furieux. Elle savait qu'il voulait lui parler, elle l'avait fait exprès. Et comment osait-elle emmener Lissa sans lui dire où elles allaient ? Fou de rage, il entra dans son bureau, se jeta sur le fauteuil de cuir derrière sa table de travail et ouvrit la lettre d'Annie.

Cher Nick,

Je refuse d'être humiliée de cette façon. Il est de notoriété publique à Hollywood que tu couches avec des putains. Je n'ai pas l'intention de devenir la risée de la ville. Si tu continues de cette façon, j'emmènerai Lissa avec moi et tu ne reverras jamais ton enfant.

Tu devrais te souvenir aussi de l'information que je possède. Une information qui a pour moi été un pesant fardeau toutes ces années, si bien que ce serait pour moi un grand soulagement de la révéler aux autorités.

J'aime bien être Mrs. Angel, et je compte bien rester Mrs. Angel, alors je te conseille, si tu dois continuer à coucher à droite et à gauche, d'être plus discret. Rappelle-toi ce qui est en jeu.

Ta femme qui t'aime,
Annie.

Il relut deux fois la lettre sans pouvoir y croire. La garce ! La garce le faisait chanter ! Elle ne renoncerait que quand ils seraient morts tous les deux. Il décrocha le téléphone et appela son avocat.

— Kirk, j'ai besoin de vous voir. Pouvez-vous passer à la maison cet après-midi ?

Kirk Hillson, comme Freddie Leon, faisait partie de l'élite du pouvoir à Hollywood. Grand avocat, il avait beaucoup d'influence et connaissait tous les gens qu'il fallait aux places qu'il fallait. Nick avait l'impression qu'il aurait du mal à se débarrasser d'Annie, qu'il aurait besoin de tout le soutien de Kirk — ce qui voulait dire qu'il ne pouvait pas y avoir de secrets entre eux. Il était temps pour lui de chasser de son esprit l'affaire de Vegas.

Après tout, il n'avait fait qu'enterrer un cadavre : il n'avait assassiné personne, bon sang. À entendre Annie, on aurait cru que c'était lui qui avait pressé la détente.

Il s'en fichait pas mal de verser un paquet à Annie : après tout, il pouvait se le permettre. Mais pas question de la laisser lui créer des difficultés quand il s'agirait de voir Lissa. Sa fille était, avec Lauren, ce qu'il avait de plus précieux au monde, et il se battrait pour elle jusqu'au bout. Lorsque Kirk arriva, Nick lui raconta toute l'histoire, omettant seulement de mentionner le nom de Cyndra. Il n'avait pas à l'impliquer avant de l'avoir consultée. Kirk ne voulut pas s'engager.

— Ça fait de vous un complice, observa-t-il en buvant une gorgée d'Évian.

— Je sais, reconnut Nick. Pourquoi croyez-vous que je suis resté avec Annie toutes ces années ?

— D'un autre côté, elle a peut-être imaginé toute l'histoire, fit Kirk en se levant pour se diriger vers la fenêtre.

— Qu'est-ce que vous voulez dire ?

— Eh bien... qu'est-ce qu'elle va prouver ? Sait-elle où vous avez enterré le cadavre ? Et vous, vous le savez ?

— Je me souviens vaguement, fit Nick d'un ton hésitant. Je crois que je saurais y aller en voiture... mais je ne suis pas sûr.

— Entre-temps, la preuve matérielle aura disparu, croyez-moi.

— Oui, mais est-ce que ça vaut la peine de prendre un risque ?

Kirk jeta un coup d'œil à sa Rolex : il était en retard pour une partie de golf.

— Sans plus de preuves que ce qu'elle a, on ne vous touchera pas. Vous êtes Nick Angel.

— Alors je veux divorcer, dit Nick d'un ton ferme.

— Vous avez rencontré quelqu'un d'autre ? demanda Kirk.

— Il y a quelqu'un d'autre, expliqua Nick. Ça fait longtemps qu'elle est dans ma vie : c'est simplement que jusqu'à aujourd'hui nous n'avons jamais été ensemble.

— Est-ce qu'elle en vaut la peine ?

— Elle vaut tout ce que ça me coûtera.

— Ce serait mieux s'il n'y avait pas quelqu'un d'autre, fit Kirk en admirant le travail de sa manucure. Vous savez ce qu'on dit à propos d'une femme méprisée ?

— Il n'est pas question de mépris envers Annie. De toute façon, elle se fout absolument de moi. Tout ce qui l'intéresse, c'est l'argent et la position sociale. Elle est vexée que ma carrière ait démarré comme ça et que, elle, elle ne soit jamais arrivée à rien.

— J'ai entendu cette histoire-là cent fois. Mais quoi que vous disiez, elle va essayer de vous nuire.

— Je veux divorcer, répéta Nick. Il est grand temps.

— A-t-elle un avocat ? demanda Kirk.

— C'est vous, son avocat.

— Je ne peux pas vous représenter tous les deux. Je devrais peut-être vous recommander quelqu'un. Au fait, avez-vous parlé à Freddie ?

— Pas encore.

— Vous devriez le mettre au courant.

— Vous voulez dire : lui parler de Vegas ?

— Pas à ce stade. Mais il devrait savoir que vous avez l'intention de divorcer.

— Je lui dirai.

— Parfait, fit Kirk en se dirigeant vers la porte. Je ne prévois aucun problème. Si vous êtes prêt à lui donner quatre-vingt-dix-neuf pour cent de votre fortune, nous nous en tirerons.

Nick éclata de rire.

— Seigneur, l'humour des avocats... il ne me manquait plus que ça.

Kirk sourit.

— Ça va vous coûter cher, alors j'espère que votre liberté vaut ça.

— Vous savez, Kirk ? Je lui verserais chaque centime que j'ai si je pouvais être libre demain.

Et il le pensait. Être avec Lauren était la chose la plus importante de sa vie. Il ne pouvait plus attendre.

79

Depuis plusieurs semaines, Aretha Mae était clouée au lit. Cyndra avait des infirmières jour et nuit pour s'occuper d'elle. Le médecin lui avait récemment annoncé qu'Aretha Mae souffrait de pneumonie et qu'il faudrait la faire hospitaliser.

— Pas d'hôpital, dit Cyndra d'un ton catégorique. Je la veux chez moi, où je peux la surveiller.

— Elle serait mieux soignée à l'hôpital, fit observer le médecin.

— Non, répondit Cyndra, se souvenant de ce qui était arrivé à Luke. Ma mère reste ici.

Marik tenta de la persuader.

— Allons, bébé, laisse-les l'emmener à l'hôpital.

— Non, dit Cyndra d'un ton sans réplique. Dans ces endroits-là, on tue les gens.

— De toute façon, fit Marik, elle est mourante.

— Oh, merci de tes encouragements.

Mais Cyndra savait qu'il disait vrai. Sa mère n'avait plus longtemps à vivre. Chaque soir, à six heures, elle allait s'asseoir dans sa chambre. Elle lui tenait la main, la frêle petite main qui jadis avait fait cuire des frites graisseuses et du bacon, giflé ses enfants, cette main qui les avait élevés et qui leur avait permis de survivre.

— Comment ça va, maman ? murmura-t-elle en se penchant vers elle.

Aretha Mae la dévisagea.

— Je vais bientôt être avec Luke, haleta-t-elle. Bientôt je serai heureuse.

— Maman, supplia Cyndra en parlant très doucement. J'ai quelque chose à te demander.

— Oui ?

— Il faut que tu sois très sincère avec moi. Tu dois me le promettre.

— Dis-moi, ma fille. De quoi s'agit-il ?

— Qui est mon vrai père ?

Aretha Mae planta sur elle ses yeux si creux et resta un long moment silencieuse.

— Benjamin Browning... c'est lui ton père, bredouilla-t-elle enfin.

Cyndra hocha la tête. La première fois qu'Aretha Mae lui en avait parlé, elle avait su que c'était la vérité, mais elle avait besoin de se l'entendre confirmer.

— Y a-t-il une preuve ? demanda-t-elle.

Aretha Mae acquiesça faiblement de la tête.

— Il y a une lettre à la banque, à Bosewell. Tu l'auras quand je serai morte.

— Tu ne vas pas mourir, maman.

— Ça m'est égal de mourir, ma petite. Je serai avec Jésus et avec mon petit bébé Luke.

— Non, maman, tu ne vas pas mourir, répéta Cyndra.

Aretha Mae eut un sourire mystérieux.

— J'ai toujours su que tu survivrais, ma fille. J'en ai toujours été certaine.

Ce soir-là, Cyndra resta avec Marik à parler de son passé comme elle ne l'avait encore jamais fait. Il écouta sans rien dire tandis qu'elle lui parlait de Benjamin Browning, du viol, de l'avortement et de toutes les autres épreuves qu'elle avait connues.

— Oh, bébé, bébé, je ne me doutais pas, dit-il en la serrant très fort.

— Pourquoi saurais-tu ? répondit-elle. C'est ma souffrance... je peux m'en arranger.

— Ce Benjamin Browning doit être un véritable enfant de salaud, grommela Marik. On pourrait envoyer quelqu'un là-bas qui lui ferait son affaire.

— Non, répliqua-t-elle aussitôt. Benjamin va expier ses péchés, tout comme maman le voudrait. Mais ce sera à ma façon.

Le lendemain, elle signa un contrat pour être la vedette de son propre programme de télévision. Elle rapporta le contrat à la maison et le brandit fièrement devant Aretha Mae.

— Tu vois, maman, tu vois ? Je vais passer à la télé. Tout le monde va me regarder. Tout le monde à Bosewell. Qu'est-ce que tu dis de ça ?

Aretha Mae eut un petit sourire triste et parvint à hocher la tête.

— Tu es une star, ma petite. Tu as vraiment réussi.

Là-dessus, elle ferma les yeux et mourut paisiblement. Cyndra se jeta sur le corps de sa mère et se mit à sangloter. L'infirmière appela Marik. Il se précipita dans la chambre, prit Cyndra dans ses bras et s'efforça de la réconforter.

— Je veux que tu sois ma femme, bébé, murmura-t-il. Il est temps que tu aies quelqu'un pour s'occuper de toi.

— On verra, dit-elle entre deux sanglots. On verra.

Nick n'arrivait pas à croire qu'elle lui refaisait le même coup : Lauren était partie depuis deux jours et, bien qu'il eût laissé d'innombrables messages sur son répondeur personnel, elle ne l'avait jamais rappelé. Qu'est-ce qu'elle avait ? Elle avait agi de même à New York quand il était resté cinq jours à attendre dans sa chambre d'hôtel. Mais cette fois-ci, il n'allait pas le supporter. Il contacta une fille qui travaillait au bureau de I.A.A à New York et lui dit de se rendre au bureau de Lauren.

— Assurez-vous qu'elle m'appelle immédiatement. Et ne partez pas avant de l'avoir vue décrocher l'appareil. J'attendrai auprès du téléphone.

La secrétaire fit ce qu'il demandait, puis le rappela à Los Angeles.

— Je suis navrée, Mr. Angel, mais Mrs. Roberts est à l'hôpital.

— Qu'est-ce qu'elle a? demanda-t-il, affolé.

— Son mari a eu une crise cardiaque.

— Une crise cardiaque? répéta-t-il d'une voix blanche.

— Oui. J'ai parlé à son assistante et elle m'a promis qu'elle ferait savoir à Mrs. Roberts que vous cherchez à la joindre.

Il reposa le combiné et secoua la tête. Lauren avait-elle parlé à son mari et avait-il eu aussitôt une crise cardiaque? Était-ce la façon pour Oliver de se cramponner? Oh, ça n'était pas bon.

Freddie l'appela :

— Tu ne vas pas croire ce que je vais t'apprendre.

— Quoi donc?

— Lauren Roberts a refusé notre proposition. D'après Samm, son agent de New York, elle ne veut pas jouer le rôle.

— Pourquoi donc?

— Son mari est à l'hôpital.

— Il va s'en tirer, n'est-ce pas? demanda Nick d'une voix sans timbre.

— Personne n'en sait rien. Apparemment, elle est à son chevet jour et nuit.

C'était étrange. Le destin de temps en temps les rapprochait et puis les éloignait. Il connaissait bien Lauren, il était certain qu'elle ne quitterait pas Oliver tant qu'il serait malade.

— Tu n'as pas de suggestion? demanda Freddie.

— À propos de quoi?

— De ta partenaire.

— Donne le rôle à Carlysle. Elle en meurt d'envie.

— Je ne crois pas que le studio marchera pour Carlysle Mann, elle date un peu.

— Bon sang, elle n'a même pas trente ans. Elle est très bien pour le personnage. Dis-leur que je la veux, ça devrait suffire.

— Tu es certain?

— Tout à fait.

Et il l'était. Carlysle Mann était exactement ce qu'il lui fallait pour passer les quelques mois suivants. Parce que Lauren n'allait pas être disponible. Ça, il en était sûr.

Oliver eut un pâle sourire.

— Quelqu'un aurait dû me dire que j'en faisais trop.

— Tout le monde en était conscient. Constamment, répondit Lauren en s'affairant autour de son lit d'hôpital.

— Vraiment ? demanda Oliver d'un ton innocent.

— Mais oui. Moi, je te l'ai dit. Et Howard, et Pia. On te l'a tous répété. Travailler sans arrêt et ne jamais prendre de vacances faisait de toi le candidat parfait à un infarctus sérieux.

— Ça n'était pas si terrible.

— Quand on a un stimulateur cardiaque, tout est sérieux.

Une infirmière entra dans la chambre, apportant encore des bouquets. La pièce ressemblait déjà à une boutique de fleuriste.

— Je vais ralentir un peu. Je te le promets.

Lauren hocha la tête.

— Si tu as envie de rester avec nous, je te le conseille.

Il tendit la main.

— Viens par ici, ma superbe épouse que je néglige.

Inexplicablement, elle sentit ses yeux s'emplir de larmes. Elle était si soulagée de le voir en vie. A en croire Pia, si leur maître d'hôtel n'avait pas travaillé tard quand Oliver s'était effondré, celui-ci n'aurait pas survécu.

Pendant que ton mari était presque en train de mourir, Roberts, tu étais à Los Angeles, au lit avec Nick Angel. Tu es fière de toi ?

Je ne voulais pas que ça arrive.

Eh bien, c'est arrivé, et tu as de la chance qu'il soit encore ici.

Chaque fois qu'elle le trompait, il arrivait un pépin. D'abord la fausse grossesse, et maintenant ça. C'était un signe. Nick et elle n'étaient pas destinés à vivre ensemble. Il lui pressa la main et la regarda au fond des yeux.

— Je fais des projets, annonça-t-il. Nous irons à Rome et à Venise. Nous allons voyager ensemble. Je ne sais pas ce que je ferais sans toi, ma chérie. Je serais perdu.

C'était son mari, et elle avait beaucoup d'affection pour lui, mais en vérité il était plutôt pour elle une image de père qu'un mari. Il ne lui avait jamais fait l'amour. En fait, depuis quatre ans, ils n'avaient plus aucun contact physique.

Oliver avait près de soixante-dix ans. Elle, trente. Oh, mon Dieu ! Elle était absolument et totalement coincée.

— Ne t'inquiète pas, Oliver, dit-elle, je suis là. Je serai toujours là.

Ce soir-là, elle appela Nick.

— J'ai appris la nouvelle.

— Je ne sais pas quoi te dire.

— Tu n'as rien à dire. Je comprends.

— Je ne peux pas lui parler maintenant — pas tant qu'il est malade. Peut-être dans quelques mois, quand il ira mieux.

— Lauren, tu n'as pas à m'expliquer.

— Mais j'y tiens. Cette fois, je ne veux pas te laisser dans l'expectative.

— Je serai toujours dans l'expectative.

— Ne me fais pas pleurer, Nick.

— Écoute, il faut que tu fasses ce que tu dois. Quoi qu'il arrive, je divorce d'avec Annie. Je n'ai pas l'intention de rester prisonnier de liens qui ne représentent plus rien.

— Eh oui, ta femme n'est pas dans un lit d'hôpital.

— Pourrons-nous au moins parler ?

— Ça n'est pas une bonne idée.

— Tu me tues, Lauren, vraiment. Tu arrives dans ma vie de temps en temps, tu me mets en bouillie et tu disparais. Tu veux ma peau !

— Nick, si ça veut dire quelque chose pour toi, je t'aime. Je t'aime vraiment, mais je ne peux pas abandonner cet homme, pas maintenant.

— Quand tu seras libre, appelle-moi. J'espère que j'attendrai toujours.

Nick assista à l'enterrement d'Aretha Mae avec Cyndra. Elle fut enterrée à Forest Lawn, et une foule de gens vinrent présenter leurs condoléances à Cyndra.

— En fait, Nick, lui dit-elle, ils rappliquent parce que je suis une vedette, mais qu'est-ce que ça peut me faire ?

— Es-tu sûre qu'elle voulait être enterrée ici ? demanda-t-il. Tu devrais peut-être faire ramener son corps à Bosewell ?

— J'y ai pensé. Puis je me suis souvenue qu'elle n'avait connu là-bas que de mauvais moments. Ici, elle reposera en paix.

Quelques semaines plus tard, elle lui annonça qu'elle retournait à Bosewell.

— Pourquoi fais-tu ça ?

— Marik vient avec moi. Il y a des gens que je dois confronter avant d'être en paix avec moi-même.

— Tu es folle ? Tu es une grande star maintenant. Pourquoi retourner là-bas ? Si la presse à sensation apprend ton histoire, tu vas le regretter.

— Je m'en fous, s'entêta-t-elle. C'est une chose que je dois faire.

Il devina ses intentions.

— C'est à Browning que tu en as, n'est-ce pas ?

Elle acquiesça.

— Qu'est-ce qu'en pense Marik ?

— Il va m'accompagner.

— Et Gordon ? Tu lui en as parlé ?

— Non, fit-elle avec agacement. Je n'ai pas besoin de lui dire. Il n'est pas mon directeur de conscience.

— Tu devrais peut-être écouter son avis.

— Je sais ce que sera son avis. Il me dira de ne pas y aller, tout comme toi. Mais il y a des choses qu'on ne peut pas éviter.

— Eh bien, bonne chance, Cyndra. Tu sais que je le pense.

— Tu veux venir avec moi, Nick ?

— Tu plaisantes : je ne retournerais pas là-bas pour tout l'or du monde.

Cet après-midi-là, Annie rentra à la maison. Lissa fut la première à se précipiter, à courir jusqu'à lui et à se jeter dans ses bras.

— Papa ! papa ! Oh, que tu m'as manqué !

— Tu m'as manqué aussi, mon petit bout, dit-il en la serrant très fort.

— Il faut que j'aille faire pipi ! lança-t-elle en riant.

S'arrachant à ses bras, elle partit en courant. Annie fit son entrée, le visage sévère.

— Où étais-tu passée ? interrogea-t-il.

— J'étais chez des amis, dit-elle froidement.

Elle se dirigea vers le bar et se versa un verre. Il la suivit.

— Quels amis ?

— Les mêmes amis avec qui tu étais. Quel effet ça te fait quand c'est moi qui disparais ?

— Ne pars plus jamais avec mon enfant, lança-t-il sèchement. Ne me refais jamais ça, Annie, parce que tu le regretteras.

Elle haussa les sourcils.

— C'est moi qui le regretterai ?

— Je veux divorcer, annonça-t-il.

— Non, répondit-elle en buvant une gorgée de gin pur.

— C'est trop tard. J'ai déjà parlé à mon avocat. J'en ai assez de ce mariage. Nous ne sommes heureux ni l'un ni l'autre. Ça n'est pas bon pour Lissa, elle assiste à beaucoup trop de nos scènes.

— Tu n'as pas lu mon mot, Nick ? J'aime bien être Mrs. Angel. Pas question que je te laisse partir.

— Tu n'as pas le choix, Annie.

— Oh, mais si ! Tu as l'air d'oublier ce que je sais.

— Je n'oublie rien du tout. Kirk te recommandera un avocat pour défendre tes intérêts. Je serai régulier avec toi, mais c'est fini.

— Oh, répliqua-t-elle d'un ton méprisant. Ce sera *vraiment* fini quand j'aurai raconté tout ce que je sais.

— Tu veux que je te dise une chose, Annie ? fit-il d'un ton las. Tu as brandi ça au-dessus de ma tête pendant trop d'années maintenant. Je me fiche pas mal de ce que tu fais ou de ce que tu raconteras. J'en ai marre : mets-toi bien ça dans la tête. J'en ai marre.

— Tu le regretteras. J'emmènerai Lissa et tu ne la reverras jamais, siffla-t-elle, jouant son atout maître.

— Oh non, c'est là où tu te trompes, riposta-t-il.

— Ta carrière sera terminée, Nick.

— Tu ne peux pas me toucher, Annie.

Elle eut un sourire méprisant.

— Nous verrons qui aura raison.

80

La convalescence d'Oliver fut lente, mais, fidèle à sa parole, il commença à travailler un peu moins. Cela affecta Lauren parce qu'elle avait l'habitude de poursuivre sa propre carrière sans s'inquiéter de savoir si Oliver était seul ou en train de se demander où elle était. Il exigeait maintenant toute son attention.

Elle annonça à Lorenzo qu'elle ne voulait pas pour l'instant poursuivre le projet de la ligne de produits de beauté. Lorenzo en était consterné.

— Qu'allez-vous faire ? Rester à la maison à vous occuper d'un vieillard ?

— Je ne pense pas que ça vous concerne.

— Vous ne pouvez pas gâcher votre vie comme ça, Lauren, dit-il, plein d'une sincère sollicitude. Vous êtes au sommet de votre carrière, vous pouvez réussir n'importe quoi.

— Je prends un peu de temps pour souffler, répliqua-t-elle calmement. Il faut que je m'occupe d'Oliver. Il a besoin de moi.

Samm réagit tout aussi violemment.

— Tu prends l'avion pour Hollywood, tu fais un bout d'essai pour un rôle dans un film de Nick Angel, tu décroches le rôle et tu viens me dire ensuite que tu ne peux pas le faire. Je n'en crois pas mes oreilles !

— Samm, la vie parfois passe avant les fantasmes. Tourner dans un film, c'est un fantasme ; être avec mon mari, c'est la vie réelle. Je vais m'occuper de lui jusqu'à ce qu'il aille mieux.

Samm secoua la tête, trop déconcertée pour discuter.

— Oh, ajouta Lauren, une autre chose encore. Plus de contrat de mannequin jusqu'au moment où je sentirai qu'Oliver est de nouveau sur pied.

— Tu as tes engagements avec Marcella, lui fit remarquer Samm.

— Ces engagements-là, je les tiendrai. Pour l'instant, mettez tout le reste en attente.

Sitôt qu'Oliver fut sorti de l'hôpital, elle l'accompagna dans leur maison des Hamptons, où ils passèrent plusieurs semaines à ne rien faire. Elle lui acheta des piles de magazines et de livres, des enregistrements de musique classique et des cassettes vidéo.

— Tu sais, ça ne me déplaît pas de ne rien faire, avoua Oliver. Surtout avec toi auprès de moi.

Elle eut un pâle sourire.

— Je pensais bien que ça te plairait.

— Au cours de ces dernières années, nous avons passé si peu de temps ensemble. Je vais me rattraper, Lauren, tu vas voir.

Elle essayait de ne pas penser à Nick. De toute évidence, leur destin n'était pas d'être réunis et la crise cardiaque d'Oliver avait été une façon pour Dieu de la mettre en garde. Le ciel l'avait si souvent comblée. Voir Nick ne faisait pas partie de son lot.

Quand Oliver se sentit mieux, elle prit des places pour une longue croisière et ils partirent pendant plusieurs mois. Elle avait pensé téléphoner à Nick avant son départ, puis décida de n'en rien faire. Ils avaient tous les deux leur vie à mener, séparément désormais.

— Allons, mon joli, viens ! dit Carlysle d'un ton fiévreux. Viens me faire l'amour, Nick.

Elle était incroyable. Qu'est-ce qu'elle croyait qu'il faisait ?

— Écoute, je fais déjà trembler la caravane, lui fit-il remarquer.

Elle éclata d'un grand rire.

— Quelle importance ? Tu t'imagines que l'équipe ne sait pas ce que nous faisons tout le temps ici ? Toi et moi, Nick Angel, on fait la paire... pas vrai ?

— Oui, c'est vrai.

Elle reprit son souffle.

— Hmmm... c'est bon. Il y a longtemps qu'on aurait dû être ensemble.

— On a été ensemble il y a pas mal de temps, fit-il.

— Non, je veux dire de façon permanente. Mariés.

Il se mit à rire. Seule Carlysle était capable de faire l'amour tout en menant une conversation.

— Tu veux te marier ?

— J'ai essayé deux fois, fit-elle. Peut-être que la troisième serait la bonne. Penses-y un peu, Nick, reprit-elle. Tu es en train de divorcer, on serait bien tous les deux.

Il saisit une bouteille de vodka et but une bonne lampée.

— Tu ne devrais pas boire quand tu travailles, lui reprocha Carlysle. Surtout quand tu me fais l'amour.

Ils s'effondrèrent en gémissant de concert. Quelqu'un frappa à la porte de la caravane.

— Mon Dieu ! s'exclama Carlysle en se redressant. Qu'est-ce qu'ils veulent encore ? Qui est-ce ? cria-t-elle.

— On vous demande sur le plateau, Miss Mann. Est-ce que Mr. Angel est avec vous ?

— Je ne l'ai pas vu, cria-t-elle en remettant sa jupe. Allez voir dans sa caravane.

Il se leva et passa son pantalon. Carlysle lui donnait l'impression d'être redevenu un adolescent. Faire l'amour sur le plancher, n'importe où. N'importe où où il pourrait oublier Lauren. Il but à la bouteille une autre gorgée de vodka. Carlysle agita son doigt dans sa direction.

— Ne me casse pas les pieds. C'est excellent pour le rôle.

— Bon, bon.

Il sortit de la caravane et regagna la sienne.

— Votre avocat a téléphoné, dit son assistant.

— Rien d'intéressant ? demanda-t-il.

— Si, il a laissé un message en demandant que vous le rappeliez. À propos de Las Vegas.

Las Vegas. Ainsi Annie finissait par faire son numéro. Ils étaient séparés depuis deux mois. Il était devenu un père de week-end, ne voyant Lissa que le samedi et le dimanche, l'emmenant visiter les studios Universal, Disneyland ou voir un film, toujours accompagné de ses gardes du corps. Ça n'était pas une vie. Annie, du moins, n'avait pas mis à exécution sa menace de lui enlever Lissa. Mais quand même... être un père de week-end, il n'aimait pas beaucoup ça. Empoignant le téléphone portable, il fit signe à son assistant de sortir et appela Kirk.

— Qu'est-ce qui se passe ? demanda-t-il.

— Je ne veux pas discuter de ça au téléphone, répondit Kirk. Si on prenait un verre en fin de journée ?

— Passez au studio. Je ne sais pas à quelle heure nous aurons fini ce soir. On va peut-être tourner tard.

Kirk soupira.

— Je n'aime pas les plateaux, Nick.

— Vous ferez bien ça pour moi, dit-il d'un ton persuasif.

— Bon, que votre secrétaire appelle la mienne pour lui donner l'adresse. J'espère que vous tournez à Beverly Hills, parce que ma Rolls ne quitte pas le quartier.

— Allons, Kirk, ne jouez pas les vieilles filles. On tourne en ville... aventurez-vous jusque-là.

— Non, Nick. Appelez-moi quand vous serez rentré chez vous Je ne vais pas dans le centre.

— Quand je serai rentré, je serai vanné.

— Vous voulez savoir ce qu'Annie prépare ou non ?

— D'accord, d'accord, je vous appellerai.

Il n'avait pas besoin d'apprendre ce qu'elle mijotait. Il le savait déjà. Elle allait essayer de le coincer, et de bien le coincer.

Cyndra fit à Bosewell une arrivée triomphante. Comme elle l'avait toujours souhaité : dans une énorme limo, suivie de deux voitures d'escorte emmenant sa petite cour. Elle portait un manteau de renard roux, une perruque qui lui faisait les cheveux encore plus longs et une robe somptueuse. La municipalité de Bosewell souhaitait lui remettre les clés de la ville au cours d'un déjeuner de gala. La fille prodigue revenait en grande vedette. Une équipe de télé la suivait, filmant sa visite qui devait faire le sujet d'une émission spéciale. Une enfant du pays connaît la célébrité. Maintenant, elle était une grande, grande star. Qu'est-ce qu'on pouvait rêver de mieux ?

Son retour avec Nick sept ans plus tôt avait été un événement mineur. Elle revenait maintenant en superstar. Marik était auprès d'elle — avec deux attachés de presse de la firme de disques, le producteur de sa nouvelle émission de télévision, sa maquilleuse personnelle, son coiffeur et son coordinateur de costumes. Tout ce petit monde descendit au Hilton de Ripley et, le samedi matin, le cortège de limousines fit le trajet jusqu'à Bosewell. La police de la ville les escorta jusqu'à la mairie où l'on donnait une réception en l'honneur de Cyndra.

Les habitants de la ville étaient venus en nombre. Cyndra, en regardant autour d'elle, reconnut de nombreux visages. Tout le monde se fichait pas mal d'elle quand elle habitait Bosewell. Maintenant, ces mêmes gens lui prodiguaient des attentions. Ils la touchaient, lui prenaient le bras, lui disaient comme elle était merveilleuse, comme ils étaient fiers d'elle et qu'ils avaient toujours su qu'elle réussirait. Eh bien, qu'ils aillent donc se faire voir ! Une femme brune, trop maquillée et vêtue d'une robe orange moulante la prit par le bras.

— Salut, Cyndra. Tu te rappelles ?

— Dawn, dit-elle, se souvenant aussitôt.

Dawn Kovak était rayonnante.

— Quelle mémoire ! On était au lycée ensemble.

— Je pense bien, dit Cyndra. Dawn était une des rares en ce temps-là à lui adresser la parole. Alors, tu es toujours ici ? Je croyais que tu étais partie depuis longtemps.

Dawn agita sa main, faisant étinceler une bague en diamants de taille respectable.

— Je suis restée. Et l'an dernier, j'ai épousé Benjamin Browning. Elle eut un sourire triomphant. Sa femme est morte il y a quelques années, alors maintenant je suis Mrs. Browning. C'est pas formidable ? Maintenant, tout le monde me fait de la lèche !

— Tu es Mrs. Browning ? fit Cyndra, ayant du mal à dissimuler son étonnement. C'est *toi* qui as épousé Benjamin ?

Dawn acquiesça d'un air ravi.

— Oui. Et tu t'imagines le scandale. Il ne se passe pas grand-chose ici, mais quand je lui ai mis le grappin dessus, ma vieille, qu'est-ce qu'on n'a pas entendu ! Stock est devenu dingue : il ne pouvait pas accepter ça. Ben et moi, on a dû le flanquer à la porte de la maison avec sa femme. De toute façon, c'est une telle casse-pieds.

La foule la poussait et la bousculait. Marik essaya de l'entraîner.

— Excuse-moi, Dawn, je ne peux pas te parler maintenant, fit brièvement Cyndra.

— Je te verrai plus tard, promit Dawn en s'éloignant dans la foule.

Il y avait tant de gens qui voulaient, chacun leur tour, un peu de son attention. L'un après l'autre, ils venaient la trouver en disant des choses comme : « Vous vous souvenez de moi ? » « Ce qu'on a pu s'amuser en classe. » « C'est si bon de te revoir ! » Quel blabla. Si elle n'était pas Cyndra, la grande vedette de la chanson, ils ne se rappelleraient même pas son nom.

Alors comme ça, Dawn Kovak, la traînée du lycée, avait mis le grappin sur l'homme le plus riche de la ville. En fait, c'était sur le papa de Cyndra que Dawn avait mis le grappin. Eh bien, ils allaient avoir un choc. Elle aperçut Stock qui essayait de se frayer un chemin jusqu'à elle. Stock, jadis le superbe athlète, avait maintenant quinze kilos de trop, des bajoues et un gros visage rouge. Une Meg obèse se cramponnait à son bras. L'équipe de télé filma tout, jusqu'au moment où ils finirent par arriver jusqu'à elle.

— J'ai toujours su que tu serais une star, dit Meg, hors d'haleine. Quand tu étais venue il y a quelques années, j'ai dit à Stock : « Elle va être une superstar. » J'adore tes disques. Tu sais, on comptait venir à Los Angeles avec les enfants pour les vacances. Qu'est-ce que tu en penses ? On adorerait visiter ta maison.

Stock la dévorait de son regard lubrique. Il avait été un de ceux qui s'étaient le plus mal conduits avec elle au lycée, la traitant de sale négresse et autres amabilités. Elle se demanda comment il allait prendre le fait qu'elle était sa demi-sœur.

— Ton père est par là ? lui demanda-t-elle.

— Tu connais la nouvelle ? fit Stock, l'air écœuré. Il a épousé Dawn. C'est de la sénilité.

— C'est choquant, ajouta Meg. Elle ne l'a épousé que pour son argent. Mais nous consultons un avocat. Nous n'allons pas le laisser modifier son testament. Stock a droit à tout.

Cyndra sourit. *C'est ce que tu crois.*

— Combien de temps va-t-il falloir rester ici, bébé ? demanda Marik. Je commence à déprimer.

— Juste assez longtemps pour assister au déjeuner, lui assura-t-elle. Ensuite on va me remettre les clés de la ville et nous pourrons filer.

— Je ne comprends toujours pas pourquoi tu as voulu faire ça, grommela-t-il. Cette ville t'a traitée abominablement. Pourquoi donc as-tu voulu revenir ?

— Tu vas voir, susurra-t-elle avec un doux sourire.

Elle n'avait pas révélé ses plans à Marik, mais tout était en place dans sa tête. Elle savait exactement ce qu'elle allait faire.

Ils finirent par s'asseoir. Le déjeuner fut long et assommant. Les gens se levaient et faisaient de petits discours en disant quelle excellente élève elle avait été et comment ils avaient tous su qu'elle réussirait. Même le proviseur du lycée parla d'elle en termes élogieux. Vint enfin le grand moment. Le chef de la police se leva, fit un petit speech et lui remit les clés de Bosewell. Des applaudissements éclatèrent. Elle sourit et se leva.

— Voilà bien longtemps, ici, c'était chez moi, dit-elle d'une voix claire. Je vivais dans le terrain de camping. Personne ne s'occupait beaucoup de nous, en ce temps-là, et nous arrivions tout juste à survivre. Ma mère était placée comme domestique. En fait, elle travaillait pour l'illustre famille Browning que, j'en suis sûre, vous connaissez tous. Elle lança un coup d'œil vengeur à Benjamin, assis avec sa nouvelle épouse. Oh, la famille Browning était très bonne avec ma mère : on lui faisait cadeau des vêtements jetés au rebut et des restes.

Un murmure parcourut l'assistance.

— Et quand j'étais petite fille, poursuivit Cyndra, ma mère m'emmenait chez eux. On s'amusait toujours chez les Browning. Enfin, laissez-moi vous préciser : j'étais trop petite pour comprendre de quels amusements il s'agissait, mais je crois que Mr. Browning prenait du bon temps. Il venait souvent dans la pièce du fond quand j'étais petite fille, il me tripotait, et parfois même soulevait ma robe pour être plus à l'aise.

Murmures de consternation dans l'assistance. Cyndra s'assura que les caméras de télévision enregistraient tout.

— Oui, poursuivit-elle. Ce salopard a bel et bien abusé de moi quand j'étais enfant. Puis, quand j'étais jeune fille, il m'a violée... Elle marqua un temps. J'avais seize ans et j'étais vierge. Sa femme était allée faire des courses et son enfant gâté de fils était au lycée, à faire du gringue à toutes les filles. J'ai dû aller me faire avorter dans le Kansas. Ma mère m'a dit la vérité avant de mourir. Quand elle est venue pour la première fois travailler chez les Browning, elle était une innocente jeune fille. Benjamin Browning l'a violée, elle aussi. Et vous voulez connaître le clou de cette charmante histoire bien de chez nous ? Je suis sa fille. Je suis la fille de Benjamin Browning. Et j'ai une lettre pour le prouver.

Ce fut une explosion dans l'assistance.

— Oh, bébé, bébé, quand tu t'y mets, tu y vas vraiment fort, murmura Marik. Fichons le camp d'ici, et vite !

Mais Cyndra ne voulait rien entendre.

— Je suis revenue en ville, dit-elle d'une voix sonore, parce que je sais que vous n'aimez rien tant qu'une bonne vieille histoire de réussite américaine. Et j'ai pensé que ça vous plairait d'entendre la vérité.

L'histoire de Cyndra fit tous les journaux télévisés d'Amérique et elle était ravie.

— Il fallait que j'étale ça au grand jour, expliqua-t-elle à Marik. J'en avais besoin. C'était ma vie, et il a essayé de la gâcher. Maintenant, j'ai gâché la sienne. Moi, j'ai survécu, mais il y a des tas de gosses qui ne survivront jamais — parce que leur père, leur oncle ou Dieu sait qui abusent d'eux tous les jours. C'est une chose qu'il ne faut pas cacher. Je refuse d'avoir honte plus longtemps.

— D'accord, bébé, acquiesça Marik. Je suis cent pour cent avec toi.

Marik l'avait soutenue royalement. Avant de rentrer à Los Angeles, elle l'avait obligé à s'arrêter à Ripley et, avec ses deux gardes du corps, ils s'étaient mis à la recherche de Harlan et l'avaient kidnappé, tout comme elle avait juré de le faire. Ils l'avaient trouvé dans un bar, ses vêtements en lambeaux et camé jusqu'aux trous de nez. Tout d'abord, il ne l'avait pas reconnue, mais, après cela, il avait éclaté en sanglots et s'était laissé emmener sans protester. Il était si pitoyable à voir. Elle avait juré alors qu'elle s'occuperait de lui et qu'elle l'aiderait à se faire une vie décente. C'était son frère et elle l'aimait.

De retour à Los Angeles, elle l'avait mis dans une clinique de désintoxication et elle allait le voir tous les jours. Trois semaines après leur retour, Marik et elle s'étaient mariés au cours d'une somptueuse cérémonie à Beverly Hills. Elle avait depuis longtemps oublié Reece Webster. Pour elle, il était mort.

81

— Elle veut cinq millions de dollars sur un compte en Suisse. Sans parler du règlement du divorce proprement dit.

— Eh bien! s'exclama Nick.

— Je sais, reconnut Kirk. Apparemment, c'est le prix de son silence... Il marqua un temps. Est-ce que ça les vaut ou voulez-vous courir le risque?

— Je ne sais pas, fit Nick en marchant de long en large. À vous de me le dire.

— Vous êtes une grande vedette. Vous allez faire un tas d'autres films. À la longue, cinq millions de dollars ça ne représentera pas tant que ça pour vous. Je vous conseille de payer.

— Seigneur ! Elle empoche déjà la moitié de mon fric et elle veut encore en plus cinq millions de dollars. Jusqu'où peut-on aller ?

— J'ai vu pire, observa Kirk. À Hollywood, c'est souvent comme ça. Quand le mari est célèbre et que la femme ne l'est pas, il y a toujours de la rancœur. En général la femme était venue à Hollywood pour faire du cinéma. Au lieu de cela, elle épouse un homme connu et elle a la compensation d'être une épouse qui a de l'influence. Quand on lui retire cette influence, elle veut se venger — généralement, c'est sur le plan financier.

— Et Lissa ? demanda Nick. Est-ce que je peux passer tout le temps que je veux avec elle ? Je ne voudrais pas avoir à marchander la permission de la voir. Je refuse d'être un père du week-end. Ça, oui. Et quand je ne travaillerai pas, j'aimerais qu'elle puisse venir habiter avec moi.

— Si vous acceptez les conditions financières, je suis certain que nous pourrons arranger cela.

— Est-ce que j'ai l'argent ?

— J'ai parlé à votre homme d'affaires. Pour l'instant, l'argent est bloqué en bons et en obligations, mais il peut s'arranger. Oui, Nick, vous avez la somme nécessaire. Vous gagnez bien votre vie.

— D'accord, fit-il. Si c'est ce qu'il faut pour acheter ma liberté.

— Bon. Je vais faire préparer les documents.

— Vite, Kirk, vite.

À peine Kirk parti, il appela Carlysle.

— Je me sens seul, arrive.

— Vilain garçon, je viens de te quitter. On a fait l'amour trois fois aujourd'hui dans la caravane... qu'est-ce que tu veux de plus ?

— Viens. Amène une copine.

Elle fit semblant d'être vexée.

— Ce n'est pas mon métier, tu sais.

— Qu'est-ce qui te prend, Carlysle ? Tu vieillis ?

C'étaient les mots qu'une comédienne redoutait le plus.

— J'arrive, dit-elle. Qui est-ce qui te tente ?

— Tu te souviens de ton amie indonésienne ? Elle est toujours là ?

— Non, elle est à New York. Mais il y a cette fille que j'ai rencontrée sur le plateau l'autre jour... une figurante. Un corps superbe. Je vais voir si je peux la contacter.

Elle débarqua une heure plus tard avec Honey, une nymphette de dix-sept ans avec des yeux immenses, une bouche délicieuse, un corps incroyable, et elle était une fan de Nick.

— Je n'arrive pas à croire que je suis ici avec Nick Angel, soupira-t-elle en regardant autour d'elle d'un air émerveillé.

— Ça ne durera pas si tu ne la boucles pas, fit sèchement Carlysle. Ne parle pas, apprécie. C'est ce qu'il aime.

Il vida la moitié d'une bouteille de scotch et parvint quand même à les satisfaire toutes les deux. Honey était prête à tout. À la fin, Carlysle se montra jalouse. Elle voyait qu'il s'intéressait vraiment à Honey, et elle n'aimait pas ça.

— N'oublie pas ta promesse, lui murmura-t-elle à l'oreille en partant.

— Quelle promesse ? fit-il d'une voix pâteuse.

— Après ton divorce... toi et moi, on va être ensemble.

Il était peut-être ivre, mais pas à ce point-là.

— Je n'ai jamais dit ça.

— Oh, mais si !

— Oh, mais non !

Quand elles furent enfin parties, il trébucha jusqu'à son lit et parvint à dormir deux heures avant qu'on vienne le réveiller. Il tint le coup toute la semaine et, le vendredi soir, il resta sobre : il devait passer le samedi avec Lissa. Il vint la prendre de bonne heure.

— Où va-t-on aujourd'hui, papa ? demanda-t-elle.

— Où tu voudras, ma chérie.

Il l'emmena dans un magasin de jouets et puis déjeuner au restaurant. Mais, même avec ses gardes du corps toujours aux aguets, c'était impossible. Partout où il allait, les gens l'arrêtaient, demandaient des autographes, voulaient le prendre en photo, lui disaient combien ils l'aimaient. Pas moyen d'être tranquille. Lissa était énervée.

— Je n'aime pas ça, papa, dit-elle en se mettant à pleurer. Pourquoi est-ce que les gens ne peuvent pas te ficher la paix ?

— Tu sais, ma petite, c'est exactement ce que je pense.

Ils finirent par rentrer chez lui et Lissa s'installa devant la télévision à regarder pour la centième fois la cassette de *The Sound of Music*.

— J'aime bien ce film, papa, dit-elle, ragaillardie. C'est joli.

Il ne raccompagna pas Lissa chez sa mère quand il était censé le faire. Annie l'appela, furieuse.

— Où est-elle ?

— Elle veut rester ici cette nuit, annonça-t-il.

— Elle ne peut pas, répondit Annie.

— Qu'est-ce que tu comptes faire ?

— J'obtiendrai une décision judiciaire.

— Tu n'obtiendras rien du tout avant lundi.

— Tu ferais mieux de la ramener à la maison, Nick. Je te préviens.

— Cesse de me menacer, Annie. C'est terminé.

Il alla dans la cuisine et demanda à la cuisinière de préparer pour Lissa un hamburger et un milk-shake. Puis il s'assit auprès d'elle et regarda le film. Une heure plus tard, Annie était devant sa porte. Elle s'engouffra dans la maison.

— Lissa, fulmina-t-elle d'un ton sans réplique, viens avec moi.

— Non, mon papa dit que je peux rester ici ce soir, fit Lissa d'un air de défi, pelotonnée sur le canapé.

— Tu vois. Elle a envie de rester ici. Tu n'y peux rien.

Annie se tourna vers lui.

— Espèce de salaud.

Il se leva.

— Ne parle pas comme ça devant Lissa. Et ne nous disputons pas devant elle non plus.

Un rictus retroussa la lèvre d'Annie.

— Je n'arrive pas à comprendre pourquoi je t'ai jamais épousé. Tu n'es vraiment qu'un pauvre type.

— Oh, et je suppose que toi tu es mère Teresa.

Annie s'approcha de Lissa, lui empoigna le bras et la tira du divan.

— Tu vas rentrer à la maison avec moi.

Lissa avait les yeux pleins de larmes.

— Papa ! Papa ! Tu disais que je pourrais rester.

Annie était folle de rage.

— Tu viens avec moi, petite garce !

Nick essaya de l'arrêter.

— Ne lui parle pas comme ça, Annie.

— Je parlerai comme ça me plaît. Je n'ai pas à t'écouter, je te déteste.

Elle traîna vers la porte l'enfant qui se débattait avec vigueur. Lissa se mit à hurler.

— Ne fais pas ça, Annie, insista-t-il en les poursuivant. Tu ne vois donc pas qu'elle n'a pas envie de partir.

— Je ferai ce que bon me semble.

Il avait envie de la gifler, mais il ne pouvait pas faire ça devant sa fille : c'était une scène déjà assez traumatisante pour Lissa. Il les suivit dehors. Seigneur ! L'argent, la célébrité, rien de tout cela ne comptait quand il s'agissait de Lissa. Annie poussa l'enfant dans sa voiture.

— Ne t'avise pas de me refaire ce numéro, Nick, ou tu ne la reverras jamais.

— Cesse de me menacer, Annie, parce que j'en ai assez de supporter tes crises d'hystérie. C'est à Kirk que je m'adresserai pour régler tout ça.

Elle s'installa au volant.

— Tous tes avocats de Beverly Hills ne pourront pas t'aider à garder Lissa, ricana-t-elle. Je suis sa mère, elle restera avec moi.

Elle démarra en trombe et dévala l'allée.

— Ne compte pas là-dessus, lui cria-t-il, empli d'une fureur impuissante.

Ce fut la dernière fois qu'il les revit toutes les deux. Leur voiture en heurta une autre de plein fouet. Ni Lissa ni Annie ne survécurent à l'accident.

LIVRE QUATRE

DÉCEMBRE 1992

82

Deux adolescentes aux appas généreux dansaient un boogie effréné tandis qu'un assortiment de prédateurs entouraient la piste de danse en quête de chair fraiche ; Honey Virginia, une blonde décolorée aux cheveux tirés en arrière comme une collégienne, était assise sur un genou de Nick et lui murmurait des douceurs à l'oreille. Assise en face d'eux, auprès de son mari, Diana Leon observait la scène d'un œil brillant de jalousie. Nick Angel l'étonnait toujours.

Ses succès féminins étaient légendaires à Hollywood mais, passé la trentaine, il commençait à présenter des signes d'usure. Freddie décida qu'il devrait peut-être lui parler sérieusement. Depuis la mort de Lissa, ç'avait été une descente sans fin.

Tout d'abord, Nick avait été inconsolable. Il s'était retiré dans un coin perdu où il avait passé plusieurs mois. À son retour, on aurait dit que rien ne s'était passé. Il refusait de parler de l'accident. Mais Freddie savait qu'intérieurement il était démoli. Nick avait toujours été un solide buveur et, avec les années, cette tendance n'avait fait que s'affirmer.

— Tu devrais suivre un de ces programmes de désintoxication en douze séances, lui avait suggéré un jour Freddie. Je crois que tu as un problème.

Nick s'était tourné vers lui, ses yeux verts brûlant de colère.

— Tu crois qu'il est temps que je me mette à chercher un nouvel agent, Freddie ? avait-il demandé.

Freddie savait quand faire machine arrière : c'était sa force.

— Tu penses qu'on peut s'en aller ? lui murmura Diana à l'oreille.

Elle avait horreur de ce genre de soirée et n'était venue à celle-ci que parce que la réception était donnée en l'honneur de la plus récente cliente de Freddie : une blonde superstar de la vidéo du nom de Vénus Maria.

— Cinq minutes et on s'esquive, lui promit Freddie.

Honey quitta le genou de Nick pour se lever et s'étirer. Tous les hommes de l'assistance se démanchèrent le cou pour mieux admirer sa silhouette sensuelle. Cela faisait quatre ans que Nick était avec elle par intermittence. Entre-temps, il avait eu des aventures avec ses diverses partenaires féminines et toute femme sur laquelle il jetait son dévolu. Il jouait un jeu dangereux : le sida frappait au hasard. Diana commençait à s'énerver. Elle se leva.

— Bonsoir, Nick. Bonsoir, Honey, ma chérie, dit-elle poliment.

Nick se renversa dans son fauteuil.

— Vous partez tous les deux ?

— Il est tard pour moi, fit Diana avec un sourire un peu crispé.

— À bientôt, jeta Nick.

Il avait toujours considéré Diana Leon comme quelqu'un d'un peu coincé. Avec les années, cela ne faisait que s'accentuer. Honey décida d'aller rejoindre le couple de jeunes danseurs qui s'agitaient sur la piste. Elle fit une étonnante démonstration en effectuant des contorsions auxquelles même des strip-teaseuses n'avaient pas pensé.

Nick la regardait. Le lendemain matin, ils partaient pour New York. C'était bientôt son anniversaire et il n'avait pas envie de le fêter à Los Angeles. Il n'y avait d'ailleurs aucune raison de fêter cela : vieillir, ça n'avait rien de drôle. Deux ans auparavant, il avait acheté un appartement à New York. Ça lui plaisait d'avoir un pied-à-terre dans la même ville que Lauren, même s'ils ne s'étaient pas vus depuis quatre ans. Elle l'avait appelé quand l'accident d'Annie avait fait la manchette de tous les journaux.

— Est-ce que je peux faire quelque chose ? avait-elle demandé, pleine de sollicitude.

Oui, être ici avec moi, avait-il eu envie de dire. Mais il savait qu'elle n'allait pas quitter Oliver.

Il décida tout d'un coup qu'il était temps de s'en aller. Honey se trémoussait toujours. Il s'approcha et la tira par le bras.

— Viens, on s'en va.

— Mais je ne veux pas...

— J'ai dit : on s'en va.

Elle le suivit docilement. Vingt et un ans et idiote, mais le plus beau corps de Los Angeles. C'était très bien comme ça : la conversation, ça n'intéressait pas Nick. Faire l'amour sans réfléchir, c'était ça sa vie.

— Pourquoi a-t-il fallu partir si tôt ? gémit Honey dans la voiture, comme ils rentraient à la maison.

— Parce que demain j'aurai peut-être envie de piloter. Dans ce cas-là, je veux être capable de voir où je vais.

Cela faisait deux ans qu'il prenait des leçons de pilotage : c'était la seule chose qu'il faisait quand il essayait de ne pas boire.

De retour à la maison, Honey lui fit un époustouflant numéro de strip-tease. On ne pouvait pas dire le contraire : elle était superbe. Il l'observa quelques minutes, puis tomba endormi. Elle était peut-être superbe, mais il avait déjà vu tout ça cent fois.

— Vous avez l'air fatigué, *bellissima*, dit Lorenzo, plein de prévenance.

— Merci beaucoup, répondit Lauren d'un ton sec. C'est exactement ce que j'ai envie d'entendre avant d'aller devant l'objectif.

— L'objectif vous adore. Vous serez toujours belle. Mais moi... je vous connais trop bien, et je trouve que vous avez l'air fatigué.

— C'est vrai, avoua-t-elle, je le suis. J'avais tant d'énergie quand je travaillais tout le temps. Chaque matin était un défi : je me levais et il y avait toujours quelque chose de nouveau à faire. Maintenant qu'Oliver a pris sa retraite, je ne fais rien d'autre que de rester à traîner à la maison.

— Pourquoi ?

— Parce qu'il aime bien m'avoir là. Ça lui donne un sentiment de sécurité.

— Lauren, vous n'êtes pas obligée de faire ça.

— Mais si, dit-elle, sur la défensive. Je suis sa femme.

— Vous ne l'aimez pas.

— Qu'est-ce que l'amour a à voir avec ça ?

— Quand j'ai épousé ma femme, je l'aimais. Quand j'ai cessé d'être amoureux d'elle, nous avons divorcé.

— Eh bien, Lorenzo, vous faites les choses beaucoup plus

simplement que moi. Moi, je crois à la loyauté et à la fidélité à quelqu'un dans l'épreuve.

— Oliver est en parfaite santé maintenant.

— Je sais, mais il a pris l'habitude de ne pas travailler. Ça lui a tellement plu qu'il a décidé de prendre sa retraite.

— Ça ne veut pas dire que *vous*, vous deviez gâcher votre vie.

— Je fais la nouvelle campagne Marcella, dit-elle. Qu'est-ce que vous voulez de plus ?

— Oui, mais c'est tout ce que vous faites. Autrefois, vous aviez une telle vitalité... tout vous excitait.

— Je crois que ça ne m'excite plus, Lorenzo. C'est la dernière année que je fais la campagne Marcella. Comme vous le savez, nous allons nous installer dans le midi de la France.

— Lauren, vous commettez une erreur : vous cloîtrer comme ça, loin du monde.

— Ça n'est pas un monde où je tiens encore tellement à être. D'ailleurs, le midi de la France, c'est magnifique. Et Oliver a trouvé cette superbe vieille ferme dans les collines... loin de tout.

Lorenzo secoua la tête. Il ne la comprenait tout simplement pas.

C'était dimanche après-midi, et Cyndra recevait. Elle s'arrêta en haut du perron qui menait au patio. Juste assez longtemps pour que les gens remarquent qu'elle faisait une entrée. Souriant à ses invités, elle regarda Marik sauter sur ses pieds. Il était toujours si prévenant, si soucieux de son bien-être. C'était aussi un excellent amant. Dommage qu'il ne soit pas plus séduisant.

Ne pense pas ça, se reprocha-t-elle. *Marik est ce qu'il m'est arrivé de mieux dans la vie. Il est bon et plein d'attentions, et il m'aime sincèrement. Et puis c'est un producteur de talent et il a fait de moi une vedette.*

Derrière elle, Patsy, leur grassouillette nurse anglaise, portait leur petite fille, Topaze. Topaze était la joie de sa vie. Trois ans, et adorable. Cyndra aurait fait n'importe quoi pour son enfant. Tout comme Marik, qui adorait leur fille.

Cyndra recevait avec beaucoup de grâce, passant de table en table, avec un sourire et un mot pour chacun. Marik se glissa derrière elle et la serra dans ses bras.

— Femme, dit-il en lui mordillant l'oreille, tu es fantastique. Chaque année tu es plus belle.

— Merci, mon chéri.

Du coin de l'œil, elle vit Gordon et Odile arriver. Gordon était toujours son meilleur ami. Elle lui faisait ses confidences, elle allait lui demander conseil, discutait de presque tout avec lui, y compris de l'incident de Vegas : il lui avait dit de ne plus y penser. Elle s'approcha pour les accueillir.

— Bonjour, Gordon.

— Bonjour, ma belle, dit Gordon en l'embrassant sur les deux joues.

— Bonjour, Odile, fit-elle avec un sourire.

— Tu es superbe, Cyndra.

— Merci. Venant de toi, c'est un compliment.

Au long des années, elle avait fini par s'attacher à Odile. Bien sûr, elle était belle et, bien sûr, elle était la femme de Gordon. Mais c'était aussi quelqu'un d'extrêmement gentil. Elle était la marraine de Topaze et Nick le parrain. Dommage que Nick n'ait pas pu venir. Il était parti pour New York en protestant qu'il était déprimé.

— Pourquoi ne restes-tu pas ici pour ton anniversaire ? avait-elle demandé.

— Je n'en ai pas envie, avait-il répondu.

Elle regrettait qu'il n'ait pas laissé tomber Honey. Auprès de cette fille, un crétin avait l'air d'un génie. Mais Nick était dans une phase d'autodestruction et il n'avait pas l'air de s'intéresser aux gens qu'il fréquentait. Depuis l'accident, ce n'était plus le même homme. Il s'estimait responsable de ce qui s'était passé.

— Ça n'était pas ta faute, ne cessait de lui répéter Cyndra.

— Si je n'avais pas eu cette scène avec Annie, ça ne serait jamais arrivé.

— Allons, Nick, il ne faut pas voir les choses comme ça.

Mais c'était comme ça qu'il les voyait et elle savait qu'elle n'y pouvait rien. Peut-être que Nick allait bien s'amuser à New York. En tout cas, il serait loin des pressions de Hollywood, et puis il y avait toujours Harlan pour lui tenir compagnie.

Ah, Harlan... quel drôle de numéro il était devenu. Après l'avoir enlevé et lui avoir fait suivre une cure de désintoxication, elle l'avait installé avec elle. Il avait bien aimé Hollywood et avait fait la connaissance d'un homme plus âgé, chez qui il avait décidé d'aller travailler comme valet de chambre. Quand le vieux monsieur était mort du sida deux ans plus tard, Harlan n'avait pas voulu rester à Los Angeles. Cyndra s'était arrangé pour le faire travailler chez Nick, à New York. Il en était ravi.

Marik prit Cyndra par le bras et l'entraîna vers un fauteuil. Elle était entouré d'amis et d'une famille adorable. Partout où elle allait, la petite Topaze provoquait l'enthousiasme, courant d'une table à l'autre, riant, mignonne comme tout. Cyndra du regard balaya ses invités, sa famille et sa magnifique maison.

J'ai vraiment de la chance. J'ai tout.

De temps en temps pourtant, tard le soir, l'idée lui venait qu'elle avait peut-être trop de chance. Elle frissonnait alors et priait Dieu que sa chance dure. Car la famille, c'était tout pour elle, et elle ne voulait pas la perdre.

83

Reece Webster avait trouvé le temps long en prison. Onze ans. Onze années de sa vie avant de se retrouver enfin dehors. Il traînait devant le pénitencier de Caroline du Nord en se demandant ce qu'il allait faire en premier. Il avait terriblement envie d'une femme, mais aussi d'un gros steak bien juteux. Un prisonnier lui avait donné le nom d'un bordel où on trouvait les plus belles filles et la meilleure cuisine de la ville. Que pouvait-il demander de plus ?

Il repoussa en arrière son Stetson cabossé et prit le bus pour aller en ville. Il n'avait pas beaucoup d'argent. Mais il savait comment s'en procurer des tas. Il avait étudié ça. En onze ans, on avait le temps. Au bordel, il trouva un steak un peu coriace et une prostituée qui ne l'était pas moins. Ça n'était pas un établissement de grande classe. Mais ça valait toujours mieux que rien.

— Tu sors de prison, chéri ? demanda sa partenaire, sans paraître particulièrement impressionnée par sa performance.

— Comment le sais-tu ?

— Ça se sent. Vous, les anciens taulards, vous êtes toujours les plus excités.

Eh oui, il sortait de prison ! Il avait écopé de seize ans, mais il était sorti au bout de onze pour bonne conduite. Onze dures années pour un crime qu'il n'avait pas commis.

Quand il avait quitté Vegas, il était parti en Floride, où il avait rencontré une entraîneuse de boîte de nuit qui s'était entichée de lui et l'avait laissé s'installer chez elle. Il n'était pas avec cette garce depuis deux semaines que Max, son ancien ami, était revenu. Elle n'avait pas précisé que Max était un récidiviste spécialisé dans les hold-up de banques. Comme Max était avec sa dernière petite amie — une rousse stupide — il n'avait pas éprouvé le besoin d'aller ailleurs et tous les quatre étaient devenus copains.

— Les gens qui travaillent, ça me rend malade, lui confia Max un beau jour. Moi... je peux attaquer toutes les banques que je veux. J'entre, je montre mon pistolet, je ramasse l'argent et me voilà un homme riche.

— Et si tu te fais prendre ? demanda Reece, qui trouvait que ça paraissait assez simple, mais que toute médaille avait toujours son revers.

Max ricana.

— Tu sais combien de gens se font cravater ? Sur une centaine, il y en a peut-être cinq qui se font cueillir. Ça fait vingt ans que je fais ça.

— Tu as quand même fait de la prison une fois.

— Pas longtemps... rien du tout.

Ils firent une grande randonnée en voiture en traversant plusieurs États et Max montra à Reece précisément combien c'était facile. À leur neuvième hold-up, Max descendit le vigile. Ils furent pris en flagrant délit, arrêtés et accusés de vol à main armée et de meurtre. Bon sang, ça n'était pas lui qui avait pressé la détente, mais personne ne voulut en tenir compte : il fut condamné aussi.

Maintenant, il était sorti, et il était extrêmement amer. Si Cyndra ne l'avait pas entraîné dans cette stupide histoire à Vegas, il n'aurait jamais rencontré l'entraîneuse de Floride et il n'aurait jamais gâché onze ans de sa précieuse existence en prison. Saleté de petite Cyndra. Pendant qu'il était à l'ombre, elle était devenue une grande vedette, tout comme Nick Angel. Il avait suivi avec soin leur ascension. Oh oui, il n'était pas un imbécile.

Maintenant qu'il était sorti, il savait très exactement où aller et quoi faire. La petite Cyndra devait valoir des millions, et il allait s'approprier un peu de tout ce tas d'argent. Oui. Reece Webster avait un plan.

Californie, me voici...

84

Les nouvelles photos Marcella étaient faites : plus rien ne retenait Lauren à New York. Oliver avait hâte de partir. Depuis quelque temps, il avait peu à peu rompu tous ses liens avec l'Amérique : il avait vendu la maison de East Hampton, mis en vente l'appartement de New York et se préparait à aller s'installer en France. C'était une grande décision mais, d'un autre côté, à quoi bon rester à New York quand Oliver ne travaillait plus ? En France, il aurait son jardin, la vue, les environs paisibles.

Mon Dieu ! Tu commences à parler comme une vieille dame, Lauren Roberts.

C'est ma vie... il faut bien que je l'accepte.

Pia passa avec Rosemary, une petite fille particulièrement éveillée, et la regarda faire ses valises.

— Es-tu sûre de prendre la bonne décision ? demanda Pia en arpentant la pièce.

— Oui, j'en suis certaine, rétorqua Lauren avec plus de détermination qu'elle n'en éprouvait.

— Tout es si différent pour toi maintenant, observa Pia. Je veux dire, tu as connu une période où tu aimais vraiment la vie que tu menais, ça se lisait sur ton visage. Maintenant, tu es une sorte de...

— Est-ce que tu me traites de zombie, Pia ? demanda Lauren en rassemblant une pile de chandails.

— C'est toi qui l'as dit, pas moi.

Lauren les déposa dans une valise. Je ferai plein de choses dans le Midi. Peut-être même que je vais monter une affaire de décoration.

— Oh, ça me semble grisant. Décorer des maisons pour des milliardaires séniles venus prendre leur retraite là-bas.

— Est-ce que je pourrai venir te voir, tante Lauren, demanda Rosemary poliment.

— Bien sûr, ma chérie. Quand tu voudras.

Elle emballa plusieurs paires de chaussures de chez Charles Jourdan, et se demanda pourquoi elle les prenait. Où allait-elle les porter ? Même à New York, ils ne sortaient plus du tout.

— Comment va Howard ? demanda-t-elle.

— Howard est devenu un second Oliver, déclara Pia. Il

travaille jour et nuit, ne rentre jamais à la maison avant neuf heures, et c'est pour aller droit dans son bureau où il passe le reste de la soirée au téléphone. Je lui ai annoncé l'autre jour que, si ça continuait comme ça, je ne le supporterais pas.

Lauren éclata de rire.

— Tu sais bien que tu adores ça.

— Qu'est-ce que j'adore?

— Être Mrs. Howard Liberty. C'est amusant d'avoir un mari à la tête d'une grosse affaire.

— Je n'en suis pas si sûre, répliqua Pia d'un ton songeur. C'était très bien pour toi quand tu avais de ton côté ta brillante carrière — mais moi, ça ne me plaît pas d'être la bonne petite épouse qui suit son mari. À la moitié des soirées où nous allons, on m'ignore.

— Pia, je suis sûre qu'on ne t'ignore jamais.

— Tu serais surprise.

Lauren boucla la valise.

— Pourquoi Rosemary et toi ne restez-vous pas dîner ce soir?

— Avec plaisir. Je vais appeler Howard pour lui dire que, s'il termine assez tôt, il peut nous rejoindre.

Au dîner, Oliver se montra particulièrement animé. Il attendait avec impatience le jour du départ, et cela se voyait. Au milieu du dîner, Lauren reçut un coup de téléphone de Lorenzo.

— J'ai de mauvaises nouvelles, lui annonça-t-il, l'air contrarié.

— Qu'est-ce qu'il y a, Lorenzo? demanda-t-elle.

— Il y a eu un accident au labo : tous les négatifs de la nouvelle série de photos sont fichus.

— Vous plaisantez?

— Non, c'est un accident incroyable. Ça n'est jamais arrivé. Il faut que vous restiez pour que nous puissions refaire les photos.

— Mais ça n'est pas possible. Vous savez que nous partons demain.

— Il faudra qu'Oliver parte sans vous. Vous le rejoindrez dans quelques jours. Je vais tout organiser le plus vite possible.

— Lorenzo, fit-elle avec agacement, ça ne m'arrange pas du tout.

Il se confondit en excuses.

— Je sais, ma chère. Moi non plus.

— Qu'est-ce qui se passe? demanda Pia quand elle eut raccroché.

Lauren soupira.

— Les photos Marcella sont fichues. Lorenzo veut que je les refasse.

— Mais tu pars demain.

— C'est exactement ce que je lui ai dit.

— Ne t'inquiète pas, ma chérie, la rassura Oliver, parfaitement calme. J'irai en avant sans toi.

— Tu ne peux pas faire tout seul un trajet pareil en avion.

— Lauren, fit-il un peu sèchement, je ne suis pas un invalide. Notre agent de voyage a des gens parfaitement qualifiés ici et là-bas pour m'accueillir et s'occuper des bagages. Je m'installerai et tu arriveras quand tu pourras. Aucun problème.

— Tu es certain?

— Mais oui, tout à fait.

Elle passa dans la chambre et rappela Lorenzo.

— J'espère que ça n'est pas un de vos coups fourrés.

— Lauren, je peux vous assurer que non.

— D'accord, je vais rester. Dites-moi à quelle heure nous allons faire les photos demain.

— Ma chérie, dit-il, ravi, vous êtes une princesse.

— Et vous un prince... le prince des emmerdeurs.

— Je suis si heureux de voir chaque année se resserrer les liens qui nous unissent.

Le lendemain matin, elle se leva tôt pour aider Oliver à faire les préparatifs de dernière minute.

— Si tu reculais ton voyage? proposa-t-elle. Comme ça, je pourrais partir avec toi.

— Tout est arrangé, ma chérie. Tu t'inquiètes trop.

— Je t'accompagne à l'aéroport, annonça-t-elle.

— Ce n'est pas la peine... la circulation...

— Je viens à l'aéroport.

Elle l'accompagna jusqu'à la porte d'embarquement. Puis elle rentra à New York, seule et songeuse. Bientôt, elle allait quitter la ville, et son existence allait changer. Elle avait fait du chemin depuis Bosewell et la petite fille qu'elle avait été jadis.

Nick... Il occupait si souvent ses pensées. Elle se demandait comment il était, comment il allait. Il lui manquait. Il lui manquait toujours.

— Qu'est-ce que tu veux pour ton anniversaire? interrogea Honey.

La paix.

— Pas de fête, dit-il d'un ton ferme.

— Pourquoi ? Les anniversaires, ça me branche, fit-elle en jouant avec une mèche de ses longs cheveux.

Il espérait qu'elle ne préparait rien : à vingt et un ans, c'était facile d'adorer les anniversaires, mais lui n'était pas d'humeur.

— Je te le dis, je ne veux rien. Surtout pas de surprise, répéta-t-il, en espérant qu'elle comprendrait.

Elle fit la moue.

— Je trouverai bien quelque chose.

— Surtout pas.

Avait-il commis une erreur en emmenant Honey avec lui ? Il n'en était pas sûr. Parfois, c'était agréable d'avoir un corps tiède allongé auprès de lui au milieu de la nuit, quand il s'éveillait en pensant à Lauren. Et cela lui arrivait souvent. Au long des années, il avait fini par accepter l'idée qu'elle était pour lui une obsession. Il n'y avait que l'alcool qui lui permettait de l'oublier.

Dans l'appartement de New York, il y avait une pile de scénarios qu'il devait lire. Le bruit courait qu'il voulait tourner son prochain film à New York et tous les producteurs de la ville avaient l'air d'être au courant. Il y avait toute une liasse de fax, une tonne de courrier et une liste de gens qui avaient téléphoné.

— Teresa, tu t'occupes de tout ce fatras, confia-t-il à son assistante en l'appelant.

Cela faisait un an maintenant que Teresa travaillait pour lui. C'était la meilleure assistante qu'il ait jamais eue. Il se disait qu'elle était lesbienne parce qu'elle ne s'était jamais intéressée à lui, et il en était enchanté. Avant elle, il avait eu une succession d'assistantes qui, jour et nuit, le regardaient avec des yeux langoureux avant de finir par avouer un amour immortel. Comme s'il avait besoin de ça !

Avec Teresa, c'était le travail et rien d'autre. Une ceinture noire de karaté qui savait aussi taper à la machine. La combinaison idéale.

— Je m'octroie une semaine de vacances, lui déclara-t-il. Ne viens pas m'ennuyer avec quoi que ce soit. Tu t'occupes de tout ce qui arrive, d'accord ?

Teresa acquiesça. Elle avait vraiment l'air d'un homme. Il se demanda si elle avait une petite amie : il n'en avait pas vu traîner autour d'elle.

Demain, il aurait trente-cinq ans. C'était une étape. Depuis qu'il avait commencé sa carrière de comédien, ç'avait toujours été le jeune Nick Angel. Il avait toujours joué le rebelle, le gosse sans cause à défendre. Il passait maintenant dans un autre groupe d'âge. Il allait devoir commencer à jouer des rôles plus étoffés, et il n'était pas sûr d'être prêt. Au fond, il avait toujours l'impression d'être un gosse, un gosse parfois très las, mais toujours jeune.

Il s'enferma dans son bureau et écouta son disque compact favori de Van Morrison. Honey essaya bien d'entrer pour le déranger, mais il l'éloigna d'un geste. Fermant les yeux, il se laissa bercer par la musique. Il n'était pas heureux, mais il n'avait pas encore tout à fait trouvé comment y remédier.

85

Reece n'eut aucun mal à découvrir où habitait Cyndra. Il acheta un plan avec les maisons des stars et trouva sans peine l'adresse de Cyndra.

Il rit sous cape. Charmante petite Cyndra. Charmante petite bigame. Qu'est-ce qu'elle croyait ? Il regarda le dernier exemplaire du magazine *People*. Il y avait un grand article sur elle et il le lut pour la sixième fois. Assis dans sa voiture de location, il regardait sans se lasser les photos. Cyndra dans sa somptueuse salle de bains. Cyndra auprès de sa somptueuse piscine. Et Cyndra avec sa charmante petite fille, Topaze, assise sur les genoux de son papa.

Cyndra s'en était allée épouser un des siens. Un producteur, disait-on. Marik Lee. Mais ils avaient l'air de s'être assez bien débrouillés tous les deux, et personne ne s'inquiétait de Reece Webster.

Lui avait passé onze ans en prison et ils s'en fichaient pas mal. Les salopards ! Ils n'allaient pas tarder à s'apercevoir qu'il était de retour. Il arrêta la voiture auprès d'un marchand ambulant de hot dogs et s'acheta un sandwich graisseux, dégoulinant de sauce et d'oignons. Ah, les petits plaisirs de la vie, comme ça lui avait manqué en prison !

Ensuite, il descendit Melrose Avenue et s'acheta dans un magasin un Stetson neuf et d'élégantes bottes de cuir. Il paya avec un chèque sans provision, mais il serait parti depuis longtemps quand on s'en apercevrait. Il s'admira dans un miroir en pied.

Encore pas mal. Toujours cette silhouette élancée et ce beau visage. Personne ne se douterait de l'endroit où il avait passé les onze dernières années. Un peu de hâle ne lui ferait pas de mal. Mais il n'avait pas le temps d'attendre d'en acquérir un. Dommage.

À trois heures de l'après-midi, il était prêt à agir. Il savait exactement où se trouvait la maison de Cyndra. Il s'enfonça dans les collines, par les rues en lacet, jusqu'au moment où il arriva devant la grille de sécurité. Puis il se pencha par la vitre de sa voiture et pressa le bouton de sonnette.

Une voix d'homme répondit.

— Oui ?

— Cyndra ?

— Elle n'est pas là. Qui est-ce ?

— Je suis venu voir Cyndra, déclara-t-il.

— Je viens de vous le dire, monsieur, elle n'est pas à la maison.

— Alors, je vais attendre.

— Qui êtes-vous ?

Allait-il gâcher l'effet de surprise ? Dire à cet imbécile qu'il était son mari ? Non, mieux valait la confronter directement.

— Je suis un parent, reprit-il. À quelle heure rentre-t-elle ?

— C'est un renseignement que je ne peux pas vous donner. Laissez un mot dans la boîte aux lettres et je le lui remettrai.

Qu'est-ce que c'était que ce cirque ? Il n'allait laisser aucun mot. Il repartit, fit le tour du pâté de maisons et s'installa dans sa voiture, aux aguets. Au bout d'un moment, une superbe limousine blanche descendit la rue et franchit la grille.

Reece démarra et, sitôt la grille ouverte, il suivit la limo à l'intérieur, en se disant que ces gens de Hollywood étaient vraiment des tarés s'ils s'imaginaient qu'il suffisait d'une porte comme ça pour empêcher les gens d'entrer. Il suivit la limousine le long d'une allée jusqu'à l'entrée grandiose d'une imposante demeure. Un chauffeur descendit de la limo, aperçut la voiture de Reece derrière lui et se précipita.

— Je peux vous aider ? fit le chauffeur.

La portière arrière de la limo s'ouvrit et un homme que Reece reconnut — le prétendu mari de Cyndra — sortit à son tour.

— Eh, Clyde, cria-t-il, qu'est-ce qu'il se passe ?

— Je m'en occupe, répondit Clyde, très gêné parce qu'il aurait dû remarquer la voiture plus tôt.

Reece mit pied à terre.

— Je suis venu voir Cyndra, annonça-t-il.

— J'en suis sûr, répondit Clyde d'un ton mauvais. Un tas de gens aimeraient bien la voir. Si c'est un autographe que vous voulez, laissez votre adresse et on vous en enverra un.

— Vous ne comprenez pas, insista Reece. Je suis un parent.

Marik s'approcha.

— Qu'est-ce qui se passe ? fit-il.

— Je veux voir Cyndra, répéta Reece.

— Vous ne devriez pas suivre les gens dans une propriété privée. Nous allons être obligés d'appeler la police.

— Je ne crois pas que vous vouliez faire ça, dit Reece calmement.

— Écoutez, mon vieux, poursuivit Marik avec patience. Je sais que vous êtes un fan et que vous l'adorez. Un tas de gens adorent Cyndra, mais vous ne pouvez pas la suivre dans sa maison. Vous comprenez ? Maintenant, je vous conseille de regagner votre voiture et de partir tout de suite, et nous oublierons cet incident.

— Alors, vous ne me reconnaissez pas ? fit Reece.

— Non, répondit Marik. Pas du tout.

— Réfléchissez, lança Reece. Et sortez votre mouchoir. Je suis le mari de Cyndra.

Cela faisait des heures que Cyndra sanglotait. Elle avait toujours su, au fond, que la bonne vie ne pourrait pas durer. Elle avait tout ce qu'elle avait jamais voulu et voilà que Reece Webster surgissait comme un fantôme du passé pour venir gâcher tout cela.

Pour commencer, elle avait essayé de nier l'avoir jamais connu. Elle était sortie de la limo, l'avait dévisagé et déclaré :

— Je ne connais pas cet homme. Je ne l'ai jamais vu.

— Dis-moi, petite garce, s'était écrié Reece. Est-ce que tu préférerais que j'aille raconter tout ça aux journaux ? J'ai la courtoisie de venir ici d'abord.

Ils entrèrent dans la maison et toute l'histoire peu à peu se déroula. Comment elle l'avait épousé. Comment il s'était servi d'elle. Et puis Vegas.

— Elle a abattu un type, déclara Reece. Elle l'a tué sur le coup.

— Absolument pas, c'est toi, clama-t-elle d'un ton accusateur.

Marik les regardait tour à tour en secouant la tête. Puis il fixa sur Cyndra un regard peiné.

— Pourquoi ne me l'as-tu pas dit, bébé ?

Elle sentait son univers s'effondrer.

— Parce que je n'aurais jamais cru que Reece reviendrait.

— Eh bien, me voilà, fit Reece. Je serais bien venu plus tôt... mais j'ai été arrêté pour une fausse accusation, voilà ce qui m'a retardé.

— Qu'est-ce que vous voulez? demanda Marik.

— Oh, je pense que c'est assez évident, répondit Reece en inspectant la somptueuse demeure. Je veux reprendre ma femme.

— Soyons clair, répliqua Marik d'un ton résolu. Qu'est-ce que vous voulez *vraiment*?

— Eh bien, concéda Reece en repoussant son Stetson en arrière comme dans les westerns, si je ne peux pas récupérer la petite dame, alors je pense que j'ai droit à une compensation.

— Bien. Ce que vous voulez, c'est de l'argent. Et Cyndra veut sa liberté. Nous allons payer. De quoi acheter un divorce discret.

On pouvait dire ce qu'on voulait de ce Marik : il avait oublié d'être idiot.

— À quelle somme pensez-vous? demanda Reece.

Marik se tourna vers Cyndra. Elle était trop bouleversée pour le regarder.

— Il faut que nous en discutions, dit-il. En tête à tête. Je vais consulter mon avocat et nous vous ferons une proposition.

— Faudra qu'elle soit intéressante, rétorqua Reece. Oh, au fait, j'ai pensé que j'allais peut-être aussi faire une petite visite à Nick Angel.

— Qu'est-ce que Nick a à voir là-dedans? lança Cyndra.

— Il t'a aidée, pas vrai, ma jolie? fit Reece d'un ton mielleux. J'ai vu ce qui s'est passé cette nuit-là. Tu croyais que j'étais parti, mais pas du tout, je suis resté là, et puis je vous ai suivis. Alors, tu vois, je sais exactement ce qui s'est passé. Vous avez emmené ce pauvre type en plein désert et vous l'avez enterré là-bas. Je pense que Nick Angel va vouloir apporter aussi sa contribution pour assurer mes vieux jours, non?

— Ne le mêle pas à ça, Reece. Nous allons conclure un marché, mais ne mêle pas Nick à cette histoire.

— Allons, allons, ne t'énerve pas.

Cyndra avait la bouche crispée. Si elle avait eu un pistolet sous la main, elle lui aurait fait sauter la cervelle. Toute sa vie, elle avait été une victime et voilà qu'aujourd'hui, quand elle s'imaginait en avoir fini avec tous ses ennuis, il fallait que cette ordure revienne en la menaçant.

— Calme-toi, Cyndra. Nous allons régler ça, dit Marik, prenant les choses en main.

— Attention, précisa Reece, il ne s'agit pas de clopinettes.

— Je comprends, répondit Marik.

— Quand est-ce que j'aurai de vos nouvelles ? demanda Reece.

— Demain. Où êtes-vous descendu ?

— Donnez-moi mille dollars en liquide pour l'instant et je vous contacterai demain.

— Je n'ai pas ça sur moi.

— Qu'est-ce que vous avez ?

— Cinq cents.

— Ça ira.

Marik raccompagna Reece jusqu'à la porte. Topaze sortit de sa chambre en courant.

— Maman ! maman ! regarde ma nouvelle robe. N'est-ce pas qu'elle est jolie ?

Reece s'arrêta.

— Oui, mon chou, vraiment jolie. On dirait ta mère tout crachée.

Cyndra se tourna vers lui, le regard flamboyant.

— Ne touche pas à cette enfant. Fiche le camp de chez moi et laisse ma famille tranquille.

Il haussa les épaules.

— L'ennui avec toi, Cyndra, c'est que tu n'as pas de reconnaissance. Qui t'a fait prendre des leçons de chant, t'a appris à t'habiller et à te coiffer ? Tu n'étais rien du tout quand je t'ai trouvée, traînant à New York. Maintenant, tu es une grande vedette. J'attends quelques compensations pour tout ce que j'ai fait.

— Vous les aurez. Je vous l'ai dit, déclara Marik.

Cyndra se précipita sur Topaze et la prit dans ses bras.

— Viens ici, mon ange.

— Au revoir, petite fille, susurra Reece avec un geste de la main. À bientôt.

Cyndra se précipita dans l'escalier avec Topaze et essaya d'appeler Nick à New York. Il était sorti. Elle laissa un message à Harlan pour qu'il la rappelle. Puis elle ouvrit sa penderie et chercha derrière ses vêtements le compartiment secret où elle gardait ses biens les plus précieux. Là, avec son collier et ses boucles d'oreilles de diamants, il y avait un petit pistolet à crosse nacrée. Un de ses gardes du corps le lui avait offert. Il lui avait montré aussi comment ça marchait.

— Ça ne fait jamais de mal à une dame d'avoir une arme, avait-il dit. Surtout quelqu'un de célèbre comme vous.

Elle n'avait jamais parlé à personne de ce cadeau : l'homme aurait été congédié. Mais elle lui en avait toujours été reconnaissante. Elle avait l'impression qu'elle allait bientôt être obligée de s'en servir.

86

Lauren appela Oliver dans le midi de la France pour s'assurer qu'il était bien arrivé et installé.

— Tout va très bien, déclara-t-il. Hier soir, Peggy m'a invité à dîner.

Lauren se souvenait vaguement de Peggy : une veuve anglaise titrée qui avait vendu la ferme à Oliver.

— C'est gentil de sa part, dit-elle. J'arrive dès que je peux.

— Ne te bouscule pas. C'est magnifique ici, si calme et si paisible. Je suis enchanté.

Oh, mon Dieu ? Devrait-elle apporter son tricot ? Oliver semblait parfaitement satisfait de la vie tranquille qu'il s'apprêtait à mener, mais elle n'était pas si sûre que c'était ce qu'il lui fallait, à elle. Peut-être, après tout, faisait-elle une erreur. Elle aurait voulu avoir le courage de le lui dire. Mais non. C'était impossible. C'était ça la vie qu'elle devrait mener.

Lorenzo l'appela de bon matin pour lui annoncer que la séance de photos était prévue pour le lendemain.

— Plus de bêtises, Lorenzo, fit-elle d'un ton sévère. Il faut que je parte.

Il était vexé.

— Je vous en prie, Lauren, ne m'insultez pas.

Elle s'habilla et erra dans l'appartement auquel elle avait fini par s'attacher. Il était en vente et chaque jour des gens venaient le visiter. Elle avait horreur de leur servir de guide et essayait de les éviter, laissant faire l'agent immobilier. Cela faisait près de douze ans qu'elle habitait ici et ce cadre de vie allait certainement lui manquer.

Assise sur la terrasse qui dominait Manhattan, elle buvait son café matinal. C'était une fraîche journée de décembre, mais claire. Elle adorait regarder l'animation de la ville à ses pieds. La femme de chambre lui apporta les journaux. Elle y jeta un rapide coup d'œil, son regard s'arrêtant sur un petite article dans *USA Today*. Elle le parcourut rapidement puis le relut avec plus d'attention.

Deux millions de fans à travers le monde célèbrent le trente-cinquième anniversaire de la superstar, Nick Angel, en même temps que la première de son nouveau film, Killer Blue. *Un communiqué des studios Panther a annoncé que Nick n'assistera pas, comme c'était prévu, à la première de* Killer Blue *à Los Angeles.*

Un porte-parole d'Angel a précisé que la vedette passera son anniversaire à New York.

Nick était à New York et c'était son anniversaire... Pourrait-elle jamais l'oublier ?

Je peux l'appeler : c'est son anniversaire.

Non, tu ne peux pas.

Pourquoi ?

Parce qu'il voudra te voir et que tu t'en vas mener une vie nouvelle avec Oliver en France.

Elle ferma les yeux un moment, revit son visage et sentit que, plus que tout au monde, elle avait envie d'être avec lui.

Alors, Lauren Roberts, pourquoi te punis-tu ?

Je ne me punis pas.

Mais si. Tu as envie d'être avec lui, il faut l'appeler.

J'ai tué son père.

Peut-être. Peut-être pas.

J'ai tué son bébé.

Tu n'avais pas le choix.

Sa main s'approcha du téléphone, hésita quelques instants au-dessus du combiné. Puis elle secoua la tête. Non, ça n'était pas bien. Elle allait une fois de plus tenter le destin. N'y pensons plus.

La seconde fois que Cyndra téléphona, ce fut Honey qui répondit.

— Il est parti de bonne heure, expliqua-t-elle. Je crois qu'il a pris son avion.

— Il faut que je lui parle, insista Cyndra.

— Il reviendra plus tard. J'ai organisé une surprise-partie pour lui.

— Nick n'aime pas les surprises.

— Celle-là lui plaira, fit Honey en riant.

— Passe-moi Harlan, demanda Cyndra.

Harlan prit la communication. Il avait un ton plus affecté que jamais. Depuis qu'il s'était installé à New York, il avait pris des airs très sophistiqués.

— Très chère petite sœur... qu'est-ce que je peux faire pour toi ?

— Il faut que je parle à Nick. Y a-t-il un moyen de le joindre ?

— Il n'est pas de très bonne humeur, observa Harlan. Il a filé d'ici comme s'il avait le feu au derrière.

— Dis-lui de me rappeler dès qu'il rentrera.

— Entendu.

Il avait quitté son appartement. Il les avait tous plantés là, et maintenant il était complètement seul. Aux commandes de son petit avion, Nick éprouvait un merveilleux sentiment de liberté. C'était quelque chose d'être seul, absolument impossible à joindre : pour lui, c'était rare. Oh, bien sûr, il avait ses retraites, mais une par une, on les avait découvertes. Le *National Enquirer* avait le numéro de téléphone de sa maison sur la plage. Tous ses fans savaient où il habitait. La plupart de ses relations d'affaires avaient réussi d'une façon ou d'une autre à avoir son numéro de téléphone privé. Mais là, il était coupé de tout et de tous, et c'était merveilleux.

Jamais il n'aurait cru qu'il piloterait. Il s'y était mis à cause d'un pari stupide avec un vieux comédien qui avait joué dans un de ses films. Maintenant, rien au monde ne lui plaisait davantage.

Et si je ne revenais pas ?

C'était une idée tentante. Il pouvait plonger avec son petit avion en plein océan et disparaître à jamais. Ultime frisson. Fini d'être harcelé. Finie la célébrité. Parce que la célébrité finissait par l'étouffer. Plus rien ne le rendait heureux... sauf Lauren... Et qu'avait-il fait à ce propos ? Il l'avait encore une fois laissée partir. Il ne s'était même pas donné la peine de la poursuivre.

— Appelle-moi quand tu seras libre, l'avait-il suppliée.

Et quatre ans s'étaient écoulés. Jamais elle ne quitterait Oliver. Elle resterait avec lui jusqu'à ce qu'il tombe mort.

Eh bien, ça suffisait ! Il ne pouvait pas le supporter davantage. Il se décida brusquement, il fit un impeccable virage sur l'aile et remit le cap sur la piste d'atterrissage.

Reece pensait à Cyndra, il pensait beaucoup à elle. Bon sang, elle était belle, un beau brin de fille, vraiment. Il ne s'était pas trompé. Cyndra était une vedette : tout ça parce qu'il avait eu la bonne idée de lui payer des leçons de chant et tout le tremblement. En vérité, il l'avait découverte avant tout le monde. C'était à lui que revenait tout le mérite. Eh oui ! Il l'avait même présentée aux Disques Reno. Voilà des gens qui lui devaient beaucoup aussi. Ils devraient être à lui cirer ses chaussures.

Il s'ennuyait dans sa chambre d'hôtel. Pas question de rester à attendre des nouvelles de Marik. Il avait cinq cents dollars. Il allait sortir pour les dépenser. Il prit sa voiture, descendit Sunset, traversa La Brea pour gagner Hollywood Boulevard. Une enseigne attira son regard. BEAUTÉS NUES À GOGO. DU NU INTÉGRAL.

Il gara sa voiture, entra et s'installa au bar à regarder une blonde décolorée aux longues jambes se trémousser et tournoyer tout en ôtant les bandes de cuir noir enroulées autour de son corps. Brandissant un billet de vingt dollars, il lui fit signe d'approcher.

— Viens un peu par ici, ma poupée. Que je profite de la vue.

Elle s'approcha du comptoir, qui servait en même temps de scène, et se pencha. Il glissa le billet entre deux lanières.

— Plus tard, siffla-t-elle. Mais ça te coûtera plus que vingt dollars.

Il était très vexé. Il n'avait payé qu'une fois dans sa vie, et c'était le jour où il était sorti de prison. Mais au fond, ça n'était pas si mal de payer. Au moins, on savait où on en était.

Après avoir pris son café sur la terrasse, Lauren rentra terminer ses valises. Lorenzo avait voulu passer, elle avait refusé.

— Qu'est-ce que vous faites ce soir ? avait-il demandé.

— Je reste chez moi.

Il avait poussé un grand soupir.

— Lauren, Lauren... une dernière soirée en ville avant que vous alliez vous faner dans la retraite. Allons, je vous en supplie.

— Eh bien... peut-être.

Aller dîner avec Lorenzo était une tentation dont elle n'avait pas besoin. Elle s'était habituée à la vie qu'elle menait maintenant... À deux heures, son téléphone sonna de nouveau. Si c'était Lorenzo, elle décida de lui dire que, tout compte fait, elle ne dînerait pas avec lui. Pourquoi tenter le destin ?

— Hé, Lauren.

Elle retint son souffle.

— Qui est à l'appareil ? demanda-t-elle, mais, bien sûr, elle avait tout de suite su qui c'était.

— Nick !

— Nick, répéta-t-elle stupidement.

— Ça fait longtemps. Comment vas-tu ?

— Je pars dans deux jours, s'empressa-t-elle de répondre. Oliver et moi allons nous installer en France.

— Je veux te voir.

— Ce n'est pas possible.

— Lauren, c'est mon anniversaire. Tu te souviens, tu t'occupais toujours de moi pour mon anniversaire ?

— Tu sais ce qui arrive chaque fois que nous nous voyons, Nick, dit-elle sans conviction.

— Cinq minutes de ton temps, je ne t'en demande pas davantage.

— Pour quoi faire ?

— Tu ne peux pas m'accorder cinq minutes pour mon anniversaire ?

— Oh, Nick, voyons, c'est ridicule !

— Sois en bas de chez toi dans une demi-heure. J'arrive.

Sans lui laisser le temps de répondre, il avait raccroché.

Elle arpenta l'appartement, ne sachant que faire. Puis elle comprit que, puisqu'il n'y avait manifestement aucun moyen de l'en empêcher, elle ferait mieux de le voir.

Tu n'y es pas obligée.

Oh, mais si !

Follement énervée, elle se précipita dans sa chambre, ôta le classique corsage de soie et la jupe qu'elle avait sur elle, et prit son vieux jean préféré avec un chandail à col roulé qu'elle aimait bien. Puis elle se brossa les cheveux, ombra un peu le tour de ses yeux et se mit un soupçon de rouge aux joues. Elle se regarda brièvement dans la glace. Ce devait être ça qu'on appelait être rayonnante. Pour la première fois depuis longtemps, elle avait l'air vivante.

Nous voilà repartis.

Elle mit des tennis, prit ses lunettes de soleil et descendit.

— Il vous faut un taxi, Mrs. Liberty ? demanda le concierge.

— Non, non, ça va, répondit-elle.

— Il fait froid dehors, insista-t-il.

— Pas si froid que ça. Le soleil brille.

— Si vous allez marcher, il vous faut un manteau.

— Je ne vais pas marcher, Pete. Quelqu'un passe me prendre. Je n'en ai que pour cinq minutes.

Qu'est-ce qui lui prenait de raconter sa vie au concierge ?

— Oh, au fait, Mrs. Liberty, dit-il en lui tendant une enveloppe. Je devais vous donner cette lettre aujourd'hui. C'est Mr. Liberty qui l'a laissée pour vous. J'allais vous la monter quand vous êtes descendue. Ça m'a évité le voyage.

Jetant un coup d'œil à l'enveloppe, elle reconnut l'écriture d'Oliver. Elle ouvrit précipitamment la lettre et la lut.

Ma chère Lauren, Je sais depuis quelque temps que tu n'es pas complètement heureuse. À vrai dire, moi non plus. J'ai l'impression que chacun de nous fait des concessions et que nous serions mieux séparés. Je n'ai jamais eu envie de faire figure de fardeau et, que tu en sois consciente ou non, c'est un peu ce que je suis devenu pour toi. Ces derniers mois, au cours de nos négociations pour l'achat de la ferme, je me suis beaucoup rapproché de Peggy. C'est une femme merveilleuse : la différence d'âge entre nous est inexistante et elle est tout à fait prête à mener une vie tranquille. Toi, ma chérie, tu ne l'es pas. Je me suis donc arrangé avec Lorenzo pour qu'il te retienne à New York. C'est là ta vraie place.

Je te rends ta liberté, Lauren, parce que je t'aime et que nous vivrons mieux séparément.

Bien sûr, je comprends très bien...

La lettre continuait sur le même ton et en la lisant elle éprouva des émotions contradictoires. Oliver voulait s'en aller ! Il lui rendait sa liberté !

Oh, mon Dieu ! Enfin libre ! Libre de faire tout ce dont elle avait envie !

La coïncidence était incroyable. Et le plus merveilleux, c'était qu'elle n'avait pas à se sentir coupable, car il avait trouvé quelqu'un d'autre. Fourrant la lettre dans sa poche, elle regarda par les portes vitrées, impatiente, marchant de long en large jusqu'au moment où elle finit par voir la Ferrari approcher : rouge, bien sûr.

Elle se précipita sur le trottoir. Elle ne l'avait pas vu depuis quatre ans et son cœur battait la chamade. Il avait l'air un peu fatigué, mais c'était quand même son Nick. Il sauta hors de la voiture.

— Hé...

— Tu sais que tu es fou ? dit-elle, hors d'haleine.

Il lui prit la main.

— Monte.

— Cinq minutes, promit-elle, ne sachant plus où elle en était.

— Mais oui, mais oui.

Pete, planté sur le seuil de l'immeuble, les regardait. Il venait tout d'un coup de se rendre compte que c'était avec Nick Angel qu'elle était. Il n'avait pas eu le temps de retrouver ses esprits qu'elle avait sauté dans la voiture et que Nick avait démarré.

— Joyeux anniversaire, cria-t-elle.

— C'est toi mon cadeau, fit-il.

— Ah oui?

— Il faut que je te dise une chose.

— Quoi donc?

— Je t'attends depuis que j'ai quitté Bosewell, et je ne vais pas attendre davantage.

Elle poussa un soupir.

— Oh, Nick, on ne va pas recommencer.

— Pourquoi?

— Parce que...

— Écoute, Lauren... je t'aime et tu m'aimes. Tu ne peux plus lutter contre ça.

Elle songea un moment combien ce serait simple d'être d'accord avec lui, puisque c'était ce dont elle avait vraiment envie. Il y avait trop de choses qu'il ne connaissait pas d'elle. Il ne savait pas qu'elle avait tué son père. Il ne savait pas qu'elle avait tué leur enfant. Et s'il apprenait tout cela, de toute façon, il ne voudrait plus être avec elle. Elle jeta un coup d'œil à sa montre.

— Les cinq minutes sont écoulées.

— Quelles cinq minutes? fit-il en prenant la bretelle d'accès à l'autoroute.

— Tu avais dit cinq minutes.

— J'ai menti.

— Oh, mon Dieu, Nick, ne commence pas.

— Je t'emmène faire un tour dans mon avion.

— Il n'en est pas question.

— Oh, mais si.

— Absolument pas.

— Est-ce que tu vas la fermer? Est-ce que pour une fois tu vas la fermer?

Pourquoi l'ai-je laissé me persuader?

Parce que c'est ce que tu voulais.

Alors fais ce qu'il dit : tais-toi et profite de l'instant.

Elle se renversa sur son siège et ne dit plus un mot.

Quarante-cinq minutes plus tard, ils étaient à l'aérodrome privé.

— Viens. Descends.

— Je te l'ai dit, je ne vais pas monter en avion avec toi.

— Il faudrait peut-être que je t'assomme et que je te porte sur mon épaule. Qu'est-ce que tu en penses ?

— Nick Angel, tu es complètement fou.

Il eut un grand sourire. Il était si heureux de la voir.

— Oui, oui, tu me l'as déjà dit. Ça ne devrait pas t'étonner.

Elle savait qu'elle devrait faire machine arrière, mais elle s'était déjà prise au jeu. Elle descendit de voiture et l'accompagna vers l'avion.

— Encore cinq minutes, admit-elle d'un ton décidé. Pas plus.

— Bien sûr.

Elle secoua la tête.

— C'est la dernière fois que je vais où que ce soit avec toi, Nick.

— Hé... ne dis jamais jamais.

— Pourquoi ?

— Parce que tu pourrais le regretter.

Il lui prit la main et l'aida à monter dans l'appareil.

— Cinq minutes, répéta-t-elle.

— Comme tu voudras.

87

— Combien crois-tu qu'il veut ? demanda Cyndra.

— Ça n'est pas l'argent, répondit Marik. C'est ce qu'il peut nous faire.

— Comment ça ? fit-elle, terrifiée.

— Réfléchis, poursuivit Marik en affichant un calme qu'il n'éprouvait pas tout à fait. Ces dernières années, tu as bénéficié d'une immense publicité. Tu as participé à toutes les émissions en parlant d'orgueil, de courage, et des femmes qui ne devaient pas se laisser maltraiter. Quel effet crois-tu que ça fera si Reece déballe toute l'histoire ?

— Où est-il descendu ? demanda-t-elle en songeant à la façon dont elle pourrait se débarrasser une fois pour toutes de Reece Webster.

— Notre chauffeur l'a suivi. Il est au Hyatt, sur Sunset. Marik la regarda d'un air méfiant. Pourquoi me demandes-tu ça?

— Pour rien, dit-elle d'un ton neutre.

— Ne va pas essayer de lui parler, la prévint Marik. Laisse ce soin à Gordon et à moi.

— Qu'est-ce que Gordon a à voir là-dedans?

— Nous aurons besoin de son aide, fit Marik. Je l'ai déjà appelé. Il arrive.

— Oh non!

— Quoi?

— Je ne veux pas le mêler à ça.

— Cyndra, bébé, dit Marik avec patience. C'est un gros truc. Il faut mettre ça au point avec soin. Il faut que ce soit pour solde de tout compte. Un seul versement : pas question qu'il revienne en demander davantage. Dans cette affaire, nous avons besoin du cerveau de Gordon.

— Bon, concéda-t-elle à regret. Mais je ne veux pas le voir, c'est trop humiliant. Je vais me coucher.

Il vint l'embrasser.

— Ne t'inquiète pas, mon bébé. Tout va s'arranger.

Tu parles. D'ici demain matin, Reece Webster, ce sera de l'histoire ancienne.

La blonde aux lanières de cuir le ramena chez elle, fit l'amour avec lui, puis lui réclama trois cents dollars. Il lui rit au nez.

— Paie, mon vieux, le menaça-t-elle, ou je t'envoie mon ami.

— Je suis Reece Webster, fit-il d'un ton dédaigneux. Voilà ce que je suis. Je ne suis pas la première poire venue.

— Je me fiche pas mal de savoir qui tu es, répliqua la blonde. Tu paies, et c'est comme ça.

Reece se rhabilla, enfila ses bottes et chercha son Stetson. Il avait déjà été menacé par des gens plus costauds et mieux équipés que cette idiote.

— Tu ne vaux pas trois dollars, encore moins trois cents, ricana-t-il.

— J'ai horreur des pignoufs, dit-elle.

— Et moi, j'ai horreur des putes, rétorqua-t-il en franchissant le pas de la porte.

Elle prit un lourd cendrier de verre et le lui lança de toutes ses forces au visage. Le bord coupant du cendrier lui toucha la tête.

Cela ouvrit une plaie profonde à la tempe. Son chapeau tomba par terre.

— Garce !

Il porta la main à sa tête et sentit le sang poisseux qui coulait de la blessure. Elle s'empressa de lui claquer la porte au nez. Il se retrouva sur le palier. En tout cas, il ne l'avait pas payée. Il se pencha pour ramasser son chapeau et un vertige le prit. Un moment, il s'adossa au mur, la main pressée contre la plaie. Une main qui bientôt fut couverte d'un sang épais.

Mieux vaut filer avant que son petit ami arrive, se dit-il, se sentant mal assuré sur ses pieds. Elle lui avait fait mal, cette garce. Elle le paierait. Il descendit l'escalier en trébuchant, le sang ruisselant sur sa veste. Dans la rue, une femme qui promenait son chien lui jeta un coup d'œil et recula précipitamment.

Bon sang ! Qu'est-ce qui se passait ? Il avait à peine la force de marcher. Il cligna des yeux, en essayant de se rappeler où il avait garé sa voiture. Le lampadaire baignait le trottoir d'une lueur étrange. Il s'assit sur le macadam, se prenant la tête entre ses mains trempées de sang. Brusquement, une nausée le prit et il fut secoué de vomissements. Allons, il valait mieux regagner sa voiture et filer.

Cyndra se glissa dans la chambre de Topaze et regarda son bébé dormir. Elle était si mignonne. Elle avait un petit nez retroussé, de grands yeux et les cheveux bouclés de Marik. Très doucement, Cyndra lui ôta de la bouche le pouce qu'elle suçait.

— Attention à tes dents, Topaze, murmura-t-elle. Il faut que tu sois belle quand tu seras grande.

De retour dans sa chambre, elle ouvrit sa penderie et passa un survêtement noir. Puis elle se tira les cheveux en arrière, se coiffant d'un feutre à la Garbo. De grosses lunettes de soleil vinrent compléter le déguisement. Méconnaissable, se dit-elle. L'image publique de Cyndra, c'étaient des cascades de longs cheveux noirs, des robes étincelantes, un maquillage provocant.

Reece Webster menaçait son avenir. Marik croyait que l'argent résoudrait le problème. Cyndra savait que non. Elle prit son sac, s'assura que le petit revolver à crosse de nacre était chargé et descendit sans bruit par l'escalier de service jusqu'au garage.

Reece était affalé sur le volant de sa voiture. Il avait de la chance d'y être arrivé. Il avait une migraine fracassante et le sang coulait toujours de sa blessure. Quittant sa veste, il l'appuya contre la plaie et démarra. Une main sur le volant, de l'autre se tenant la tête, il prit la direction de son hôtel.

Cyndra prit le break de la nurse. Inutile d'attirer l'attention avec sa Rolls ou la Jaguar de Marik. Elle verrouilla la porte de l'intérieur — un réflexe naturel pour une femme qui roule à Los Angeles — et dévala la colline.

La voiture zigzaguait. Reece la sentait filer d'un côté, puis de l'autre : on aurait dit qu'il n'arrivait pas à la contrôler. Tout ce qu'il fallait, c'était rentrer à l'hôtel, se mettre un pansement sur la tête et s'allonger. Après un peu de repos, ça irait très bien. L'idée le traversa qu'il devrait peut-être passer dans un hôpital. Mais ces endroits-là étaient toujours pleins de gens impossibles : blessés par balle, par coup de couteau, camés en pleine overdose. Ce n'était pas ce qu'il lui fallait. D'ailleurs, il devait être à l'hôtel au cas où Marik appellerait. Il ne voulait pas manquer l'affaire du siècle. Trois millions de dollars. C'est ce qu'il avait décidé de demander. Et ça n'était pas cher.

Un violent coup de klaxon lui fit presque quitter la route. Les salopards... Les gens ne pouvaient donc pas faire attention au lieu de le harceler ? Il aperçut l'hôtel au loin et ralentit. Encore des coups de klaxon. Seigneur, les gens ne savaient vraiment plus se tenir.

Cyndra trouva une place dans la rue. Elle descendit du break, referma soigneusement les portières.

Bang ! Et encore bang ! Allons bon, quelqu'un lui était rentré dedans. Qu'est-ce que ça pouvait lui faire, ça n'était pas sa voiture, il l'avait louée. Seigneur, il avait la tête prête à exploser. Est-ce qu'il était déjà à l'hôtel ? Probablement. Il entendait des bruits, une grande agitation. Penché sur le volant, il ferma les yeux tandis que le sang coulait régulièrement sur ses bottes neuves de cow-boy.

Il se passait quelque chose devant l'hôtel. Cyndra s'approcha en hâte, et regarda autour d'elle. Une voiture avait pris la mauvaise file et en avait embouti deux autres. Le portier de l'hôtel se précipitait pour voir. Le conducteur était affalé sur le volant, pesant de tout son poids sur le klaxon qui n'arrêtait pas de hurler.

Elle se boucha les oreilles. Elle allait rebrousser chemin quand elle s'aperçut que la voiture jaune, une Chevrolet, lui rappelait quelque chose. On aurait dit la même voiture que Reece Webster conduisait quand il avait suivi sa limo dans l'allée. Elle s'arrêta pour regarder tandis que l'employé de l'hôtel, aidé de deux autres passants, ouvrait la portière pour extraire le conducteur de la voiture. Elle entendit l'un d'eux annoncer :

— Il est mort. On dirait qu'il a perdu tout son sang.

Elle s'approcha pour mieux voir tandis qu'ils déposaient le corps sur le sol. Ses bottes de cow-boy étaient reconnaissables. Reece Webster était bel et bien mort.

— Merci, mon Dieu ! murmura-t-elle en regagnant discrètement sa voiture.

88

— Je ne savais pas que tu pilotais.

Il mit le pilotage automatique et leva les bras.

— Regarde, maman, sans les mains !

— Très drôle, fit-elle d'un ton sévère.

— Hé... Est-ce que je t'ai dit récemment que je t'aime ?

— Nick...

— Oui ?

— Je t'en prie, supplia-t-elle, arrête.

— Quoi ? Que j'arrête de t'aimer ? Je suis désolé, mais ça ne me paraît pas possible.

— Je crois que si.

— Comment ça ?

Elle baissa les yeux.

— Il y a des choses que je ne t'ai jamais dites.

— Lesquelles ? demanda-t-il.

Elle détourna les yeux pour regarder par le hublot le beau ciel bleu, bien décidée à dire la vérité pour en finir avec tout ça.

— Nick, fit-elle d'un ton hésitant, quand tu as quitté Bosewell, j'étais... j'étais enceinte de notre bébé.

— Oh, Seigneur, Lauren. Je n'avais aucune idée...

— Je le savais bien. Je suis allée au terrain de camping pour te le dire... ça devait être le lendemain de ton départ...

— Oui?

Il avait l'impression que ce qu'il allait entendre ne lui plairait pas.

— Ton père... il a essayé de m'attaquer, reprit-elle. Et je... je l'ai poignardé. Là-dessus, la tornade est arrivée et je ne me rappelle plus rien. Quand je suis revenue à moi, j'étais sur l'herbe et la caravane avait disparu. La ville était pratiquement rasée. Mes parents étaient morts tous les deux. On m'a envoyée vivre à Philadelphie chez des parents. Peu après mon arrivée, ils m'ont fait avorter. Elle avait les yeux pleins de larmes. Nick... ils m'ont obligée à tuer notre enfant.

C'était la première fois qu'elle parlait de tout cela et elle en éprouvait un immense soulagement. Tout d'un coup, ce n'était plus son secret, elle n'était plus seule à porter ce fardeau.

— Je ne savais pas. Si j'avais su, je ne serais jamais parti. Nous aurions trouvé une solution. Mon Dieu, Lauren, je ne sais pas quoi dire, sinon que je t'aime. Je t'ai toujours aimée et je t'aimerai toujours. Je suis navré de ce qui s'est passé. Navré de ne pas avoir été là avec toi et de tout ce que tu as dû supporter sans moi.

Après toutes ces années, elle s'attendait à trouver quelqu'un de furieux, qui lui reprocherait ce qui s'était passé. Et voilà maintenant que c'était lui qui s'excusait.

— Nick, cria-t-elle, au cas où il n'aurait pas compris, j'ai tué notre bébé.

— Viens ici, ma chérie, dit-il en la prenant dans ses bras. Tu n'avais pas le choix. Tu n'étais qu'une gosse... nous étions deux gosses. Tu as fait ce que tu avais à faire... alors cesse de te le reprocher.

C'était si bon d'être dans ses bras. Elle se sentait en paix. Elle avait le sentiment que c'était là sa place.

— Quant à Primo, la rassura-t-il en la serrant très fort, ce n'est pas toi qui l'as tué... il est mort de blessures à la tête. C'est dans le rapport de la police.

— Ah oui?

— Parfaitement. J'ai fait vérifier tout ça.

— Et dire que toutes ces années j'ai cru que je l'avais tué!

— Pourquoi ne m'en as-tu pas parlé plus tôt?

— Parce que...

— Parce que quoi?

— Je ne sais pas.

— Tu es folle. Et je t'aime.

— Nick, fit-elle d'un ton hésitant, avec l'impression d'être redevenue une petite fille.

— Oui?

— Je t'aime aussi.

Il eut un grand sourire.

— Alors qu'est-ce qu'on va faire?

— On va être ensemble.

— C'est vrai?

— Oui, promit-elle avec une soudaine détermination. Pour toujours.

— Boucle ta ceinture, l'avertit-il en la lâchant pour se concentrer sur ses commandes. Nous allons bientôt atterrir.

— Où sommes-nous? demanda-t-elle.

— Au Canada.

— *Au Canada?*

— Je me suis dit qu'il fallait que je t'emmène quelque part, très loin, où personne ne pourrait nous embêter... à moins que nous ne le voulions pas. Il y avait justement ce petit bungalow...

— Comment as-tu arrangé tout ça? Et comment savais-tu que je viendrais avec toi?

— Dis donc... c'est mon anniversaire.

— Bon anniversaire, Nick! murmura-t-elle.

— Merci, Lauren.

Ils se regardèrent dans les yeux et sourirent. Le rêve enfin se réalisait.

Ils étaient ensemble et tous deux savaient sans l'ombre d'un doute que, cette fois, rien ne viendrait plus jamais les séparer.

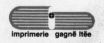

imprimerie   gagné ltée

IMPRIMÉ AU CANADA